ROB
HART

DER
STORE

ROB
HART

DER STORE

Roman

Aus dem Amerikanischen
von Bernhard Kleinschmidt

HEYNE <

Die Originalausgabe erschien unter dem Titel
THE WAREHOUSE
bei Crown, New York

Verlagsgruppe Random House FSC® N001967

Umschlaggestaltung und Motiv: Hauptmann & Kompanie
Werbeagentur, Zürich
Herstellung: Helga Schörnig
Satz: Leingärtner, Nabburg
Druck und Bindung: CPI books GmbH, Leck
Printed in Germany

ISBN 978-3-453-27230-9

Für Maria Fernandes

Wie armselig ist doch der Mensch, der einen Rock so wohlfeil verlangt, dass der Mann und die Frau, die das Tuch machen und das Gewand schaffen, dabei hungers leiden.

Benjamin Harrison, Präsident der Vereinigten Staaten, 1891

1. Rekrutierung

Gibson

Tja, ich werde bald sterben!

Viele Leute schaffen es ans Ende ihres Lebens, ohne zu wissen, dass sie es erreicht haben. Eines Tages geht einfach das Licht aus. Ich hingegen habe einen Termin.

Da ich keine Zeit habe, ein Buch über mein Leben zu schreiben, wie es mir alle nahelegen, muss das hier ausreichen. Ein Blog ist doch ziemlich passend, oder nicht? In letzter Zeit schlafe ich nicht viel, daher habe ich jetzt etwas, womit ich mich nachts beschäftigen kann.

Ohnehin ist Schlaf etwas für Leute, denen es an Ambitionen mangelt.

Immerhin wird es also eine Art schriftliche Aufzeichnung geben. Ich will, dass ihr es von mir hört anstatt von jemand, der damit Geld verdienen will und irgendwelche fundierten Vermutungen anstellt. Aus der Perspektive meiner Branche kann ich euch sagen: Vermutungen sind nur selten fundiert.

Ich hoffe, es ist eine gute Geschichte, weil ich den Eindruck habe, dass ich ein ziemlich gutes Leben gelebt habe.

Vielleicht denkt ihr jetzt: Mr. Wells, Sie besitzen 304,9 Milliarden Dollar, womit Sie der reichste Mensch in Amerika sind und die viertreichste Person auf Gottes schöner Erde, also haben Sie natürlich ein gutes Leben gehabt.

Aber, Freunde, das ist nicht der springende Punkt.

Wichtiger noch, das eine hat nichts mit dem anderen zu tun.

Das hier ist die echte Wahrheit: Ich habe die schönste Frau der Welt kennengelernt und sie überzeugt, mich zu heiraten, bevor ich einen einzigen Penny in der Tasche hatte. Gemeinsam haben wir ein kleines Mädchen aufgezogen, das vom Glück verwöhnt war, das stimmt, aber gelernt hat, den Wert eines Dollars zu schätzen. Sie sagt *bitte* und *danke* und meint es auch so.

Ich habe die Sonne auf- und untergehen sehen. Ich habe Teile der Welt gesehen, von denen mein Papa nicht mal gehört hatte. Ich bin mit drei Präsidenten zusammengetroffen und habe allen respektvoll erklärt, wie sie ihren Job besser machen könnten – und sie haben zugehört. Ich habe auf der Bowlingbahn meines Wohnorts ein perfektes Spiel gemacht, und mein Name steht dort bis heute an der Wand.

Zwischendrin gab es ein paar harte Zeiten, aber wenn ich hier so sitze, während meine Hunde zu meinen Füßen ruhen, meine Frau Molly im Nebenzimmer schläft und Claire, mein kleines Mädchen, eine geschützte, sichere Zukunft hat – da fällt es mir leicht zu denken, dass ich mit dem, was ich geleistet habe, zufrieden sein kann.

Mit großer Demut sage ich, dass Cloud eine Leistung ist, auf die ich stolz sein darf. Es ist etwas, was den meisten Menschen nicht gelingt. Die großen Freiheiten, die es in meiner Kindheit noch gab, haben sich schon vor so langer Zeit in Luft aufgelöst, dass man sich kaum daran erinnern kann. Früher war es nicht allzu schwer, seinen Lebensunterhalt zu verdienen und ein Häuschen zu bauen. Nach einer Weile wurde das zu einem Luxus und schließlich zu einem reinen Wunschgedanken. Während Cloud wuchs, erkannte ich, dass das Unternehmen mehr sein konnte als ein Kaufladen. Es konnte eine Lösung sein. Es konnte diesem großen Land zur Wohltat gedeihen.

Die Leute an die Bedeutung des Wortes *Wohlstand* erinnern.

Und das hat es getan.

Wir haben den Leuten Arbeit gegeben. Wir haben den Leuten Zugang zu erschwinglichen Gütern und medizinischer Versorgung verschafft. Wir haben Milliarden Dollar an Steueraufkommen erwirtschaftet. Wir waren führend bei der Verringerung des CO_2-Ausstoßes, indem wir Normen und Technologien entwickelt haben, die unseren Planeten retten werden.

Getan haben wir das, indem wir uns auf das Einzige konzentriert haben, worauf es in unserem Leben ankommt: die Familie.

Ich habe meine Familie zu Hause und meine Familie bei der Arbeit. Zwei unterschiedliche Familien, die ich beide von ganzem Herzen liebe und voll Trauer zurücklassen werde.

Der Arzt sagt mir, dass mir noch ein Jahr bleibt, und da er ein ziemlich guter Arzt ist, vertraue ich dem, was er sagt. Außerdem weiß ich, dass mein Zustand ziemlich bald bekannt werden wird, weshalb ich ihn euch genauso gut selbst verkünden kann.

Pankreaskarzinom Stufe 4. Das bedeutet, dass der Krebs sich bereits in anderen Teilen meines Körpers ausgebreitet hat. Vor allem in der Wirbelsäule, der Lunge und der Leber. Eine fünfte Stufe gibt es nicht.

Mit der Bauchspeicheldrüse, medizinisch Pankreas, verhält es sich so: Sie ist hinten im Bauch versteckt. Wenn man feststellt, dass damit etwas nicht in Ordnung ist, ist es in vielen Fällen so wie bei einem Brand auf einem trockenen Feld. Zu spät, als dass man was dagegen tun könnte.

Als der Arzt mit der Diagnose herausgerückt ist, hat

er einen ernsten Ton angeschlagen und mir die Hand auf den Arm gelegt. Jetzt kommt es, dachte ich. Zeit für schlechte Nachrichten. Daraufhin sagt er mir, was Sache ist, und meine erste Frage, ehrlich und wahrhaftig, lautet: »Was zum Teufel *macht* eine Bauchspeicheldrüse überhaupt?«

Er hat gelacht, und ich habe mit eingestimmt, was die Stimmung ein bisschen aufgelockert hat. Das war gut, denn anschließend wurde es weniger lustig. Falls ihr dieselbe Frage hattet: Die Bauchspeicheldrüse trägt dazu bei, die Nahrung zu verdauen und den Blutzucker zu regulieren. Inzwischen weiß ich darüber ganz gut Bescheid.

Mir bleibt noch ein Jahr. Deshalb gehen meine Frau und ich morgen früh auf große Fahrt. Ich werde so viele MotherClouds in den Vereinigten Staaten besuchen wie irgend möglich.

Ich will mich bedanken. Ich kann zwar unmöglich jeder Person, die in einer MotherCloud arbeitet, die Hand schütteln, aber bemühen werde ich mich, verdammt noch mal. Das kommt mir wesentlich angenehmer vor, als zu Hause zu sitzen und auf den Tod zu warten.

Genau wie immer werde ich mit meinem Bus reisen. Fliegen ist bloß was für Vögel. Und habt ihr gesehen, wie viel ein Flug heutzutage kostet?

Das Ganze wird eine Weile dauern, und während die Reise ihren Lauf nimmt, werde ich wahrscheinlich ein bisschen müder werden. Vielleicht sogar ein bisschen deprimiert. Trotz meiner sonnigen Wesensart ist es nämlich schwer, zu erfahren, dass man bald sterben wird, und dann einfach weiterzumachen. Aber ich habe in meinem Leben viel Liebe und Wohlwollen erfahren, weshalb ich tun muss, was ich kann. Sonst würde ich im kommenden Jahr bloß jeden Tag herumhocken und Trübsal blasen, was aber nicht infrage kommt. Da würde Molly mir eher ein Kissen aufs Gesicht pressen, damit es vorüber ist!

Seit ich es erfahren habe, ist etwa eine Woche vergangen, aber indem ich darüber schreibe, wird es wesentlich realer. Jetzt kann ich es nicht mehr zurücknehmen.

Nun aber Schluss damit. Ich werde mal die Hunde ausführen. Brauche selbst etwas frische Luft. Falls ihr meinen Bus vorüberfahren seht, winkt ihm doch zu. Wenn jemand das tut, fühle ich mich immer ziemlich gut.

Danke fürs Lesen; ich melde mich bald wieder.

Paxton

Paxton drückte die Handfläche ans Schaufenster der Eisdiele. Die Speisekarte an der Wand drinnen versprach hausgemachte Köstlichkeiten. Graham-Cracker, Schokolade-Marshmallow und Erdnussbutter-Fudge.

Flankiert wurde die Eisdiele auf der einen Seite von einer Eisenwarenhandlung namens Pop's und auf der anderen von einem Diner mit einem Schild aus Chrom und Neon, das Paxton nicht deutlich lesen konnte. Delia's? Dahlia's?

Er blickte in beiden Richtungen die Hauptstraße entlang. Es war leicht, sich vorzustellen, dass sie von Menschen wimmelte. Wie lebendig es hier früher gewesen sein musste! Das war eine Stadt, die schon beim ersten Besuch nostalgische Gefühle weckte.

Jetzt war sie nur noch ein Echo, das im weißen Sonnenlicht verhallte.

Er wandte sich wieder der Eisdiele zu, dem einzigen Geschäft in der Straße, das nicht mit verwitterten Sperrholzplatten zugenagelt war. Wo die Sonne auf das Fenster auftraf, fühlte es sich heiß an. Es war mit einer Schmutzschicht bedeckt.

Während Paxton durchs Fenster die staubigen Stapel aus Metallbechern, die unbesetzten Hocker und die leeren Kühlfächer betrachtete, hätte er gern irgendein Bedauern darüber verspürt, was dieser Ort einmal für die ihn umgebende Stadt bedeutet haben musste.

Aber er hatte das Limit seiner Traurigkeit bereits erreicht, als er aus dem Bus gestiegen war. Schon die Tatsache, hier zu sein, dehnte seine Haut bis zum Platzen wie einen zu stark aufgeblasenen Luftballon.

Paxton hängte seine Reisetasche über die Schulter und reihte sich in das Rudel ein, das den Gehsteig entlangtrottete und dabei das durch die Risse im Beton ragende Gras zertrampelte. Von hinten kamen immer noch Leute an – ältere und welche mit irgendeiner Behinderung, durch die sie nicht gut gehen konnten.

Aus dem Bus waren siebenundvierzig Fahrgäste gestiegen. Siebenundvierzig Leute, er nicht eingeschlossen. Etwa in der Mitte der zweistündigen Fahrt, als auf seinem Handy nichts mehr war, was seine Aufmerksamkeit fesselte, hatte er sie gezählt. Es gab ein breites Spektrum, was das Alter und die ethnische Herkunft anging. Breitschultrige Männer mit den schwieligen Händen von Tagelöhnern. Gebückte Büroangestellte, die vom jahrelangen Hocken an der Tastatur einen krummen Rücken bekommen hatten. Eine Jugendliche war darunter, bestimmt nicht älter als siebzehn. Sie war klein und üppig, hatte lange, braune Zöpfe, die ihr fast bis zum Po reichten, und eine milchweiße Haut. Der lila Stoff ihres zwei Größen zu weiten Hosenanzugs war vom jahrelangen Tragen ausgeblichen und verbeult. Aus dem Kragen ragte der Rest eines orangefarbenen Schildchens, wie man es in Secondhandläden verwendete.

Alle hatten Gepäck dabei. Ramponierte Rollkoffer, die über das unebene Pflaster ratterten. Rucksäcke und über die Schulter geschlungene Reisetaschen. Alle schwitzten von der Strapaze. Die Sonne knallte Paxton auf den Kopf.

Es hatte bestimmt knapp vierzig Grad. Der Schweiß rann an seinen Beinen entlang und sammelte sich auf den Unterarmen, sodass ihm die Kleider am Leib klebten. Genau deshalb trug er schwarze Hosen und ein weißes

Hemd: damit der Schweiß nicht so sichtbar war. Der weißhaarige Mann neben ihm, eventuell ein zwangsweise emeritierter Collegeprofessor, trug einen beigefarbenen Anzug, der wie nasse Pappe aussah.

Hoffentlich war das Rekrutierungszentrum nicht zu weit weg. Hoffentlich war es kühl dort. Er wollte einfach nur irgendwo rein. Auf seiner Zunge schmeckte er den Staub, der von den verwüsteten Feldern heranwehte, auf denen nichts mehr Wurzeln schlagen konnte. Es war grausam von dem Busfahrer gewesen, sie am Stadtrand abzusetzen. Wahrscheinlich wollte der Typ in der Nähe des Highways bleiben, um Kraftstoff zu sparen, aber trotzdem.

Die Schlange vor ihm wechselte die Richtung. Sie bog an der Kreuzung nach rechts ab. Paxton legte Tempo zu. Er wäre gern stehen geblieben, um eine Wasserflasche aus der Reisetasche zu holen, aber es war schon eine Schwäche gewesen, an der Eisdiele zu pausieren. Jetzt waren mehr Leute vor als hinter ihm.

Als er sich der Ecke näherte, drängte eine Frau sich so eng an ihm vorbei, dass er um ein Haar gestolpert wäre. Sie war älter, hatte asiatische Gesichtszüge und einen weißen Wuschelkopf. Über ihre Schulter hing eine Ledertasche. Offenbar wollte sie unbedingt an die Spitze des Rudels gelangen, wobei sie sich jedoch übernahm. Sie strauchelte und knallte auf ein Knie.

Die Leute in ihrer Nähe traten beiseite, um ihr Platz zu lassen, blieben aber nicht stehen. Paxton wusste, wieso. Eine kleine Stimme in seinem Kopf schrie »Weitergehen!«, aber das konnte er natürlich nicht, weshalb er der Frau auf die Beine half. Ihr nacktes Knie war aufgeschrammt; eine lange Blutspur lief am Bein entlang bis zu ihrem Tennisschuh, so dick, dass sie schwarz aussah.

Die Frau sah ihn an, nickte kaum merklich und setzte sich wieder in Bewegung. Paxton seufzte.

»Gern geschehen«, sagte er, aber nicht so laut, dass sie es hören konnte.

Er warf einen Blick über die Schulter. Die Leute weiter hinten beschleunigten ihre Schritte. Sie strengten sich wieder mehr an, wahrscheinlich weil sie gesehen hatten, wie jemand zu Boden gegangen war. Blut lag in der Luft. Paxton schlang sich seine Tasche über die Schulter und marschierte schleunigst auf die Ecke zu. Als er sie umrundet hatte, sah er ein großes Theatergebäude mit einem weißen Vordach vor sich. Unter dem zerbröselnden Stuck der Fassade lugten verwitterte Ziegel hervor.

Auf der Oberseite des Vordachs bildeten gesprungene Neonbuchstaben ein ungleichmäßiges Muster.

R-I-V-R-V-I-E.

Wahrscheinlich sollte das *Riverview* heißen, obwohl es in der Nähe sichtlich keinerlei Flüsse gab, aber das konnte früher ja mal anders gewesen sein. Vor dem Theater stand eine mobile Klimaanlage auf Rädern. Durch einen Schlauch pumpte das glänzende Gerät kalte Luft ins Gebäude. Paxton folgte dem Rudel auf die lange Reihe offener Türen zu. Als er näher kam, gingen die an den beiden Enden bereits zu, sodass nur einige in der Mitte noch geöffnet waren.

Paxton drängte sich nach vorn auf den mittleren Eingang zu. Die letzten paar Schritte rannte er beinahe. Als er eintrat, schlugen hinter ihm weitere Türen zu. Die Sonne verschwand, und kühle Luft hüllte ihn ein. Sie fühlte sich wie ein Kuss an.

Erschauernd blickte er sich um und sah, wie die letzte Tür zuging. Ein Mann mittleren Alters, der deutlich hinkte, war in der glühenden Sonne gestrandet. Zuerst sank er in sich zusammen. Seine Schultern erschlafften, seine Reisetasche plumpste auf den Boden. Dann kehrte die Spannung in sein Rückgrat zurück, und er tat einen Schritt vorwärts, um mit der flachen Hand an die Tür zu schlagen. Offenbar trug er einen Ring, denn man hörte einen scharfen Knall, als würde gleich die Scheibe bersten.

»He!«, brüllte er mit dumpfer Stimme. »He, das könnt ihr doch nicht machen! Schließlich hab ich den weiten Weg hierher auf mich genommen!«

Tack, tack, tack.

»He!«

Ein Mann in einem grauen T-Shirt, auf dem hinten in weißen Lettern *JobExpress* stand, ging auf den abgelehnten Bewerber zu und legte ihm eine Hand auf die Schulter. Paxton konnte zwar nicht von den Lippen lesen, nahm aber an, dass es dieselben Worte waren, die eine am Bus zurückgewiesene Frau zu hören bekommen hatte. Sie hatte als Letzte in der Warteschlange gestanden, als die Tür vor ihrer Nase zuging. Darauf war ein Mann in einem JobExpress-Shirt erschienen und hatte gesagt: »Es gibt keinen letzten Platz. Sie müssen wirklich bei Cloud arbeiten wollen. In einem Monat können Sie sich gerne noch einmal bewerben.«

Paxton wandte sich von der Szene ab. Schon für seine eigene Traurigkeit fand er in sich keinen Raum mehr und für die von jemand anderes erst recht nicht.

Im Foyer wimmelte es von Männern und Frauen in JobExpress-Shirts. Manche standen freundlich lächelnd mit einer Pinzette und kleinen Plastikbeuteln bereit. Alle Bewerber wurden angewiesen, sich von einer Person in Grau ein paar Haare auszupfen und eintüten zu lassen. Dann wurden die Bewerber aufgefordert, mit schwarzem

Filzstift ihren Namen und ihre Sozialversicherungsnummer auf den Beutel zu schreiben.

Die Frau, die bei Paxton die Probe nahm, war fast kugelrund und einen Kopf kleiner als er. Damit sie an ihn herankam, musste er sich bücken. Er zuckte beim Haareausreißen kurz zusammen, dann schrieb er seinen Namen auf den Beutel und übergab ihn dem Mann, der darauf wartete, ihn abzutransportieren. Als Paxton aus dem Foyer in den Theatersaal trat, überreichte ihm ein spindeldürrer Mann mit buschigem Schnurrbart einen kleinen Tablet-PC.

»Suchen Sie sich einen Platz, und schalten Sie das Tablet ein«, sagte der Mann in geübtem, desinteressiertem Ton. »Der Bewerbungsprozess wird gleich beginnen.«

Paxton schlang sich wieder seine Reisetasche über die Schulter und ging den Mittelgang entlang. Der Teppich war fast bis auf den Estrich abgewetzt, und es roch nach alten, undichten Rohrleitungen. Er wählte eine Sitzreihe ziemlich weit vorn und ging bis zur Mitte durch. Als er sich auf dem harten Holzsitz niedergelassen und seine Tasche neben sich gestellt hatte, hörte er hinter sich ein lautes Klacken. Die Türen wurden verriegelt.

Seine Reihe war leer bis auf eine Frau, deren Haut die Farbe von verbrannter Erde hatte. Auf ihrem Kopf türmten sich elastische Locken aus dunkelbraunem Haar, und sie trug ein honigfarbenes Sommerkleid mit farblich passenden flachen Schuhen. Sie saß am Ende der Reihe, ganz in der Nähe der Wand, deren verschnörkelte, weinrote Tapete von Wasserflecken verunziert war. Paxton versuchte, ihren Blick auf sich zu ziehen und sie anzulächeln, aus Höflichkeit, aber auch weil er mehr von ihrem Gesicht sehen wollte. Da sie ihn nicht bemerkte, starrte er auf das Tablet. Zog eine Wasserflasche aus der Reisetasche, schüttete sich die Hälfte in die Kehle und drückte die Taste an der Seite des Computers.

Das Display flackerte auf. In der Mitte erschien eine Abfolge großer Zahlen.

Zehn.

Dann neun.

Dann acht.

Als die Null erreicht war, summte und blinkte das Gerät, dann erschien anstelle der Zahlen eine Reihe von leeren Feldern. Paxton legte sich das Tablet auf den Schoß und konzentrierte sich.

Name, Kontaktinformationen, kurzer beruflicher Werdegang. Hemdgröße?

Paxtons Finger schwebten über dem Wort *Werdegang*. Er wollte nicht erklären, was er bisher gemacht hatte. Nichts über den Lauf der Ereignisse schreiben, der ihn zu einem maroden Theater in einer maroden Stadt geführt hatte. Sonst hätte er erklären müssen, dass Cloud sein Leben zerstört hatte.

Aber was sollte er schreiben?

Ob die überhaupt wussten, wer er war?

Und wenn sie es nicht wussten, war das dann besser oder schlechter?

Paxton stellte fest, dass doch noch mehr Raum für Traurigkeit in ihm vorhanden war. Sollte er sich wirklich bewerben, indem er in das besagte Feld *Unternehmer* eintrug?

Sein Magen zog sich zusammen, und er entschied sich für den Job im Gefängnis. Fünfzehn Jahre. Das war lange genug, um sein Pflichtbewusstsein zu demonstrieren. So würde er es nennen, wenn man ihn danach fragte: Pflichtbewusstsein. Wenn man etwas über die Lücke wissen wollte, jene zwei Jahre zwischen dem Gefängnis und jetzt, dann würde er damit umgehen können.

Nachdem er sämtliche Felder ausgefüllt hatte, leuchtete der nächste Bildschirm auf.

Haben Sie je etwas gestohlen?

Darunter waren zwei Schaltflächen. Grün für ja und rot für nein.

Er rieb sich die Augen, die von dem grellen Display schmerzten. Erinnerte sich daran, wie er mit neun Jahren im Laden von Mr. Chowdury vor dem Drehständer mit den Comics gestanden hatte.

Das Comicheft, das er haben wollte, kostete vier Dollar, und er hatte nur zwei. Er hätte nach Hause gehen und seine Mutter um den fehlenden Betrag bitten können, doch stattdessen wartete er mit zittrigen Beinen, bis ein Mann hereinkam und eine Packung Zigaretten verlangte. Als Mr. Chowdury sich bückte, um die Packung unter der Ladentheke hervorzuholen, rollte Paxton das Comicheft zusammen, hielt es sich eng ans Bein, damit es nicht zu sehen war, und machte sich auf den Weg zum Ausgang.

Er ging zum Park, setzte sich auf einen großen Stein und versuchte, den Comic zu lesen, konnte sich jedoch nicht richtig konzentrieren. Die Zeichnungen verschwammen, während er sich in das hineinsteigerte, was er gerade getan hatte.

Er hatte eine Straftat begangen. Hatte jemand bestohlen, der immer nett zu ihm gewesen war.

Er brauchte den halben Tag, bis er genügend Mut aufbrachte, ging aber schließlich doch zum Laden zurück, um sich davorzustellen und zu warten, bis bestimmt niemand mehr darin war. Dann trug er das Comicheft wie ein totes Haustier zur Ladentheke. Heulend erklärte er mit laufender Nase, wie leid ihm alles tue.

Mr. Chowdury war bereit, nicht bei der Polizei oder – schlimmer noch – bei Paxtons Mutter anzurufen. Aber jedes Mal, wenn Paxton danach den Laden betrat – es war der einzige in der Nähe seines Elternhauses, weshalb er keine andere Wahl hatte –, spürte er den Blick des alten Mannes auf seinem Rücken brennen.

Paxton las die Frage noch einmal und tippte auf das rote Kästchen mit der Aufschrift *Nein,* obwohl es eine Lüge war. Es war eine Lüge, mit der er leben konnte.

Das Display blitzte auf, und eine neue Frage erschien.

Finden Sie es moralisch vertretbar, unter bestimmten Umständen zu stehlen?

Grün für ja, rot für nein.

Das war leicht. Nein.

Können Sie sich irgendwelche Umstände vorstellen, unter denen es moralisch vertretbar wäre zu stehlen?

Nein.

Wenn Ihre Familie hungern würde, würden Sie dann einen Laib Brot für sie stehlen?

Ehrliche Antwort: wahrscheinlich.

Nein.

Würden Sie etwas an Ihrem Arbeitsplatz stehlen?

Nein.

Und wenn Sie wüssten, dass man Sie nicht erwischt?

Paxton wünschte sich ein Feld mit der Bedeutung: *Ich würde nie im Leben etwas stehlen – können wir jetzt bitte weitermachen?*

Nein.

Wenn Sie wüssten, dass jemand etwas gestohlen hat, würden Sie ihn dann melden?

Klar. Ja.

Haben Sie jemals Drogen genommen?

Die Frage war eine Erleichterung. Nicht nur aufgrund des Themenwechsels, sondern weil er sie ehrlich beantworten konnte.

Nein.

Haben Sie jemals Alkohol getrunken?

Ja.

Wie viele alkoholische Getränke konsumieren Sie pro Woche?

- 1–3
- 4–6
- 7–10
- 11+

Sieben bis zehn stimmte wahrscheinlich eher, aber Paxton wählte die zweite Option.

Danach sprangen die Fragen von einem Thema zum anderen.

Wie viele Fenster gibt es in Seattle?
- 10 000
- 100 000
- 1 000 000
- 1 000 000 000

Sollte Uranus als Planet bezeichnet werden?
- Ja.
- Nein.

Es gibt zu viele Rechtsstreitigkeiten.
- Ich stimme voll und ganz zu.
- Ich stimme eher zu.
- Keine Meinung.
- Ich stimme eher nicht zu.
- Ich stimme überhaupt nicht zu.

Paxton gab sich Mühe, über jede Frage ernsthaft nachzudenken, obwohl er nicht recht wusste, was das alles bedeuten sollte. Wahrscheinlich gab es irgendeinen Algorithmus, der anhand seiner Meinung zu astronomischen Fragen den Kern seiner Persönlichkeit enthüllen konnte.

Er beantwortete Fragen, bis er nicht mehr wusste, wie viele es gewesen waren. Dann erlosch das Display und blieb so lange dunkel, dass Paxton sich schon fragte, ob er wohl etwas falsch gemacht hatte. Er sah sich nach Hilfe um, aber da er keine fand, richtete er den Blick wieder auf das Tablet, auf dem inzwischen endlich ein neuer Text erschienen war.

Danke für Ihre Antworten. Wir bitten Sie nun um ein kurzes Statement. Wenn Sie in der linken unteren Ecke einen Countdown sehen, beginnt die Aufnahme, und Sie haben eine Minute Zeit zu erklären, weshalb Sie bei Cloud arbeiten wollen. Bitte bedenken Sie, dass Sie nicht die gesamte Minute über sprechen müssen. Eine klare, einfache und direkte Erklärung genügt. Wenn Sie das Gefühl haben, fertig zu sein, können Sie auf den roten Punkt unten auf dem Display tippen, um die Aufnahme zu beenden. Es besteht keine Möglichkeit, die Aufnahme zu wiederholen.

Im Display spiegelte sich Paxtons Gesicht, durch die Neigung des Geräts leicht verzerrt. Seine Haut leuchtete in einem kränklichen Grau. In der linken unteren Ecke tauchte ein Countdown auf.

1:00.

Dann :59.

»Mir war nicht klar, dass ich eine Rede halten muss«, sagte Paxton mit einem Grinsen, das ausdrücken sollte, dass es sich um einen Scherz handelte, aber schärfer als beabsichtigt wirkte. »Ich würde wohl sagen, dass, äh, tja, wissen Sie, heutzutage ist es schwer, einen Job zu bekommen. Deshalb und weil ich mich örtlich verändern will, dachte ich, das ist doch irgendwie ideal, nicht wahr?«

:43.

»Ich meine, ich will wirklich bei Ihnen arbeiten. Das ist, denke ich, äh, eine fantastische Gelegenheit, etwas Neues zu lernen und mich zu entwickeln. Wie es in dem Werbespot heißt, Cloud ist die Lösung für alle Bedürfnisse.« Er schüttelte den Kopf. »Tut mir leid, ich kann nicht so gut aus dem Stegreif sprechen.«

:22.

Ein tiefer Atemzug.

»Aber ich arbeite hart. Ich bin stolz auf meine Arbeit, und ich verspreche, alles zu geben.«

:09.

Paxton drückte auf den roten Punkt, worauf sein Gesicht verschwand. Das Display leuchtete weiß auf. Er verfluchte sich, weil er derart über die eigenen Worte gestolpert war. Wenn er gewusst hätte, dass das ein Teil der Bewerbung sein würde, hätte er vorher geübt.

Danke. Bitte warten Sie, während die Interviewergebnisse ausgewertet werden. Am Ende dieses Vorgangs wird Ihr Display entweder grün oder rot aufleuchten. Bei Rot tut es uns leid, dann haben Sie entweder den Drogentest nicht bestanden oder die von Cloud erwarteten Normen nicht erreicht. In diesem Fall dürfen Sie das Gebäude verlassen und müssen sich vor einer erneuten Bewerbung einen Monat gedulden. Bei Grün bleiben Sie bitte sitzen und warten Sie auf weitere Anweisungen.

Das Display wurde schwarz. Als Paxton den Kopf hob und sich umblickte, sah er, wie alle anderen ebenfalls den Kopf hoben und sich umblickten. Die Frau in seiner Reihe schaute zu ihm herüber, worauf er leicht die Achseln zuckte. Anstatt die Geste zu erwidern, legte sie sich das Tablet auf den Schoß und zog ein kleines Taschenbuch aus ihrer Handtasche.

Paxton balancierte das Tablet auf den Knien. Er war sich nicht sicher, ob er Rot oder Grün sehen wollte.

Rot bedeutete, hinauszugehen und in der Sonne zu stehen, bis wieder ein Bus kam, falls das überhaupt der Fall war. Es bedeutete, die Stellenanzeigen nach Jobs zu durchforsten, mit denen man nicht genug zum Überleben verdiente, und die Wohnungsanzeigen nach Buden, die entweder zu teuer für ihn waren oder so heruntergekommen, dass man nicht darin hausen konnte. Es bedeutete, wieder in jenem stinkenden Tümpel aus Frustration und Emotion zu stecken, in dem er sich monatelang abgestrampelt hatte, die Nase knapp über der Wasseroberfläche.

Trotzdem kam ihm das beinahe wünschenswerter vor, als für Cloud zu arbeiten.

Hinter ihm schniefte jemand laut. Paxton drehte sich um und sah die Frau mit den asiatischen Zügen, die sich vorher an ihm vorübergedrängt hatte. Sie hatte den Kopf gesenkt. Ihr Gesicht war in rotes Licht getaucht.

Als nun sein Display aufleuchtete, hielt er den Atem an.

Zinnia

Grün.

Zinnia zog ihr Handy hervor und scannte schnell den Raum. Keinerlei Abhöreinrichtungen. Sobald sie sich in der MotherCloud befand, würde sie auf jede Funkverbindung verzichten müssen, denn wer wusste schon, was die aus der Luft auffangen konnten. Sorglos mit Übertragungen umzugehen war eine sichere Methode, erwischt zu werden. Sie tippte eine Nachricht, um ein Update über ihren Status zu übermitteln: *Hallo, Mama, tolle Neuigkeiten! Ich hab den Job.*

Nachdem sie das Handy wieder in der Handtasche versenkt hatte, sah sie sich um. Die Zahl der Leute, die sitzen blieben, war deutlich größer als die derer, die gingen. Zwei Reihen weiter hinten machte eine junge Frau mit einem lila Hosenanzug und langen braunen Zöpfen leise »Puh!« und strahlte.

Schwer war der Test nicht gewesen. Man musste ein ganz schöner Trottel sein, so etwas nicht zu schaffen. Viele von den Antworten hatten keinerlei Bedeutung, vor allem wenn es um abstrakte Sachen ging. Fenster in Seattle? Worauf es ankam, war das Timing. Wenn man zu schnell antwortete, demonstrierte man, dass man durchpowerte, um es hinter sich zu bringen. Und wenn man zu langsam antwortete, fehlte es einem an analytischem Verstand. Dann die Videos. Die wurden doch bestimmt von niemand angesehen. Als ob irgendwo da hinten ein damit beauftragtes Team sitzen würde! Es ging nur um einen Gesichts- und Audioscan. Lächeln. Blickkontakt.

Die Verwendung von Ausdrücken wie *Leidenschaft, harte Arbeit, lernen* und *sich entwickeln*.

Wenn man den Test überstehen wollte, musste man die Balance halten. Musste demonstrieren, dass man über die Fragen nachdachte.

Darum ging es. Außerdem durfte man nicht durch den Drogentest fallen.

Nicht dass sie regelmäßig irgendwas verwendet hätte bis auf gelegentlich ein bisschen Gras, um sich zu entspannen, und das hatte sie zum letzten Mal vor mehr als sechs Monaten getan. Inzwischen war das THC schon lange aus ihrem Körper gespült worden.

Sie warf einen Blick nach rechts. Der Dussel, der acht Sitze von ihr entfernt saß, hatte es ebenfalls geschafft. Neigte sein grünes Display in ihre Richtung und lächelte. Sie gab nach und erwiderte vorsichtig das Lächeln. Es war vernünftig, höflich zu sein. Wer grob war, fiel auf.

So wie der Typ sie ansah, als wären sie jetzt befreundet, würde er sich im Bus neben sie setzen. Das war sonnenklar.

Während sie auf die nächsten Anweisungen wartete, beobachtete sie, wie die Leute, die es nicht geschafft hatten, sich auf den Weg zum Ausgang machten. Sicher grauste es denen vor der Rückkehr in die Tageshitze, wie sie so den Mittelgang entlangtrotteten. Sie bemühte sich, ein bisschen Mitgefühl für sie aufzubringen, aber es fiel ihr schwer, jemand zu bedauern, der keinen von diesen hirnlosen Jobs an Land gezogen hatte.

Nicht dass sie herzlos gewesen wäre. Sie hatte ein Herz. Da war sie sich sicher. Wenn sie die Hand an die Brust drückte, spürte sie es pochen.

Nachdem alle Ausgemusterten den Raum verlassen hatten und die Türen wieder geschlossen waren, trat eine Frau mit dem Cloud-Logo auf dem weißen Poloshirt vor die Sitzreihen. Sie hatte eine Haube aus goldblonden, wie gesponnen wirkenden Haaren und hob ihre melodische Stimme, um in dem riesigen Saal gehört zu werden.

»Könnten Sie jetzt bitte alle Ihre Sachen einsammeln und uns zum Hintereingang folgen? Dort wartet ein Bus. Falls Sie es allerdings vorziehen, Ihre Abreise um ein paar Tage zu verschieben, sprechen Sie bitte umgehend mit einem der Manager. Danke.«

Alle erhoben sich gleichzeitig. Knallend klappten die Sitze hoch, als würde eine Salve abgefeuert. Zinnia hängte sich die Handtasche über die Schulter, griff nach ihrer Sporttasche und folgte der Menschenschlange zum hinteren Teil des Theaters. Im Gleichtakt mit den anderen durchquerte sie ein grell leuchtendes Rechteck aus weißem Licht.

Während sie sich dem Ausgang näherte, kamen zielstrebig mehrere Männer in JobExpress-Shirts anmarschiert. Mit strenger Miene beobachteten sie die Vorübergehenden. Ihr wurde flau im Magen, aber sie ging unbeirrt weiter, um keine Aufmerksamkeit auf sich zu lenken.

Als sie auf gleicher Höhe mit den Männern war, streckte einer den Arm aus, und sie blieb stehen, bereit zur Flucht. Eine geeignete Route hatte sie sich schon ausgedacht. Sie würde erst rennen und dann ziemlich weit zu Fuß gehen müssen. Und nichts bezahlt bekommen.

Der Mann hatte es allerdings auf die Person vor ihr abgesehen, die junge Frau mit den langen Zöpfen und dem lila Hosenanzug. Er packte sie am Arm und zerrte sie so rabiat aus der Schlange, dass sie einen leisen Schrei ausstieß. Die anderen Leute gingen einfach weiter. Den Blick zu Boden gewandt, beschleunigten sie ihre Schritte, um nicht in die Auseinandersetzung hineingezogen zu werden. Während das JobExpress-Team die Frau wegführte, waren Worte wie *falsch dargestellt, Werdegang, unangebracht* und *disqualifiziert* zu hören.

Zinnia erlaubte sich den Luxus eines Lächelns.

Ins Freie zu treten fühlte sich an, wie wenn man die Tür eines heißen Backofens öffnete. Am Bordstein stand mit laufendem Motor ein Bus, groß, blau und stromlinienförmig. Das Dach war mit Sonnenkollektoren bestückt. Die Seite war mit dem gleichen Logo wie dem auf dem Poloshirt der Frau zuvor dekoriert: eine weiße Wolke, der leicht versetzt eine blaue Wolke folgte. Das Fahrzeug war deutlich sauberer als der ramponierte alte Dieselbus, mit dem sie in die Stadt gekommen waren. Der hatte ein klägliches Heulen von sich gegeben, als der Fahrer den Motor angelassen hatte.

Auch das Innere war hübscher. Es erinnerte Zinnia an ein Flugzeug. Zwei Reihen mit je drei Sitzen, alle aus steifem, glänzendem Kunststoff. In die Rückseite der Kopfstützen waren Bildschirme eingelassen. Auf jeden Sitz hatte man achtlos einige Broschüren und ein Set billige Einwegohrhörer geworfen, noch in der Plastikhülle. Zinnia ging nach hinten und setzte sich ans Fenster. Die Luft im Innern war eiskalt, aber die Scheibe war heiß wie eine Bratpfanne.

Sie warf einen Blick auf ihr Handy und sah eine Antwort.

Gratuliere! Viel Glück dort! Dein Dad und ich freuen uns auf deinen Besuch an Weihnachten.

Übersetzung: Weitermachen wie geplant.

Neben sich hörte sie ein Geräusch und spürte eine Bewegung in der Luft. Als sie den Kopf hob, blickte sie in das Gesicht des Dussels aus dem Theater. Sein Lächeln drückte aus, dass sie ihn sympathisch finden sollte, hatte jedoch nur eine minimale Wirkung. Er machte den Anschein, als würde er auf Khakihosen und Leichtbier stehen. Außerdem sah er so aus wie jemand, der es wichtig fand, über die eigenen Gefühle zu sprechen. Er trug sogar einen Scheitel.

»Sitzt da schon jemand?«, fragte er.

Sie spielte im Kopf ihre Optionen durch. Eigentlich bevorzugte sie die Methode, einzutauchen und wieder zu verschwinden, ohne zu viel Aufsehen zu erregen und ohne enge persönliche Verbindungen zu knüpfen. Allerdings wusste sie auch, dass simple Dinge wie der Umgang mit anderen ihren Status beeinflussen konnten. Je mehr sie sich gegen Kontakte wehrte, desto größer war die Gefahr, aufzufallen oder gar gefeuert zu werden. Alles in allem bedeutete das, einige Freundschaften zu schließen.

Wahrscheinlich ein guter Moment, damit anzufangen.

»Noch nicht«, sagte sie zu dem Dussel.

Der Typ warf seine Reisetasche auf die Ablage über ihr und setzte sich an den Gang, sodass ein Sitz zwischen ihnen frei blieb. Er roch nach getrocknetem Schweiß, aber das taten alle. Sie selbst auch.

»Tja ...«, sagte er und sah sich im Bus um. Man hörte, wie sich die Leute auf den knisternden Plastiksitzen zurechtsetzten und sich mit gedämpfter Stimme unterhielten. Offenbar versuchte er verzweifelt, den leeren Sitz neben sich weniger peinlich erscheinen zu lassen. »Wie ist eine Frau wie Sie an einem solchen Ort gelandet?«

Nachdem er das von sich gegeben hatte, lächelte er gequält. Ihm war wohl klar geworden, wie dämlich der Spruch sich angehört hatte.

Aber da war noch eine tiefere Schicht. Ein Anflug von Selbstverachtung hinter den Worten. *Na, wie hast* du *es denn geschafft, dein Leben derart in den Sand zu setzen?*

»Ich war Lehrerin«, sagte sie. »Als das Schulsystem von Detroit letztes Jahr vollständig outgesourct wurde, sind sie auf die Idee gekommen, dass man statt einem Mathelehrer in jeder Schule bloß einen für jeden Bezirk braucht, der per Videokonferenz in die Klassenzimmer übertragen wird. Früher gab's da fünfzehntausend Lehrer; jetzt sind es weniger als hundert.« Sie zuckte die Achseln. »Und zu denen zähle ich leider nicht.«

»Ich habe gehört, dass das auch in anderen Städten so läuft«, sagte er. »Der Gemeindehaushalt ist überall knapp. Als Kostensparmaßnahme ist es vielleicht sogar sinnvoll, oder?«

Was wusste der schon von Gemeindehaushalten?

»Sprechen wir da mal in ein paar Jahren wieder drüber, wenn die Kinder nicht mal eine simple mathematische Aufgabe mehr lösen können«, sagte sie mit gehobener Augenbraue.

»Tut mir leid. War nicht so gemeint. Was haben Sie in Mathe denn so unterrichtet?«

»Die Grundlagen«, sagte sie. »Hauptsächlich war ich bei den jüngeren Schülern. Das kleine Einmaleins. Geometrie.«

Er nickte. »Ich hab mich früher ziemlich für Mathe interessiert.«

»Was haben denn Sie in letzter Zeit gemacht?«, fragte sie.

Er verzog das Gesicht, als hätte ihm jemand einen Rippenstüber verpasst. Sie bedauerte die Frage beinahe, weil er ihr wahrscheinlich gleich irgendeine ebenso rührselige wie erfundene Geschichte auftischen würde.

»Ich war Gefängniswärter«, sagte er. »In einer privatisierten Anstalt. Dem Upper New York Correctional Center.«

Aha, dachte sie. Daher das mit dem Gemeindehaushalt.

»Aber danach …«, sagte er. »Haben Sie schon mal vom Perfekten Ei gehört?«

»Nicht dass ich wüsste«, sagte sie wahrheitsgemäß.

Er öffnete die Hände auf dem Schoß, als wollte er etwas präsentieren, verschränkte sie jedoch wieder, als er feststellte, dass sie leer waren. »Das war eine Vorrichtung, in die man ein Ei legen konnte, um sie dann in die Mikrowelle zu stellen. Dort hat sie für ein perfekt hart gekochtes Ei gesorgt, exakt so gegart, wie man es haben wollte, je nachdem wie lange man es dringelassen hat. Zu dem Zweck war eine kleine Tabelle beigelegt. Und wenn das Ei fertig war, ist die Schale von selbst abgegangen, wenn man das Ding aufgeklappt hat.« Er sah sie an. »Mögen Sie hart gekochte Eier?«

»Nicht besonders.«

»Man möchte es nicht meinen, aber so ein Gadget, mit dem man sie leichter hinkriegt …« Er blickte an ihr vorüber aus dem Fenster. »Die Leute mögen Gadgets für die Küche. Das Ding war ziemlich erfolgreich.«

»Und was ist dann passiert?«

Er betrachtete seine Schuhspitzen. »Ich hatte Bestellungen von überallher, aber Cloud war der größte Kunde. Bloß war es so, dass die ständig Rabatt gefordert haben, damit sie es billiger verkaufen konnten. Was am Anfang gar nicht so schlecht war. Ich habe den Verpackungsprozess rationalisiert, sodass weniger Abfall angefallen ist. Wir haben in meiner Garage geschuftet, ich und vier andere. Aber dann kam ein Punkt, wo der Rabatt so hoch war, dass ich keinen Gewinn mehr erzielen konnte. Als ich mich geweigert habe, noch weiter runterzugehen, hat Cloud die Geschäftsverbindung gekappt, und die anderen Kunden haben nicht ausgereicht, das auszugleichen.«

Er schwieg, als wollte er noch etwas anfügen, tat das jedoch nicht.

»Das tut mir leid«, sagte sie, diesmal nicht ganz wahrheitsgemäß.

»Ist schon in Ordnung«, sagte er und sah sie lächelnd an. Seine finstere Miene war verschwunden. »Ich bin gerade von dem Unternehmen eingestellt worden, das meinen Lebensunterhalt ruiniert hat, also läuft es in die richtige Richtung. Übrigens habe ich ein Patent auf das Ding angemeldet. Sobald das durch ist, kann ich es wahrscheinlich an Cloud verkaufen. Ich glaube, darauf hatten sie es ohnehin angelegt – dass sie mich aus dem Markt drängen, um dann ihre eigene Version einzuführen.«

Sie hatte schon kurz davorgestanden, Mitleid zu empfinden, aber seine Einstellung zwang sie dazu, sich für Ärger zu entscheiden. Sie hatte etwas gegen die Art und Weise, wie er sich gebärdete. Schlaff und weinerlich wie die ganzen Trauerklöße, die diesen bescheuerten Job nicht bekommen hatten. Pech gehabt, Alter! Denk dir doch mal was aus, wo es nicht darum geht, Kriminelle zu babysitten oder in der Mikrowelle Eier zu kochen.

»Na, das hört sich ja ganz gut an«, sagte sie.

»Danke«, sagte er. »Mensch, so läuft es doch sowieso, oder? Wenn was nicht klappt, macht man einfach weiter. Wollen Sie vielleicht wieder unterrichten? Ich hab gehört, dass die Schulen in der Anlage ziemlich gut sein sollen.«

»Ach, ich weiß nicht«, sagte sie. »Ehrlich gesagt, wollte ich bloß ein bisschen Geld verdienen, um eine Weile im

Ausland zu leben. Mit einer kleinen Reserve in der Hinterhand irgendwo Englisch unterrichten. In Thailand. Oder Bangladesch. Irgendwo anders als hier.«

Die Türen des Busses schlossen sich. Zinnia sprach lautlos ein Dankgebet, weil der Sitz zwischen ihr und dem Dussel leer geblieben war. Vorn hatte sich die Frau mit der melodischen Stimme postiert und wedelte mit der Hand. Die gedämpften Kennenlerngespräche verstummten. Gehorsam hoben alle den Kopf.

»So, Leute, jetzt geht es gleich los«, sagte die Frau. »Würden Sie bitte die Kopfhörer aufsetzen, es kommt eine Einführung auf Video, die Sie sich anschauen sollen. Die Fahrt dauert ungefähr zwei Stunden. Ganz hinten gibt es eine Toilette, und hier vorne ist Wasser erhältlich, falls jemand was trinken will. Nehmen Sie sich nach dem Video bitte etwas Zeit, die Broschüren durchzusehen, und wenn wir ankommen, wird Ihnen Ihre Unterkunft zugeteilt. Das Video beginnt in drei Minuten. Vielen Dank!«

Auf den Bildschirmen in den Kopfstützen erschien ein Countdown.

3:00

2:59

2:58

Zinnia und ihr Nachbar streckten gleichzeitig die Hand nach dem mittleren Sitz aus, auf dem sie die Broschüren und Ohrhörer deponiert hatten. Die Hände berührten sich, und die Plastikhüllen knisterten. Wahrscheinlich sah der Typ zu ihr herüber, weshalb sie darauf achtete, keinen Blickkontakt aufzunehmen. Da, wo er ihre Haut berührt hatte, spürte sie allerdings Wärme.

Nähe, aber keine zu große Nähe.

Eintauchen, den Job erledigen, und dann schleunigst wieder weg.

»Hoffentlich dauert das Video nicht zu lange«, sagte sie. »Ich würde liebend gern ein Nickerchen halten.«

»Keine schlechte Idee.«

Während sie das Kabel in die Buchse unter dem Bildschirm steckte, grübelte sie wieder darüber nach, von wem sie den Auftrag eigentlich bekommen hatte.

Der erste Anruf und sämtliche weiteren Mitteilungen waren anonym und verschlüsselt gewesen. Das Angebot hatte sie regelrecht vom Hocker gerissen. Mit einem solchen Honorar konnte sie sich anschließend zur Ruhe setzen. Das würde sie wahrscheinlich auch tun müssen, nachdem sie gerade ihr Genmaterial zur Verfügung gestellt hatte. So ungern sie es zugelassen hatte, dass jemand ihr mehrere Haare ausriss und ihr Profil in eine Datenbank einspeiste – wenn der Job gelaufen war, kam es nicht mehr darauf an. Sie konnte ihr restliches Leben irgendwo in Mexiko am Strand verbringen. An einem langen, wunderschönen Strand ohne Auslieferungsabkommen.

Es war nicht ihr erster anonymer Auftrag, aber eindeutig ihr größter. Und obwohl es sie eigentlich nichts anging, machte sie sich unweigerlich Gedanken.

Um die Frage, wer sie beauftragt hatte, zu beantworten, musste man sie ein bisschen erweitern: Wer hatte einen Nutzen davon? Allerdings führte das auch nicht weiter. Wenn der König im Sterben lag, geriet das ganze Reich unter Verdacht.

»Tut mir furchtbar leid«, sagte der Dussel und störte ihren Gedankengang. »Ich hätte mich längst vorstellen sollen.« Er bot ihr über den leeren Sitz hinweg die Hand. »Paxton.«

Sie beäugte die Hand einen Moment lang, bevor sie reagierte. Sein Griff war stärker, als sie gedacht hätte, und außerdem war seine Haut erfreulicherweise schweißfrei.

Sie rief sich den Namen in Erinnerung, den sie sich für diesen Auftrag ausgedacht hatte.

»Zinnia«, sagte sie.

»Zinnia«, wiederholte er und nickte. »So ähnlich wie die Blume.«

»Wie die Blume«, stimmte sie zu. »Übrigens können wir uns gerne duzen.«

»Schön. Freut mich, dich kennenzulernen.«

Es war das erste Mal, dass sie den Namen laut ausgesprochen hatte, während jemand außer ihr selbst ihn hören konnte. Sein Klang gefiel ihr. Zinnia. Das hörte sich an wie ein glatter Kieselstein, der über die Oberfläche eines stillen Teiches hüpfte. Abgesehen davon, tat sie das bei jedem neuen Job am liebsten. Sich einen Namen auszusuchen.

Zinnia lächelte, wandte sich von Paxton ab und steckte sich die Hörer in die Ohren, während sich der Countdown seinem Ende näherte. Das Video begann.

Willkommen

Eine gut ausgestattete Küche in einem gediegenen Einfamilienhaus. In dem durch große Erkerfenster einströmenden Sonnenlicht glitzern die Oberflächen aus Edelstahl. Drei Kinder, zwei Mädchen und ein Junge, rennen lachend durchs Bild, spielerisch verfolgt von ihrer Mutter, einer jungen Frau mit braunem Haar. Sie ist barfuß, trägt einen weißen Pulli und Jeans.

Die Mutter bleibt stehen, wendet sich der Kamera zu, stemmt die Hände in die Hüften und spricht direkt zu den Betrachtern.

MUTTER: »Ich liebe meine Kinder, aber sie sind ganz schön anstrengend. Manchmal dauert es ewig, bis sie angezogen und im Garten sind. Und nach den Massakern am Black Friday …«

Sie unterbricht sich, drückt die Hand an die Brust und schließt die Augen, als würde sie gleich in Tränen ausbrechen. Dann jedoch macht sie die Augen wieder auf und lächelt.

»… seither jagt mir schon die Vorstellung, zum Einkaufen zu fahren, einen gewaltigen Schrecken ein. Wenn es Cloud nicht gäbe, wüsste ich ehrlich gesagt gar nicht, was ich tun soll.«

Sie lächelt wieder, sanft und natürlich, genau wie eine Mutter lächeln soll.

Schnitt auf den kleinen Jungen, der jetzt auf dem Boden

liegt. Mit schmerzverzerrtem Gesicht hält er sich sein Knie, das blutig aufgeschürft ist. Er heult.

KIND: »Mamiiiiiiii!«

Schnitt auf einen Mann im roten Poloshirt, der von irgendwoher weiter oben auf den Boden eines riesigen Warendepots springt. Er ist schlank, attraktiv, blond. Sieht aus wie im Labor gezüchtet. Die Kamera zoomt auf den Gegenstand in seiner Hand: eine Schachtel mit Heftpflaster.

Der Mann läuft los und spurtet zwischen zwei hoch aufragenden Regalreihen hindurch, auf denen säuberlich aufgestapelt verschiedene Waren liegen.

Kaffeebecher und Toilettenpapier, Bücher und Suppendosen. Seife und Bademäntel, Laptops und Motoröl. Briefumschläge und Spielzeugsets, Handtücher und Sneakers.

Der Mann bleibt vor einer langen Reihe Förderbänder stehen, legt die Packung Pflaster in eine blaue Box und schiebt sie dann das Förderband entlang.

Schnitt auf eine Drohne, die durch einen strahlend blauen Himmel summt.

Schnitt auf die Mutter, die gerade einen mit dem Cloud-Emblem geschmückten Pappkarton aufreißt. Sie entnimmt ihm die Schachtel mit den Pflastern und zieht eines heraus, das sie ihrem Kind aufs Knie klebt. Der kleine Junge strahlt und gibt seiner Mutter einen Kuss auf die Wange.

Die Mutter wendet sich wieder der Kamera zu.

MUTTER: »Dank Cloud bin ich immer bereit für alles, was das Leben uns vorsetzt. Und wenn mal eine Leckerei angesagt ist, lässt Cloud mich ebenfalls nicht im Stich.«

Der Mann im roten Poloshirt taucht wieder auf, diesmal mit einer Schachtel Süßigkeiten unter dem Arm. Er rennt los, aber die Kamera folgt ihm nicht. Stattdessen wird er zwischen den riesigen Regalen immer kleiner, bis er scharf nach rechts abbiegt und verschwindet. Nun sieht man nur noch die monumentalen Regale über dem leeren Boden aufragen. Sie erstrecken sich weit in die Ferne.

Schnitt auf einen weißen Bildschirm. Ein hagerer älterer Mann kommt heran. Er trägt Jeans, ein weißes Anzughemd mit hochgekrempelten Ärmeln und braune Cowboystiefel. Seine Haare sind militärisch kurz geschnitten. In der Mitte des Bildschirms bleibt er stehen und lächelt.

GIBSON WELLS: »Tag, ich bin Gibson Wells, Ihr neuer Chef. Es ist mir ein echtes Vergnügen, Sie in der Familie willkommen zu heißen.«

Schnitt auf Wells, der zwischen den gewaltigen Regalreihen hindurchgeht. Diesmal huschen dort Männer und Frauen in roten Shirts hin und her, aber niemand hält inne und grüßt ihn, wie wenn er ein Gespenst wäre.

GIBSON WELLS: »Cloud ist die Lösung für alle Bedürfnisse. Es ist ein Ort der Erleichterung in einer hektischen Welt. Unser Ziel ist es, einzelnen Menschen und Familien zu helfen, die nicht außer Haus gehen können, keine Einkaufsmöglichkeiten in der Nähe haben oder das Risiko nicht eingehen wollen.«

Schnitt auf einen Raum mit rasterförmig angeordneten, wuchtigen Tischen. Bedeckt sind sie mit blauen Rohren, die wie Industriegebläse aussehen. Wenn die Arbeiter in den roten Poloshirts einen Gegenstand darauflegen, wird er von aus den Rohren quellendem Schaum umhüllt, der schnell zu Pappe trocknet.

Die Arbeiter befestigen Adressetiketten und Aufkleber mit dem Cloud-Emblem auf den Paketen und deponieren sie dann auf einer Reihe von Bändern, die endlos zur Decke hinauflaufen.

Wells streift immer noch umher, während die Arbeiter flink und präzise ihre Tätigkeit verrichten, ohne ihn wahrzunehmen.

GIBSON WELLS: »Hier bei Cloud ist es unser Bestreben, Ihnen ein sicheres Arbeitsumfeld zu bieten, wo Sie Herr Ihres eigenen Schicksals sind. Das heißt, es ist ein breites Spektrum an Positionen verfügbar, von den Sammlern – diesen netten Leuten in Rot – über unsere Verpacker und unser Supportpersonal …«

Schnitt auf einen riesigen Raum voller Bürokabinen. Leute mit kanariengelben Poloshirts und Telefon-Headsets blicken auf Tablets, die an ihren Schreibtischen befestigt sind. Alle lächeln oder lachen, als würden sie sich mit alten Freunden unterhalten.

»… die Assistenten …«

Schnitt auf eine glänzende Industrieküche, wo Angestellte in hellgrünen Poloshirts Mahlzeiten zubereiten und Abfalleimer leeren. Auch sie lächeln oder lachen. Wells steht mit einem Haarnetz neben einer kleinen Frau mit indischen Gesichtszügen und ist damit beschäftigt, eine Zwiebel zu schneiden.

»… das technische Team …«

Schnitt auf eine Gruppe von jungen Männern und Frauen in braunen Poloshirts. Sie inspizieren die freigelegten Innereien eines Computerterminals.

»... bis zu den Managern.«

Schnitt auf einen Tisch, an dem Männer und Frauen in strahlend weißen Poloshirts mit Tablets in den Händen sitzen. Sie diskutieren über etwas sehr Bedeutsames, während Wells danebensteht.

GIBSON WELLS: »Bei Cloud evaluieren wir Ihre Kompetenzen und setzen Sie in genau der Position ein, die am besten für uns alle ist.«

Schnitt auf eine aufgeräumte, hübsche Wohnung wie aus dem Katalog, in der ein junger Mann am Herd steht. Er setzt sich seine Tochter auf die Schultern, um anschließend in einem Topf mit Soße zu rühren.

Die Wand ist mit Aufklebern geschmückt, auf denen in Kursivschrift *Love* und *Inspiration* steht. Das Sofa ist flott und modern. Die Einbauküche ist so groß, dass darin vier Leute gemeinsam kochen könnten, und bietet den Blick auf ein tiefer gelegtes Wohnzimmer, das für eine Cocktailparty geeignet wäre.

Wells ist jetzt verschwunden, aber seine Stimme ist weiterhin zu hören.

GIBSON WELLS: »Weil Cloud nicht nur ein Ort ist, wo man arbeitet. Es ist ein Ort, wo man lebt. Glauben Sie mir: Wenn Ihre Freunde und Verwandten zu Besuch kommen, wollen sie womöglich auch hier arbeiten.«

Schnitt auf einen verstopften Highway. Kein Fahrzeug bewegt sich, die Abgase lassen den Himmel aschgrau werden.

GIBSON WELLS: »Bisher war der amerikanische Berufspendler im Durchschnitt zwei Stunden täglich unterwegs. Das sind zwei Stunden vergeudete Zeit. Zwei Stunden, in denen Kohlendioxid in die Atmosphäre geblasen wird. Alle Mitarbeiter, die sich entscheiden, in einer unserer Wohnanlagen zu leben, gelangen von ihrem Arbeitsplatz in weniger als fünfzehn Minuten nach Hause. Wer mehr von seiner Zeit zur Verfügung hat, der hat mehr Zeit für seine Familie, sein Hobby und für die dringend nötige Erholung.«

Schnitt auf eine Montage aus kurzen Szenen:

- Leute beim Einkaufsbummel in einer mit weißem Marmor ausgelegten Ladenpassage, umgeben von Markengeschäften
- ein Arzt, der sein Stethoskop an die entblößte Brust eines jungen Mannes drückt
- ein junges Paar, das Popcorn mampft; die Gesichter flackern im Licht eines Kinofilms
- eine ältere Frau, die auf einem Laufband trainiert.

GIBSON WELLS: »Wir bieten alles von Unterhaltung über medizinische Versorgung und Wellness bis hin zu schulischen Einrichtungen, die dem höchsten Standard entsprechen. Wenn Sie einmal hier sind, werden Sie nie wieder fortgehen wollen. Außerdem will ich, dass Sie sich hier zu Hause fühlen. Wirklich zu Hause. Obwohl Ihre Sicherheit absolute Priorität für uns hat, werden Sie trotzdem nicht an jeder Ecke Überwachungskameras sehen. Sonst wäre das kein Leben.«

Schnitt auf einen weißen Bildschirm. Wells ist wieder da. Der Hintergrund ist verschwunden, sodass er mitten in der Leere steht.

GIBSON WELLS: »Alles, was Sie hier sehen, und mehr wird für Sie verfügbar sein, sobald Sie bei Cloud angefangen haben. Überdies können Sie darauf vertrauen, dass Ihr Job sicher ist. Zwar sind einige unserer Abläufe automatisiert, aber ich halte nichts davon, Roboter zu beschäftigen. Ein Roboter kann niemals die Geschicklichkeit und das kritische Urteilsvermögen eines Menschen replizieren. Selbst wenn es eines Tages dazu kommen sollte, wird das keine Bedeutung für uns haben. Wir glauben an die Familie. Das ist der Schlüssel, ein Geschäft erfolgreich zu führen.«

Schnitt auf eine verlassene Ladenfront. Die Schaufenster sind mit Sperrholz verrammelt. Wells, der den Bürgersteig entlanggeht, wirft einen Blick auf den Laden, schüttelt den Kopf und wendet sich der Kamera zu.

GIBSON WELLS: »Die Lage ist hart, daran besteht kein Zweifel. Aber auch in der Vergangenheit waren wir allerhand Widrigkeiten ausgesetzt und haben sie überwunden, denn das ist es, wofür wir geschaffen sind. Wir bringen Leistung, und wir halten durch. Es ist mein Traum, Amerika wieder auf die Beine zu verhelfen, und deshalb arbeite ich mit den von Ihnen gewählten Lokalpolitikern zusammen, um dafür zu sorgen, dass wir genügend Wachstumsmöglichkeiten haben, damit mehr Bürgerinnen und Bürger ihren Lebensunterhalt verdienen können. Unser Erfolg beginnt bei Ihnen. Sie sind die Zahnräder, die unsere Wirtschaft in Bewegung halten. Ja, Ihre Arbeit wird manchmal schwer sein oder Ihnen monoton vorkommen, das verschweige ich nicht, aber Sie sollten nie vergessen, wie wichtig Sie für das große Ganze sind. Ohne Sie ist Cloud absolut nichts. Bei rechtem Licht betrachtet ...«

Die Kamera zoomt näher heran. Lächelnd breitet Wells die Arme aus, als wollte er den Betrachter auffordern, ihn zu umarmen.

»... arbeite *ich* für *Sie*.«

Schnitt auf einen Tisch in einem Restaurant, an dem etwa ein Dutzend Männer und Frauen sitzen. Viele von ihnen sind übergewichtig. Die Männer halten Zigarren in den Fingern; graue Rauchkringel schweben in der trüben Luft. Auf dem Tisch stehen leere Weingläser und Teller mit halb gegessenen Steaks.

GIBSON WELLS: »Manche Leute werden Ihnen erklären, es sei nicht ihre Aufgabe, für Sie zu kämpfen. Das stimmt. Die Aufgabe solcher Leute ist es, für sich selbst zu kämpfen. Sich durch die harte Arbeit, die *Sie* leisten, zu bereichern. Bei Cloud hingegen sind wir für Sie da, und das meinen wir auch.«

Die Kamera zieht sich zurück. Nun steht Wells in einer kleinen Wohnung.

GIBSON WELLS: »Jetzt fragen Sie sich vielleicht, was als Nächstes kommt. Nun, wenn Sie in der MotherCloud eintreffen, wird man Sie mit einem Zimmer und einem CloudBand ausstatten.«

Wells hebt den Arm, um ein glänzendes, uhrenähnliches Objekt zu zeigen, das er an einem robusten Lederriemen um das Handgelenk trägt.

GIBSON WELLS: »Ihr CloudBand wird Ihr neuer bester Freund sein. Es hilft Ihnen dabei, innerhalb der Anlage von Ort zu Ort zu gelangen, Türen zu öffnen und Einkäufe zu bezahlen. Es liefert Wegbeschreibungen, überwacht Ihre Gesundheit und Ihre Herzfrequenz, aber vor allem unterstützt es Sie bei Ihrer Arbeit. Wenn Sie in Ihre Wohnung gelangen, werden Sie übrigens ein paar weitere tolle Sachen vorfinden.«

Er hebt einen kleinen Karton in die Höhe.

GIBSON WELLS: »Die Farbe Ihres Shirts wird Ihnen mitteilen, wo Sie arbeiten. Wir sind noch damit beschäftigt, Ihre Testergebnisse auszuwerten, aber bis Sie in Ihrer Wohnung sind, haben wir das geschafft. Sobald Sie ankommen, sollten Sie Ihre Sachen abstellen und einen Spaziergang unternehmen. Machen Sie sich mit allem vertraut. Morgen findet die Orientierung statt, bei der jemand aus Ihrem Arbeitsbereich Sie begleiten wird, um Sie einzuweisen.«

Er stellt den Karton ab und zwinkert der Kamera zu.

GIBSON WELLS: »Viel Glück, und willkommen in der Familie! Wir haben mehr als hundert MotherCloud-Zentren in den Vereinigten Staaten, und es ist bekannt, dass ich dort ab und an zu Besuch komme. Wenn Sie mich also durch die Gegend gehen sehen, können Sie mich gern ansprechen und grüßen. Ich freue mich darauf, Sie kennenzulernen. Und wohlgemerkt: Sagen Sie einfach Gib zu mir!«

Gibson

Da wir nun den ganzen deprimierenden Kram beiseitegeräumt haben, ist es wahrscheinlich am besten, wenn ich euch erst mal berichte, wie ich überhaupt in dieser Branche gelandet bin, ja?

Das ist allerdings nicht ganz einfach, weil ich es nämlich selbst nicht genau sagen kann. Schließlich gibt es wohl keinen kleinen Jungen auf unserem Planeten, der je vorhat, später mal das weltgrößte Unternehmen für elektronischen Einzelhandel und Cloud-Computing zu führen, wenn er groß ist. Als kleiner Junge wollte ich Astronaut werden. Erinnert ihr euch an den Rover *Curiosity?* Den hat man damals im Jahre 2011 auf dem Mars herumrollen lassen. Ich war begeistert von dem Ding. Das Modell, das ich davon hatte, war so groß, dass ich unseren Kater draufsetzen und durchs Wohnzimmer fahren lassen konnte. Noch heute, viele Jahre später, erinnere ich mich an allerhand Fakten zum Mars, zum Beispiel daran, dass dort der höchste Berg im Sonnensystem steht, Olympus Mons, und dass ein Gegenstand, der auf der Erde 100 Kilo wiegt, dort nur 38 Kilo wiegen würde.

Ein fantastischer Diätplan, wenn ihr mich fragt. Leichter, als auf rotes Fleisch zu verzichten.

Jedenfalls war ich überzeugt, dass ich der erste Mensch sein würde, der den Fuß auf diesen Planeten setzt. Ich habe mich jahrelang damit beschäftigt. Eigentlich ging es mir gar nicht so sehr darum, dass ich dorthin wollte. Ich wollte der Erste sein. Aber als ich auf die Highschool kam, gelang das just einem anderen, was meinen Traum platzen ließ.

Nicht dass ich nicht trotzdem hingeflogen wäre, wenn man es mir angeboten hätte, aber der Zauber war irgendwie verflogen. Es ist ein großer Unterschied, ob man etwas als Erster tut oder als Zweiter.

Während ich mir also die ganze Zeit vorstellte, auf einem fremden Planeten herumzuhüpfen, war ich bereits auf dem Weg dorthin, wo ich mich heute befinde. Eines habe ich nämlich immer wirklich gern getan: mich um andere Leute zu kümmern.

In der Stadt, in der ich aufgewachsen bin, gab es etwa eine Meile von unserem Haus entfernt einen Gemischtwarenladen. Coop's. Wenn Mr. Cooper es nicht hat, sagte man scherzhaft, dann braucht man es wahrscheinlich nicht.

Der Laden war ein wahres Wunder. Nicht so groß, wie man es erwartet hätte, aber gerade groß genug. Alles war bis unter die Decke aufgestapelt, wie wenn ein Ding auf dem anderen balancieren würde. Man konnte Mr. Cooper nach jeder beliebigen Ware fragen, und er fand sie sofort. Manchmal musste er sich dafür bis an die Rückwand der Regale durchwühlen, aber er hatte immer vorrätig, wonach man suchte.

Als ich neun war, ließ meine Mutter mich ganz alleine zu dem Laden gehen, weshalb ich natürlich immer dazu bereit war. Selbst wenn es um was ganz Kleines ging, rannte ich sofort hin. Wenn sie sagte, sie brauche einen Laib Brot, war ich schon aus der Tür, bevor sie mir erklären konnte, das könne gut und gerne auch bis zu ihrem nächsten Einkauf warten.

Mit der Zeit ging ich so oft hin und her, dass ich nebenbei Besorgungen für Leute aus der Nachbarschaft machte. Wenn Mr. Perry von nebenan mich losmarschieren sah, hielt er mich an und bat mich, ihm einen Tiegel Rasierseife oder wer weiß was mitzubringen. Er gab mir ein paar Dollar mit und überließ mir das Wechselgeld, wenn ich wiederkam. Daraus entwickelte sich ein lukratives kleines Nebengeschäft. Nach einer Weile konnte ich mir Comichefte und Süßigkeiten kaufen, so viel ich wollte.

Aber wisst ihr, was der große Moment war? Der Moment, der alles veränderte? Da gab es diesen Jungen aus unserer Nachbarschaft. Ray Carson. Ein massiger Bursche, gebaut wie ein Stier, aber richtig nett. Ich komme also eines Tages vollgepackt mit Einkäufen aus dem Laden – wahrscheinlich hatte ich sechs oder sieben Stationen vor mir, bevor ich nach Hause kam – und dachte, mir würden gleich die Arme abfallen.

Da lehnt Ray an der Ladenwand und futtert einen Schokoriegel, und ich sage zu ihm: »Hör mal, Ray, wie wär's, wenn du mir tragen hilfst? Ich geb dir dafür auch was ab.« Klar hilft er mir, sagt Ray, denn welcher Junge braucht nicht ein bisschen extra Taschengeld?

Ich überlasse ihm also ein paar von den Einkaufstüten, und wir liefern alles schneller ab, als ich das alleine geschafft hätte. Am Ende habe ich mein ganzes Trinkgeld gezählt und Ray wie versprochen was davon abgegeben, was ihn so gefreut hat, dass wir das weiter so gehalten haben. Ich habe die Bestellungen entgegengenommen und die Einkäufe gemacht, er hat mir beim Tragen und Ausliefern geholfen. Mit der Zeit konnte ich mir statt Süßigkeiten und Comicheften sogar Videospiele leisten. Und Modellraketen, die richtig guten mit den zahllosen Einzelteilen, von denen man anfangs nie alle in der Schachtel gefunden hat.

Nach einer Weile haben andere Jungen mitbekommen, wie gut das Ganze für Ray Carson lief. Daraufhin haben sie mich gefragt, ob sie ebenfalls für mich arbeiten dürfen. Klar, habe ich gesagt, und so ist es dazu gekommen, dass die Leute in meiner Nachbarschaft eigentlich gar nicht mehr zum Einkaufen aus dem Haus gehen mussten.

Mir hat das ein gutes Gefühl verschafft. Es war schön, dass meine Mutter sich hinsetzen und sich die Fingernägel lackieren konnte, statt wie eine Irre durch die Gegend zu rennen, was sie wegen mir und meinem Dad oft hatte tun müssen.

Die Sache lief so gut, dass ich eines Abends beschloss, meine Eltern zum Essen auszuführen.

Wir gingen in das italienische Lokal gleich neben dem Coop's. Ich trug ein weißes Hemd und eine schwarze Krawatte, die ich extra für den Abend gekauft hatte, bloß dass ich keine Ahnung hatte, wie man so eine binden musste. Eigentlich wollte ich meine Mutter überraschen, indem ich damit die Treppe herunterkam, aber stattdessen musste ich sie nach oben rufen, damit sie mir beim Binden half. Als sie sah, wie ich da so stand und mich mit dem Knoten abmühte, ist sie fast geplatzt.

Wir sind zu Fuß gegangen, weil es ein milder Abend war, und die ganze Zeit über hat mein Daddy mich veräppelt, weil er dachte, sobald die Rechnung komme, würde ich die Muffen kriegen, und dann könnte er eingreifen, um die Lage zu retten. Aber ich hatte mir im Internet die Speisekarte angeschaut und wusste, dass ich genügend Geld dabeihatte.

Ich habe Hühnchen Parmigiana bestellt. Meine Mutter hat Hühnchen Marsala genommen, und mein Daddy hat richtig zugeschlagen und sich für Hummer und

Steak entschieden. Als das Mäppchen mit der Rechnung kam, habe ich es genommen und das Trinkgeld ausgerechnet – also, nur zehn Prozent, weil die Getränke von meinen Eltern nämlich zu spät gekommen waren; außerdem hatte der Kellner dann doch vergessen, den Brotkorb aufzufüllen, obwohl wir ihn darum gebeten hatten, und wie mein Dad immer gesagt hat: Trinkgeld ist eine Belohnung für guten Service.

Ich habe das Geld in das Mäppchen gelegt, und als der Kellner kam, habe ich ihm gesagt, er soll das Wechselgeld behalten. Mein Dad hat mit seinem Portemonnaie in der Hand bloß dagesessen und geguckt, als wäre gerade unser Kater auf dem Marsrover durch die Tür gerollt. Da war ich gerade mal zwölf Jahre alt und habe meine Eltern in ein Restaurant ausgeführt, wo eine Kerze auf dem Tisch stand.

Als der Kellner fort war, hat mein Dad mir auf die Schulter geklopft, bevor wir aufgestanden sind. Dabei hat er meine Mutter angeschaut und gesagt: »Unser Junge!«

An diesen Moment erinnere ich mich noch genau. An alles, bis aufs kleinste Detail. Wie an der Wand hinter meinem Dad das Kerzenlicht tanzte. An den dunkelroten Fleck auf dem weißen Tischtuch, weil er ein bisschen Wein verschüttet hatte. An den weichen Ausdruck in seinen Augen, den er immer nur dann bekam, wenn er etwas wirklich ehrlich meinte. Daran, wie seine Hand sich auf meiner Schulter angefühlt hat.

»Unser Junge!«, sagte er.

Das war was richtig Tolles. Es hat mir das Gefühl gegeben, dass ich etwas ganz Besonderes getan habe. Als ob ich für meine Eltern sorgen könnte, obwohl ich noch ein Kind bin.

Tja, das ist es wohl. Es hat mit dem Bedürfnis angefangen, meinen Eltern zu gefallen. Wobei das bei den meisten Leuten der Grund für das sein dürfte, was sie tun. Natürlich wäre es total unaufrichtig, wenn ich behaupten würde, ich hätte nicht den Wunsch gehabt, ein angenehmes Leben zu führen, ein bisschen Geld zu machen, erfolgreich zu sein. Das will jeder auf der Welt. Na ja, einfach ausgedrückt habe ich also wohl schlicht das Bedürfnis zu gefallen.

Ich erinnere mich daran, wie wir viele Jahre später unsere erste MotherCloud eröffnet haben. Wir haben ziemlich bescheiden angefangen, mit nicht mehr als ungefähr tausend Leuten, aber damals war das eine große Sache, weil es die erste moderne Anlage zum Leben und Arbeiten in den Vereinigten Staaten war.

Mein Daddy ist angereist. Das war nicht leicht für ihn, weil er damals schon ziemlich krank war, und meine Mutter war bereits ein paar Jahre zuvor gestorben, aber er ist trotzdem gekommen. Nachdem wir das Band durchschnitten hatten, haben wir zu zweit einen kleinen Spaziergang durch den Wohnbereich gemacht, damit ich ihm alles zeigen konnte.

Als wir fertig waren, hat er mir auf die Schulter geklopft und gesagt: »Unser Junge.«

Obwohl meine Mutter ja schon tot war.

Einige Monate später ist er ebenfalls gestorben, und ich vermisse die beiden wahnsinnig, aber wenn der Krebs, der an meinen Eingeweiden nagt, etwas Gutes haben sollte, dann ist das die Erwartung, sie bald wiederzusehen. Drückt mir die Daumen, dass meine Reise in dieselbe Richtung wie ihre geht!

Das war es, was ich auf dem Herzen hatte. Es gibt noch viel mehr, worüber wir sprechen sollten, aber von meinen

Anfängen hatte ich bisher noch nie richtig erzählt. Jetzt ist es ein gutes Gefühl, das in schriftlicher Form zu sehen. Morgen werden Molly und ich zur MotherCloud in der Nähe von Orlando gelangen. Es ist die zwölfte, die wir erbaut haben, und die erste in der Größe, wie wir sie heute bauen. Deshalb ist sie etwas Besonderes für mich. Obwohl, eigentlich gilt das für alle.

Ach, übrigens, ich weiß, dass viele Leute eine Ankündigung von mir erwarten, wer an meine Stelle treten wird. Ich musste sogar mein Telefon ganz abschalten, weil es ständig geläutet hat. Zu dem Thema werde ich schon noch rechtzeitig kommen, schließlich werde ich nicht gleich morgen sterben, okay? Trinkt erst mal einen Schnaps, liebe Journalisten, und atmet tief durch. Ich halte immer noch alle Fäden in der Hand und werde meine Nachfolge hier in diesem Blog verkünden. Vergesst also, ein Exklusivinterview von mir zu bekommen.

Das ist für heute alles. Danke fürs Lesen. Nachdem ich das alles losgeworden bin, freue ich mich total darauf, aus dem Bus zu steigen, mich zu strecken und einen kleinen Spaziergang zu machen.

Paxton

Die Massenmigration aus dem indischen Kalkutta setzt sich fort. Hier leben mehr als sechs Millionen Menschen in tief liegenden Gebieten, die in den letzten Jahren unter den Meeresspiegel gesunken sind …

Das dazugehörige Foto zeigte eine Gruppe Menschen, die in einem provisorisch aus Treibholz zusammengezimmerten Boot hockten. Zwei Männer, eine Frau. Drei Kinder. Bei allen war die Haut straff wie ein Trommelfell. Paxton schloss den Browser seines Handys.

Der Himmel verdunkelte sich. Vielleicht kommt ein Gewitter, dachte Paxton, aber als er sich über die schlafende Zinnia lehnte, um aus dem Fenster zu schauen, war die Luft voller Insekten. Große, schwarze Schwärme, die am Himmel hin und her zogen.

Inzwischen nahm der Verkehr zu – lange waren sie allein durchs Nirgendwo gefahren, aber dann war auf einmal ein fahrerloser Sattelschlepper an ihnen vorübergerast. Das Dröhnen hatte Paxton aus dem Halbschlaf gerissen. Danach wurden sie immer häufiger von Lastwagen überholt, erst alle zehn und dann alle fünf Minuten und jetzt vielleicht alle dreißig Sekunden.

Der Horizont voraus war eine flache Linie, aus der ein einzelner großer Kasten herausragte. Noch zu weit entfernt, als dass man Einzelheiten erkennen konnte. Paxton lehnte sich zurück und griff nach den Broschüren, in denen das Kreditsystem und das Ranking erläutert wurden, die Wohnraumverteilung und die Gesundheitsversorgung. Er hatte alles zwar schon zweimal durchgelesen, aber es war eine Menge Informationen. Sein Blick glitt immer wieder von den Wörtern ab.

Das Einführungsvideo lief in einer Endlosschleife. War offenbar schon vor Jahren aufgenommen worden. Paxton wusste, wie Gibson Wells inzwischen aussah. Der war jetzt praktisch täglich in den Nachrichten, und in dem Video sah er größer aus und hatte mehr Haare auf dem Kopf.

Jetzt würde er bald sterben. Gibson Wells. Das war in etwa so, als würde man erfahren, dass das Grand Central Terminal in New York entfernt werden sollte, indem man es hochhob und wegwarf. Wie würde alles ohne ihn funktionieren? Die Ungeheuerlichkeit der Frage überschattete den Groll, den Paxton hegte.

Ständig musste er daran denken, was Wells am Ende gesagt hatte. Dass er die MotherClouds im ganzen Land aufsuche. Wells hatte noch ein Jahr zu leben. Wie viele würde er schaffen? Ob Paxton ihm wohl begegnen konnte? Ihn zur Rede stellen? Was würde er zu einem Mann sagen, der dreihundert Milliarden Dollar besaß und meinte, das sei immer noch nicht genug?

Er steckte die Broschüren in seine Reisetasche, holte eine Wasserflasche heraus und drehte knackend den Plastikverschluss auf. Dann griff er wieder zu der einzigen Broschüre, bei der es ihm vor Erwartung eng in der Brust wurde.

Die farbcodierten Tätigkeitsbereiche.

Rot war für die Sammler und Verpacker und damit für den Menschenschwarm, der für den Umschlag der Waren verantwortlich war. Braun für die technische Unterstützung, Gelb für den Kundensupport, Grün für das Küchen- und Reinigungspersonal sowie für verschiedene andere Aufgaben. Weiß war für die Manager, wobei niemand auf dieser Ebene anfing. Außerdem gab es noch andere Farben, die nicht in dem Video vorgekommen waren, zum Beispiel Violett für Lehrer und Orange für das Personal auf dem Drohnenflugplatz.

Eigentlich war Paxton beinahe alles recht, wenngleich er auf Rot hoffte.

Was er fürchtete, war Blau. Das war die Farbe für das Security-Team.

Rot würde bedeuten, dass er ständig auf den Beinen war, aber er war fit genug, das zu schaffen. Außerdem würde es ihm nicht schaden, wenn sein Bauch ein bisschen straffer wurde.

Berufserfahrung hatte er allerdings im Security-Bereich. Nicht von der Ausbildung her, studiert hatte er Ingenieurwesen und Robotik. Aber als er nach dem College keine Stelle gefunden hatte und verzweifelt gewesen war, hatte er auf eine Annonce der Strafanstalt geantwortet und war für die nächsten fünfzehn Jahre dort gelandet. Mit einem Teleskopschlagstock und Pfefferspray ausgerüstet, hatte er jeden Penny gespart, während er daran gearbeitet hatte, seine eigene Firma zu gründen.

Am ersten Tag in der Anstalt hatte er furchtbare Angst gehabt. Er hatte gedacht, an einen Ort zu gelangen, wo alle mit Tattoos bedeckt waren und ihre Zahnbürsten zu Messern schliffen. Was er vorfand, waren einige Tausend wegen geringfügiger Vergehen verurteilte, absolut nicht gewalttätige Männer. Sie hatten Drogen genommen, Strafzettel ignoriert oder irgendwelche Hypotheken- oder Studiendarlehen nicht zurückgezahlt.

Seine Aufgabe bestand hauptsächlich darin, den Leuten zu sagen, wo sie sich hinstellen und wann sie wieder in ihre Zellen zurückgehen sollten. Oder dass sie etwas aufheben sollten, was sie auf den Boden geworfen hatten. Es war ihm zuwider. Es war ihm so zuwider, dass er abends manchmal sofort ins Bett ging, wenn er nach Hause kam. Dann vergrub er den Kopf im Kissen und spürte ein tiefes Loch im Bauch, in das sein ganzer Körper hineinstürzte.

Er hatte eine zweiwöchige Kündigungsfrist, aber als er schließlich seine Kündigung einreichte, zuckte sein Vorgesetzter nur die Achseln und sagte, er solle einfach heimgehen. Das war der beste Tag seines Lebens. Er schwor sich, niemals mehr an einem Ort zu arbeiten, wo er von irgendjemand Anordnungen entgegennehmen musste.

Und da saß er nun.

Während der Bus seinem Ziel entgegenraste, blätterte Paxton die Broschüre durch, um noch einmal den Abschnitt über den Security-Apparat zu lesen. Offenbar hatte Cloud ein eigenes Team mit dem Auftrag, die Mitarbeiter zu durchleuchten und aktiv zu werden, wenn die Lebensqualität gefährdet war. Falls sich ein echtes Verbrechen ereignete, nahm es Kontakt zur örtlichen Polizeibehörde auf. Paxton blickte aus dem Fenster auf die weiten, leeren Felder. Was die örtliche Polizeibehörde anging, hatte er gewisse Zweifel.

Als der Bus eine kleine Kuppe erklomm, von der sich ein spektakulärer Blick auf die Umgebung bot, kam der Cloud-Campus in Sicht.

Am Ende der Straße breitete sich eine Gruppe von Gebäuden aus, in deren Mitte eine einzelne Struktur aufragte, so groß, dass man sie nicht in ihrer Gänze erfassen konnte, sondern nur abschnittsweise. Sie war der Ursprung von Drohnen, die in allen Richtungen durch den Himmel summten. Die Paxton zugewandte Seite war fast völlig flach und glatt. Zwischen dem Koloss und den kleineren Bauten, von denen er umgeben war, schlängelten sich Rohrleitungen über den Boden. Die Architektur vermittelte den Eindruck, zugleich kindlich und brutal zu sein. Hastig angeordnet, nachdem sie von einer gleichgültigen Hand vom Himmel geworfen worden war.

Die Frau in dem weißen Poloshirt, die bisher für die Ankündigungen zuständig gewesen war, stand auf und sagte: »Ich bitte um Aufmerksamkeit!«

Zinnia schlief immer noch tief und fest, weshalb Paxton sich zu ihr beugte und sie leise ansprach. Weil sie sich nicht regte, legte er ihr einen Finger auf die Schulter und übte damit einen leichten Druck aus, bis sie aufwachte. Erschrocken und mit wirrem Blick, setzte sie sich auf. Paxton hob entschuldigend die Hände. »Tut mir leid. Es ist so weit.«

Sie sog schnaufend die Luft ein, nickte und schüttelte den Kopf, als wollte sie einen Gedanken hervorlocken.

»Es gibt drei Wohnbauten in der MotherCloud«, sagte die Frau. »Oak, Sequoia und Maple. Bitte hören Sie gut zu, während ich die Liste vorlese.«

Sie begann, eine Reihe von Nachnamen herunterzurattern.

Athelia: Oak.
Bronson: Sequoia.
Cosentino: Maple.

Paxton wartete auf seinen Namen weiter unten im Alphabet. Schließlich: Oak. Das wiederholte er im Kopf: Oak, Oak, Oak.

Er wandte sich Zinnia zu, die in ihrer Reisetasche herumkramte, ohne zuzuhören.

»Hast du denn schon mitbekommen, wo du wohnst?«, fragte er.

Sie nickte, ohne den Blick zu heben. »In Maple.«

Das ist aber schade, dachte Paxton. Zinnia hatte etwas an sich, was er mochte. Sie schien aufmerksam zu sein. Mitgefühl zu haben. Er hatte nicht erwartet, dass er ihr erzählen würde, was mit dem Perfekten Ei passiert war, aber als er es getan hatte, war der Druck teilweise von ihm gewichen wie Luft, die man aus einem Ballon ließ. Dazu kam, dass sie hübsch war, wenn auch auf recht spezielle Weise. Ihr Hals war glatt und lang, und ihre dünnen Glieder ließen ihn an eine Gazelle denken. Wenn sie lächelte, wölbte sich ihre Oberlippe zu einem übertriebenen Bogen, aber es war ein schönes Lächeln, das er öfter sehen wollte.

Vielleicht lagen Maple und Oak ja nah beieinander?

Ihm kam ein Gedanke. Zuerst meinte er, der wäre ihm ganz plötzlich eingefallen, aber das stimmte nicht ganz. Der Gedanke war mit ihm in den Bus gestiegen und hatte sich bisher lediglich zurückgehalten. Nun würde sich alles ändern, lautete er. Ein neuer Job und zugleich ein neuer Wohnort. Ein wahres Erdbeben in der Landschaft von Paxtons Leben. Er stellte fest, dass er es einerseits kaum erwarten konnte anzukommen und andererseits hoffte, der Bus würde umkehren.

Er sagte sich, dass er nicht lange an diesem Ort bleiben werde. Dass es nur ein Zwischenstopp sei, so wie es auch das Gefängnis hätte sein sollen. Nur dass er sich diesmal daran halten würde.

Der Bus rollte auf das nächste Gebäude zu, einen großen Kasten mit einer weit aufklaffenden Öffnung, in der die Straße verschwand. Im Innern teilte sie sich in mehrere Dutzend Fahrstreifen. Beinahe alle waren mit

Sattelschleppern belegt, die unter an der Decke angebrachten Scannern einen bedächtigen, wie choreografiert wirkenden Tanz vollführten. Aus der Gegenrichtung kamen keine Fahrzeuge, also gab es offenbar eine andere Route für die Ausfahrt.

Der Bus bog nach rechts auf eine eigene Fahrspur ab, die ihn von den Lastwagen wegführte, und sauste an ihnen vorüber, bis er mitten in einer Ansammlung von ähnlichen Bussen zum Stehen kam. Die Frau in dem weißen Shirt erhob sich wieder. »Sobald Sie den Bus verlassen haben, erhalten Sie Ihr CloudBand. Die Ausgabe dauert einige Minuten, deshalb können die Leute weiter hinten gern noch sitzen bleiben. Wir haben gleich alle versorgt. Danke und willkommen in der MotherCloud!«

Die Insassen standen auf und griffen nach ihren Reisetaschen. Zinnia blieb sitzen und betrachtete durchs Fenster die Szene draußen. In erster Linie sah man andere Busse, auf deren Dächern die schwarzen Oberflächen der Solarkollektoren im Licht schillerten.

Paxton überlegte, ob er sie zu einem Drink einladen sollte. Es wäre nett gewesen, gleich jemand kennenzulernen. Aber Zinnia war hübsch, vielleicht ein bisschen zu hübsch für ihn, und er wollte sich seinen ersten Tag nicht mit einem Korb verderben. Deshalb stand er einfach auf, nahm seine Tasche und trat zur Seite, damit sie vor ihm hinausgehen konnte.

Neben dem Bus stand ein groß gewachsener Mann in einem weißen Poloshirt, der seine grauen Haare zu einem ordentlichen Pferdeschwanz gebunden hatte. Begleitet wurde er von einer ebenfalls großen Schwarzen mit einem lila Tuch um den Kopf. Sie hielt eine Schachtel in den Händen. Der Mann stellte den Leuten eine Frage, tippte danach aufs Display seines Tablets, griff dann in die

Schachtel und händigte dem Betreffenden etwas aus. Schön nacheinander. Als Paxton an der Reihe war, fragte der Mann ihn nach seinem Namen, sah auf das Tablet und überreichte ihm eine Armbanduhr.

Paxton ging ein paar Schritte vom Gedränge weg, um die Uhr zu untersuchen. Das Armband war dunkelgrau, fast schwarz, und hatte einen Magnetverschluss. Auf der Rückseite befanden sich mehrere Metallscheiben. Als er die Uhr ums Handgelenk legte und den Verschluss zuschnappen ließ, leuchtete das Display auf.

Hallo, Paxton! Legen Sie bitte den Daumen aufs Display.

Anstelle der Botschaft erschien der Umriss eines Fingerabdrucks. Paxton legte den Daumen darauf, und nach einem Augenblick summte die Uhr.

Danke!

Dann:

Verwenden Sie Ihre Uhr, um zu Ihrer Wohnung zu gelangen.

Dann:

Sie wurden in Oak einquartiert.

Er folgte der Schlange, die sich gebildet hatte, zu mehreren Körperscannern, die von Männern und Frauen mit blauen Poloshirts und ebenfalls blauen Latexhandschuhen betreut wurden. Einer der Männer in Blau rief: »Keine Waffen!«, während die Neuankömmlinge einer nach dem anderen ihre Sachen auf Gepäckscanner stellten, dann unter den Körperscanner traten und die Arme in die Luft hoben. Das Gerät drehte sich einmal um sie herum, bevor sie es wieder verlassen konnten und ihr Gepäck zurückbekamen.

Hinter den Scannern kam man zu einer mit Schleusen gesicherten Plattform vor einem Schienenstrang. An jeder Schleuse war eine kleine, schwarz glänzende Scheibe mit einem weißen Lichtrand angebracht. Wenn man die Uhr vor die Scheibe hielt, wurde das Licht grün, und die Schleuse gab ein angenehm tröstliches Geräusch von sich. Ein warmes kleines Klingelgeräusch, das zu sagen schien, dass alles gut werde.

Paxton schaffte es auf den Bahnsteig, sah Zinnia und stellte sich neben sie. Er beobachtete, wie sie an ihrer neuen Uhr herumfummelte und mit den Fingern darüberstrich.

»Trägst du nicht gern Uhren?«, fragte er.

»Hm?« Sie sah auf und kniff die Augen zusammen, als hätte sie vergessen, wer er war.

»'tschuldigung. War bloß eine Beobachtung. Sieht aus, als würdest du das Ding da nicht gern tragen.«

Zinnia streckte den Arm aus. »Es ist ganz leicht. Man spürt es kaum.«

»Das ist doch gut, oder? Wenn wir es den ganzen Tag tragen müssen, meine ich.«

Sie nickte, während eine stromlinienförmige Bahn einfuhr. Es war ein einzelner Wagen, der lautlos auf Magnetschienen lief und so sanft zum Stehen kam wie ein zu Boden sinkendes Blatt. Die Wartenden stiegen ein und quetschten sich in den engen Raum. Es gab eine Reihe von gelben Stangen zum Festhalten und einige Behindertensitze, die man herunterklappen konnte, aber das tat niemand.

Paxton wurde im Gedränge von Zinnia getrennt, und als alle drin waren und die Türen zugingen, befand sie sich an der anderen Seite des Wagens. Alle standen Schulter an Schulter. Die Körper, die sich an Paxton pressten, rochen nach Schweiß, Aftershave und Parfüm, eine pestilenzialische Mischung in der Enge. Er hätte sich in den Hintern treten können, weil er nichts mit Zinnia vereinbart hatte. Jetzt hatte er den Eindruck, dass es zu spät war.

Die Bahn sauste durch dunkle Tunnel, bevor sie schließlich ins Sonnenlicht schoss. Es kamen einige scharfe Kurven, bei denen die Insassen fast den Halt verloren.

Als die Bahn langsamer wurde, flackerten die getönten Fenster auf. In gespenstisch weißen Lettern erschien das Wort OAK vor den Strukturen draußen. Eine kühle Männerstimme kündigte die Station an.

Während Paxton den Aussteigenden folgte, winkte er Zinnia kurz zu und rief: »Sehen wir uns mal?« Das hörte sich fragender an, als ihm lieb war – er hätte verwegener klingen wollen –, aber Zinnia lächelte und nickte.

Gleich neben den Schienen befand sich ein gefliester, tiefergelegter Vorplatz mit drei Rolltreppen, die an beiden Seiten von Stufen flankiert waren. Eine funktionierte nicht; rund um den Einstieg hatte man wie eine Reihe Zähne orangefarbene Kegel aufgestellt. Die meisten Leute entschieden sich für eine von den anderen beiden Rolltreppen, aber Paxton hängte sich seine Reisetasche über die Schulter und nahm tapfer die Stufen. Oben gelangte er in einen schmucklosen Raum aus Sichtbeton mit mehreren Aufzügen. An einer der Wände war ein großer Bildschirm angebracht, auf dem das Video aus dem Bus lief.

Die Mutter klebte ihrem Sohn gerade das Pflaster aufs Knie, als es an Paxtons Handgelenk summte.

10. Etage, Apartment D.

Effizient war das Ding ja. Er betrat einen Aufzug und stellte fest, dass es darin keinerlei Tasten gab, nur wieder eine von einem Lichtkreis umgebene Scheibe. Wenn man das Handgelenk davorhielt, leuchtete auf der gläsernen Oberfläche eine Etagennummer auf. Bei Paxton war es die 10.

Er war der Einzige, der im zehnten Stock ausstieg. Nachdem die Tür sich hinter ihm geschlossen hatte, staunte er über die Stille, die im Flur herrschte. Angenehm nach dem stundenlangen Reden, dem Video, dem Bus, der Fahrt und der aufgezwungenen Nähe zu Fremden. Die Wände waren aus weiß getünchten Betonsteinen errichtet, die Türen waldgrün lackiert. Ein kleines Schild zeigte die Richtung zu den Toiletten und den Apartments an. Das Alphabet begann offenbar am anderen Ende des Flurs, was eine lange Wanderung über das Linoleum bedeutete. Paxtons Schuhsohlen quietschten auf der spiegelnden Oberfläche.

An der mit D gekennzeichneten Tür hielt er das Handgelenk neben den Knauf, worauf es klickte. Er drückte die Tür auf.

Der Raum sah eher wie ein enger Korridor als wie ein Apartment aus. Der Boden war mit demselben Material wie im Flur belegt, die Wände wiederum aus weiß getünchten Betonsteinen aufgeschichtet. Gleich rechts kam die Küche, bestehend aus einer Arbeitsfläche mit einer in die Wand eingelassenen Mikrowelle, einem kleinen Waschbecken und einer Kochplatte. Als er das Einbauschränkchen daneben öffnete, fand er billiges Kunststoffgeschirr vor. Auf der anderen Seite waren Schiebetüren, hinter denen sich ein langer, flacher Kleiderschrank befand.

Gleich hinter dem Schrank war eine Pritsche in die linke Wand eingebaut. Darunter sah man die Türen weiterer kleiner Schränke. Die Matratze war mit einem glatten, plastikähnlichen Material bezogen, als wäre sie für ein Kind gedacht, das noch ins Bett machte. An der Kante der Pritsche wies eine Notiz darauf hin, dass man sie zum Schlafen herausziehen konnte.

An der Wand gegenüber dem Bett war ein Fernseher befestigt, darunter stand ein schmaler Couchtisch, kaum groß genug für eine Tasse Kaffee. Den Abschluss des Raums bildete ein Milchglasfenster, durch das mattes Sonnenlicht hereinfiel. Es konnte mit einer Jalousie abgedunkelt werden.

Paxton setzte seine Reisetasche neben einem Stapel Bettzeug und einem schlaffen Kissen ab. Wenn er sich neben das Bett stellte und die Arme ausbreitete, konnte er mit den Fingerspitzen beinahe beide Wände berühren.

Kein Bad. Er erinnerte sich an die Schilder im Flur und seufzte. Etagenbäder. Wie damals im College. Wenigstens hatte er keinen Mitbewohner.

An seinem Handgelenk summte es.

Schalten Sie den Fernseher ein!

Er sah eine Fernbedienung auf der Matratze liegen, setzte sich und schaltete den Fernseher ein, der so hoch angebracht war, dass er den Hals recken musste. Eine kleine Frau in einem weißen Poloshirt stand mit strahlendem Lächeln in einem Zimmer, das dem von Paxton ähnelte.

»Hallo!«, sagte sie. »Willkommen in Ihrer ersten Unterkunft. Wie Sie bestimmt aus der Lektüre Ihrer Wohnbroschüre wissen, ist eine Höherstufung möglich, aber vorläufig sind Sie hier untergebracht. Wir haben Sie mit ein paar Basics ausgestattet, und Sie können einen Ausflug zu den Shops machen, um sich alles zu besorgen, was Sie sonst noch brauchen. In Ihrer ersten Woche in der MotherCloud sind Sie zu zehn Prozent Rabatt auf alle Wohn- und Wellnessartikel berechtigt. Anschließend bekommen Sie fünf Prozent Rabatt auf alles, was Sie über die Cloud-Website kaufen. Badezimmer und Toiletten finden Sie am Ende des Flurs – getrennt für Männer und für Frauen sowie geschlechtsneutral. Falls Sie etwas brauchen, kontaktieren Sie bitte Ihren Wohnbetreuer in Apartment R. Stellen Sie jetzt Ihre Sachen ab, und machen Sie einen Spaziergang, um sich mit Ihrer Cloud-Familie bekannt zu machen. Aber zuerst sollten Sie einen Blick auf Ihr Bett werfen.« Sie klatschte in die Hände. »Dort warten nämlich die Ihnen zugewiesene Aufgabe – und ein Shirt – auf Sie.«

Der Bildschirm wurde schwarz.

Paxton betrachtete die Pappschachtel, die auf der Matratze stand. Bisher hatte er sie gar nicht bemerkt, obwohl sie ganz offensichtlich vorhanden war. Er hatte sie nicht bemerkt, weil er sie nicht hatte sehen wollen.

Rot. Sei rot, bitte!

Oder irgendwas anderes außer blau.

Er griff nach der Schachtel und stellte sie sich auf den Schoß. Dachte ans Gefängnis. Kurz nachdem er dort eingestellt worden war, hatte er einen Bericht über das Stanford-Prison-Experiment gelesen. Dabei hatten Wissenschaftler mit mehreren Versuchspersonen ein Rollenspiel veranstaltet, in dem die einen Gefangene, die anderen

Wärter darstellten. Obwohl es sich um ganz normale Leute handelte, nahm jeder seine Rolle so ernst, dass sich die »Wärter« autoritär und grausam verhielten, während die »Gefangenen« sich Regeln unterwarfen, zu deren Befolgung sie eigentlich keinen Grund hatten. Das hatte Paxton auf mehreren Ebenen fasziniert, nicht zuletzt deshalb, weil er sich trotz seiner Uniform immer wie einer von den Häftlingen fühlte. Seine Autorität war wie ein zu großer Schuh, der ihm den Fuß wund rieb und herunterzupoltern drohte, wenn er einen zu großen Schritt machte.

Als er die Schachtel aufriss, fand er natürlich drei blaue Poloshirts vor.

Sie waren aus glattem Stoff wie bei Sportbekleidung und säuberlich gefaltet.

Lange saß er da und starrte die Shirts an, bevor er sie an die Wand warf, sich rückwärts aufs Bett sinken ließ und an die grobe Struktur der Decke starrte.

Er überlegte, ob er das Zimmer verlassen und rausgehen sollte, irgendwohin, konnte sich jedoch nicht dazu aufraffen. Deshalb griff er nach den Broschüren, die er im Bus bekommen hatte, und studierte noch einmal die Lohnstruktur. Je schneller er hier wieder herauskam, desto besser.

Bezahlung in der MotherCloud

Willkommen in der MotherCloud! Vermutlich haben Sie einige Fragen zu unserer Gehaltsstruktur. Das ist okay – die kann tatsächlich etwas verwirrend wirken! Hier ist ein Überblick, wie unser System funktioniert. Sollten Sie weitere Unterstützung brauchen, können Sie gern einen Termin mit einem Banker im Administrationsgebäude vereinbaren.

Cloud ist zu 100 Prozent papierlos, was auch das Geld betrifft. Ihr CloudBand, das die neuesten Features der Nahfeldkommunikation enthält, ist auf Sie – und nur Sie – codiert. Es funktioniert nur, wenn der Verschluss geschlossen und es in Kontakt mit Ihrer Haut ist, weshalb wir empfehlen, es nur nachts zum Laden abzunehmen.

Ihr Band kann für alle Transaktionen in der MotherCloud verwendet werden. Als Mitarbeiterin oder Mitarbeiter erhalten Sie in unserem Banksystem einen speziellen Rabatt, den Sie einsetzen können, solange Sie hier arbeiten. Sollten Sie Cloud verlassen, können Sie Ihr Konto hier gern behalten – wir gehören dem Einlagensicherungsfonds an, und Ihr Guthaben ist an jedem beliebigen Geldautomaten verfügbar.

Ihr Gehalt wird in Credits ausbezahlt. Ein Credit entspricht etwa einem US-Dollar (beim Umtausch wird eine kleine Gebühr von wenigen Cent-Bruchteilen berechnet, den aktuellen Kurs finden Sie online auf unserem Banking-

Portal). Das Gehalt wird jeden Freitag auf Ihrem Konto deponiert.

Steuern sowie moderate Gebühren für Unterkunft, Gesundheitsversorgung und Transit werden automatisch abgezogen. Wie Ihnen bekannt ist, bekommen Sie im Einklang mit dem Wohnraumversorgungsgesetz und dem Gesetz über papierlose Währung nicht den Mindestlohn. Die Differenz erhalten Sie jedoch auf verschiedene Weise zurück – durch eine großzügige Wohnungs- und Gesundheitsversorgung, durch die unbegrenzte Verwendung unseres firmeneigenen Transitsystems sowie durch unseren Rentenfonds.

Ihr Kontostand beginnt bei null; Sie können jedoch von Ihrem bisherigen Konto Geld überweisen. Hierfür fällt eine moderate Gebühr an; den aktuellen Betrag finden Sie auf unserem Banking-Portal.

Für Personen, die über keine Barreserven verfügen, bieten wir als Starthilfe eine vorübergehende Unterstützung auf Kreditbasis an. Weitere Informationen erhalten Sie bei unserer Banking-Abteilung.

Sie sollten sich zudem bewusst sein, dass Ihnen im Einklang mit dem Gesetz für Arbeitnehmerverantwortlichkeit bei den folgenden Verstößen das Gehalt gekürzt werden kann:
- Beschädigung von Cloud-Eigentum
- mehr als zweimaliges verspätetes Erscheinen am Arbeitsplatz
- Nichterfüllung der von einem Manager gesetzten monatlichen Quoten
- Vernachlässigung der persönlichen Gesundheitsvorsorge

- Überschreitung des Kontingents an Krankentagen
- Verlust oder Beschädigung Ihres CloudBands
- ungebührliches Benehmen

Zusätzliche Credits können Sie hingegen für die folgenden Vorleistungen erhalten:

- Erfüllung Ihrer monatlichen Quote für drei Monate oder länger
- keine Inanspruchnahme von Krankentagen sechs Monate oder länger
- Gesundheitscheck alle sechs Monate
- professionelle Zahnreinigung einmal jährlich

Zudem wird Ihr Gehalt automatisch für jede Woche, in der Sie ein Fünf-Sterne-Rating erhalten, um 0,05 Credits erhöht. Voraussetzung dafür ist, dass dieses Rating die gesamte Woche über beibehalten wird.

Ihr Konto fungiert wie eine Kreditkarte. Wenn Sie den aktuellen Credit-Stand unterschreiten, können Sie das Konto trotzdem belasten. Credits, die Sie verdienen, während Sie im Soll sind, werden zuerst für die Bezahlung der Zinsen verwendet (den aktuellen Zinssatz finden Sie auf unserem Banking-Portal) und erst danach für den Ausgleich des Kreditbetrags.

Ferner laden wir Sie ein, unserem Rentenplan beizutreten, der Sie nach einer bestimmten Anzahl von Jahren zu einer reduzierten 20-stündigen Arbeitswoche, einer subventionierten Wohnung und einem 20%igen Rabatt auf sämtliche Einkäufe im Cloud-Store berechtigt.

In der Administration stehen von 9 bis 17 Uhr Banker zur Verfügung, die Ihnen bei allen Bedürfnissen assistieren. Zugang zu Ihrem Konto haben Sie jederzeit online über unser Banking-Portal, an den überall in der MotherCloud befindlichen CloudPoint-Terminals und über den Browser des Fernsehapparats in Ihrer Wohnung.

Zinnia

Zinnia fuhr mit dem Zeigefinger über das Display der Uhr. So glatt, dass es schlüpfrig war. Als sie das Band anlegte, schnappte der Magnetverschluss über der dünnen Haut an der Innenseite ihres Handgelenks zu.

Nachts aufladen. Sonst nicht abnehmen, weil es Gesundheitsdaten aufzeichnete, Türen öffnete, dein Rating registrierte, Arbeitsaufgaben übermittelte, Transaktionen abwickelte und wahrscheinlich noch hundert andere Dinge tat, die man in der MotherCloud brauchte.

Genauso gut hätte man Handschellen tragen können.

Im Kopf wiederholte sie den Abschnitt aus der Anleitung, der ihren Blutdruck spürbar hatte steigen lassen.

Außerhalb Ihrer Wohnung muss das CloudBand zu jeder Zeit getragen werden. Es ist auf Sie codiert. Aufgrund der sensiblen Informationen, die auf jedem CloudBand gespeichert sind, wird im Sicherheitssystem von Cloud ein Alarm ausgelöst – für Sie auch hörbar –, wenn es zu lange abgelegt wird oder jemand anderes Ihr Band tragen sollte.

Sie warf einen Blick auf die Tür. An der Innenseite war eine Scheibe angebracht – selbst wenn man rauswollte, musste man das Band davorhalten. Wahrscheinlich sollte das dafür sorgen, dass man nicht ohne das Ding aus der Wohnung ging, da es als Schlüssel für alles diente, vom Aufzug über die Wohnungstür bis zu den Sanitäranlagen.

Aber bestimmt ging es nicht nur darum, ob man es trug oder nicht – es registrierte, wo man sich gerade aufhielt. Wenn man den falschen Bereich betrat, leuchtete wahrscheinlich in einem abgedunkelten Raum ein Punkt auf einem Bildschirm auf und alarmierte irgendjemand, der davorsaß.

Sie betrachtete die roten Poloshirts, die sie aus der Schachtel auf ihrem Bett geholt hatte, und ärgerte sich wieder darüber, dass sie nicht braun gewesen waren.

Natürlich hatte sie über die Uhren Bescheid gewusst. Aber sie hatte gedacht, dass sie den Auswahlalgorithmus von Cloud durchschaut hätte. Entsprechend hatte sie ihre Antworten und ihren Lebenslauf darauf hin ausgerichtet, dem technischen Team zugeteilt zu werden. Dann hätte sie ausreichend Zugang zu allem gehabt, was sie brauchte.

Jetzt war das weniger der Fall.

Damit blieben ihr drei Optionen:

Erstens konnte sie die Uhr so manipulieren, dass ihr Aufenthaltsort nicht korrekt angezeigt wurde. Das war nicht unmöglich, aber begeistert war sie nicht davon. Sie war zwar gut in so was, aber eventuell nicht gut genug.

Zweitens konnte sie eine Möglichkeit finden, sich ohne die Uhr durch die Gegend zu schleichen. Allerdings wäre sie dann nicht in der Lage, irgendwelche Türen zu öffnen. Sie könnte nicht einmal aus ihrer Wohnung gelangen.

Drittens konnte sie beantragen, dem Wartungs- oder dem Security-Team zugewiesen zu werden. Dort hatte man den besten Zugang zu allen Bereichen. Sie hatte jedoch keine Ahnung, ob ein derartiger Antrag überhaupt möglich war.

Was bedeutete, dass ihr Auftrag sich wesentlich schwieriger gestalten würde als erwartet.

Wieso sollte sie also nicht gleich anfangen, indem sie die Überwachungsmaßnahmen auf die Probe stellte?

Sie kniete sich vor die Scheibe an der Innenseite der Tür und strich mit den Fingern darüber. Überlegte, ob sie das Ding herunterreißen sollte, aber dann wurde wahrscheinlich ein Alarm ausgelöst. Deshalb hielt sie die Uhr davor, um die Tür zu öffnen, und stellte den Fuß in den Spalt, während sie sich zu dem Ladegerät für das CloudBand hinüberbeugte. Sie legte das Band auf die Matte und trat in den Flur.

Einen Moment lang hielt sie inne, bis ihr klar wurde, dass es einen merkwürdigen Eindruck vermittelte, einfach bloß dazustehen. Deshalb machte sie sich auf den Weg zu den Sanitäranlagen. Als sie gerade dort angekommen war, trat ein Fleischkloß in einem blauen Poloshirt und mit Tribal-Tattoos auf den Unterarmen aus dem Aufzug. In sicherem Abstand zu ihr blieb er stehen und hob die Hände zu einer Geste, die *nur die Ruhe* ausdrückte. Offenbar war ihm klar, dass sein Erscheinungsbild andere Leute nervös machte.

»Miss?«, sagte er mit einer etwas dämlich klingenden Stimme. »Ohne Ihr CloudBand dürfen Sie Ihre Wohnung nicht verlassen.«

»Tut mir leid. Ist mein erster Tag hier.«

Er setzte ein verständnisvolles Lächeln auf. »Kann passieren. Dann will ich Sie mal wieder in Ihre Wohnung lassen, sonst sind Sie nämlich ausgesperrt.«

Sie ließ sich von ihm durch den Flur geleiten, wobei er respektvoll Abstand zu ihr hielt. Bei ihrer Wohnung angekommen, legte er kurz seine Uhr an die Scheibe, die daraufhin grün aufleuchtete. Anschließend trat er von der Tür zurück, als würde ein wilder Tiger dahinter lauern. Richtig süß war das.

»Danke«, sagte sie.

»Kein Problem, Miss«, sagte er.

Sie sah zu, wie er den Flur entlangschlurfte, bevor sie wieder in ihre Wohnung trat. Sie nahm ihren Schminkbeutel zur Hand und kramte nach dem roten Lippenstift, den sie noch nie verwendet hatte. Schraubte den unteren Teil ab und zog einen Funkfrequenzdetektor heraus, etwa so groß wie ihr Daumen. Als sie die Taste an der Seite drückte, blinkte das grüne Licht auf, das unter anderem die volle Ladung anzeigte.

Sie führte das Gerät über jede Oberfläche im Raum. Vor dem Fernseher und der Deckenlampe wurde das Licht rot, was sie erwartet hatte, aber nirgendwo sonst. In den Belüftungsschlitzen und den Schränken war also nichts angebracht.

Als Nächstes öffnete sie die Tür und führte den Detektor am Rahmen entlang. Vor dem Schließblech wurde das Licht rot. Da war etwas, verborgen von dem dünnen Metall des Rahmens. Ein Thermalscanner? Ein Bewegungsdetektor? Sie nahm ihr CloudBand vom Ladegerät und legte es an. Überprüfte erneut die Tür. Kein rotes Licht. Legte das CloudBand auf das Ladegerät. Rotes Licht.

Das war es. Man konnte mit Fug und Recht annehmen, dass die Tür das Problem war. Irgendein Sensor darin konnte feststellen, wenn sie den Raum verließ, ohne die Uhr zu tragen. Wenn sie einen anderen Ausgang entdeckte, war das Problem gelöst.

Sie blickte sich im Raum um, der ihr jetzt noch kleiner vorkam, so klein wie ein Spielhaus für Kinder. Aber sie würde es schaffen. Vorher war allerdings noch eine kleine Erkundungstour angesagt. Sie legte das CloudBand an und schlenderte durch den leeren Flur zu den

Sanitäranlagen. Wählte die geschlechtsneutrale Tür – das Symbol war eine Kombination aus einem halben Männchen und einer halben, durch einen Rock gekennzeichneten Frau –, hinter der sie eine lange Reihe von Waschbecken, Toiletten und Urinalen vorfand. Eine der Toilettenkabinen war besetzt; unter der Tür waren Sneakers sichtbar. Nach Größe und Stil zu urteilen, gehörten sie wahrscheinlich einer Frau.

Zinnia ging zu einem der Waschbecken und griff nach dem Hahn. Er fühlte sich locker an. Sie zog kurz daran und hatte den Drehknauf beinah in der Hand. Sie trat zum nächsten Waschbecken, um sich kurz das Gesicht zu waschen. Blickte nach oben und stellte fest, dass der Raum eine abgehängte Decke hatte.

Gut.

Auf dem Weg zu den Aufzügen begegnete sie einer jungen Frau, hübsch wie eine Cheerleaderin, aber ganz zart. Das braune Poloshirt passte nicht recht zu ihrem schlanken Körper. Die ebenfalls braunen Haare waren zu einem schmerzhaft engen Pferdeschwanz gebunden. Die Frau richtete ihre Augen, groß wie die einer Comicfigur, auf Zinnia und fragte: »Bist du neu hier auf der Etage?«

Zinnia nahm sich zusammen. Das Gesetz des Nettigkeitenaustauschs verlangte, dass sie mit irgendwelchen Plattitüden reagierte.

»Stimmt«, sagte sie und zwang sich zu lächeln. »Bin gerade eingetroffen.«

»Willkommen«, sagte die Frau und bot ihr die Hand. »Ich bin Hadley.«

Zinnia schüttelte die Hand, die so zart wie ein kleiner Vogel war.

»Wie kommst du zurecht?«, fragte Hadley.

»Gut«, antwortete Zinnia. »Viel Neues, weißt du, aber ich gewöhne mich ganz gut ein.«

»Tja, wenn du was brauchst, ich wohne in Q. Und in V ist Cynthia. Die ist hier auf der Etage so was wie die Chefin.« Hadley lächelte verschwörerisch. »Du weißt ja, wie das ist. Wir Mädels müssen zusammenhalten, oder?«

»Ach, ist das so?«

Hadley blinzelte. Einmal, zweimal. Dann nickte sie und lächelte noch breiter. Offenbar hoffte sie, damit von den ungesagten Worten abzulenken, die in der Luft hingen, was Zinnia sich als potenziell interessant einprägte.

»Tja, war nett, dich kennenzulernen«, sagte Hadley und drehte sich auf dem Absatz ihrer reizenden roten Schühchen um.

»Ganz meinerseits«, rief Zinnia ihr hinterher, während sie in den Aufzug trat. Die Begegnung kam ihr immer noch merkwürdig vor, und sie versuchte zu ergründen, woran das lag, aber kurz bevor sie unten anlangte, kam sie zu dem Schluss, dass Hadley einfach nur nett hatte sein wollen. Kein Grund zur Aufregung.

In der Eingangshalle angekommen, trat sie vor einen großen, frei stehenden Bildschirm, auf dem ein Plan des gesamten Campus zu sehen war.

Die Wohnbauten waren von Norden nach Süden in einer geraden Linie angeordnet: Sequoia, Maple, Oak. Im Norden von Sequoia befand sich eine tropfenförmige Anlage namens Live-Play, in der es laut Beschreibung Restaurants, Kinos und einen Haufen anderen Scheiß gab, wo die Leute sich betäuben konnten.

Die Bahn absolvierte einen ovalen Rundkurs. Sie hielt vor jedem der drei Wohnbauten. Verbunden waren diese außerdem durch eine Einkaufspassage, sodass man zu Fuß von Oak am einen zu Live-Play am anderen Ende gelangen konnte. Bezeichnet wurde die Strecke als Promenade und war dem Anschein nach etwa eineinhalb Kilometer lang.

Anschließend machte die Bahn eine Kurve, um zwei weitere Gebäude anzusteuern, eines – Administration – mit der Verwaltung, dem Bankingtrakt und den Schulen, das andere – Care – mit den Gesundheitseinrichtungen und dem Krankenhaus. Dann führte die Bahn durch das riesige Warendepot, bevor sie das Aufnahmegebäude erreichte, wo sie bei der Ankunft aus dem Bus gestiegen waren. Von hier aus ging es schließlich zurück zu den Wohnbauten.

Auf dem Plan zu sehen waren außerdem Notfallgleise. Jedes Gebäude verfügte über mehrere Haltepunkte für einen Ambulanzshuttle, der auf direktem Weg zu Care gelangte. Über ein weiteres eigenständiges System wurden die Mitglieder des Wartungsteams zu den Solar- und Windanlagen transportiert und weiter an den Rand des Areals, wo sich die Anlagen für die Wasseraufbereitung, das Abfallrecycling und die Energieversorgung befanden.

Genau dorthin musste Zinnia gelangen.

Sie wandte sich von dem Bildschirm ab und machte sich auf den Weg. Um sich einen Eindruck von der Promenade zu verschaffen, wollte sie zuerst bis ans Ende von Oak gehen, um dann umzukehren und bis zu Live-Play vorzustoßen. Die Eingangshalle von Maple war aus nacktem, poliertem Sichtbeton gestaltet. Zinnia sah Türen zu einer Waschküche und einem Fitnessstudio, das gut ausgestattet zu sein schien, mit Hanteln, Maschinen und Laufbändern. Niemand war darin zu sehen.

Die Promenade präsentierte sich flughafenschick als wuchtige zweistöckige Halle, in der gelegentlich Aufzüge,

Rolltreppen oder Wendeltreppen eine Verbindung schufen. Zinnia kam an Fast-Food-Lokalen und Drogeriemärkten vorüber, an einem Feinkostladen, einem Nagelstudio, an Fußmassagesalons. Es gab viele solche Salons, in denen Leute mit roten, braunen oder weißen Poloshirts auf Liegesesseln ruhten, während Frauen in grünen Shirts ihnen die scheußlich nackten Füße massierten. In die Wände waren riesige Videoschirme eingebaut, deren Farbsättigung so hochgedreht war, dass Zinnia die Augen schmerzten, wenn sie den Blick darauf richtete. Es liefen Werbespots für Schmuck, Smartphones und Snacks.

Alles war aus poliertem Beton und Glas, das einen Blaustich hatte. Sämtliche Oberflächen hatten eine aggressive Wirkung. Zinnia stieg eine Treppe hoch und ging dann an der Außenwand entlang, die aus durchsichtigen Glasplatten bestand. Ihr Magen zog sich zusammen, als wäre sie in Gefahr, hinabzustürzen und schwer verletzt auf dem harten Boden aufzuschlagen. Sie kam an einer Rolltreppe vorüber, die außer Funktion war. Ihre Zähne waren hochgeklappt; in den Innereien standen Männer mit braunen Poloshirts, die sich nicht an einer Reparatur versuchten, sondern das Ganze beäugten, als müssten sie erst einmal herausbekommen, wie es funktionierte. An den Aufzügen hatten sich lange Schlangen gebildet.

Nachdem Zinnia den letzten Wohnbau durchquert hatte, kam sie in den zu Live-Play führenden Korridor, der in einem rechten Winkel abbog. Gesäumt war er von Videoschirmen und Restaurants, die ein bisschen exotischer waren als die Sandwich- und Suppenlokale im bisherigen Teil der Promenade. Tacos, Barbecue und Ramen, jeweils ein wenig umfangreiches Angebot. Die Leute saßen auf Hockern und verzehrten mit gesenktem Gesicht ihre Mahlzeit.

Zinnia betrat den Taco-Laden und setzte sich an die Theke. Als der korpulente Mexikaner dahinter sie mit gehobenen Augenbrauen ansah, fragte sie auf spanisch, ob es Cabeza-Füllung gebe. Stirnrunzelnd schüttelte er den Kopf und deutete auf die kleine Speisekarte über ihm. Hühnchen, Schweinefleisch, aber auch Rindfleisch, das natürlich viermal so teuer war wie die beiden anderen Optionen. Sie entschied sich für drei Tacos mit Schweinefleisch, worauf sich der Mann an die Arbeit machte. Er warf vorgegartes Fleisch auf die Edelstahlplatte, um es aufzuwärmen, daneben drei Maistortillas.

Zinnia fummelte ihr Geld aus der Hosentasche und legte genügend zur Rechnungsbegleichung auf die Theke, dazu ein bisschen extra. Der Koch arrangierte das Fleisch samt einem Häufchen aus gehackten Zwiebeln und Koriander auf den Tortillas und servierte ihr den Teller. Daneben legte er eine kleine, schwarze Scheibe. Als er das Geld sah, schüttelte er den Kopf und sagte, er könne nicht herausgeben, worauf Zinnia mit der Hand wedelte und meinte, er könne den Rest behalten. Er grinste und nickte, klaubte das Geld von der Theke, sah sich kurz um und steckte es in die Tasche.

»¿Es tu primer día?«, fragte er.

»Sí«, sagte Zinnia.

Der Mann hinter der Theke lächelte, und sein Blick wurde weich. Wie der eines Vaters, der gerade etwas Enttäuschendes über eines seiner Kinder zu Ohren bekommen hatte. Er nickte bedächtig und sagte: *»¡Buena suerte!«*

Der Ton, in dem er ihr Glück gewünscht hatte, gefiel ihr nicht. Während er ihr den Rücken zuwandte, machte sie sich an die Tacos. Nicht die besten, die man ihr je vorgesetzt hatte, aber ganz gut für einen Ort am Arsch der Welt. Als sie fertig war, schob sie den Teller über die Theke und winkte dem Koch zu, der den Gruß mit einem gequälten Lächeln erwiderte. Dann schlenderte sie den Korridor entlang, bis er sich zu einer großen Halle öffnete.

Live-Play roch nach frischem Fließgewässer. Offenbar machten die Luftfilter hier Überstunden. Die Umgebung erinnerte Zinnia ein bisschen an eine Shoppingmall beziehungsweise daran, wie solche Malls einmal ausgesehen hatten, bevor sie außer Mode gekommen waren. Als Kind hatte sie den Eindruck gehabt, dort gebe es alles, was sie sich je hätte wünschen können, an einem einzigen Ort. Live-Play hatte drei Ebenen, eine über und eine unter ihr, verbunden durch ein Wirrwarr aus Rolltreppen und Aufzügen. Größere Geschäfte und Boutiquen reihten sich die Wände entlang, von Laufstegen bot sich ein Blick hinunter in die Tiefe. Ein großer Teil der Halle wurde von einem Spielkasino in Anspruch genommen. Durch die Glaspaneele des Dachs sah man das matte Dunkelblau des Himmels.

Es gab einen englischen Pub und ein Sushi-Lokal – klar doch, Sushi, frischer Fisch ausgerechnet hier draußen. Und einen CloudBurger, wo das Essen angeblich ganz gut war und ein Stück Rindfleisch enthielt, das nicht so viel kostete wie ein richtiges Dinner.

Neben den Restaurants sah Zinnia eine Spielhalle im Retrodesign und einen moderner anmutenden Video-Reality-Raum. Ferner ein Kino, ein Nagelstudio, einen Massagesalon, einen Süßigkeitenshop. Die Sitzbereiche in der Mitte waren gut belegt, in den Läden herrschte ein reges Kommen und Gehen.

Als Zinnia an einem Feinkostladen vorüberkam, spürte sie einen Stich im Magen. Offenbar hatte sie noch

Hunger. Ein Stück Obst wäre nett gewesen, irgendetwas Frisches. Sie ging hinein und erforschte die kurzen Regalreihen, fand jedoch nur Packungen mit industriell verarbeiteten Lebensmitteln und gekühlte Getränke. Keine Äpfel, keine Bananen. Sie verließ den Laden und spazierte weiter, bis sie wieder auf die Retrospielhalle stieß, worauf sie ihre Suche nach Obst aufgab und in das Labyrinth aus schillernden und summenden Maschinen trat.

An allen Automaten waren kleine Metallscheiben angebracht. Zinnia suchte einen mit Münzbetrieb, fand jedoch keinen, weshalb sie wieder in die Halle trat und sich nach einem CloudPoint-Terminal umsah. Die waren überall. Von ihrem Standort aus konnte sie ein halbes Dutzend sehen.

Sie rief das Banking-Portal auf, worauf sie aufgefordert wurde, ihr CloudBand vor das Lesegerät zu halten. Der Bildschirm leuchtete auf – *Willkommen, Zinnia!* –, und sie machte sich daran, das unter ihrem Pseudonym eingerichtete Konto zu verlinken, um Credits zu erwerben. Als sie tausend Dollar überwies, erhielt sie den Gegenwert von 994,45 Dollar. Während des gesamten Vorgangs studierte sie das Terminal, das wie ein üblicher Geldautomat aussah, groß, schwer und aus Kunststoff, mit einem Touchscreen ausgestattet. Buchsen, die Zugang boten, waren nicht zu sehen.

Am unteren Teil des Geräts befand sich eine verdeckte Konsole, die wahrscheinlich zumindest einen USB-Anschluss enthielt und vielleicht auch irgendwelche anderen Elemente, an denen man herumpfuschen konnte, aber dabei ergaben sich gleich mehrere Probleme: Wie bekam sie den Deckel auf? Wie verhinderte sie, dass der Sensor ihr CloudBand registrierte? Und wie ging sie vor, ohne dass jemand sie sah? Dennoch war das wahrscheinlich eine gute Möglichkeit, sich den Zugang zu verschaffen, den sie brauchte.

Sie scrollte auf dem Bildschirm herum und fand heraus, dass der aktuelle Stundenlohn für Sammler neun Credits betrug, was wohl etwa acht bis neun Dollar entsprach. Nachdem das geklärt und ihr Band nun aufgeladen war, kehrte sie in die Spielhalle zurück und streifte ein paar Minuten durch die leeren Gänge, bis sie gefunden hatte, was sie suchte.

Pac-Man. Die klassische Version. Erstmals im Jahre 1980 in Japan veröffentlicht. Der ursprüngliche Name lautete *Puck Man,* abgeleitet von dem Geräusch eines rasch auf- und zuklappenden Mundes, das man auf japanisch offenbar mit *paku-paku* wiedergab. Zinnia mochte Videospiele, und dieses war ihr liebstes.

Sie hielt ihr CloudBand an den Scanner und fing an, den kleinen, gelben Kreis so durch das Labyrinth zu bewegen, dass er sich die weißen Punkte schnappte, ohne mit den verschiedenfarbigen Gespenstern zu kollidieren. Während sie den Joystick nach links und rechts riss, knallte er so laut an die Umrahmung, als würde er gleich brechen.

Der Automat und alles andere, was sie umgab, wurden angeblich mit der Kraft von Sonne und Wind betrieben.

Angeblich.

Womit sie beauftragt war, wurde offiziell als Konkurrenzanalyse oder Wettbewerbsbeobachtung bezeichnet. Die romantische Bezeichnung dafür lautete Wirtschaftsspionage. Sie drang in die ausgebufftesten Sicherheitssysteme der diskretesten Unternehmen ein, um sich mit deren bestgehüteten Geheimnissen davonzumachen.

Und sie war gut darin.

Mit Cloud hatte sie allerdings noch nie zu tun gehabt. Hätte nicht mal gedacht, dass es je dazu kommen würde. Das war, als wollte man den Mount Everest erklimmen. So wie die Dinge gerade lagen, war es aber eigentlich nur eine Frage der Zeit gewesen. Cloud saugte andere Unternehmen so schnell auf, dass bald niemand mehr übrig sein würde, der jemand anderes ausspionieren musste. Früher hatte sie alle paar Monate einen Auftrag an Land gezogen, was mehr als ausreichend gewesen war. In letzter Zeit hatte sie Glück, wenn sie einmal im Jahr zum Zuge kam.

Als sie den Auftrag angenommen hatte, hatte sie gemeint, es gebe nicht viel herauszufinden. Wahrscheinlich hatte sich jemand verrechnet, hatte sie gedacht. Dann aber hatte sie die Satellitenaufnahmen studiert. Die Gesamtfläche der Solaranlagen. Die Details der Sonnenkollektoren. Die Anzahl und die Leistung der Windturbinen. Da wurde ihr klar, dass ihre mysteriösen Auftraggeber recht hatten: Es war praktisch unmöglich, dass Cloud aus eigenen Mitteln die Energiemenge produzieren konnte, die zum Betrieb der Anlage nötig war.

Zu den Gründen, weshalb Cloud Steuerfreiheit genoss, gehörten die Öko-Initiativen des Unternehmens. Es hatte von der Regierung festgelegte Energienormen erfüllen müssen, um seinen Status zu erringen. Wenn da also etwas faul war, wenn die Infrastruktur vor Ort nicht für die nötige Energieerzeugung ausreichte, dann verwendete Cloud noch andere Quellen. Wahrscheinlich solche, die nicht grün waren. Was bedeutete, dass Millionen auf dem Spiel standen, wenn nicht gar Milliarden.

Das orangefarbene Gespenst war ihr auf der Spur. Um es abzuschütteln, bewegte sie Pac-Man auf Gassen durch das Labyrinth, die sie großteils schon abgeräumt hatte. Dabei achtete sie darauf, nicht auf die anderen Gespenster zu stoßen, bis sie die größere Kraftpille erreichte, durch die sich die Rollen vorübergehend vertauschten. Die Gespenster wurden blau, und nun war Zinnia die Verfolgerin.

Aber wem nutzte das, was sie herausbekommen sollte?

Nicht dass sie das wissen musste, um ihren Auftrag zu erfüllen. Dennoch juckte die Frage sie immer wieder. Es konnte sich um Journalisten oder jene kritischen Organisationen handeln, von denen Cloud ständig an den Pranger gestellt wurde, unter anderem aufgrund der Arbeitsbedingungen und des Monopols im Internethandel. Die Nachrichtenmedien versuchten schon seit Jahren, Undercoverreporter einzuschleusen, aber die waren immer durch die Testalgorithmen aussortiert worden. Zinnia hatte einen ganzen Monat gebraucht, sich eine falsche berufliche Laufbahn zurechtzulegen, die so fundiert war, dass sie damit die Prüfung bestehen konnte.

Wahrscheinlich stammte ihr Auftrag allerdings von einer der großen Einzelhandelsketten, die Cloud ein bisschen zurechtstutzen wollte. Um den Marktanteil, den sie nach den Massakern am Black Friday verloren hatte, wenigstens teilweise wiederzugewinnen.

Inzwischen hatte Zinnia den Bildschirm weitestgehend abgeräumt und musste sich nur noch ein paar wenige Punkte in der linken Ecke schnappen. Sie machte sich auf den Weg.

Die Fakten sahen so aus: Um eine Anlage von dieser Größe und mit so viel Personal zu betreiben, brauchte man etwa fünfzig Megawatt. Die Leistung der Solar- und Windanlagen betrug jedoch fünfzehn oder höchstens zwanzig Megawatt, und Zinnia hatte den Auftrag herauszubekommen, was da nicht stimmte. Dazu musste sie in die Infrastruktur eindringen. Sie hatte ein paar Monate dafür Zeit, und bis dahin war sie auf sich allein gestellt. Keinerlei Kommunikation mit ihren Auftraggebern, nicht einmal über die verschlüsselte App auf ihrem Handy. Schließlich hatte sie keine Ahnung, über welche Möglichkeiten Cloud verfügte.

Zinnia steuerte Pac-Man in eine neue Gasse, um zu den letzten Punkten zu gelangen. Die Gespenster verfolgten sie an beiden Flanken. Sie wollte nach links abbiegen, wusste jedoch, dass sie es nicht rechtzeitig schaffen würde. Wenige Sekunden später saß sie in der Falle. Das orangefarbene Gespenst stürzte sich auf den kleinen, gelben Kreis von Pac-Man, der quiekend und piepend in sich zusammensank und verschwand.

2. Orientierung

Gibson

Ich erinnere mich an viele Tage bei Cloud, aber am liebsten an den ersten. Daran erinnere ich mich, weil es der schwerste war. Jeder Tag danach war ein bisschen leichter.

Die Leute dachten, ich hätte nicht alle Tassen im Schrank, so ein Unternehmen zu gründen. Wahrscheinlich wissen viele das gar nicht mehr, aber damals gab es eine andere Firma, die teilweise dasselbe tat wie wir heute, nur in wesentlich kleinerem Maßstab. Das Problem war, dass ihre Interessen zu stark am Boden hafteten.

Seit meiner Kindheit war ich besessen vom Himmel. Von seiner Weite. Als hätten wir diese gewaltige Ressource über unserem Kopf, ohne sie richtig zu nutzen. Klar, es gab Flugzeuge, die hin und her flogen, aber da verbarg sich scheinbar ein wesentlich größeres Potenzial.

Schon in jungen Jahren wusste ich, dass die Zukunft der Drohnentechnologie gehörte. Die Straßen waren verstopft von monströsen Lastwagen, die viel Platz beanspruchten und Gift in die Luft pusteten. Wenn es uns gelang, dieses Problem zu lösen, dann konnten wir eine Menge andere Probleme lösen. Verkehr, Umweltverschmutzung, tödliche Unfälle.

Wisst ihr eigentlich, was der Autoverkehr kostet? Vor etwa zehn Jahren, als er epidemische Dimensionen erreichte, waren das ungefähr 305 Milliarden Dollar an direkten und indirekten Verlusten in einem einzigen Jahr. Das hat das Institut für Wirtschafts- und Unternehmensforschung festgestellt.

Was aber bedeutet das? Zu den Verlusten gehören die

Zeit, die man in einem Stau vergeudet, die Kraftstoffkosten, die Auswirkungen auf die Umwelt, die Instandhaltung der Straßen, die Unfalltoten. Massenverkehrsmittel sind nützlich, aber nur bis zu einem gewissen Grad. Schon in meiner Jugend war die Infrastruktur unserer Massenverkehrsmittel zum großen Teil marode, und die Reparaturkosten waren astronomisch. Wir erinnern uns ja alle daran, wie das U-Bahn-System von New York endgültig zusammengebrochen ist. Seither hat die Stadt sich grundlegend gewandelt.

Die Lösung bestand darin, Drohnen nicht nur zu Spaß und Spiel in den Himmel zu senden.

Ich weiß noch, wie meine erste Drohne aussah. Das war ein läppisches kleines Ding, das nicht mehr als dreißig Meter weit kam, bevor es abstürzte. Es war eindeutig nicht so leistungsstark, dass es richtige Lasten transportieren konnte. Als die Mechanik jedoch mit der Zeit besser wurde und Drohnen mehr Gewicht tragen konnten, begann ich mich eingehender mit ihnen zu befassen und investierte schließlich in eine Firma, die sie herstellte – zu meinem Glück direkt bevor die besagte Firma richtig durchstartete, was mir einen netten Batzen Bargeld einbrachte.

Die Firma nannte sich WhirlyBird. Der Name war mir zuwider, aber die Leute da taten etwas echt Cleveres. Anstatt sich mit der vorhandenen Technologie zufriedenzugeben, dachten sie: Wenn wir mit unserem heutigen Wissen eine Drohne konstruieren würden, wie würden wir sie dann verbessern?

Sie fingen ganz von vorn an. Veränderten die Position der Motoren. Experimentierten mit neuen Materialien. Mit leichteren Kompositwerkstoffen. Die *New York Times* sprach von einer Technologie, die die Welt verändern werde. Und ich war verdammt stolz darauf, dass ich dazugehörte.

Von da an bedurfte es allerhand Lobbyarbeit bei der Bundesluftfahrtbehörde, um dafür zu sorgen, dass Flugzeuge und Drohnen gleichzeitig in der Luft sein konnten, ohne ineinanderzukrachen. Drohnen erreichen zwar keine große Höhe, könnten Flugzeugen aber beim Start und bei der Landung in die Quere kommen.

Ehrlich gesagt, war das verflucht kompliziert. Weniger wegen der Kollisionsgefahr, da haben die Jungs und Mädels bei WhirlyBird eine ziemlich gute Ortungstechnik entwickelt. Der Haken war, dass wir bei Cloud mit der Lieferung am Boden angefangen hatten, und als wir weitgehend zur Drohnenlieferung übergehen wollten, mussten wir uns mit der Bundesregierung auseinandersetzen. Das war ein echter Albtraum. Jahr um Jahr nichts als Probleme. Bis wir schließlich die Vereinbarung erzielten, selbst die Luftfahrtbehörde zu übernehmen. Wir haben sie privatisiert, mit tüchtigen Leuten ausgestattet – und sie wurde besser.

In der Zeit, die man zur Errichtung eines einzigen staatlich finanzierten Gebäudes braucht, kann man hundert in Privatbesitz befindliche Grundstücke bebauen. Das liegt an einem entscheidenden Unterschied: Ein privater Bauträger will Geld verdienen, während der Staat seine Angestellten und Beamten beschäftigen will. Was bedeutet, alles so lange wie möglich hinauszuziehen.

Übrigens meinen viele Leute, ich hätte mein Unternehmen Cloud genannt, weil die Drohnen so ein Bild abgeben, wenn sie von unseren Warendepots starten. Dann sieht man eine riesige Wolke aus Maschinen, mit denen Pakete in alle Richtungen geflogen werden. Aber ich habe Cloud gewählt, weil das meine Firmenphilosophie war.

Das drückte aus, dass der Himmel keine Grenze mehr darstellte.

Um zu jenem ersten Tag zurückzukommen: Da waren wir also, ich und Ray Carson. Ja, Ray war vom ersten Tag an dabei. Abgesehen davon, dass er einen breiten Rücken hatte, war er wirklich technikaffin, mehr als ich. Er war eine große Hilfe, weil er mir als Übersetzer dienen konnte, wenn jemand mir Begriffe mit mehr als drei Silben an den Kopf warf. Deshalb habe ich ihn zum Vizedirektor gemacht. Damals waren nur er und ich und ein paar wenige andere dabei. Als Erstes mussten wir eine Reihe von Firmen davon überzeugen, dass wir die Richtigen waren, ihre Waren auszuliefern. Wenn wir ein paar gute Unternehmen an Land ziehen und mit unserer Leistung zufriedenstellen konnten, würden weitere folgen, das wusste ich.

Wir haben ein Bürogebäude im Stadtzentrum gemietet, nicht weit von der Gegend, wo ich aufgewachsen bin. Das war wichtig für mich, weil ich eine Verbindung zu meiner Heimat aufrechterhalten wollte. Ich wollte nicht vergessen, wo ich herkam.

Wir kamen also in dieses Gebäude, und es war völlig leer. Ich kann noch heute, nach all den Jahren, beschwören, dass der Makler uns versprochen hatte, die Büros würden möbliert sein. Die Räume waren nicht groß – oder besonders hübsch –, aber sie reichten aus, und wir wollten uns die Mühe sparen, sie auszustatten. Aber als wir dann reinkamen, war alles ausgeräumt. Nichts als Wände und Böden und herabhängende Kabel, wo früher Lampen gewesen waren. Dabei hätte der bisherige Mieter, ein altes Wirtschaftsprüfungsunternehmen, seinen Kram dalassen sollen.

Stattdessen hatte man sogar die verdammten Kloschüsseln mitgenommen!

Ich rufe also den Makler an, einen Gauner, an dessen Namen ich mich leider nicht mehr erinnere, sonst würde ich ihn liebend gerne im ganzen Internet verbreiten. Er hat Stein und Bein geschworen, dass er niemals behauptet habe, die Räume würden möbliert sein. Tja, das war in meiner Jugend, als ich zwar etwas dynamischer war als heute, aber – wie soll ich sagen – auch leicht ablenkbar. Deshalb hatte ich nichts Schriftliches in den Fingern; das Ganze war nur durch Handschlag besiegelt worden.

Was für diesen Burschen offenbar nicht das Geringste zählte.

Da stehen ich, Ray und etwa ein Dutzend andere also herum und starren geschockt auf all die leeren Räume. In dem Moment ist Renee auf den Plan getreten, und zwar mit Macht. Renee hatte früher im Militär gedient und war so zäh und clever, wie man es sich nur wünschen konnte. Wenn man ihr erzählt hat, dass irgendwas nicht möglich sei, hat sie kurz drollig aufgelacht und einem erklärt: »Dann musst du's eben möglich machen!« Ich habe viel von ihr gelernt.

Sie hängt sich ans Telefon und spricht mit Hinz und Kunz, um zu besorgen, was wir brauchen. Nach dem ganzen Geld, das ich für die Miete, die behördliche Anmeldung und allerhand andere Gründungskosten aufgewendet hatte, war mein Gewinn aus dem Whirly-Bird-Investment praktisch aufgebraucht. Deshalb habe ich mich total auf Renee verlassen, und die hat doch tatsächlich herausbekommen, dass in der Nähe gerade eine Schule geschlossen worden war, weil man sie mit einer anderen Schule im Bezirk zusammengelegt hatte. Vor dem Gebäude hatte man massenhaft Möbel aufgestapelt, die entsorgt werden sollten.

Bingo! Ich gehöre nicht zu den Leuten, die extravagante Sachen brauchen. Das heißt, ich brauche keinen Schreibtisch, der höhenverstellbar ist, mir Kaffee kocht und mir sagt, wie gut ich aussehe. Alles, was ich brauche, sind ein Telefon, ein Computer, ein Schreibblock, ein Stift und ein Platz, wo ich mich hinsetzen kann. Mehr nicht.

Ich, Ray und ein paar von den anderen Männern pilgern also zu besagter Schule, und davor liegt tatsächlich ein ganzer Haufen Kram. Wir haben einfach alles mitgenommen, weil ich in dem Moment nicht wählerisch sein wollte. Schließlich wusste ich nicht genau, wie viel wir davon überhaupt brauchten. Deshalb dachte ich mir, wir schnappen uns einfach alles, was wir tragen können, und schauen, ob damit etwas anzufangen ist.

Unter anderem standen da mehrere Lehrertische, tonnenschwere Kolosse, die aber nicht für uns alle ausreichten. Dafür fanden wir eine Menge Schultische, die Sorte, bei der man die Platte hochklappen kann, um im Innern etwas aufzubewahren. Von denen gab es Dutzende. Wir stellten jeweils drei nebeneinander und schraubten sie zusammen.

Diese Konstruktion nannten wir Drillinge. Ich reservierte mir selbst so etwas, weil ich es wichtig fand, keinen von den monströsen alten Lehrertischen zu nehmen. Die Leute sollten keinen falschen Eindruck bekommen, wie es bei uns lief, und denken, dass ich eine Extrawurst brauchte. Wenn es nach mir gegangen wäre, hätte jeder einen Drilling genommen, aber Ray hat sich in einen von den großen Tischen verliebt, die wir herübergezerrt hatten. Wenn er nachdachte, legte er gern die Füße hoch, deshalb habe ich ihn gewähren lassen.

Ich habe meinen Drilling aufbewahrt, unten im Keller meines Hauses. Und wenn ihr unsere Konzernzentrale besucht, werdet ihr sehen, dass dort immer noch jeder an so einem Tisch arbeitet. Bei uns gibt es keine aus einem einzelnen Baum gesägten Mahagoniplatten für zehntausend Dollar. Mit der Zeit mochte ich die Drillinge richtig, weil ich glaube, dass sie uns als Mahnung dienen können. Demütig bleiben! Niemand braucht einen großen, noblen Schreibtisch außer Leuten, die einem vorgaukeln wollen, sie wären wichtiger, als sie es tatsächlich sind.

Vorgefunden haben wir außerdem eine Menge ausrangierte EDV-Geräte. Bei uns hat ein junger Bursche gearbeitet, Kirk, ein echtes Genie. Der hat praktisch das ganze Zeug genommen und daraus ein kapitales Computernetzwerk gebastelt, damit wir in die Gänge kommen konnten.

Ich glaube, genau so etwas musste einfach passieren. Es war unser erster echter Test.

Der eigentliche erste Test hatte darin bestanden, dass ich die Idee für die Firma hatte und genügend Leute davon überzeugen konnte, ich sei in der Lage, so etwas durchzuziehen. Das jedoch war unser erster Praxistest. Einer von jenen Momenten, wo viele Leute die Hände über dem Kopf zusammengeschlagen und erklärt hätten, jetzt wären sie erledigt. Mein Team hingegen hat sich auf die Hinterbeine gestellt und eine Lösung für unser Problem gefunden.

Wie ich mich erinnere, war die Sonne schon lange untergegangen, als wir endlich fertig waren. Ich ging mit Ray in die Kneipe, die wir manchmal aufsuchten. The

Foundry hieß sie. Wir waren beide völlig kaputt und hievten uns wie alte Männer auf die Barhocker. Jetzt war es angebracht, ein bisschen zu feiern, mit einem schönen Glas Scotch oder so. Deshalb zog ich mein Portemonnaie aus der Tasche, musste aber feststellen, dass es leer war – ich hatte zuvor an jenem Tag alle zum Mittagessen eingeladen. Und meine Kreditkarten waren ausgereizt.

Ray, Gott segne ihn, legte seine Karte auf den Tresen und bestellte zwei Scotch on the rocks für uns. Da er seine Kreditkarten jedoch ebenfalls beinahe ausgereizt hatte, nahmen wir den billigsten Scotch im Haus, der wie brennende Batteriesäure schmeckte.

Bis heute der beste Drink, den ich je hatte.

Bevor wir uns frühzeitig auf den Heimweg machten – glaubt mir, wir waren keine Typen, die gerne mal versumpften, vor allem nicht, wenn wir am nächsten Morgen wieder zur Arbeit mussten –, klopfte Ray mir auf den Rücken und sagte: »Ich glaube, das ist der Anfang von irgendwas.«

Es fällt mir schwer, es zuzugeben, vor allem weil damals alle so viel Vertrauen in mich setzten, aber ich habe ihm nicht geglaubt. Als ich in jener Kneipe hockte und an meinen Schultisch und unser Computernetzwerk dachte, das jederzeit den Geist aufgeben konnte, hatte ich fürchterliche Angst. Ich hatte die ganzen Leute sozusagen davon überzeugt, dass ich nicht völlig meschugge sei, und jetzt waren sie von mir abhängig.

Ray hat mir geholfen, den toten Punkt zu überwinden. Von Anfang an. Ich habe keine Geschwister, aber ich habe Ray, und das ist das Nächstbeste.

Zinnia

Zinnia schlüpfte in Jeans und ein rotes Poloshirt. Als sie sich hinsetzte, um sich Schuhe anzuziehen, stellte sie fest, dass sie zwei nicht gerade tolle Auswahlmöglichkeiten hatte.

Sie hatte ein Paar robuste Stiefel mitgebracht, weil sie geglaubt hatte, dem technischen Team zugeteilt zu werden, und ein Paar Ballerinas mit so dünner Sohle, dass es kaum mehr als Socken waren. Die mochte sie, weil man sie zusammenrollen und in die Handtasche stecken konnte, aber für einen Job, bei dem man viel stehen und gehen musste, waren sie absolut nicht geeignet. Außerdem fühlte sich ihr Knöchel, den sie sich einen Monat zuvor in Bahrain verstaucht hatte, immer noch ein bisschen wacklig an. Er musste gestützt werden, weshalb sie sich für die Stiefel entschied.

Sie nahm das CloudBand von der Ladematte und legte es an, worauf es summte. *Guten Morgen, Zinnia,* verkündete es.

Anschließend: *Ihre Schicht beginnt in 40 Minuten. Sie sollten bald aufbrechen.*

Anstelle der Worte erschien ein pulsierender Pfeil, der auf die Tür zeigte. Zinnia blieb stehen und drehte sich im Kreis. Der Pfeil drehte sich so mit, dass er immer auf die Tür gerichtet blieb. Als sie in den Flur trat, summte das Ding an ihrem Handgelenk wieder, und der Pfeil drehte sich nach links, wo sich die Aufzüge befanden.

Sie folgte dem Pfeil bis zum Bahnsteig, wo eine große Menschenmenge wartete. Man sah ein ganzes Spektrum an Shirtfarben, hauptsächlich jedoch rot. Eine Bahn fuhr ein, füllte sich und setzte sich wieder in Bewegung. Zinnia wartete zwei weitere ab.

Als sie es schließlich in die vierte schaffte, füllte diese sich, bis Zinnia Schulter an Schulter mit den anderen Fahrgästen stand, die alle den Pendler-Shuffle tanzten. Die Ellbogen eng an den Körper gelegt, verlagerten sie ihr Gewicht mit jeder Bewegung der Bahn, um nicht umzufallen.

Alle, die am Warendepot ausstiegen, waren jung und wirkten fit. Keine älteren Leute, keine Dicken, niemand mit einer sichtbaren Behinderung. Alle marschierten zum Ende der langen Schlange, die sich auf einer mit Pfosten und Bändern markierten Zickzackroute durch einen großen Raum bewegte.

Am vorderen Ende der Schlange waren drei Drehkreuze mit Metallarmen, durch die man nur einzeln treten konnte, nachdem man sein CloudBand vor die vorn angebrachte Scheibe gehalten hatte.

In die Wände waren mehrere Bildschirme eingebaut, auf denen simultan ein Videoclip lief. Ein Mann beugte sich zu Boden, um einen Karton aufzuheben, wobei er einen krummen Rücken machte. Ein Buzzer schnarrte, und ein rotes X legte sich über das Bild. Dann derselbe Mann, der nun in die Knie ging und den Rücken durchdrückte. Es machte *ping,* begleitet von einem grünen Haken.

Als Nächstes ging eine Frau mit einem Karton in den Händen ruhig zu einem Förderband. Das Bild erstarrte, und man sah den Hinweis *Eile mit Weile!*

Dann trug ein Mann einen Karton, der offenbar recht schwer war. *Informieren Sie einen Manager, wenn Sie nichts heben können, was mehr als 12 Kilo wiegt.*

Schließlich kletterte eine Frau wie ein Äffchen an der Seite eines Regals empor. Buzzer. Rotes X. *Legen Sie immer Ihren Sicherungsgurt an!*

Nachdem Zinnia das Drehkreuz hinter sich gebracht hatte, gelangte sie durch einen Flur in einen Raum, der so gewaltig war, dass ihr ein bisschen schwindlig wurde. Nicht leicht, das alles zu verarbeiten.

Regalreihen erstreckten sich in die Ferne, so weit das Auge reichte. Der Raum hatte tatsächlich eine Horizontlinie. Von ihrem Standort aus konnte Zinnia keine Außenwände erkennen, nur gewaltige Pfeiler, die eine unerwartet niedrige Decke stützten. Drei Stockwerke, höchstens vier.

Die Regale wiederum waren doppelt so hoch wie Zinnia und in ständiger Bewegung. Während sie über den polierten Betonboden glitten, drehten sie sich umeinander und tauschten die Plätze. Dazwischen eilten Männer und Frauen in roten Poloshirts hin und her, um Artikel herauszuholen. Durch das Ganze schlängelten sich gelb markierte Förderbänder, auf deren Rollen die Waren vorübersausten.

Das Ächzen von Metall, das Klatschen der Schuhsohlen und das leise Summen der Maschinen verschmolzen zu einer chaotischen Symphonie. Es roch nach Maschinenöl, Reinigungsmitteln und noch etwas anderem. Ach ja, Turnhallenmief, geschaffen von Schweiß, Deo und Gummisohlen. Die Luft war zugleich kühl und etwas feucht.

Reglos stand Zinnia da und betrachtete die große Maschinerie, die um sie herumtanzte, ohne auf sie zu achten, fast wie zum Selbstzweck.

An ihrem Handgelenk summte es. Wieder ein Pfeil. Er forderte sie auf, geradeaus zu gehen, bis es wieder summte und der Pfeil nach rechts zeigte. Zinnias Blick sprang zwischen der Uhr und ihrer Umgebung hin und her. Sie musste aufpassen, damit sie den durch die Gegend flitzenden Sammlern und den sich drehenden Regalen ausweichen konnte. Immer wieder musste sie abrupt stehen bleiben, um nicht umgestoßen zu werden und auf den Hintern zu fallen.

So viel zu *Eile mit Weile*.

Nachdem sie mehrmals abgebogen war, wurde ihr klar, dass das Summen sich je nach der angezeigten Richtung unterschied. Wenn sie nach rechts gehen sollte, summte die der Hand zugewandte Seite der Uhr; vor und zurück wurde angezeigt, indem das Ding oben beziehungsweise unten summte. Es dauerte eine Weile, bis Zinnia das korrekt wahrnahm, aber sobald das der Fall war, konnte sie es nicht mehr ignorieren. Bald schlug sie automatisch die gewünschte Richtung ein, ohne einen Blick auf die Uhr werfen zu müssen.

»Ziemlich cool, was?«

Sie war entweder an der Rückwand angelangt oder an einer frei stehenden Struktur in der Mitte des Warendepots. Erkennbar war das nicht.

An der Wand lehnte ein junger Latino. Kräftig, muskulöse Unterarme, schwarze Locken.

»Miguel«, sagte er und reichte ihr die Hand. Sein Uhrband war aus Stoff und so dunkelgrün wie frische Blätter. »Ich soll dir helfen, dich einzugewöhnen.«

»Zinnia«, sagte sie und schüttelte ihm die Hand, deren Haut rissig und mit Schwielen überzogen war.

»Okay, *mi amiga,* offenbar hast du schon gecheckt, wie man die richtige Richtung findet. Machen wir also einen kleinen Rundgang, damit ich erklären kann, wie alles funktioniert. Und dann geht's los.«

Zinnia hob die Hand mit ihrer Uhr. »Das Ding ist also wirklich lebenswichtig, was?«

»Mehr braucht man zum Zurechtkommen nicht. Mir nach!«

Miguel drückte sich von der Wand ab und schritt an ihr entlang. Links dehnte sich das riesige Warenlager aus, rechts kamen sie an den Eingängen von Büros, Pausenräumen, Toiletten vorüber. An den langen Wandstücken dazwischen waren Bildschirme angebracht, auf denen das Video lief, das Zinnia von der Busfahrt her kannte.

Die junge Mutter, die ihrem Sohn ein Pflaster aufs Knie klebte.

»Wenn es Cloud nicht gäbe, wüsste ich ehrlich gesagt gar nicht, was ich tun soll.«

Dann kamen weitere Clips. Leute, die glückselig strahlend bei Cloud arbeiteten. Sie holten einen Artikel nach dem anderen aus großen Boxen und legten sie auf Laufbänder. Dazwischen Kommentare von zufriedenen Kunden.

Ein Student mit asiatischen Gesichtszügen, der in einem Wohnheimzimmer saß.

»Ich hätte meine Zwischenprüfung nie bestanden, wenn ich das Lehrbuch nicht rechtzeitig bekommen hätte.«

Ein schwarzes Mädchen vor einem baufälligen Haus.

»In meiner Nachbarschaft gibt's keine Buchläden und Bibliotheken. Wenn es Cloud nicht gäbe, hätte ich überhaupt keine Bücher.«

Ein betagter weißer Mann in einem altmodischen Wohnzimmer.

»Inzwischen fällt es mir schwer, einkaufen zu gehen. Vielen Dank, Cloud!«

»Willkommen auf der Tanzfläche!«, sagte Miguel und breitete die Arme aus. »So nennen wir das hier. Die ganzen netten Leute, die man sieht, sind Rote.« Er zupfte am Stoff seines Poloshirts. »Die Weißen sind die Manager. Sie streifen durch die Gegend, um alles im Auge zu behalten. Ach ja, wenn du ein Problem hast, drückst du einfach auf die Krone deiner Uhr und sagst *Manager*. Dann wird einer zu dir geschickt, der in der Nähe und gerade frei ist.«

Zinnia warf einen Blick auf ihre Uhr. Fragte sich, ob die nur dann zuhörte, wenn man auf die Krone drückte. Wahrscheinlich nicht.

»Also, der Job ist ziemlich einfach«, sagte Miguel. »Ernsthaft, das CloudBand macht die meiste Arbeit für dich. Es zeigt an, wie du zu einem Artikel gelangst. Sobald du ihn rausgenommen hast, wird der Weg zu einem bestimmten Förderband angezeigt. Dort legst du den Artikel ab. Zack, der nächste. Das machst du neun Stunden lang. Zweimal fünfzehn Minuten Pause, um aufs WC zu gehen, plus eine halbe Stunde fürs Mittagessen.«

»Das heißt, man kann nicht einfach pinkeln gehen?«, sagte Zinnia.

»Lass mich mal die gelbe Linie vorführen, *mi amiga*.« Miguel hob seine Uhr und tippte aufs Display. Am unteren Rand lief eine feine grüne Linie entlang. »Sieht ziemlich harmlos aus, aber sobald du mit der Arbeit anfängst, wird da deine Leistung registriert. Grün heißt, dass du das Soll erfüllst. Wenn du hinterherhinkst, wird die Linie gelb, und sobald sie rot wird, stürzt dein Ranking ab. Pass also auf, dass es gar nicht erst dazu kommt.«

»Die sind geradezu besessen von ihren Farben, was?«

Miguel nickte. »Massenhaft Leute hier sprechen kein Wort *inglés*. Aber zurück zu deiner Frage. Wenn man zu viel Zeit auf der Toilette verbringt, kommt man in Verzug. Da reißt man sich besser zusammen. Ach, und was die Pausen angeht …« Er blieb stehen und hob eine Augenbraue, als wollte er das, was kam, betonen. »Wie gesagt hat man eine halbe Stunde fürs Mittagessen. Wenn man aber gerade irgendwo im Hinterland steckt, braucht man unter Umständen zwanzig Minuten zum nächsten Pausenraum. Eigentlich soll der Algorithmus so was verhindern, aber es kommt trotzdem vor. Mein Rat: Die Energieriegel aus den Automaten sind ziemlich nahrhaft. Steck dir immer einen in die Gesäßtasche. Schließlich braucht man genügend Kalorien.«

»Was ist mit Wasser?«

Miguel zuckte die Achseln. »Wasserspender gibt's überall. Trink unbedingt reichlich davon. Man möchte es nicht glauben, weil hier so viel Platz ist, aber manchmal wird es brütend heiß.« Er warf einen Blick auf ihre Füße und schnitt eine Grimasse. »Und besorg dir Sneakers. Bestellen kannst du die gleich heute Abend. Wenn du ein paar Stunden in den Stiefeln da rumgelaufen bist, weißt du, warum.«

»Ja, hab ich mir schon gedacht«, sagte Zinnia. »Man holt also irgendwelches Zeug und legt es aufs Förderband. Was ist mit den größeren Sachen?«

»Die sind in einem anderen Bereich«, sagte Miguel. »Da kommt man bloß hin, nachdem man eine Weile hier verbracht hat. Am Anfang bleibt man strikt unter neun Kilo. Moment ...«

Er hob den Arm, ohne Zinnia zu berühren, aber doch so nah, dass sie stehen blieb. Eine junge Frau in einem roten Shirt flitzte vorüber. Kaum dass Zinnia sie aus den Augenwinkeln wahrgenommen hatte. Die Haare peitschten der Frau um den Kopf, während sie verbissen mit irgendeinem Artikel unter dem Arm dahinrannte. Ihr Gesicht war puterrot vor Anstrengung, vielleicht hatte sie auch geweint. Sie erreichte eine Ecke, bog ab und war verschwunden.

»Wo brennt's denn?«, fragte Zinnia.

»Die ist bald am Ende ihrer Schicht«, sagte Miguel. »So wie der Algorithmus funktioniert, sollte man eigentlich genug Zeit haben, zum nächsten Artikel zu gehen, ihn herauszunehmen und zu einem Förderband zu bringen, alles in flottem, aber bedachtsamem Schritt, stimmt's oder hab ich recht? Leider klappt das nicht immer, weil die Bugs irgendwas umsortiert haben. Dann ist es nicht am richtigen Platz, und man verliert Zeit, weil man danach suchen muss. Deshalb muss man am Ende der Schicht manchmal hetzen, um wieder auf die grüne Linie zu kommen.« Er deutete auf einen jungen Mann, der einen Gang entlangrannte und weiter hinten verschwand. »Wenn du zu oft arg in Verzug gerätst, geht dein Rating in den Keller.«

»Was sind denn Bugs?«, fragte Zinnia.

Miguel trat in einen Gang und winkte sie zu sich. Er führte sie zu einem Regal, ging in die Hocke und zeigte auf etwas, was sich darunter befand. Eine kleine, gelbe Halbkugel auf Rädchen, die an der Unterseite des Regals befestigt war. Dann zeigte er auf einen der Sticker mit Barcodes, die auf dem Beton klebten.

»Die gelben Dinger, von denen die Regale verschoben werden, nennen wir Bugs«, sagte er. »Na, wie wär's jetzt mit unserem ersten Auftrag, damit du ein Gefühl dafür bekommst?«

»Klar.«

Miguel hielt seine Uhr vor den Mund und drückte auf die Krone. »Vorbereitung abgeschlossen, weiter zu Schritt zwei.«

Am Handgelenk von Zinnia summte es. Wieder ein Pfeil. Miguel hob die Hand und verbeugte sich.

»Nach dir, *mi amiga*.«

Zinnia verließ sich auf das Summen der Uhr, um ihren Weg zu finden. Allmählich wurde ihr klar, wie wichtig ein Leitsystem war, bei dem man nicht ständig nach unten schauen musste. Zwischen den durch die Gegend rollenden Regalen, den hin und her flitzenden Roten und den Förderbändern konnte man leicht auf die Schnauze fallen, wenn man nicht aufpasste.

»Du bist 'ne echte Naturbegabung«, sagte Miguel.

»Nichts für ungut, aber wieso werde ich eigentlich von dir eingewiesen und nicht von einem Manager?«

»Die Manager habe was Wichtigeres zu tun.« Sein Ton ließ erkennen, dass er erhebliche Zweifel daran hegte. »Was ich gerade tue, ist freiwillig. Man kriegt im Prinzip gar nichts dafür, außer dass man ein, zwei Stunden nicht durch die Gegend rennen muss. Ich mach es gern, vor allem wenn jemand so fix wie du ist. Die meisten Leute kapieren das mit dem Leitsystem erst am Ende ihrer ersten Schicht.«

Zinnia wich einem Regal aus, das sich in den Weg schob. »So schwer kommt mir das gar nicht vor«, sagte sie.

»Du wirst dich noch wundern.«

Wahrscheinlich eher nicht, dachte Zinnia.

»Wie lange bist du denn schon hier?«, fragte sie.

»Bald fünf Jahre.«

»Und wie gefällt es dir?«

Lange Pause. Zinnia wagte einen Seitenblick. Miguel zog ein Gesicht, als würde er auf etwas Weichem und Unangenehmem herumkauen. Da Zinnia ihn unverwandt ansah, zuckte er die Achseln. »Es ist ein Job.«

Die Antwort reichte. Zinnia dachte schon, das sei es gewesen, aber dann fuhr er fort. »Mein Mann will, dass ich den Managertest mache. Um aufzusteigen. Aber mir ist es ganz recht so, wie es ist.«

Zinnia überlegte, wie es sich mit den Managern verhielt. Das Zahlenverhältnis war extrem. Sie sah Hunderte Leute in Rot, aber nur gelegentlich Männer oder Frauen in Weiß, die ein Tablet in der Hand hielten und durch die Gegend marschierten, als müssten sie dringend irgendwohin.

»Als Manager steht man wahrscheinlich nicht ganz so unter Druck, kann ich mir vorstellen«, sagte Zinnia.

»Und man verdient mehr. Aber ich weiß nicht recht …« Miguel sah Zinnia an, während er langsam weitersprach. Sorgsam die Worte wählte. »Die haben so ein Programm, Regenbogen-Allianz heißt das. Da geht's angeblich um die Förderung von Minderheiten. Darum, dass wir mehr Aufstiegschancen haben. Diversität. Aber ich weiß nicht, wie erfolgreich das ist. Die meisten, die Weiß tragen … die passen perfekt zu ihrem Shirt, wenn du verstehst, was ich meine.«

Zinnia nickte verschwörerisch.

»Du bist auch 'ne Latina, oder …?«, sagte Miguel, dann schüttelte er den Kopf und machte ein langes Gesicht. »Tut mir leid, so was sollte ich eigentlich nicht fragen.«

Keine Sorge, drückte das Lächeln von Zinnia aus. »Von meiner Mutter her.«

»Dann solltest du drüber nachdenken, dich zu bewerben.«

Wieder summte die Uhr, jetzt mehrmals in schneller Abfolge. Als Zinnia den Blick senkte, stand auf dem Display *8495-A*. Sie hob den Kopf und sah denselben Code auf dem Regal vor ihr.

»Okay«, sagte Miguel. »Tipp jetzt aufs Display.«

Das tat Zinnia, worauf die Anzeige sich änderte.

Box 17.
Elektrischer Rasierapparat.

Dann das Foto eines Elektrorasierers in einer Blisterverpackung.

»Siebzehn?«, sagte Zinnia.

»Ganz oben auf dem Regal«, sagte Miguel. »Moment …« Er zog ein Bündel aus der Hosentasche. »'tschuldigung, das hätte ich dir gleich am Anfang geben sollen. Der Sicherungsgurt.«

Als Zinnia sich den Gurt um die Taille legte, entdeckte sie einen Karabinerhaken. Sie zog daran, worauf ein Nylondraht aus dem Gurt kam. Er war dünn und geschmeidig, und ihr fielen sofort massenhaft Verwendungsmöglichkeiten dafür ein. Zum Beispiel konnte man damit verhindern, dass man in Bahrain hinknallte und sich den Knöchel verstauchte.

»Da einklinken«, sagte Miguel, nahm ihr den Karabiner aus der Hand und befestigte ihn an der Metallöse direkt über ihrem Kopf. Die Schiene, die das Regal hinauflief, wies mehrere solcher Ösen auf. »Wobei, ehrlich gesagt, in ein paar Tagen wirst du das Ding nicht mehr verwenden. Dauert zu lange. Wenn ein Manager in der Nähe ist, hakt man's natürlich ein, sonst bekommt man ein Minus. Dreimal minus, und schon ist ein ganzer Credit futsch.«

Du lieber Himmel, was für ein System! Zinnia kletterte an der Seite des Regals hinauf, wobei sie die einzelnen Bretter wie Leitersprossen verwendete. Sie sah die Box, griff sich eine von den scharfkantigen Plastikverpackungen mit dem Rasierapparat, der auf dem Display abgebildet gewesen war, und sprang zu Boden. Die Uhr summte und präsentierte einen Smiley.

»Das heißt wohl, dass ich es richtig gemacht habe«, sagte sie und hielt Miguel das Display unter die Nase.

Er nickte. »Alles ist mit einem Chip versehen, deshalb kriegt man gleich mitgeteilt, wenn man das Falsche rausgenommen hat. Die Sachen sind ganz clever einsortiert, man legt nämlich normalerweise nichts nebeneinander, was leicht verwechselt werden kann. Allerdings kommt es auch mal zu Fehlern. Und jetzt ...«

Die Uhr summte und führte Zinnia von dem Regal weg zu einem langen Gang. Den gingen sie entlang, bis sie zu einem Förderband kamen. Nun summte die Uhr wieder mehrfach.

Unter dem Band standen ineinandergestapelte Plastikbehälter. Sie nahm einen, legte den Blister hinein, setzte den Behälter aufs Band und sah ihn davonsausen, bis er verschwunden war.

»Auf zum Nächsten«, sagte Miguel.

»Ist das schon alles?«

»Richtig. Wie schon gesagt, weil du neu bist, brauchst du die ersten paar Wochen nur kleinere Sachen zu holen. Je länger man hier ist, desto anstrengender wird die Arbeit. Sachen mit mehr Gewicht, oder man wird zum

Einsortieren eingeteilt. Das heißt, man schleppt die Artikel von da, wo sie eingetroffen sind, zu der vorgesehenen Regaleinheit. Noch eine Warnung: Wenn jemand sich in ein Regal eingehakt hat, sollten die Bugs sich eigentlich nicht bewegen, aber da wir uns nicht immer einhaken ... tun sie es manchmal doch, und dann ist das wie beim Rodeo.«

»Und was jetzt?«

Miguel warf einen Blick auf seine Uhr. »Wir haben offiziell noch eine Stunde Zeit, wo du mir Fragen stellen kannst. Wie wär's, wenn wir zu einem Pausenraum rübergehen und einen Schluck Wasser trinken? Gibt ja nur ziemlich selten Pausen hier. Da nimmt man, was man kriegen kann.«

»Gern«, sagte Zinnia. Sie hätte sich zwar lieber gleich an die Arbeit gemacht – bei einer derart hirnlosen Tätigkeit konnte sie bestimmt gut nachdenken –, aber von Miguel erfuhr sie womöglich weitere Dinge, die nützlich sein konnten.

Miguel hatte nicht übertrieben; der Weg zum nächsten Pausenraum war weit. Sie brauchten eine Viertelstunde bis dorthin. Zinnia konnte sich noch nicht richtig orientieren, aber Miguel schien sich auszukennen. Auf halbem Wege erklärte er ihr, sie brauche nur *Pausenraum* in ihre Uhr zu sprechen, dann werde sie zum nächstgelegenen geleitet.

Als sie ankamen, war der Raum weitgehend leer. An einer der Wände waren Automaten aufgereiht, von denen zwei außer Funktion waren, davor standen Tische mit daran fixierten Hockern. An der Wand wurde in großen Lettern verkündet: *Alles ist möglich, wenn du es möglich machst!*

Miguel zog zwei Flaschen Wasser aus einem der Automaten und stellte sie auf einen Tisch. Während Zinnia sich setzte, schob er ihr eine Flasche zu.

»Danke«, sagte sie und knackte den Schraubverschluss.

»Ich kann's nur betonen«, sagte er. »Sorg dafür, dass du genügend trinkst. Wenn jemand schlappmacht, liegt das meist am Wassermangel. Dehydrierung.«

Zinnia nahm einen Schluck. Das Wasser war so kalt, dass ihre Zähne schmerzten.

»Gibt es sonst noch was, was ich wissen sollte?«, fragte sie.

Miguel sah sie an. Blinzelte mehrfach. Als wollte er ihr etwas mitteilen, sei sich jedoch nicht sicher, ob er ihr vertrauen könne.

Sie versuchte, sich etwas im Sinne von *he, ich bin cool* einfallen zu lassen, bis er schließlich sagte: »Trink immer genug. Erfüll dein Soll. Beschwer dich nicht. Wenn du dir mal was zerrst, mach einfach weiter, dann geht das schon weg. Je weniger du mit den Managern zu tun hast, desto besser.« Er zog sein Handy aus der Tasche, tippte etwas und zeigte es ihr.

Das Wort Gewerkschaft ist total tabu.

Zinnia nickte. »Kapiert.«

Miguel löschte den Satz von seinem Handy. »Wie kommst du mit deinem Apartment zurecht?«

»Mit dieser Schuhschachtel?«

»Man muss vertikal denken. Ich hab mir Drahtkörbe bestellt und an die Decke gehängt. Da kann man allerhand unterbringen.«

»Wohnst du etwa immer noch in so was?«, sagte Zinnia. »Soweit ich verstanden habe, bist du verheiratet.«

»Wir kommen zurecht.«

»Ich dachte, dass man eine bessere Wohnung bekommen kann.«

»Kann man, aber das ist teuer«, sagte Miguel. »Mein Mann und ich – er hat sich den Knöchel gebrochen, deshalb arbeitet er jetzt beim Kundensupport – sparen unsere Credits. Er ist aus Deutschland. Wir überlegen, ob wir da hinziehen.«

Zinnia nickte. »Deutschland ist hübsch.«

Miguel sog die Luft ein und atmete langsam aus. Es hörte sich traurig an. »Eines Tages …«

Zinnia lächelte ihm zu. Vielleicht fand er das tröstlich, aber außerdem wollte sie damit das hilflose Mitgefühl kaschieren, das sie für diesen Mann empfand, der in seinem öden Job feststeckte und davon träumte, das Land zu verlassen, obwohl die gute Chance bestand, dass es nie dazu kommen würde.

Er blickte auf sein CloudBand. »Tja, das wär's dann wohl. Wenn du aus irgendeinem Grund nicht weiterkommst, sprich einfach *Miguel Velandres* in deine Uhr, dann sucht sie mich. Natürlich kannst du auch *Manager* sagen und mit einem von den Weißen sprechen, aber es ist wie gesagt besser, möglichst wenig mit denen zu tun zu haben.«

Sie warfen ihre leeren Flaschen in einen überquellenden Recyclingbehälter – auf dem Schild darüber stand: *Danke fürs Recyceln!* – und traten in die große Halle.

»Alles klar?«, sagte Miguel.

Zinnia nickte.

Er hielt sich die Uhr vor den Mund. »Orientierung beendet.«

Es summte an Zinnias Handgelenk. Ein neuer Pfeil, der sie aufforderte, geradeaus zu gehen.

Miguel hob warnend die Hand. »Nicht trödeln. Bloß nicht trödeln!«

Sie schüttelten sich die Hände, dann machte Zinnia sich auf den Weg. Sie ließ sich von der sanften Vibration der Uhr lenken. Hinter sich hörte sie die Stimme von Miguel: »Und denk dran, *mi amiga!* Besorg dir schleunigst Sneakers.«

Paxton

Paxton saß allein an der Rückwand des Besprechungszimmers. Vorn saßen zwei Frauen und vier Männer, alle in blauen Poloshirts, von ihm getrennt durch drei Reihen von leeren Tischen, die aussahen, als stammten sie aus einem Klassenzimmer in der Schule.

Die Leute vorn unterhielten sich, als würden sie sich kennen. Paxton wusste nicht recht, wie das möglich war, da die Orientierung ja jetzt erst stattfinden sollte. Vielleicht waren sie auf demselben Stockwerk untergebracht.

Er saß nicht absichtlich allein da, aber er war als Erster eingetroffen und hatte sich nach hinten gesetzt. Als die anderen nach und nach hereingekommen waren, hatten sie sich vorn niedergelassen und gleich unterhalten, ohne ihn richtig zu bemerken. Wenn er aufgestanden wäre, um sich zu ihnen zu gesellen, hätte er sich womöglich eine Blöße gegeben. Deshalb blieb er, wo er war, und blickte durch die halb geschlossene Jalousie vor dem Fenster, durch das man das Großraumbüro sah.

Dieses Büro war eine Kommandozentrale. Reihenweise Arbeitsnischen, besetzt von Leuten in blauen Poloshirts, die telefonierten oder auf ihren an den Tisch montierten Tablets herumtippten. Alle sahen sich ständig um, als würde jemand sie beobachten. Die Wände waren mit Bildschirmen ausgestattet, auf denen man Lagepläne und Grafiken sah.

Jemand ging am Fenster entlang, dann öffnete sich die Tür. Herein kam ein Mann mit einem Gesicht wie Baumrinde. Seine schiefergrauen Haare waren kurz, aber elegant geschnitten, seine Oberlippe wurde von einem buschigen Schnurrbart überwuchert. Er trug ein hellbraunes Hemd mit aufgekrempelten Ärmeln und waldgrüne Baumwollhosen. Keine Schusswaffe, dafür steckte in dem Holster an seinem Gürtel eine leistungsstarke Taschenlampe. Der goldene Stern, der an seiner Brust steckte, war so glatt poliert, dass sich das Licht darin spiegelte. Er hatte das kerzengerade Rückgrat und den unerbittlichen Blick eines waschechten Gesetzeshüters. Wenn man so jemand begegnete, wollte man sich sofort rechtfertigen, selbst wenn man überhaupt nichts angestellt hatte.

Er schritt zum Pult und sah sich im Raum um, wobei er nacheinander mit jedem Blickkontakt aufnahm. Als Letztes fixierte er Paxton, zögerte einen Moment und nickte dann, wie um auszudrücken, dass die sieben Leute vor ihm akzeptabel waren.

»Ich bin Sheriff Dobbs, und ich bin der Mann, der für diese County verantwortlich ist«, sagte er in einem Ton, als müsste er eigentlich gerade woanders sein. »Als Sheriff bin ich verpflichtet, hier aufzukreuzen und zwei Dinge zu tun, wenn eine Gruppe Frischlinge wie ihr eintrifft. Erstens ernenne ich euch gemäß dem Gesetz für die Sicherheit in MotherCloud-Anlagen zu Deputys.« Er wedelte mit der Hand wie ein gelangweilter Zauberkünstler. »Betrachtet euch hiermit als solche. Zweitens muss ich euch erklären, was zum Teufel das bedeutet.«

Er grinste kurz. Erlaubnis zur Schließmuskelentspannung. Mehrere Leute lachten. Das tat Paxton nicht, stattdessen klappte er ein kleines Notizbuch auf. Ganz oben auf die Seite schrieb er: *Sheriff Dobbs*.

»Ihr fragt euch jetzt wahrscheinlich, ob ihr Verhaftungen vornehmen könnt«, fuhr der Sheriff fort. »Tja, die

Antwort lautet: Nicht so richtig. Immerhin könnt ihr jemand festsetzen. Nehmen wir an, ihr habt jemand geschnappt, der was angestellt hat – vielleicht hat er was geklaut, sich mit jemand angelegt oder was auch immer. Den bringt ihr zur Verwahrung in die Administration. Laut dem erwähnten Gesetz müssen dort rund um die Uhr zehn Beamte der örtlichen Polizeibehörde anwesend sein, um sich mit kriminellen Angelegenheiten zu beschäftigen. Aber da zehn Leute nicht ausreichen, eine derart große Anlage zu überwachen, seid ihr unsere Augen und Ohren.«

Verwahrung. Augen und Ohren. Echte Cops für die schwerwiegenden Fälle.

»Meist ist die Lage ziemlich ruhig«, sagte Dobbs. »Und woran liegt das? Wer bei Cloud irgendwelchen Scheiß baut, ist sofort draußen. Wenn du beim Klauen erwischt wirst oder genügend Minuspunkte sammelst, um gefeuert zu werden, hast du bei keiner einzigen mit Cloud assoziierten Firma in den Vereinigten Staaten oder anderswo auf Gottes schöner Erde mehr eine Chance. Ich muss euch nicht sagen, was das bedeutet – erheblich eingeschränkte Arbeitsmöglichkeiten. Das wiederum bedeutet, dass die meisten Leute clever genug sind, nicht den Ast abzusägen, auf dem sie hocken.«

Wer was vermasselt, ist draußen. Hält die Leute bei der Stange.

»Eure Aufgabe besteht in erster Linie darin, gesehen zu werden«, sagte Dobbs. »Ihr geht durch die Gegend, seid ein Teil der Gemeinschaft.« Er zupfte am Kragen seines Uniformhemds. »So was ist wie eine Demarkationslinie, und deshalb tragt ihr bloß Poloshirts. Wir wollen zu einer freundlichen Atmosphäre beitragen. Daher bekommt ihr keine spezielle Uniform.«

Poloshirts drücken Gleichheitsprinzip aus.

»Die meisten von euch sind hier, weil sie Berufserfahrung bei der Polizei oder einem Sicherheitsdienst haben«, fuhr der Sheriff fort. »Allerdings läuft es überall ein bisschen anders, was bedeutet, dass wir Informations- und Schulungseinheiten haben. Zweimal pro Monat. Heute ist die längste. Wir setzen euch hin und zeigen euch ein paar Videos darüber, was ihr im Falle von Konflikten tun solltet, also wenn ihr zum Beispiel jemand des Diebstahls verdächtigt und so weiter und so fort. Aber ich habe einen Beutel Popcorn mitgebracht, vielleicht tröstet euch das.«

Wieder ein paar Lacher.

Dobbs offenbar ganz okay.

»Jetzt geht mal bitte da den Flur runter, und sucht euch einen Platz. Ich komme gleich nach, dann fangen wir in wenigen Minuten an. Aber zuerst ... Sitzt hier jemand namens Paxton?«

Paxton hob den Kopf. Dobbs sah ihn an und lächelte.

»Bleiben Sie noch eine Minute da, junger Mann«, sagte Dobbs. »Ich muss was mit Ihnen besprechen.«

Die anderen sechs im Raum standen auf und gingen zur Tür. Dabei warfen sie Paxton neugierige Blicke zu. Offenbar fragten sie sich, was ihn so besonders machte. Das fragte Paxton sich ebenfalls.

Als alle draußen waren, sagte Dobbs: »Folgen Sie mir.«

Er drehte sich um und schritt aus der Tür. Paxton sprang auf, eilte in das Großraumbüro und folgte Dobbs zu der Tür am anderen Ende, neben der ein großes Spiegelglasfenster in die Wand eingelassen war.

Er trat in einen abgedunkelten Raum, in dem sich nur ein Schreibtisch mit zwei Stühlen befand. An der Wand hingen mehrere Fotos und einige Pläne der Anlage, auf denen jeweils eine bestimmte Struktur abgebildet war. Ein kurzer Blick darauf genügte, um zu erkennen, dass einer der Pläne das Transitsystem darstellte, ein anderer das Elektrizitätsnetz und ein dritter irgendwie allgemein die Topografie. Es war ein Büro für jemand, der kein großes Bedürfnis hatte, ein Büro zu haben.

»Setzen Sie sich«, sagte Dobbs und ließ sich auf den ausgeleierten Drehsessel hinter dem Schreibtisch fallen. »Ich will die anderen nicht zu lange warten lassen, aber mir ist was in Ihrem Lebenslauf aufgefallen. Sie haben im Strafvollzug gearbeitet.«

»Das stimmt«, sagte Paxton.

»Zwischen damals und heute klafft allerdings eine kleine Lücke.«

»Ich habe eine eigene Firma gegründet, aber das hat letztlich nicht geklappt«, sagte Paxton. »Die heutige Wirtschaft ist ein Vollkontaktsport, wissen Sie?«

Auf die sarkastische Bemerkung reagierte Dobbs nicht. »Tja, ich würde gern was wissen. Wieso haben Sie sich für den Strafvollzug gemeldet?«

Paxton lehnte sich zurück. Er hätte lieber eine bessere Antwort gegeben, zum Beispiel indem er was von Berufung geschwafelt hätte, aber da das eine Lüge gewesen wäre, sagte er die Wahrheit. »Ich brauchte einen Job. Habe die Stellenanzeige gesehen. Bin schließlich länger geblieben, als ich vorhatte.«

»Und wie geht es Ihnen jetzt damit, dass Sie hier sind?«, fragte Dobbs

»Ehrlich gesagt?«

»Nur frisch von der Leber weg, junger Mann.«

»Ich hatte auf ein rotes Shirt gehofft.«

Dobbs setzte ein schmallippiges Lächeln auf. »Hören Sie, ich habe keine Zeit, hier zu sitzen und um den heißen

Brei herumzureden. Dass Sie nicht rasend scharf auf diesen Job sind, gefällt mir. Je begeisterter jemand von solchen Tätigkeiten ist, desto argwöhnischer werde ich. Manche Leute sind allzu stolz auf ihre Autorität. Für die ist es ein Sport, ein Bewältigungsmechanismus oder auch bloß eine Chance, es der Welt heimzuzahlen. Verstehen Sie, was ich damit sagen will?«

Nach Paxtons Meinung hatten praktisch alle seine Kollegen im Gefängnis zu breit gegrinst, wenn sie ihren Knüppel geschwungen hatten, um einem misslaunigen Häftling damit in die Rippen zu stoßen. Und wenn es nötig war, jemand in den Bunker zu befördern, hatten sie gepfiffen und gejohlt.

»Durchaus«, sagte er. »Ich weiß genau, was Sie meinen.«

»In der Anstalt, in der Sie gearbeitet haben – wie häufig hatten Sie es da mit eingeschmuggelten Drogen zu tun?«

»Ein paar Probleme damit hatten wir schon«, sagte Paxton. »Ich habe unter mehreren Direktoren gearbeitet. Manche hatten eine Nulltoleranzstrategie, andere haben beide Augen zugedrückt, weil sie meinten, zugedröhnte Häftlinge wären leichter zu handhaben.«

»Und war das wirklich so?«, fragte Dobbs.

Paxton wählte seine Worte sorgfältig. Inzwischen kam er sich wie bei einer Abschlussprüfung vor. »Ja und nein. Wenn jemand high ist, kann man unter Umständen ziemlich gut mit ihm umgehen. Aber wenn er *zu* high ist, nimmt er womöglich eine Überdosis oder schlägt alles kurz und klein, was weniger gut ist.«

Dobbs lehnte sich zurück und legte die Fingerspitzen aneinander. Das Band, an dem er seine Uhr trug, war die Standardausführung; es sah nicht anders aus als das von Paxton. »Wir haben hier ein kleines Problem, und ich organisiere gerade etwas ... Tja, als Taskforce würde ich es nicht gerade bezeichnen. So offiziell soll es nicht werden. Bloß ein paar Leute, die Augen und Ohren offen halten. Und eventuell ein paar Fragen stellen, wenn sie der Meinung sind, damit was Nützliches zu tun.«

»Worum geht es denn?«

»Um Oblivion. Wissen Sie, was das ist?«

»Ich weiß, dass es sich um eine Droge handelt, aber die ist ja erst in letzter Zeit in Mode gekommen. Nachdem ich in der Anstalt gekündigt hatte.«

Dobbs blickte zur Tür und zuckte dann leicht die Achseln, so als könnte er noch ein paar Minuten riskieren. »Es ist eine modifizierte Form von Heroin, die körperlich nicht abhängig macht. Heroin wirkt bekanntlich derart katastrophal, weil es das Gehirn umstrukturiert, und zwar so, dass der Körper ohne den Stoff nicht richtig funktioniert. Deshalb ist auch der Entzug so schwer. Oblivion macht genauso high, aber ohne diesen Nachteil. Psychisch wird man durchaus davon abhängig, so wie bei allem, was einem ein gutes Gefühl vermittelt. Deshalb kommt es manchmal zu einer Überdosis, aber nicht so oft wie bei Heroin. Momentan haben wir allerdings viel damit zu tun, und manchmal ist das Zeug nicht richtig gestreckt, sodass die Junkies schon bei normaler Verwendung davon krank werden. Gelegentlich sterben sie sogar daran. Deshalb heißt es von ganz oben, dass wir den Scheiß stoppen müssen.« Dobbs senkte die Stimme. »Ich will Ihnen gegenüber offen sein. Die County kann keine weiteren Beamten entbehren. Daher will die obere Etage, dass wir die Männer und Frauen in Blau einsetzen, die ohnehin vor Ort sind. Darum geht es mir. Ich brauche ein paar gute Leute, die sich umsehen können ... aber auf entspannte Weise. Und da wäre jemand nützlich, der ein Auge für Schmuggelware hat.«

»Wieso auf entspannte Weise?«, fragte Paxton.

Dobbs starrte ihn kurz an, bevor er antwortete. »Ich mag es, wenn die Dinge entspannt sind.«

Paxton richtete sich auf seinem Stuhl auf. Er wusste nicht recht, was er sagen sollte. Irgendwie hatte er gehofft, Dobbs würde ihm erklären, man habe einen Fehler gemacht. Dann hätte er sein rotes Shirt bekommen und ins Lager verschwinden können, um sich seinen Stress aus dem Leib zu rennen und vielleicht bald wieder zu verschwinden. Stattdessen bot man ihm jetzt an, zusätzliche Aufgaben in einem Job zu übernehmen, den er gar nicht gewollt hatte.

Allerdings hatte Dobbs etwas an sich, was Paxton gefiel. Er sprach bedachtsam, deutlich und mit Respekt, was Paxton bei seinen Vorgesetzten im Gefängnis kaum erlebt hatte. Außerdem war es nett, so einen Vorschlag zu erhalten. Da kam man sich vor, als ob man spezielle Fähigkeiten hätte. Als ob man gebraucht würde.

Dobbs lächelte gequält und hob die Hand. »Sie müssen jetzt noch nichts entscheiden. Ich weiß, das alles ist eine ganz schöne Herausforderung, und es ist erst Ihr erster Tag hier. Aber Sie haben eine weiße Weste und offenbar einen Blick für Details. Und Sie haben sich vorhin als Einziger Notizen gemacht. So etwas weiß ich zu schätzen. Denken Sie also darüber nach, und in ein, zwei Tagen unterhalten wir uns wieder.«

Paxton stand auf. »Hört sich fair an.«

»Nur damit Sie's wissen, in einem Job wie diesem gibt es Aufstiegsmöglichkeiten«, sagte Dobbs. »Außerdem würden Sie etwas wirklich Gutes tun, indem Sie Leuten helfen, die Hilfe brauchen. Und jetzt ...« Er wedelte mit der Hand. »Gehen Sie rüber, und suchen Sie sich einen Platz. Sollen die anderen sich ruhig fragen, wieso ich so lange mit Ihnen geredet habe. Ich komme gleich mit dem Popcorn nach.«

Ausbildungsvideo für Security-Mitarbeiter

Ein Mann und eine Frau gehen Hand in Hand über einen weiten, leuchtend grünen Kunstrasen. Über ihnen erhebt sich eine Glaskuppel, durch deren matte Scheiben gelbliches Sonnenlicht hereinfällt.

Zwei Kinder, ein Junge und ein Mädchen, laufen vor den beiden Erwachsenen her. Die Familie wählt eine Stelle auf dem Rasen und breitet eine Picknickdecke aus. Dabei hält der Junge kurz inne, um jemand zuzuwinken. Die Kamera schwenkt auf eine Frau in einem blauen Poloshirt, die über den nahen Weg schlendert.

Schnitt auf Arbeiter in roten Poloshirts, die mit Waren unter dem Arm auf dem Weg zum richtigen Förderband hin und her flitzen. Zwischen den Regalen tauchen Männer und Frauen in blauen Poloshirts auf und verschwinden wieder wie Gespenster oder Schutzengel, ohne gesehen zu werden oder einzugreifen.

Eine alte Frau in einem grünen Poloshirt schiebt einen Abfallwagen über den grauen Teppichboden eines Büros, in dem sie die Abfalleimer leert. Sie bleibt stehen, um vor einem Mann in Blau zu salutieren, der daraufhin lacht und sie umarmt.

KOMMENTAR: Hallo und willkommen zum ersten in einer Reihe von Videos, die Ihnen helfen sollen, sich Ihrer Rolle als Sicherheitsbeamter in der MotherCloud bewusst zu werden. Zum Deputy wurden Sie zweifellos bereits ernannt. Herzlichen Glückwunsch! Jetzt ist es an der Zeit, darüber zu sprechen, was das bedeutet.

Ein junges Paar geht Hand in Hand eine hell erleuchtete weiße Treppe hinunter.

Eine Frau in einem blauen Poloshirt patrouilliert durch den Flur eines Wohnbaus.

Eine Menschenschlange wartet darauf, durch die Metalldetektoren am Ausgang des Warendepots zu treten. Leute mit blauen Poloshirts und babyblauen Latexhandschuhen winken sie einzeln durch.

Alle lächeln.

KOMMENTAR: Ihre Aufgabe besteht darin, die Sicherheit dieser Anlage zu garantieren, den hier lebenden und arbeitenden Menschen jedoch offen, freundlich und wohlwollend entgegenzutreten. Diese Aufgabe erfüllen Sie, indem Sie patrouillieren, beaufsichtigen, beobachten und Bericht erstatten.

Mehrere Teenager sitzen in einer auf Retro gestylten Spielhalle an Videospielen. Sie machen den Anschein, dass sie sich gleich laut und störend verhalten werden. Als ein Mann in einem blauen Shirt vorüberkommt, winken sie ihm jedoch zu. Er erwidert den Gruß.

Offensichtlich sind alle gute Freunde.

KOMMENTAR: In dieser Filmreihe geht es um Auftreten und ethisches Verhalten, um Krisenintervention, um zivil- und strafrechtliche Aspekte Ihrer Position und darum, wie Sie den für diese Anlage zuständigen Sheriff und seine Beamten bestmöglich unterstützen können. Zuerst jedoch das Allerwichtigste …

Der Bildschirm wird schwarz. In großen weißen Lettern erscheint der Spruch: RESPEKT MUSS MAN SICH VERDIENEN.

KOMMENTAR: Wenn Sie alle mit Würde und Respekt behandeln, wird man Sie ebenfalls so behandeln. Nützlich ist schon der Gebrauch der Anrede *Sir* oder *Ma'am*. Ihr primäres Ziel sollte immer Verhütung und Abschreckung sein.

Zu sehen ist der Spruch: WACHSAMKEIT IST DER SCHLÜSSEL ZUM ERFOLG.

KOMMENTAR: Noch einmal – Ihr primäres Ziel sollte immer in Verhütung und Abschreckung bestehen. Um das zu erreichen, müssen Sie sich Ihrer Umgebung gewahr sein. Selbst wenn Sie nicht im Dienst sind: Sollten Sie etwas beobachten, was der Aufmerksamkeit bedarf, informieren Sie bitte augenblicklich Ihre diensttuenden Kolleginnen und Kollegen.

Schnitt auf einen Mann, der sich in einem menschenleeren Flur umblickt, als würde er etwas Unrechtes tun. Er schlägt den Kragen hoch und schlüpft durch eine Tür in einen Lagerraum, wo mehrere Leute um einen kleinen Tisch herumsitzen.

KOMMENTAR: Cloud arbeitet unermüdlich mit den örtlichen und staatlichen Behörden zusammen, um für ein sicheres Arbeitsumfeld zu sorgen. Ein fairer Umgang mit den bei uns Beschäftigten ist unsere oberste Priorität, weshalb wir jeden Kommentar und jede Beschwerde ernst nehmen. Sollten Sie den Verdacht schöpfen, dass sich Beschäftigte außerhalb der von der Personalabteilung vorgesehenen Formen organisieren, benachrichtigen Sie bitte augenblicklich den zuständigen Sheriff.

Schnitt zurück auf die Familie, die inzwischen beim Picknick sitzt.

Die vier winken der Frau in dem blauen Poloshirt zu. Sie schreitet über den Kunstrasen herüber, worauf der kleine Junge die Hand ausstreckt und ihr einen dicken Chocolate-Chip-Cookie reicht.

Die Security-Mitarbeiterin nimmt den Keks entgegen und bückt sich, um den kleinen Jungen zu umarmen.

KOMMENTAR: MotherCloud ist ein neues Paradigma für die amerikanische Wirtschaft, ja, wichtiger noch, für die amerikanische Familie. Damit stellen Sie die erste Verteidigungslinie dieser Familie dar. Wir danken Ihnen für die Verantwortung, die Sie von nun an übernehmen werden.

Der Bildschirm wird wieder schwarz. In großen, weißen Lettern erscheint der Titel: ROLLE UND VERANTWORTLICHKEITEN.

KOMMENTAR: Nun weiter zum ersten Teil unserer Einführungsreihe ...

Zinnia

Zinnia rutschte mit dem Fuß ab. Ihr Magen verkrampfte sich. Es gelang ihr gerade noch, sich an der Seite des Regals festzuhalten, bevor sie rücklings abgestürzt und mit dem Kopf auf dem Boden aufgeschlagen wäre.

Es hatte nicht lange gedauert, bis sie aufgehört hatte, den Karabinerhaken zu verwenden. Das Ein- und Ausklinken nahm wertvolle Sekunden in Anspruch, die man nicht vergeuden durfte. Sie machte sich mehr Sorgen um die gelbe Linie als darum herunterzufallen.

Nachdem sie sich von Miguel verabschiedet hatte, erhielt sie den Auftrag, ihren zweiten Artikel zu holen, eine Dreierpackung Deospray. Sie marschierte flott zu dem betreffenden Regal, brauchte jedoch mehr als zehn Minuten durch den riesigen Raum. Ständig musste sie den anderen Roten und den sich bewegenden Regalen ausweichen. Als sie die Packung endlich aufs Förderband legte, war die grüne Linie auf ihrer Uhr gelb geworden.

Der nächste Artikel war ein Buch. Zinnia machte sich noch schneller auf den Weg, bis die Regale schließlich in eine rotierende Bibliothek übergingen, deren Titel sich um sie herum drehten. Da die Bücher Rücken an Rücken auf dem Regalbrett standen, war das gesuchte schwerer zu finden, aber sie spürte es auf und schaffte es an den gewünschten Ort. Nun war die Linie zwar immer noch gelb, hatte sich jedoch ein bisschen aufgefüllt.

Der nächste Artikel: eine Sechserpackung Suppendosen, in Plastik gehüllt.

Dann: Wecker. Duschradio. Buch. Digitalkamera. Buch. Handyladegerät. Schneestiefel. Sonnenbrille. Medizinball. Designer-Messengerbag. Tablet. Buch. Salzpeeling. Schlauchschal. Kneifzange. Ondulierstab. Vakuumiergerät. Weihnachtsbaumbeleuchtung. Packung Kugelschreiber. Set mit drei Schneebesen aus Silikon. Geräuschunterdrückende Kopfhörer. Digitalwaage. Sonnenbrille. Vitamine. Taschenlampe. Regenschirm. Gripzange. Portemonnaie. Digitales Fleischthermometer. Hundekekse. Puppe. Kompressionsstrümpfe. Shampoo. Buch. Gummiente. Sportuhr. Nuckelbecher. Messerschärfer. Bohrmaschinenakku. Duschregal. Thermokaffeebecher. French-Press-Kaffeebereiter. Maßband. Kindersocken. Filzstifte. Wickeldecke. Knieschiene. Katzenbett. Schere. Sonnenbrille. Weihnachtsbaumbeleuchtung. Dremel-Set. Teddybär. Bücher. Proteinpulver. Nasenhaartrimmer. Spielkarten. Zange. Handyladegerät. Backblech. Armreif. Multifunktionswerkzeug. Wollmütze. Nachtlicht. Packung Männerunterhemden. Kochmesser. Yogamatte. Handtücher. Weihnachtsbaumbeleuchtung. Ledergürtel. Salatschleuder. Packung Druckerpapier. Ballaststofftabletten. Pfannenwender-Set. Buch. Hoodie. Tablethülle. Stabmixer. Plätzchenausstecher. Tablet. Tastatur. Handyladegerät. Actionfigur.

Mit jedem neuen Artikel taten Zinnia die Füße ein bisschen mehr weh. Bald galt das auch für die Schultern; die Gelenke ächzten, die Muskeln pochten. Einige Male blieb sie an der Wand oder in einer ruhigen Ecke stehen, um ihre Schnürsenkel zu lockern oder fester zuzuziehen, auf der Suche nach der idealen Schnürung, bei der ihre Stiefel aufhörten, die Füße zu foltern. Aber die gelbe Linie war erbarmungslos. Wenn Zinnia lange genug stehen blieb, konnte sie sehen, wie das Ding langsam rückwärtskroch. Als sie sich ein-, zweimal richtig abhetzte, wurde es grün, aber nur für einen Augenblick.

Die Arbeit war geisttötend. Sobald Zinnia sich dem Rhythmus des CloudBands überließ, schaffte sie es wie auf Autopilot von Regal zu Förderband zu Regal. Ab und zu wurde sie von der Platzierung eines Artikels in die Irre geführt, sodass sie die Aufbewahrungsboxen verschieben musste und bei der Suche einige Sekunden vergeudete. Im Normalfall funktionierte das System allerdings.

Sie lenkte sich von den Schmerzen in den Füßen und der Eintönigkeit des Jobs ab, indem sie an ihrem Plan tüftelte.

Das Ziel war simpel – sie musste in die Energieverteilungsanlage gelangen.

Leichter gesagt als getan. Es bedeutete, in ein bestimmtes Gebäude einzudringen.

In der Praxis war es ein Albtraum.

Die Anlage befand sich auf der anderen Seite des Campus. Zugänglich war sie nur über ein Verkehrssystem, das Zinnia nicht verwenden konnte, da es unwahrscheinlich war, dass ihr CloudBand das erlaubte. Zu Fuß konnte sie auch nicht gehen. Sie hatte sich die Satellitenaufnahmen, auf denen man jeden Grashalm erkennen konnte, eingeprägt. Das Gelände war flach. Zwischen den Wohnbauten und dem Warendepot dehnte sich eine große, freie Fläche aus, noch ein Stück weiter war es bis zu den Wind- und Solaranlagen, bis schließlich die Verteilungsanlage kam. Selbst wenn die Überwachung der MotherCloud nur aus einem alten Knacker bestanden hätte, der mit einer Flasche schwarzgebranntem Fusel auf einer Veranda saß, hätte Zinnia es nicht riskiert; sie wäre zu leicht zu entdecken gewesen.

Deshalb stellte die Bahn den logischen Zugang dar,

genauer gesagt deren Tunnel. Zinnia machte sich keine großen Sorgen, darin gesehen zu werden; wie Gibson Wells es in seinem Begrüßungsvideo gesagt hatte, gab es nicht viele Überwachungskameras. Das Problem war der verfluchte Ortungssender an ihrem Handgelenk.

Aber eins nach dem anderen.

Die Uhr hatte sie gerade beauftragt, ein Ladegerät zu holen. Sie joggte zum Regal, marschierte im Schnellschritt zum Förderband und wollte sich gerade über den nächsten Artikel informieren, als auf dem Display eine bislang unbekannte Nachricht stand:

Sie sind jetzt zu einer 15-minütigen Toilettenpause berechtigt.

Zinnia befand sich inmitten eines gewaltigen Lagers mit Gesundheits- und Kosmetikprodukten. Sobald sie sich nicht mehr bewegte, brach die fragile Choreographie in sich zusammen. Sie hüpfte von einem Bein auf das andere, um den an ihr vorüberflitzenden Roten auszuweichen. Sie versuchte sich zu orientieren, was ihr aber nicht gelang.

Sie hob die Uhr, drückte die Krone und sagte: »Toiletten.«

Die Uhr wies sie an, nach links zu gehen, und sie lachte, um sich von dem Unbehagen abzulenken, das sie empfand, weil jetzt irgendwo registriert wurde, dass sie an einem Dienstag um 11.15 Uhr zum Pinkeln gegangen war.

Bis zum WC brauchte sie beinahe sieben Minuten und war dankbar, dass sie nur pinkeln musste. Sie trat in einen lang gestreckten Raum – graue Fliesen, ein langer Spiegel über einer Reihe Waschbecken, vor denen sich

Frauen in Rot drängten, weiße Lampen, so grell, dass sie einen Blaustich hatten. Es roch deutlich nach Urin. Zinnia schlüpfte in eine der wenigen freien Kabinen und stellte fest, dass der Boden mit Papierfetzen vermüllt war. Die Toilettenschüssel war mit einer dunkelgelben Flüssigkeit gefüllt, in der weiteres Klopapier schwamm.

Sie seufzte, ging über dem Sitz in die Hocke, erleichterte sich und ersparte sich das Spülen, da es eh sinnlos gewesen wäre. Nachdem sie sich draußen einen Platz am Spiegel erkämpft hatte, wusch sie sich die Hände und beugte sich vor.

Ihre Augenlider waren geschwollen. Da sie nicht mehr von ihren Füßen abgelenkt war, taten diese höllisch weh. Sie überlegte, ob sie die Stiefel kurz ausziehen sollte, aber das hätte es womöglich noch schlimmer gemacht. Außerdem wollte sie nicht sehen, welcher Schaden entstanden war. Deshalb verließ sie das WC, und weil sie wahrscheinlich noch zwei bis drei Minuten Pausenzeit übrig hatte, stellte sie sich an das nächste CloudPoint-Terminal. Sie tippte aufs Display, das sie prompt begrüßte: *Willkommen, Zinnia!*

Sie suchte nach *Sneakers* und wählte gleich das erste Paar aus, das sie sah. Neongrün wie Alienkotze, aber dafür auf Lager. Abgesehen davon, war ihr die Farbe scheißegal, sie wollte nur keinen weiteren Tag in den Stiefeln verbringen.

Sie fügte Reißzwecken und mehrere große Mandala-Wandbehänge hinzu, kaleidoskopische Farborgien, wie man sie sonst eher an der Wand von Studenten fand, die zu viel kifften. Die gehörten zu ihrem Plan, unbemerkt aus ihrer Wohnung zu gelangen.

Das Letzte, was sie brauchte, durfte allerdings nicht zu ihr zurückverfolgt werden.

Sie ließ die Lieferung an ihre Wohnung gehen und wandte sich von dem Terminal ab.

Die CloudPoint-Terminals. Erster Schritt eines aus zwei Schritten bestehenden Prozesses.

Die gesamte Infrastruktur von Cloud – von der Navigation der Drohnen bis hin zu den vom CloudBand übermittelten Richtungsanweisungen – wurde durch ein eigenes Netzwerk von Satelliten gesteuert. Es von außen zu hacken war absolut unmöglich. Vor einigen Wochen hatte Zinnia es versucht, indem sie an der Peripherie herumstocherte, um zu beobachten, was dabei passierte. Es war, als würde man versuchen, mit dem Fingernagel ein Loch in eine Betonmauer zu kratzen. Die einzige Möglichkeit, einen Zugang zum Netzwerk zu finden, bot sich innerhalb einer Cloud-Anlage.

Was sie brauchte, war das Schema. Sie brauchte Pläne. Irgendwas, worauf die Eingeweide dieses Ortes zu erkennen waren. Leider war so etwas unauffindbar gewesen. Versucht hatte sie es durchaus. Sie hatte nach Umweltverträglichkeitsstudien gesucht. Nach Geschäftsberichten. Nach Dokumenten der örtlichen Baubehörde. Wenn man so eine Anlage errichten wollte, hatte man früher einen gewaltigen Packen Formulare einreichen müssen. Aber dank des sogenannten Gesetzes zur Vermeidung bürokratischer Hürden, für das sich Gibson Wells eingesetzt hatte, waren große Firmen inzwischen davon ausgenommen, weil es sich angeblich um ein »Hindernis zur Schaffung von Arbeitsplätzen« handelte.

Zinnia musste herausbekommen, ob es irgendeine Möglichkeit gab, sich umherzubewegen, ohne entdeckt zu werden. Ob sie gewissermaßen eine Hintertür zu der Energieverteilungsanlage finden konnte. Zugangstunnel, große Schächte, etwas in der Richtung. Das würde ihr jedoch nicht einfach in den Schoß fallen, indem sie in ein Terminal eindrang. Zuerst musste sie ein kleines Stück von dem Code entdecken, den Cloud verwendete.

An ihrem Handgelenk summte es. Die gelbe Linie war wieder da.

Sie haben momentan eine Leistungsrate von 73 %.

Dann:

Falls diese Rate unter 60 % sinken sollte, hätte das negative Auswirkung auf Ihr Mitarbeiter-Rating.

Dann:

Denken Sie daran, genügend zu trinken!

Und schließlich:

Eine Artikelnummer und die der zugehörigen Box, dazu das Foto eines Buchcovers.

Zinnia seufzte, drehte sich um und machte sich im Laufschritt auf den Weg.

Gibson

Ich würde gern ein bisschen über das System unseres Mitarbeiter-Ratings sprechen.

In meiner Karriere habe ich viele kontroverse Dinge getan. Dabei hatte ich nicht immer recht, aber doch öfter, als ich unrecht hatte. Sonst schafft man es nicht so weit. Von allem, was ich getan habe, handelt es sich hier um die Maßnahme, für die man mich am meisten kritisiert hat.

Als ich das Rating eingeführt habe, war Cloud noch keine drei Jahre alt, und wir machten endlich echte Fortschritte. Da wurde mir klar, dass wir etwas brauchten, womit wir uns von der Masse abhoben. Etwas, was unsere Mitarbeiter wirklich dazu brachte, so hart zu arbeiten, wie es ihnen möglich war. Schließlich ist eine Herde nur so schnell und stark wie ihre langsamsten Mitglieder.

Damit ihr meinen Gedankengang versteht, möchte ich euch eine kleine Geschichte über die Schule erzählen, auf die ich gegangen bin, die Newberry Academy for Excellence. Damals gab es unterschiedliche Schultypen. Öffentliche Schulen, die von der Regierung finanziert wurden, Privatschulen, die normalerweise von religiösen Institutionen getragen wurden, und Charter-Schulen. Zu Letzteren gehörte Newberry. Eine Charter-Schule erhält Gelder von der öffentlichen Hand, befindet sich jedoch im Besitz eines Privatunternehmens, damit sie sich nicht an den ganzen Blödsinn halten muss, der von den Erziehungsbehörden ersonnen wird.

Früher lief es nämlich so: Ein Haufen Politiker, die keinerlei Erfahrung im schulischen Bereich hatten, setzten sich zusammen und entwickelten irgendwelche Formeln, die überall und für jedes einzelne Kind gelten sollten. Aber nicht alle Kinder haben dasselbe Lernverhalten. Zum Beispiel überrascht es euch vielleicht, wenn ich euch sage, dass ich bei Tests fürchterliche Probleme hatte. Am Morgen von wichtigen Prüfungen war ich immer so nervös, dass ich mir auf dem Schulweg die Seele aus dem Leib kotzte.

Durch die Charter-Schulen lag es in der Hand der Pädagogen, Lehrpläne zu entwickeln, die am besten für ihre eigenen Schüler passten. Man musste sich keinen lächerlichen Normen mehr anpassen, denn die einzigen Normen, auf die es jetzt ankam, wurden von Leuten gesetzt, die an vorderster Front tätig waren. Das war ein System, in das ich passte. Es ist keine Überraschung, dass es sich um genau das Bildungssystem handelt, das wir heute haben.

Zurück zum Thema. Wenn wir in meiner Schule am Halbjahresende unsere Zeugnisse bekamen, stand oben ein Rating in Form von Sternen. Fünf Sterne bedeuteten unübersehbar, dass es bestens lief, während ein Stern bedeutete, dass man ernste Probleme hatte. Ich war im Allgemeinen ein Vier-Sterne-Schüler, auch wenn ich gelegentlich auf drei Sterne abrutschte.

Die Lehrer und der Direktor mochten dieses Rating, weil man damit sofort erkennen konnte, wie sich ein bestimmter Schüler machte. Die schulische Erziehung ist eine komplexe Angelegenheit, weshalb das Zeugnis natürlich wesentlich ausführlicher war, mit Punkten und Punktdurchschnitten und Anmerkungen. Aber es gab eben auch diese vereinfachte Bewertung in Form der fünf Sterne. Das war besser als früher, wo man die Noten in Buchstaben samt plus und minus ausgedrückt hatte. Das war zu kompliziert gewesen. Was ist ein C+ eigentlich genau? Und wieso gab es A, B, C, D und F? Wohin war das E entschwunden?

Das Rating-System mit den fünf Sternen versteht man sofort. Wir haben täglich damit zu tun, wenn wir etwas kaufen, uns ein Video anschauen oder ein Restaurant bewerten. Wieso sollte man es dann nicht im Schulwesen verwenden? Außerdem war es schon immer eine große Hilfe, zumindest für mich. Eines kann ich euch sagen – an Tagen, wo ich mit nur drei Sternen nach Hause kam, hat mein Vater sich mit mir zusammengesetzt und mir ausführlich erklärt, wie wichtig es sei, sich mehr anzustrengen. Selbst wenn ich vier Sterne hatte, wollte er, dass ich nach fünfen strebte, obwohl er wusste, dass das praktisch unmöglich für mich war.

Trotzdem gab es bei vier Sternen Eiscreme. Mein Daddy ist mit mir zu Eggsy's gegangen, einer Eisdiele ganz in der Nähe von zu Hause. Dort hat er mir einen Becher mit zwei Kugeln Vanilleeis, heißer Karamellsoße, geschmolzenen Marshmallows und Erdnussbutterchips bestellt und mich dann gefragt: »Wie kannst du besser werden?«

Das hat er mich natürlich auch gefragt, wenn ich drei Sterne hatte, nur gab es da keinen Eisbecher.

Deshalb ist es dazu gekommen, dass es immer mein Ziel war, fünf Sterne heimzubringen. Ich wusste nämlich, selbst wenn ich das nicht schaffte und nur vier erreichte, konnte ich trotzdem ziemlich stolz auf mich sein. Drei Sterne empfand ich als Scheitern. Was nicht mal gestimmt hätte! Drei Sterne wären gar nicht schlecht gewesen. Als gescheitert gilt man erst dann, wenn man nur zwei bekommt. Aber merkt ihr, was das bewirkt hat?

Es hat mir ein Ziel gegeben und mich ermuntert, einen hohen Maßstab an mich anzulegen.

Damals in meiner Zeit in Newberry befanden sich viele öffentliche Schulen noch im Übergang zu Charter-Schulen, weshalb die zuständigen Behörden sich mit allerhand alten Verträgen herumschlagen mussten. Zum Beispiel wenn die Gewerkschaft einen ziemlich guten Deal für ihre Mitglieder herausgeschlagen hatte, laut dem diese selbst dann weiterbezahlt wurden und ein sattes Weihnachtsgeld bekamen, wenn sie Amok liefen und das Schulhaus in Brand steckten.

Was ja genau das Problem mit Gewerkschaften ist, oder nicht? Die sind der größte Schwindel, den die Welt je gesehen hat. Vor langer Zeit, als die Arbeiter noch ausgebeutet wurden und unter unsicheren Bedingungen schuften mussten, waren Gewerkschaften absolut sinnvoll. Aber so was wie der Brand der Triangle Shirtwaist Factory ist längst Vergangenheit. So etwas passiert heute nicht mehr. So wie das System funktioniert, ist das gar nicht mehr möglich. Schließlich wählt der amerikanische Kunde mit seinem Dollar – wenn ein Unternehmen derart übel ist, wird niemand mehr bei ihm arbeiten oder etwas einkaufen. Ganz einfach.

In meiner Schule gab es einen Hausmeister namens Skelton. Wir haben ihn scherzhaft immer Mr. Skeleton genannt, weil er so alt war. Er sah aus, als würde er bald hundert Jahre alt sein, und bot einen ziemlich traurigen Anblick, wenn er seinen Besen durch den Flur schob, so als würde er das kaum noch schaffen. Wenn jemand im Klassenzimmer eine Schweinerei veranstaltet hatte, wurde die deshalb meist von den Lehrern beseitigt, denn wenn man nach Skelton rief, tauchte er normalerweise erst nach der nächsten Pause auf.

Er war ein Überbleibsel. So haben wir solche Leute genannt. Die Typen von der Gewerkschaft hatten so lukrative Verträge für sie herausgeschlagen, dass sie keinen Anreiz hatten, in Rente zu gehen. Sie arbeiteten einfach weiter, weil sie wussten, dass man sie nicht feuern konnte. Selbst wenn sie zu alt für ihre Aufgaben waren, brauchten sie nur aufzukreuzen, um ihren Lohn, ihre Krankenversicherung und so weiter einzustreichen. Ein guter Job, wenn man ihn hatte.

Man würde meinen, dass dieser Bursche, so alt wie er war, sich ein bisschen Zeit für sich selbst nehmen würde. Versuchen würde, seine letzten Lebensjahre zu genießen. Aber nein, er wollte nur weiter abkassieren. Darüber habe ich oft nachgedacht, als ich Cloud aufgebaut habe. In einem Unternehmen arbeiten nämlich so viele Leute für einen, das ist geradezu unglaublich.

Wisst ihr, wie viele Leute bei Cloud tätig sind? Ganz ehrlich, das kann nicht mal ich euch sagen. Jedenfalls kann ich euch keine exakte Zahl nennen. Das liegt an den Tochtergesellschaften, an der Personalrotation in unseren Umschlagzentren und daran, dass täglich neue Firmen hinzukommen. Auf jeden Fall sind es mehr als dreißig Millionen, das ist meine beste Schätzung.

Denkt mal darüber nach. Dreißig Millionen. Wenn man die Hälfte aller größeren Städte in Amerika nimmt und ihre Einwohner zusammenzählt, kommt man nicht auf so viele Menschen. Und wenn man dreißig Millionen Leute managen muss, braucht man ein System, das einem die Aufgabe etwas erleichtert. Daher das Rating-System. Es ist eine Methode, Leistung auf transparente und zugleich rationelle Weise zu beurteilen. Weil Mitarbeiter, die bei zwei oder drei Sternen stehen, wissen, dass sie ein bisschen härter arbeiten müssen.

Und wollen nicht wir alle jemand mit fünf Sternen sein?

Wer vier Sterne hat, ist gut in Schuss. Bei drei Sternen könnte man das Tempo eventuell erhöhen. Sind es zwei, ist es an der Zeit, sich reinzuknien und zu zeigen, was man wert ist.

Deshalb bedeutet ein Stern die automatische Kündigung.

Jeden Tag, den ich aufstehe und zur Arbeit fahre, gebe ich mein Bestes. Von meinen Mitarbeitern muss ich dasselbe verlangen, wobei es mir völlig schnuppe ist, was die *New York Times* meint. Diese ganzen zornigen Kommentare darüber, dass ich den amerikanischen Arbeitskräften dies oder jenes antue. Dass ich sie »zu gering schätze«. Dass ich »ein komplexes System zu stark vereinfache«.

Tja, genau das tue ich! Ich vereinfache komplexe Systeme. Bisher hat das ziemlich gut funktioniert.

Ich versorge meine Mitarbeiter mit den Werkzeugen, die sie brauchen, damit sie ihr Schicksal selbst in die Hand nehmen können. Das ist im Interesse aller Beteiligten. Wenn jemand nur einen Stern erreicht, drückt er nicht nur den Durchschnitt; er ist in einer Position, für die er nicht geeignet ist. Man würde ja auch einen Physiker nicht damit beauftragen, Glas zu blasen. Oder einen Metzger bitten, eine Website zu programmieren. Verschiedene Menschen haben verschiedene Fertigkeiten und Talente. Ja, Cloud ist ein großer Arbeitgeber, aber vielleicht passt jemand trotzdem nicht zu uns.

Das wäre es so weit. Ich werde sicher nicht auf alles eingehen, was ich bei Cloud in die Wege geleitet habe. Aber da ich oft nach dem Rating gefragt werde (oder gefragt wurde, als ich noch öfter Interviews gegeben habe), wollte ich mir das mal von der Seele reden.

Übrigens hat man mich gefragt, wie es mir geht, und es geht mir ziemlich gut. Ich probiere eine neue Krebstherapie aus, die laut meinem Arzt bei Mäusen Erfolg versprechende Ergebnisse erzielt hat, nur dass ich keine Maus bin und daher nicht recht weiß, weshalb er so optimistisch ist. Die Nebenwirkungen sind nicht besonders schlimm, außer dass ich ein bisschen hungriger werde, aber wenn man gerade so abnimmt wie ich, ist das kein großes Problem.

Eingehen möchte ich schließlich noch auf einen Bericht, der gestern in einem von diesen Business-Blogs stand. Den Namen des Blogs will ich nicht nennen, damit er nicht noch mehr Klicks bekommt. Es wurde behauptet, ich stünde kurz davor, Ray Carson als Nachfolger zu benennen.

Ich kann es nicht deutlicher sagen: Meine endgültige Entscheidung habe ich noch niemand mitgeteilt, weil ich meine endgültige Entscheidung noch nicht getroffen habe. Bei Cloud läuft es ausgezeichnet, es gibt einen Vorstand und Manager, woran sich nichts ändern wird. Deshalb kann ich nur jeden bitten, mir, meinen Wünschen und meiner Familie mit ein bisschen Respekt entgegenzutreten.

Eine Ankündigung zu diesem Thema wird früh genug kommen.

Paxton

Von der anderen Seite des Großraumbüros her hörte man Gebrüll und ein lautes Krachen. Paxton blickte von dem Display des Tablets hoch, auf dem er sich mit den Formalitäten bei verschiedenen Vorfällen in der Anlage vertraut gemacht hatte – was man ausfüllen musste, wenn jemand verletzt wurde, wenn ein Diebstahl vorkam, wenn jemand starb –, und spähte über die Trennwand seiner Kabine.

Er sah ein halbes Dutzend Blaue, die mit einem Grünen rauften. Der Grüne war ausgemergelt und hatte einen verwilderten Vollbart, der ihm bis zum Bauchnabel reichte. Er versuchte, sich von den anderen loszureißen, bis eine schlanke Gestalt mit Bürstenhaarschnitt sich aus der Meute löste und ihm einen Kinnhaken verpasste.

Der Typ mit dem Bart krachte auf den Boden, worauf sein Gegner hervorstieß: »Geschieht dir recht!«

Paxton war nicht klar, ob es sich um einen Mann oder eine Frau handelte. Von der Stimmlage her war es eine Frau, der schlanke Körperbau, der nüchterne kurze Haarschnitt und die fehlenden Kurven passten allerdings mehr zu einem jungen Mann.

Nach einem Moment merkte er, dass die nicht recht bestimmbare Person sich von dem am Boden liegenden Mann abgewandt hatte und auf ihn zukam. Als sie seine Kabine erreicht hatte, sagte sie: »Bist du Paxton? Ich bin Dakota.«

Der Name sagte nicht viel aus, aber dann bemerkte

Paxton den sanft geschwungenen Hals, an dem kein Adamsapfel zu sehen war.

Er stand auf und schüttelte der Frau die Hand. Ihr Uhrband war aus schwarzem Leder und am Rand mit Metallnieten verziert.

»Freut mich«, sagte Paxton.

»Das hoffe ich doch.« Sie hob eine Augenbraue. »Ich bin deine neue Partnerin. Machen wir einen Spaziergang.«

Dakota drehte sich auf dem Absatz um und stolzierte davon. Paxton musste sich beeilen, ihr hinterherzukommen. Er erreichte sie, als sie gerade auf den blank polierten Betonboden des Korridors trat.

»Was war das eigentlich für ein Getümmel vorhin?«

Sie brauchte einen Moment, um sich zu erinnern, so als wäre ihr Gewaltausbruch nur eine flüchtige Geste gewesen, die man schnell vergaß. »Der Typ hat einen von den Massagesalons geleitet und dort sexuelle Dienste angeboten.«

»Du hast ihn ganz schön hart erwischt.«

»Macht dir das zu schaffen?«

»Nur wenn er es nicht verdient hatte.«

Sie lachte. »Manche von den Mädels haben nicht gerade freiwillig mitgemacht. Na, was meinst du nun?«

»Dann hättest du noch härter zuschlagen sollen«, sagte Paxton, was sie mit einem Lächeln quittierte. »Ich wusste gar nicht, dass man hier zu zweit auf Streife geht. Auf den ganzen Videos, die ich mir angesehen habe, waren die Security-Leute normalerweise alleine unterwegs.«

»Ja, wir Blauen arbeiten meistens solo, falls es sich nicht um spezielle Projekte oder eine Taskforce handelt.« Dakota drehte den Kopf leicht zur Seite, um Paxton von oben bis unten zu mustern. Wieder hob sie eine Augenbraue. »Dobbs hat mir erzählt, du wärst der Mann, der unser Schmuggelproblem knacken wird.«

»Eigentlich habe ich noch gar nicht richtig zugestimmt …«

Dakota lächelte. »Klar hast du das.«

Sie erreichten eine Reihe von Aufzügen. Dakota hielt ihr Handgelenk vor die Scheibe, dann verschränkte sie die Hände hinter dem Rücken und musterte Paxton erneut. Ihm war absolut nicht klar, ob sie Interesse hatte, ihn kennenzulernen, oder ihn als lästig ansah. Sie hatte die Miene eines leeren Blatts Papier.

»Wo wollen wir denn hin?«, fragte er.

»Wir gehen bloß ein bisschen durch die Gegend«, sagte sie. »Damit du dir die Beine vertreten kannst. Soweit ich gehört habe, dauert es jetzt bis zu drei Stunden. Die Einführungsvideos, meine ich.«

»Ich habe zwar nicht auf die Uhr geschaut, aber das dürfte in etwa stimmen.«

»Hauptsächlich geht es dabei um Absicherung«, sagte Dakota. »Nicht für dich, sondern für das Management. Wenn was schiefläuft, können die dort sagen, sie hätten dir die ganzen Sachen beigebracht, weshalb es nicht ihre Schuld wäre, sondern deine.«

Ein leerer Aufzug kam an. Sie traten hinein, und Dakota wählte das unterste Geschoss, wo man zur Bahn gelangte. Während die Tür zuging, sagte sie: »Eigentlich brauche ich's dir nicht erklären, du hast ja im Gefängnis gearbeitet. Aber mit der Zeit wirst du merken, dass man bei Cloud bestimmte Methoden hat, mit den Dingen umzugehen. Manchmal entsprechen die der offiziellen Vorgehensweise und manchmal nicht.«

»Mit dem Konzept bin ich vertraut, das stimmt«, sagte Paxton.

Sie traten aus dem Aufzug und schritten den Flur entlang. Nach der nächsten Ecke sahen sie lange Schlangen vor mehreren in die Wand eingebauten Terminals stehen, an denen man sein Anliegen eintippen konnte – Wohnungsprobleme, Bankingfragen und dergleichen –, um zu der zuständigen Stelle in irgendeinem Stockwerk geleitet zu werden.

Dakota schwieg. Sie hatte anscheinend kein Interesse daran, sich zu unterhalten. Stattdessen ging sie einfach weiter, und Paxton folgte ihr. Einige Leute warfen den beiden Blicke zu. Dieses Spielchen kannte Paxton. Dobbs hatte das Poloshirt als Ausdruck von Gleichheit bezeichnet, aber das war es nicht. Wenn ein Dienstabzeichen aus Blech war, funkelte es trotzdem, wenn das Licht im richtigen Winkel darauf fiel.

Eine Bahn fuhr ein, und sie stiegen ein. Die anderen Fahrgäste schienen ihnen Platz zu machen. Dakota sagte immer noch nichts. Auch das verstand Paxton. Wenn sie sich unterhalten hätten wie normale Leute, hätten sie zu menschlich gewirkt.

Es war Paxton zuwider, wie leicht es war, in diese alte Denkweise zu verfallen. Er kam sich vor, als würde er wieder durch einen Zellenblock schreiten.

Sie fuhren an Care, dem Warendepot und dem Aufnahmegebäude vorüber, bis sie schließlich in der Eingangshalle von Oak ausstiegen. Über eine Rolltreppe gelangten sie in eine separate Halle am Anfang der Promenade, wo eine andere Bahnlinie vom Aufnahmegebäude ankam. Hier gab es Ladebuchten und Rampen für die Waren, die zu den Läden und Restaurants an der Promenade geliefert werden sollten. Transportiert wurden sie hauptsächlich mit elektrischen Golfwagen, die flache Anhänger hinter sich herzogen. Arbeiter in Grün und

Braun wuselten in der großen Halle umeinander, um die Waren zu verladen.

Dakota räusperte sich. »Hier ist es. Das ist der Problembereich.«

»Inwiefern?«

»Hier kommt alles an«, sagte sie. »Das heißt, eigentlich kommt alles an der Aufnahme an, aber hauptsächlich in großen Paketen, die erst hier verteilt werden. Nach unserer Vermutung muss das auch der Ort sein, wo das Oblivion ankommt. Möglicherweise jedes Mal mit unterschiedlichen Lieferungen. Verantwortlich dafür könnte eine ganze Bande sein, aber auch eine einzelne Person. Wir haben noch keine Ahnung, wie das Ganze abläuft, aber auf jeden Fall habe ich so ein Bauchgefühl, dass hier die Lösung liegt.«

Paxton spazierte ein bisschen durch die Gegend. Ohne nach etwas Bestimmtem zu suchen, blickte er sich einfach um. Ihm war bald klar, weshalb sich der Ort hier als Umschlagplatz anbot. Es gab allerhand Ecken und Winkel. Nischen, in denen die Golfwagen abgestellt wurden, Türen, hinter denen sich wahrscheinlich ein Labyrinth an Fluren verbarg, die zu den Geschäften führten. Mehr als hundert Personen waren damit beschäftigt, Kartons auszupacken und den Inhalt auf die Anhänger zu stellen. Man hätte eine ganze Armee gebraucht, um alles im Blick zu haben.

»Wieso bringt man nicht einfach mehr Kameras an?«, sagte er.

Dakota schüttelte den Kopf. »Die mag man in der Führungsebene nicht. Das sieht man doch in dem Video, oder? Dobbs hat sich dafür eingesetzt, aber der Mann ganz oben ist dagegen. Er meint, Kameras wären ungemütlich. Würden dazu führen, dass die Leute sich unwohl fühlen.« Bei dem Wort *unwohl* hatte sie Anführungszeichen in die Luft geschrieben und dramatisch die Augen verdreht.

»Aha. Dabei tragen alle Uhren, mit denen man sie überall lokalisieren kann.«

Dakota zuckte die Achseln. »Falls einer von uns zum Chef dieses Ladens aufsteigen sollte, dann kann er das ja ändern.«

Paxton ging ein Stück weiter, um die Umgebung zu begutachten. »Lebensmittellieferungen waren für so was schon immer beliebt. Wir hatten eine Weile massenhaft Heroin im Bau. Wie sich herausgestellt hat, war das Zeug in Erdnussbuttergläsern versteckt. Da konnten die Hunde es nicht riechen.«

»Die Lebensmittellieferungen haben wir schon gründlich untersucht«, sagte Dakota.

»Erzähl mir doch mal was über Oblivion«, sagte Paxton. »Ich habe Dobbs schon erklärt, dass ich keine Ahnung habe, was das genau ist.«

»Das hat er erwähnt, ja.« Sie blickte sich um. Vergewisserte sich, dass niemand sie belauschte. »Komm mit.«

Sie führte ihn in eine ruhige Ecke neben eine lange Reihe Golfwagen, die zum Aufladen mit Steckdosen verbunden waren. Dann griff sie in die Hosentasche und zog ein winziges Plastikschächtelchen heraus, etwa so breit wie eine Briefmarke und etwas länger. Sie klappte es auf und zog ein Stückchen dünne Folie heraus. Grün gefärbt, rechteckig, minimal kleiner als das Schächtelchen. Ein Atemstreifen.

»Das ist es?«, sagte Paxton.

Dakota nickte. Er nahm den Streifen entgegen und drehte ihn um. Leicht, dünn und ein klein bisschen klebrig.

Sie nahm ihm den Streifen wieder ab und legte ihn in

das Schächtelchen zurück. »Wenn das Zeug über den Mund aufgenommen wird, geht es direkt in den Kreislauf über. Dadurch gelangt es nicht in den Magen-Darm-Trakt, wo es abgebaut würde.«

»Woher weiß man, dass die Leute nicht einfach damit hier hereinspazieren? Als ich gestern angekommen bin, hätte ich gut fünf Kilo mitbringen können.«

Dakota lachte. Nicht über das, was er gesagt hatte, sondern über ihn. Er spürte, wie ihm das Blut ins Gesicht schoss. »Schnüffelsonden. In den Scannern installiert, durch die du gekommen bist. Effizienter als Hunde, weil man nicht sieht, dass sie vorhanden sind. Meinst du etwa, daran hätten wir nicht gedacht?«

»Was ist mit Besuchern? Mit Leuten, die ein und aus gehen?«

»Erstens muss jeder hier durch die Scanner, egal ob Besucher oder Bewohner«, sagte sie. »Zweitens bekommt man hier nicht gerade viel Besuch. Du weißt ja, wie viel es kostet, einen Wagen zu mieten oder einen Flug zu buchen. Als ich hier angefangen habe, hat meine Mutter mich einmal im Monat besucht. Jetzt sehe ich sie nur noch an Thanksgiving.«

»Was ist eigentlich mit Naloxon? Kann man damit eine Überdosis Oblivion behandeln?«

»Anderer chemischer Prozess. Da gibt's nichts zu behandeln. Informier dich ein bisschen über solche Sachen, ja?«

Das Blut, das in sein Gesicht geströmt war, fühlte sich heiß an. »Ich nehme an, ihr habt euch an mich gewendet, weil ihr eine frische Perspektive haben wolltet, oder? Da werde ich dir wohl ein paar naheliegende Fragen stellen dürfen. Wenn ihr es alleine schaffen würdet, hättet ihr mich sicher nicht dazugeholt.«

Die Worte brannten ihm im Mund. Dakota schwieg. Ihre Augen wurden ein bisschen größer.

»Tut mir leid«, sagte er. »Das war ein bisschen viel.«

»Nein«, sagte Dakota und verzog die Lippen zu einem Grinsen. »Das war genau richtig. Komm, gehen wir weiter!«

Schweigend schritten sie eine Weile dahin, bis Paxton es nicht mehr aushielt. »Sag mal, was hast du denn früher gemacht?«, fragte er.

»Mehr oder weniger bloß gejobbt. Unter anderem nachts als Security, weil es da ruhig war und ich Zeit zum Lesen hatte. Deshalb bin ich auch hier gelandet, glaube ich.«

Sie kamen auf die Promenade, wo die Menschen hin und her strömten. Ab und zu sah Paxton ein blaues Poloshirt, in den Läden und auf dem höher gelegenen Laufsteg. Wenn man ihn bemerkte, nickte man ihm kurz zu.

»Ehrlich gesagt, wollte ich gar nicht als Security arbeiten«, sagte Paxton. »Ich wollte ins Depot. Im Grunde wäre mir jede Farbe außer Blau recht gewesen.«

»Und wieso?«, fragte Dakota.

»Mein früherer Job hat mich nicht gerade begeistert.«

»Hier ist es was ganz anderes als in einem Gefängnis«, sagte Dakota. »Nehme ich jedenfalls an. Abgesehen davon, verstehe ich dich schon. Als ich hier angekommen bin, war ich auch nicht begeistert. Aber es hat Vorteile, kann ich dir sagen.«

So wie sie das Wort *Vorteile* aussprach, klang es geheimnisvoll. Mehr oder weniger wusste Paxton, was sie meinte. Im Gefängnis hatte man auch Vorteile gehabt. Schmuggelware zum Beispiel kam oft nicht in den Abfall, sondern in die Tasche des Wärters, der sie entdeckt hatte. In den meisten Fällen hatte es sich um Geld oder Drogen gehandelt.

Nicht dass Paxton das je selbst beobachtet hätte. Aber er hatte so allerhand gehört.

»Wie etwa?«, fragte er.

»Wenn man sich einen Tag freinehmen will, kriegt man den von Dobbs wesentlich eher genehmigt als von irgendeinem Weißen«, sagte Dakota. »Dobbs kümmert sich um uns. Solange er sieht, dass wir das Richtige tun.«

Auch hinter diesem Satz steckte mehr. Natürlich war das so, aber Paxton wusste, dass er es sich noch nicht verdient hatte, mehr zu erfahren. Dennoch wollte er es unbedingt wissen, ein Gefühl, das ihn überraschte. Er wollte, dass Dakota ihn mochte, wollte ihren Respekt. Anerkennung war eine komische Sache. Es war wie eine kleine Pille, die man in den Mund stecken konnte, um sich gut zu fühlen.

»Security! Security!«

Die beiden sahen sich nach dem Rufer um; es war ein übergewichtiger älterer Mann in einem grünen Poloshirt, der ihnen vom Eingang eines kleinen Supermarkts her zuwinkte. Dakota trabte los, Paxton folgte ihr.

Der Laden war tatsächlich klein. Snacks und Kosmetikartikel. An der hinteren Wand ein Kühlregal für Getränke. Zeitschriftenständer. Der Mann hielt einen schlaksigen Schwarzen in einem roten Shirt am Arm. Der Schwarze, ein ganz junger Kerl, wollte sich losreißen, aber der ältere Mann war groß, kräftig und hatte ihn fest im Griff.

»Was ist denn los, Ralph?«, erkundigte sich Dakota.

»Ich hab den Typen da beim Klauen erwischt«, sagte der Mann in Grün – Ralph –, wobei er hauptsächlich Dakota ansah und Paxton nur einen argwöhnischen Seitenblick zuwarf.

»Ich hab überhaupt nichts geklaut«, sagte der Junge

und riss sich endlich los. Sobald ihm das gelungen war, rannte er aber nicht etwa davon. Er wich nur einige Schritte zurück, um Abstand zu gewinnen.

»Er hat ’nen Schokoriegel eingesteckt«, sagte Ralph.

»Nein«, sagte der Junge sichtlich erregt. »Nein, hab ich nicht!«

»Durchsucht ihn!«, sagte Ralph im Befehlston.

Der Junge drehte freiwillig die Taschen um. Sie waren leer. Sein Blick wanderte zwischen Paxton und Dakota hin und her. Er hob die Schultern. »Seht ihr?«

»Dann hat er das Ding eben schon gefuttert«, sagte Ralph.

»Und wo ist die Hülle?«, fragte der Junge.

Dakota sah Ralph an, als wollte sie die Frage wiederholen.

»Wie zum Teufel soll ich das wissen!«, sagte Ralph. »Heutzutage sind die Kids unheimlich clever. Aber geklaut hat er das Ding trotzdem. Hab ich mit meinen eigenen zwei Augen gesehen. Schon wie er reingekommen ist, hat er sich total verdächtig verhalten.«

Der Junge grinste höhnisch. »Verdächtig, klar. Was soll verdächtig an mir sein ... außer dass ich zufällig schwarz bin?«

Ralph hob abwehrend die Hände. »He, he, ich bin doch kein Rassist«, rief er beleidigt. »So ’ne Beschuldigung muss ich mir nicht bieten lassen!«

»Das ist keine Beschuldigung«, brüllte der Junge fast. »Das ist die Wahrheit!«

Das war der entscheidende Moment. Der Siedepunkt, wo es entweder besser oder schlimmer wurde. Damit umgehen konnte man nur, wenn man die Kontrahenten voneinander trennte.

»Nur die Ruhe«, sagte Paxton und deutete auf Ralph.

»Sie gehen jetzt mal da rüber. Vorläufig, während wir die Sache klären.«

Ralph hob wieder die Hände, bevor er sich dann doch zu seiner Ladentheke verzog.

»Gut gemacht«, flüsterte Dakota Paxton zu, dann deutete sie mit dem Kinn auf den Jungen. »Na, hast du den Riegel geklaut oder nicht?«

Der Junge ballte die Fäuste und schüttelte sie, um seine Worte zu unterstreichen. »Wie oft soll ich's denn noch sagen? Nein!«

»Okay, dann hör jetzt mal gut zu«, sagte sie. »Ralph ist alt, und er ist ein ziemliches Arschloch. Wenn er die Sache aufbläst, bleibt wahrscheinlich was an dir hängen, und dann besteht die Chance, dass du dir ein Minus einhandelst. Oder du schenkst ihm jetzt ein paar Credits, bezahlst also praktisch für den Riegel, und wir überreden ihn, die Sache fallen zu lassen.«

»Ich soll also für was bezahlen, was ich nicht genommen habe, bloß weil dieser rassistische alte Knacker sich aufspielt? Ist es das, was ihr wollt?«

»Nein, wir wollen, dass wir alle den Weg des geringsten Widerstands gehen«, sagte Dakota. »Was bedeutet, dass die Sache in den nächsten zwei Minuten beendet ist, niemand kriegt ein Minus, und in einem Monat erinnerst du dich nicht mal mehr daran, was dich das gekostet hat. Kapiert?«

Der Junge blickte zu Ralph hinüber, der an der Theke stand. Die Sache gefiel ihm nicht. Paxton gefiel sie auch nicht, aber er begriff, weshalb Dakota so handelte. Manchmal musste man bei kleinen Dingen eben wegschauen, um des lieben Friedens willen.

Was war ein Credit beim aktuellen Umtauschkurs eigentlich wert?

»Das ist nicht richtig«, sagte der Junge.

»Richtig ist es vielleicht nicht, aber es ist für alle das Einfachste, auch für dich«, sagte Dakota. »Es gibt massenhaft andere Shops, in denen du einkaufen kannst, ohne auf irgendwelche fiesen alten Typen zu stoßen. Also mach schon. Tu uns allen einen Gefallen. Nimm den Schlag in den Magen einfach hin. Morgen ist auch noch ein Tag.«

Der Junge seufzte. Er ließ die Schultern sinken. Dann ging er zur Theke, tippte auf seine Uhr und hielt sie an die Scheibe, die daraufhin grün aufleuchtete.

»Na also, ich hab's ja gesagt«, blaffte Ralph triumphierend.

Der Junge hatte sich schon umgedreht, aber als er das hörte, hielt er inne. Ballte eine Hand. Senkte den Kopf und schloss die Augen. Dachte offenbar ernsthaft daran, dem Alten mit der Faust eins auf die Nase zu geben. Paxton ging auf ihn zu und stellte sich so nah vor ihn, dass Ralph nichts mitbekam.

»Er ist es nicht wert«, sagte er. »Du weißt, dass er's nicht wert ist.«

Der Junge öffnete die Augen. Runzelte die Stirn, schob Paxton ruppig beiseite und stürmte aus dem Laden.

Dakota wandte sich an Ralph und seufzte. »Du bist ein richtiger Dreckskerl, weißt du das?«

Ralph zuckte die Achseln. Setzte ein kleines Siegesgrinsen auf. »Na und?«

Dakota marschierte hinaus, und Paxton folgte ihr. Als man sie nicht mehr hören konnte, sagte er: »Der Junge hatte nicht unrecht, weißt du das?«

»Meinst du etwa, er hätte als Einziger Probleme bekommen? Wenn ich ihn und Ralph mitgenommen hätte, was wäre dann wohl passiert? Dobbs hätte mich beiseitegenommen und gesagt ...« Sie senkte die Stimme um eine Oktave. »Und das wegen einem verfluchten Schokoriegel!« Sie stellte ihre Stimmlage wieder auf normal. »Womit er recht gehabt hätte. Wegen ein paar Credits lohnt sich so was einfach nicht.«

»Das heißt, so möchte Dobbs solche Dinge erledigt sehen?«

»Wenn ein Vorfall gemeldet wird, kommt er in die Statistik, und außerdem wird ein Bericht verfasst. Solche Berichte haben ziemliche Auswirkungen. Unsere Aufgabe ist es, die Zahlen niedrig zu halten. Stell dir das wie eine umgekehrte Quote vor. Je weniger man nach oben melden muss, desto besser.«

Sie gingen weiter. Durch den zweiten Wohnbau zum nächsten Abschnitt der Promenade und dann in das dritte Gebäude. Die Uhr von Paxton summte.

Ihre Schicht ist beendet. Ihre nächste Schicht beginnt in 14 Stunden.

Dakota blickte ebenfalls auf ihre Uhr. Sie entspannte die Schultern, wahrscheinlich aufgrund derselben Nachricht. »Du hast gute Instinkte«, sagte sie. »So wie du die beiden getrennt hast. Ich glaube, du wirst prima zu uns passen. Denk drüber nach, was Dobbs gesagt hat, okay? Hauptsächlich spaziert man in unserem Job nur durch die Gegend, um gesehen zu werden. Die Sache mit Oblivion ist wenigstens mal interessant.«

»Ich werd's mir überlegen«, sagte Paxton.

»Gut. Bis morgen dann.«

Sie drehte sich um und ging davon, ohne eine Reaktion abzuwarten. Während er sie in der Menge verschwinden sah, knurrte sein Magen, weshalb er zu Live-Play hinüberschlenderte. Er wusste nicht recht, was er essen wollte, bis er auf einen CloudBurger stieß. Den hatte er schon immer mal ausprobieren wollen. CloudBurger war dafür bekannt, dass es dort mit die besten und günstigsten Hamburger im ganzen Land gab, aber die bekam man eben nur in einer MotherCloud-Anlage.

Ein Hamburger war jetzt genau das Richtige. Den hatte Paxton sich verdient. Er konnte sich nicht einmal mehr erinnern, wann er das letzte Mal einen gefuttert hatte. Als er das Lokal betrat, wurde er vom Geruch von brutzelndem Fleisch und Frittieröl begrüßt. Es war viel los, die meisten Stühle waren besetzt, aber da, an einem kleinen Tisch in der Ecke drüben, saß Zinnia. Der Stuhl ihr gegenüber war leer.

Zinnia

Ihre Schicht ist beendet. Ihre nächste Schicht beginnt in 12 Stunden.

Zinnia blickte mit einer Mischung aus Erleichterung und Unmut auf ihre Uhr. Lebte man so in der realen Welt? Sie war an Termine gewöhnt. Daran, Jobs anzunehmen, wenn sie ihr angeboten wurden. Aber eine Stechuhr drücken zu müssen – oder dass eine virtuelle Stechuhr für sie gedrückt wurde –, das mochte sie gar nicht. Sie brauchte siebeneinhalb Stunden Schlaf, um zu funktionieren. Das bedeutete viereinhalb Stunden Freizeit, was ihr nicht gerade großzügig vorkam.

Möchten Sie zum nächsten Ausgang gelangen?

Zinnia hob ihre Uhr vor den Mund und sagte: »Ja.«

Die Vibrationen trugen sie durch das Warenlager. Es dauerte zwanzig Minuten, bis sie einen Ausgang erreicht hatte. Als sie durch die Tür trat, erwartete sie, einen Flur zu sehen, durch den man zur Bahn oder zu einem Aufzug gelangte, doch stattdessen stand sie in einem Raum wie dem vor den Einlassschleusen. Eine lange, gewundene Menschenschlange wartete vor einer Reihe Körperscanner. Männer und Frauen in blauen Poloshirts und babyblauen Latexhandschuhen winkten die Leute einzeln in die Scanner und wiesen sie an, die Arme zu heben, um sich von den riesigen Flügeln der Maschine umkreisen zu lassen.

»Kann ich mal durch?«

Eine junge Frau mit asiatischen Zügen stand hinter Zinnia, die merkte, dass sie den Durchgang blockierte. »Klar, ’tschuldigung.« Als die Frau sich an ihr vorbeischob, sagte Zinnia: »Heute ist mein erster Tag. Ist das der Ausgang?«

Die Frau nickte ernst. »Wenn wir rauswollen, müssen wir durch die Scanner, ja.«

Zinnia seufzte. Folgte der Frau und stellte sich hinten an. Fünf Minuten vergingen. Dann zehn. Als es achtzehn waren, war sie endlich an der Reihe und trat in den Scanner. Hob die Arme über den Kopf. Die mechanischen Flügel wirbelten um sie herum. Es war eine Maschine mit Terahertzstrahlung, die sie mit elektromagnetischen Wellen beschoss, um ein bewegtes Bild von ihrem Körper unterhalb der Kleidung entstehen zu lassen. Der Mann an der anderen Seite des Scanners warf einen Blick auf seinen Bildschirm, nickte und winkte sie durch. Als Zinnia sich umblickte, sah sie auf dem Bildschirm ihren Umriss. Sogar der Schatten ihrer Brustwarzen und das Dreieck ihrer Schamhaare waren andeutungsweise zu erkennen. Als sie das Grinsen im Gesicht des Security-Typen sah, der das Bild immer noch betrachtete, hätte sie ihm am liebsten eine Ohrfeige verpasst. Der Impuls kitzelte ihre Finger wie eine elektrostatische Ladung.

Nachdem der Beweis erbracht war, dass sie nichts geklaut hatte, durfte sie gehen. Sie trat in einen langen Flur, der eine Kurve machte, bevor er am Bahnsteig endete. Während sie neben einem jungen Mann mit schwarzem Haar und spitzer Nase wartete, fragte sie: »Läuft das hier immer so?«

»Was soll denn immer so laufen?«, fragte er zurück, ohne sie anzusehen.

»Die Peepshow«, sagte sie. »Dass man zwanzig Minuten lang Schlange stehen muss, bloß um rauszukommen.«

Er zuckte die Achseln. *Es ist, wie es ist.*

»Werden wir für die Zeit eigentlich bezahlt?«

Er lachte, dann sah er sie endlich an. Sein Uhrband war aus Gummi, grellorange.

»Erster Tag?«, fragte er.

Sie nickte.

»Willkommen bei Cloud«, sagte er, während die Bahn einfuhr. Er drängte sich vor, um einen Platz an Bord zu bekommen, und sie folgte ihm, ohne sich in seine Nähe zu stellen. Er war ein sarkastisches kleines Arschloch, und sie hatte keine Lust, weiter mit ihm zu reden. Stattdessen studierte sie die Gesichter der Leute ringsum. Alle sahen todmüde aus. Sie klammerten sich an irgendeiner Stange fest, und solche, die sich offenbar besser kannten, hielten sich aneinander fest. Als die Bahn anfuhr, um die Schienen entlangzugleiten, geschah das so abrupt, dass manche ins Taumeln gerieten.

Mit jeder Sekunde, die Zinnia im Gestank dieses Ortes verbrachte, wuchs ihr Bedürfnis, ihren Auftrag schleunigst abzuschließen. So kam es ihr nämlich vor – wie ein Geruch, der in ihre Haut einsickerte. Wie die alles durchdringende Ausdünstung von vernachlässigten Rindern, die in ihrem Pferch mit den Hufen in der Scheiße standen.

Zu allem Überfluss kam die Bahn zwischen zwei Stationen plötzlich zum Halten. Die Passagiere stöhnten auf. Man hörte einen Glockenton, dann sagte eine männliche Roboterstimme: »Dieser Halt dient Ihrer Sicherheit. Auf den Schienen befinden sich Hindernisse, die entfernt werden müssen. Die Fahrt wird in Kürze fortgesetzt.«

Nach dem zu urteilen, wie alle reagierten – verärgert, aber schicksalsergeben –, kam so etwas regelmäßig vor. Die Frau neben Zinnia sah ziemlich zugänglich aus. Blondes Haar, niedliche Brille, massenhaft Tattoos.

»Was hat das zu bedeuten?«, fragte Zinnia.

»So was kommt mehrmals in der Woche vor«, sagte die Frau. »Geht sicher gleich weiter. Wir wollen ja keinen Unfall, oder?«

Also doch nicht so zugänglich. Jetzt fiel Zinnia etwas ein, worauf sie bei ihren Recherchen gestoßen war: Vor zehn Jahren war in einer MotherCloud eine Bahn entgleist, weil Teile der Deckenverkleidung auf die Gleise gefallen waren. Es hatte zwei Tote gegeben. Da es sich um eine Magnetbahn handelte, schwebte sie einige Millimeter über den Schienen, was eine höhere Geschwindigkeit ermöglichte und die Abnutzung reduzierte. Offenbar neigte sie dadurch aber auch eher zum Entgleisen.

Einige Minuten später waren sie wieder unterwegs. Zinnia stieg an ihrer Station aus, fuhr mit dem Aufzug nach oben und betrat ihre Wohnung. Schaltete das Licht ein. Auf der Ablage stand ein Karton. Sie erstarrte. Zum einen, weil ihr kurz entfallen war, dass sie etwas bestellt hatte, und zum anderen, weil sie gedacht hätte, dass die Sendung vor der Tür stand oder irgendwo abgeholt werden musste, anstatt auf ihrer Küchenablage zu stehen. Was nämlich bedeutete, dass jemand in ihrer Wohnung gewesen war.

Sie durchsuchte alles, wozu sie nicht lange brauchte. Fuhr mit der Hand über Flächen, die sie nicht sehen konnte. Blickte in alle Schränke, um sich zu vergewissern, dass nicht noch etwas anderes hinterlassen worden war. Dann untersuchte sie ihre Reisetasche. Ihr Schminkbeutel sah unversehrt aus, und ihren Laptop hatte man auch nicht aufgeklappt. Wenn jemand es mit dem falschen Fingerabdruck versucht hätte, wäre die Sperre ausgelöst worden.

Als sie fertig war, setzte sie sich aufs Bett und zog sich behutsam die Stiefel ab. Die Fersen waren aufgeschürft und bluteten; weißliche, tote Haut bildete an den Fersensohlen faltige Blasen. Mehrere Zehen waren an den Knöchelgelenken aufgekratzt. Da die Wunden nun mit der Luft in Berührung gekommen waren, brannten und pochten sie.

In einem der Schränkchen fand Zinnia eine dünne Rolle Küchenpapier. Sie befeuchtete im Spülbecken mehrere Blatt und tupfte sich damit die Füße ab, wobei das Papier sich rosa färbte. Dann kramte sie ihr Erste-Hilfe-Set aus der Reisetasche, bestrich die aufgeschürften Stellen mit antibiotischer Salbe und wickelte sich dann Bandagen um die Füße.

Als sie fertig war, betrachtete sie ihr Werk, fand es zufriedenstellend und machte sich daran, den Karton auszupacken. Bis auf die Sneakers legte sie erst einmal alles beiseite, dann zog sie sich Socken an, um auszuprobieren, ob die Schuhe passten. Sie mussten eine Weile eingelaufen werden, was eine ganze Woche mit malträtierten Füßen bedeutete, aber besser als die Stiefel waren die Dinger allemal.

Zinnia fuhr in die Eingangshalle hinunter und marschierte über die Promenade in Richtung Live-Play, um dort irgendwo etwas zu essen. Unterwegs prägte sie sich die CloudPoint-Terminals ein. Deren Standort, wie gut sichtbar man war, wenn man davorstand. Im Allgemeinen waren sie in die Wand eingebaut, und alle hatten unten eine Konsole mit einem Deckel, den man offenbar nur mit einem speziellen runden Schlüssel öffnen konnte. An eine

Kopie dieses Schlüssels zu kommen war zwar ziemlich aussichtslos, aber mit der Sorte Schloss wurde sie in Sekundenschnelle fertig. Dazu musste sie nur die Plastikhülse eines Kugelschreibers in die passende Form schnitzen.

Das war leicht.

Das eigentliche Problem bestand darin, den Kollektor zu platzieren.

Egal welches Terminal sie auswählte, dank der Uhr würde aufgezeichnet werden, dass sie sich dort befunden hatte. Sie musste sich also ans Werk machen, ohne ihr CloudBand zu tragen.

Um sich durch die Gegend zu bewegen, konnte sie sich auf die gute alte Technik verlassen, in der Menge unterzutauchen. In die Bahn einsteigen konnte man zwar nicht, ohne die Uhr zu verwenden, aber in den Aufzügen herrschte höfliche Zurückhaltung. Wenn die Kabine überfüllt war und bereits nach unten fuhr, kümmerte sich niemand um den Scanner.

Sie musste es also lediglich schaffen, ohne die Uhr aus ihrer Wohnung zu gelangen.

Dafür brauchte sie noch einen weiteren Gegenstand. Sie schlenderte durch mehrere Läden, bis sie einen gefunden hatte, wo neben der Kasse ein Ständer mit mehreren Multitools aufgestellt war. Die Dinger sahen auf geeignete Weise robust aus.

Was ihr gar nicht gefiel, war der Mann, der hinter der Ladentheke lauerte. Eine Kröte im grünen Shirt, deren Blick ausdrückte: *Du bist keine Weiße, daher meine ich, dass du was klauen willst.* Sie überlegte kurz, ob sie einfach ein Tool kaufen sollte, aber alles, wofür sie bezahlte, würde wahrscheinlich registriert werden. Irgendwo im Elektronengehirn von Cloud wurde eine Liste von allem angelegt, was sie kaufte.

Sie war noch am Leben, weil sie vorsichtig war.

Und manchmal bedeutete Vorsicht, einen Umweg zu machen.

Außerdem mochte sie den Ausdruck nicht, den der Mann da im Gesicht trug.

Deshalb schlenderte sie durch den Laden, als wollte sie sich umschauen, nicht ohne auf das Vorhandensein von Überwachungskameras zu achten. Es gab keine. Sie trat vor ein großes Regal mit Süßigkeiten und Energieriegeln ganz hinten. Als sie aus den Augenwinkeln zu dem Mann hinüberblickte, versuchte der erst gar nicht zu verbergen, dass er zu ihr herüberstarrte.

Sie kramte in den Süßigkeiten, als wollte sie etwas auswählen. Dabei lockerte sie mit den Fingerspitzen einen der Bolzen, mit denen die Regalbretter befestigt waren. Dann nahm sie eine Packung saure Fruchtgummis heraus, ging damit zur Kasse und sagte: »Bei dem Regal da drüben ist ein Brett locker. Das vierte von oben.«

Der Mann rührte sich nicht. Beäugte die Scannerscheibe. Zinnia legte die Fruchtgummis daneben und hielt ihre Uhr davor. Als die Bezahlung registriert wurde, nickte er beeindruckt, so als hätte sie gerade seine Meinung über Menschen mit dunkler Hautfarbe widerlegt. Sie bedachte ihn mit einem Lächeln, das *du kannst mich mal* besagte, während er zu dem Regal hinüberging. Sobald er das genannte Brett anfasste, krachte es zu Boden. Im selben Moment griff Zinnia sich ein Multitool und ließ es in ihrer Gesäßtasche verschwinden.

Der Mann drehte sich zu ihr um. Am liebsten hätte er wohl ihr die Schuld gegeben, schien jedoch nicht recht zu wissen, wie.

Sie zuckte nur die Achseln und sagte: »Ich hab's ja gesagt.«

Nachdem sie ihren langen Tag im Warendepot damit gekrönt hatte, es diesem Arschloch zu zeigen, marschierte sie schnurstracks zu Live-Play. Als sie sich einen Überblick über die verschiedenen Etagen mit ihren schillernden Leuchtreklamen verschaffte, fiel ihr der Cloud-Burger ins Auge. Eine Portion günstiges Rindfleisch war jetzt genau das Richtige. Ihre Beine fühlten sich wie Wackelpudding an, da konnte sie ein bisschen Proteine gut gebrauchen.

Das Restaurant war gut besucht, aber sauber. Weiße U-Bahn-Fliesen mit roten Akzenten, Metalltische, die nach Holz aussehen sollten. Zinnia setzte sich ganz hinten an einen freien Tisch, auf dem ein Tablet lag und sie aufforderte, ihre Bestellung aufzugeben. Sie entschied sich für einen doppelten Hamburger mit Käse, eine große Portion Pommes und eine Flasche Wasser. Sobald die Bestellung bestätigt war, bezahlte sie mit ihrer Uhr, worauf das Display ihr mitteilte, dass der Hamburger in sieben Minuten serviert werde.

Während sie wartete, spielte sie an ihrer Uhr herum. Sie wischte nach oben, nach unten, nach links und rechts, um die verschiedenen Funktionen kennenzulernen. Fand eine Gesundheitsapp. Sie hatte 16 000 Schritte beziehungsweise acht Meilen zurückgelegt. Da hätte sie sich zu ihrer Mahlzeit eigentlich noch einen Milchshake bestellen sollen.

Einige Minuten später – weniger als sieben – stellte eine rundliche Latina in einem grünen Poloshirt ein Tablett vor sie hin. Zinnia lächelte und nickte. Anstatt darauf zu reagieren, drehte die Frau sich einfach um und ging zur Küche zurück.

Zinnia griff nach dem Hamburger, der in Wachspapier gehüllt war. Er war heiß. Fast zu heiß, aber sie war unglaublich hungrig. Als sie hineinbiss, konnte sie es kaum glauben. Einerseits war es schon lange her, dass sie Rindfleisch gegessen hatte – das Zeug war so teuer, da lohnte es sich nicht –, und andererseits war der Hamburger wirklich lecker zubereitet. Tiefbraun gegrillt, knusprig, mit Käse, der in die winzigen Krater der Oberfläche geschmolzen war. Die rosa Soße, mit der das Fleisch bestrichen war, verlieh dem Ganzen einen essigsauren Touch, der das Fett neutralisierte. Noch bevor sie die Hälfte verschlungen hatte, tippte sie auf das Tablet, um sich noch einen Hamburger zu bestellen, begleitet von einem Milchshake. Acht Meilen!

»Zinnia?«

Mit vollem Mund blickte sie auf.

Der komische Typ aus dem Bus.

Peter? Pablo?

»Paxton«, sagte er und legte die Hand aufs Herz. Er trug ein blaues Poloshirt. »Was dagegen, wenn ich mich zu dir setze? Sonst ist anscheinend nirgends mehr etwas frei.«

Sie kaute. Schluckte. Dachte nach.

Nein, sie wollte allein sein.

Aber dieses Shirt. Diese wunderbare blaue Farbe. Das konnte nützlich sein.

»Bitte«, sagte sie und deutete mit dem Kinn auf den leeren Stuhl ihr gegenüber.

Er strahlte, zog das Tablet zu sich heran und tippte aufs Display, um seine Bestellung aufzugeben. Dann hob er seine Uhr, doch bevor er damit bezahlte, deutete er auf ihren Hamburger. »Wie schmeckt der überhaupt?«

»Richtig lecker.«

Er nickte, zahlte und lehnte sich zurück.

»So, da hast du's also zu den Roten geschafft«, sagte er.

»Habe ich.«

»Und wie ist es?«

»Meine Füße bluten.«

Er schnitt eine Grimasse. Sie stopfte sich ein paar Pommes in den Mund.

»Du hingegen bist bestimmt zufrieden«, sagte sie. »Als ehemaliger Gefängniswärter, meine ich. Muss ein Kinderspiel für dich sein. Und hier bist du weniger in Gefahr, von jemand erstochen zu werden.«

»Eigentlich wollte ich denselben Job wie du. Schließlich habe ich aus gutem Grund im Gefängnis aufgehört. War nicht gerade begeistert davon.«

Sie lachte. »Wärst du davon begeistert, von einem Regal zum anderen zu rennen?«

»Nein, aber … ich will hier ja nicht für immer Wurzeln schlagen.«

»Na, dann prost!« Sie hob ihre Flasche Wasser und nahm einen Schluck.

Die Frau in Grün tauchte wieder auf, diesmal mit zwei Tabletts. Das eine stellte sie vor Zinnia, bevor sie Paxton bediente, der sich gleich zwei Hamburger, zwei Portionen Pommes und einen Milchshake bestellt hatte. Er hob seinen Hamburger zum Mund und biss hinein. Riss die Augen auf. Dann schluckte er das meiste, was in seinem Mund war, und sagte: »Wahnsinn.«

»Na, hab ich recht gehabt?«

»Als ich das letzte Mal Rindfleisch gegessen habe, hatte ich was zu feiern«, sagte er. »Das war in einem Restaurant. Hab mir ein Steak bestellt. Mann, war das teuer!«

»Tja, so ein Preis ist eben bloß möglich, wenn man die Rinderfarmen selbst besitzt und keine Zwischenhändler bezahlen muss«, sagte sie. »Hat offenbar gewisse Vorteile, hier zu arbeiten.«

Er nickte. »Vorteile. Genau.«

Die Gesprächspause, die nun entstand, füllte Zinnia mit Nahrungsaufnahme. Paxton tat dasselbe. Beim Essen sahen die beiden sich nicht an, sondern blickten sich im Restaurant um. Zinnia dachte fieberhaft nach. Die Security-Leute hatten wahrscheinlich überall Zugang. Und den Typ da konnte sie sicher problemlos bezirzen, schließlich war er hetero und hatte einen Penis.

Nachdem Paxton aufgegessen, sich mit einer Papierserviette den Mund abgewischt, Zinnia angesehen und gesagt hatte: »Ich will nicht zudringlich sein, aber ich kenne hier noch niemand und hab mich gefragt, ob wir wohl morgen was zusammen trinken gehen könnten«, antwortete Zinnia: »Aber gern!«

3. Gnadenfrist

Gibson

Wenn man auf sein Ende zugeht, fängt man automatisch an, über sein Vermächtnis nachzudenken. Das ist ein großes Wort.

Vermächtnis.

Es bedeutet, dass die Leute auch dann noch an einen denken, wenn man tot und begraben ist, was eine ziemlich hübsche Sache ist, oder nicht? Ich glaube, das wollen wir im Grunde alle.

Komisch ist nur, dass man darüber keinerlei Kontrolle hat. Da kann man sich noch so anstrengen, eine Story zu konstruieren. Eine Geschichte darüber, wer man ist und was man alles getan hat. Letztlich entscheidet doch der Lauf der Geschichte. Was ich hier schreibe, ist völlig egal. Es wird Teil einer Bilanz werden, aber eventuell nicht der entscheidende Faktor dafür sein, wie man mich beurteilen wird.

Natürlich will ich, dass man mich positiv beurteilt. Ein Bösewicht will schließlich niemand sein. Denkt an den armen alten Christoph Kolumbus. Der Mann hat Amerika entdeckt, aber dann sind ein paar Leute darauf gekommen, dass es ihnen nicht gefiel, *wie* er Amerika entdeckt hat. Sie haben behauptet, er und seine Mannschaft hätten allerhand Krankheiten mitgeschleppt, durch die die Urbevölkerung dezimiert wurde. Aber wie hätte der das wissen sollen? Als er losgesegelt ist, hatte er keine Ahnung, dass die Leute in der Neuen Welt nicht in der Lage waren, mit Sachen wie Pocken und Masern fertigzuwerden.

Natürlich war das verdammt schade. Es ist nie schön, wenn Leute sterben, vor allem nicht durch solche Krankheiten. Aber er hat es nicht absichtlich gemacht, was meiner Meinung nach berücksichtigt werden sollte. Abgesehen davon, gibt es weitere Geschichten über Kolumbus, darüber, was er wem angetan hat, aber wir sollten uns auf das Entscheidende konzentrieren.

Er hat Amerika entdeckt. Nicht dass das nötig gewesen wäre! Dennoch hat er das Antlitz der Erde verändert.

Manchmal bedeutet so etwas, harte Entscheidungen zu treffen, was manche Leute einfach nicht kapieren. Weshalb es vor einigen Jahren doch tatsächlich dazu gekommen ist, dass man jedes Denkmal von Kolumbus niedergerissen hat, das man finden konnte. Der Höhepunkt war jene große Demonstration in Columbus, Ohio, von deren Ende ich euch nicht erzählen muss. Ich glaube, die Bilder verfolgen uns alle noch heute.

Stellt euch vor, was wäre, wenn wir Kolumbus im Jahre 1492 gerade zu dem Zeitpunkt von seinem Schiff holen könnten, wo er Land gesehen hat. Diese Verheißung eines neuen Anfangs. Und dann befördern wir ihn hierher und machen ihm klar, was sein Vermächtnis sein wird. Dass er als Bösewicht betrachtet werden wird. Ob er dann wohl weitersegeln würde? Oder würde er umkehren?

Ich weiß es nicht. Und Cloud hat das Problem der Zeitreise noch nicht gelöst (obwohl ich – das ist kein Scherz – einige Jahre lang eine Abteilung hatte, die sich damit beschäftigt hat, denn wieso sollte das nicht funktionieren?). Dazu wird es in den letzten paar Monaten meines Lebens auch nicht mehr kommen.

Jedenfalls denke ich über mein Vermächtnis nach.

Es gibt zwei Dinge, auf die ich verdammt stolz bin.

Ich habe schon davon berichtet, wie Cloud ein Modell zur Rettung der Umwelt durch die Reduktion von Treibhausgasen geschaffen hat. Ein wichtiger Aspekt davon war es, das Pendeln von daheim zur Arbeitsstätte einzuschränken. Das ist allerdings nicht in einem Vakuum geschehen. Wir haben nicht einfach eine MotherCloud errichtet und gesagt: »Erledigt! Jetzt läuft alles anders.«

Als Erstes mussten wir neu durchdenken, wie Waren produziert werden. Angeblich stellt der Kapitalismus zwar das Fundament Amerikas dar, aber es ist unglaublich, wie schwer man es früher den Unternehmen in diesem Land gemacht hat, auf einen grünen Zweig zu kommen. Deshalb haben so viele amerikanische Firmen ihre Produktion ins Ausland verlagert. Wenn man mir eine Barriere nach der anderen vor die Nase setzt, wieso sollte ich dann hier produzieren? Wieso sollte ich nicht irgendwohin gehen, wo es keine solchen Barrieren gibt?

Stellt euch mal ein Mietshaus vor. Nehmen wir an, es hat sechs Stockwerke. In diesem Haus wollen viele Leute wohnen, weil es dort ziemlich hübsch ist. Wenn jedoch immer mehr Leute einziehen wollen, denkt der Besitzer des Gebäudes: Wieso soll ich nicht eine oder zwei Etagen aufstocken? Worauf er es tut, und das ist okay. Wachstum ist schließlich etwas Gutes. Er verdient ein bisschen mehr Geld und kann besser für seine Familie sorgen.

Nehmen wir nun jedoch an, dass es in der Stadt eng wird. Immer mehr Leute ziehen zu, was dazu führt, dass der Besitzer sein Haus nicht nur aufstocken *will*, er *muss* das tun, um die Nachfrage zu befriedigen. Das geht darüber hinaus, mehr Geld verdienen zu wollen. Der Mann besitzt Eigentum, und dieses Eigentum ist wertvoll. Ich würde sagen, da hat er eine Verantwortung gegenüber der Stadt als solcher. Ohne Menschen kann eine Stadt nicht wachsen. Deshalb setzt er noch eine oder zwei Etagen obendrauf. Allerdings ist die Stabilität des Fundaments beschränkt. Das heißt, man muss mit der vorhandenen Infrastruktur umgehen.

Je höher das Gebäude wird, desto instabiler wird es.

Und wenn man zu viele Stockwerke draufsetzt, bricht es in sich zusammen.

Was daran liegt, dass man versucht, einem bereits vorhandenen Modell neue Bedürfnisse aufzupfropfen.

Wesentlich klüger wäre es, das verdammte Gebäude abzureißen! Ganz von vorn anzufangen! Sich mit den Bedürfnissen zu beschäftigen, die man momentan hat, ausgiebig über zukünftige Bedürfnisse nachzudenken und auf dieser Grundlage zu bauen. Dann errichtet man nämlich ein dreißigstöckiges Gebäude und macht das Fundament so stabil, dass man noch weiter aufstocken kann, falls das nötig werden sollte.

Denkt an all die Großstädte, die praktisch unbewohnbar geworden sind, weil die Straßen für einhunderttausend Menschen geplant waren, die Bevölkerung aber auf über eine Million gestiegen ist. Kein Wunder, dass dann die Kanalisation zusammenbricht und auseinanderfällt, weil ein Mehrfaches an Menschen seinen Abfall wegspült.

Ich will darauf hinaus, dass man manchmal überdenken muss, wie man die Dinge tut, anstatt zu versuchen, auf unsicherem Boden zu bauen. Deshalb habe ich mich so beharrlich für Gesetze eingesetzt, die das Wirtschaftswachstum fördern, anstatt es zu behindern. Zum Beispiel das Gesetz zur Vermeidung bürokratischer Hürden. Früher hat man Jahre gebraucht, bis man ein Gebäude errichten und geschäftlich nutzen konnte. Man musste allerhand Untersuchungen finanzieren und massenhaft

Auflagen erfüllen, die größtenteils sinnlos waren. In einem Bundesstaat zum Beispiel – ich glaube, es war Delaware – musste man bei einer bestimmten Behörde eine Umweltverträglichkeitsstudie einreichen, für die man eine Stange Geld und etwa sechs Monate brauchte. Nun gab es aber noch eine *andere* Behörde, die eine solche Studie haben wollte, nur dass man nicht dieselbe Studie für beide Behörden verwenden konnte. Das heißt, man musste zweimal exakt dasselbe machen lassen – und die Kosten schlucken. Im Grunde diente das nur dazu, dem Amtsschimmel Futter vorzuwerfen.

Ganz und gar verratzt warst du schließlich, wenn du versucht hast, ein Gebäude zu errichten, ohne mit einer von den Baugewerkschaften zusammenzuarbeiten. Dann haben sie dir eine riesige aufblasbare Ratte vor die Zentrale gestellt und alle Leute angebrüllt, die durch den Eingang gehen wollten. Hast du jedoch versucht, dich mit diesen Leuten zu einigen, so hast du das Vierfache vom üblichen Lohn bezahlt, ganz zu schweigen davon, dass die Arbeitsleistung schlechter war. Wenn die Leute einen sicheren Arbeitsplatz haben, strengen sie sich nicht so an. Leute, die sich ihren Lohn wirklich verdienen müssen, arbeiten härter. Deshalb habe ich mich derart für das Gesetz gegen die Behinderung von Bauvorhaben eingesetzt. Jetzt sieht man diese aufblasbaren Ratten nicht mehr. Sobald jemand eine aufstellt, kann die Polizei sie sofort entfernen und in den Abfall befördern, wo sie hingehört.

Oder das Gesetz über papierlose Währung, das die Regierung dazu gezwungen hat, die Nahfeldkommunikation sicherer und populärer zu machen, damit wir aufhören konnten, so viel Papiergeld zu drucken und auszutauschen.

Bei weitem am wichtigsten war jedoch das Gesetz zur Vermeidung von Mechanisierung, das bestimmte Einstellungsquoten und die maximale Anzahl an Arbeitsplätzen festlegt, die ein Unternehmen durch Roboter ersetzen kann. Das war das Umstrittenste, was ich je in die Wege geleitet habe, noch umstrittener als das Rating-System für Mitarbeiter, weil viele andere Unternehmer deshalb richtig zornig auf mich waren. Tatsächlich könnten viele Aufgaben bei Cloud kostengünstiger erledigt werden, wenn wir dafür Roboter einsetzen würden. Damit könnten wir womöglich eine oder zwei weitere Milliarden einsparen. Aber ich will, dass die Leute Arbeit haben! Wenn ich durch ein Warendepot gehe, will ich Männer und Frauen sehen, die in der Lage sind, sich ihren Lebensunterhalt zu verdienen.

Dadurch hat sich das Blatt in vielerlei Hinsicht gewendet. In dem Jahr bevor wir das Gesetz zur Vermeidung von Mechanisierung durchgedrückt haben, betrug die Arbeitslosenquote circa 28 Prozent. Und zwei Jahre später? Drei Prozent. Die Zahl lässt mich nachts ruhig schlafen. Abgesehen davon, haben sich die ganzen anderen Unternehmer schließlich damit abgefunden, als ihnen klar wurde, dass die Steuererleichterungen nicht von Pappe sind.

Jeder einzelne dieser Faktoren hat meine Aufgabe erleichtert, hat mir geholfen, Cloud wachsen zu lassen und vielen Leuten gut bezahlte Jobs zu verschaffen. Darauf bin ich stolz, nicht nur aus eigenem Interesse, sondern auch mit Blick auf die ganzen anderen Unternehmen, die ich damit gefördert habe.

Allerdings wäre es ziemlich traurig, wenn das mein einziges Vermächtnis wäre, und ich bin froh darüber, dass das nicht der Fall ist.

Mein anderes Vermächtnis ist meine Tochter Claire.

Claire ist unser einziges Kind. Bisher habe ich zwar nie darüber gesprochen, aber Molly hatte eine schwere Schwangerschaft, weshalb wir entschieden haben, dass ein Kind genug ist. Als Claire geboren wurde, hat man mich gefragt, ob ich enttäuscht sei, weil ich ein Mädchen und keinen Jungen bekommen hätte. Das hat mich richtig zornig gemacht. Da war diese wundervolle kleine Person, das vollkommenste Wesen auf der Welt, ein sichtbarer Ausdruck der Liebe, die ich für meine Frau empfand – wie hätte ich da auch nur ein Fünkchen Bedauern empfinden können? Was muss man für ein Mensch sein, dass man so eine Frage überhaupt stellt?

Claire war ein Glückskind. Sie wurde zu der Zeit geboren, wo Cloud richtig in die Gänge kam, weshalb ihr nie etwas gefehlt hat, aber das heißt nicht, dass ich es ihr leicht gemacht hätte. Sobald sie alt genug war, habe ich sie zur Arbeit geschickt. Im Büro, mit verschiedenen kleinen Jobs. Habe ihr sogar ein kleines Gehalt bezahlt. Ich glaube zwar nicht, dass ich damit irgendwelche Gesetze gegen Kinderarbeit missachtet habe, aber garantieren kann ich das nicht.

Jedenfalls wollte ich Claire damit klarmachen, dass einem in diesem Leben niemand etwas schenkt. Man muss sich alles erarbeiten. Außerdem war ich nie darauf aus, dass sie in meine Fußstapfen tritt. Sie sollte in die Welt hinausziehen und ihr eigenes Ding machen. Aber sie war einfach so verdammt intelligent und so interessiert daran, wie alles bei Cloud funktionierte. Da dauerte es nicht lange, bis sie sich einstellen ließ. Ob ihr es glaubt oder nicht, das hat sie unter einem Decknamen gemacht und in einer Niederlassung, wo niemand sie kannte. Sie wollte mir zeigen, dass sie es schafft. Wir haben uns alle köstlich darüber amüsiert, obwohl das im Grunde ein (wenn auch geringfügiges) Täuschungsdelikt war.

Nachdem sie das durchgezogen hatte, habe ich sie in die Zentrale geholt und von da an immer denselben Maßstab an sie angelegt wie an alle anderen. Sie ist beurteilt worden wie jeder andere Mitarbeiter, und ich habe dafür gesorgt, dass dieses Rating durch nichts beeinflusst wurde, was ich sagte oder tat. Claire lag konstant bei vier Sternen, Jahr für Jahr. Ein einziges Mal gab es einen Ausreißer auf drei Sterne, aber das war das Jahr, wo sie ihr erstes Kind bekommen hat und nicht so oft im Büro war. Bei so was kann man einfach nichts machen.

Worauf es ankommt: Ich habe eine kluge, starke Frau großgezogen. Eine Person, die mir vor einem Raum voller Menschen offen ins Gesicht sagt, wenn ich unrecht habe. Eine Person, die auf unerwünschte Avancen mit einer Ohrfeige reagiert. Eine Person, die ich mit Stolz meine Tochter nenne. Sie hat mich auf tausenderlei Weise zu einem besseren Menschen gemacht. Aber auch Cloud ist durch sie zu einem besseren Unternehmen geworden.

Paxton

Paxton spähte durch die offene Tür des Büros. Dobbs war nicht da. Was eine Erleichterung. Er glaubte, Dobbs eine Antwort schuldig zu sein, was den Vorschlag mit der Taskforce anging, aber er war noch nicht bereit dazu, selbst wenn es so aussah, als hätte Dakota die Entscheidung bereits für ihn getroffen.

Unsicher, was er jetzt tun sollte, sah er sich nach einem freien Schreibtisch um. Als er sich umdrehte, stand wie aus dem Nichts ein Mann mit indischen Gesichtszügen vor ihm. Er war einen Kopf kürzer als Paxton. Sein sorgfältig gestutzter Bart betonte die kantigen Wangenknochen; das Uhrband war im selben Blau wie das Poloshirt.

Der Mann räusperte sich, wie man es tat, wenn man ein Argument anbringen wollte. »Bist du Paxton?«, fragte er.

So wie die Frage gestellt wurde, war Paxton sich nicht sicher, ob er sie beantworten sollte, sagte dann aber: »Ja, der bin ich.«

»Vikram«, sagte der Mann, ohne ihm die Hand zu bieten. »Weißt du, dass du hier nicht einfach nur rumstehen sollst?«

»Schon, aber mir hat heute noch niemand gesagt, was ich tun soll, und …«

»Das sollte man dir eigentlich nicht erst sagen müssen«, meinte Vikram und verschränkte die Arme.

Paxtons Gedankenfaden spannte sich immer stärker, bis er schließlich riss. Er wusste nicht, was er erwidern sollte, weshalb er zu stottern begann. Vikrams Mundwinkel verzogen sich zu einem feinen Grinsen.

Da hörte er eine vertraute Stimmte. »Pax! Bereit zum Rundgang?« In drei Metern Entfernung stand Dakota, die ebenfalls die Arme verschränkt hatte.

Vikram sah sie an und seufzte. »Ich wusste nicht, dass die Frischlinge hier den ganzen Tag in der Gegend rumstehen dürfen.«

»Und ich wusste nicht, dass man dich zum Chef befördert hat«, sagte Dakota. Dann tippte sie sich an den Kopf und reckte den Zeigefinger. »Ach nee, das ist ja gar nicht der Fall. Wie wär's also, wenn du meinen neuen Partner in Frieden lässt, Vicky?«

Paxton trat einen Schritt zurück, um den beiden Platz für ihr Gerangel zu lassen.

Vikram ballte die Fäuste, warf dann jedoch die Hände in die Luft. »Wie zum Teufel soll dieser Typ eigentlich was anderes zustande bringen als wir bisher?«

»Da müssen wir wohl abwarten«, sagte Dakota.

»Wir haben hier den größten Heuhaufen der Welt und suchen nach der kleinsten Nadel«, sagte Vikram mehr zu Paxton als zu Dakota. »Wenn du die tatsächlich finden solltest, ist das mehr Glück als Verstand.«

»Jetzt mach dich mal wieder auf die Socken«, sagte Dakota und scheuchte ihn weg.

Vikram sah Paxton fest an. »Ich werde dich im Auge behalten.«

Ein Spruch wie aus einem schlechten Film. Paxton musste den Atem anhalten, um nicht laut loszulachen. Noch schlimmer machte Vikram die Sache, indem er seinen Kontrahenten anstarrte, als wollte er ihn zu einer Reaktion zwingen, weshalb Paxton die Lippen zusammenpresste und leicht die Schultern hob. Er hatte schon vor langer Zeit gelernt, dass man sich bei einem Streit so lange darum balgte, wer das letzte Wort hatte, bis keiner mehr wusste, worum es ging. Besser war es daher, sich so zu verhalten, als ob es nicht wichtig wäre, das letzte Wort zu haben.

Es funktionierte. Vikram stolzierte in den Flur, wo man noch eine Weile seine Schritte hörte. Die Leute im Raum, die alles beobachtet hatten, wandten sich wieder ihren Bildschirmen zu.

»Gehen wir«, sagte Dakota.

Sie führte ihn hinunter zur Bahn, mit der sie zu den Wohnbauten fuhren, ohne miteinander zu sprechen, solange jemand mithören konnte. Dann schlenderten sie die Promenade entlang. In weiten Schleifen gingen sie an den Geschäften und Sitzbereichen vorüber.

»Tja«, sagte Paxton. »Das war dramatisch.«

»Dobbs hatte Vikram eine Weile damit beauftragt, sich um diesen Oblivion-Scheiß zu kümmern«, sagte Dakota. »Das Problem war, dass Vikram ihm das Blaue vom Himmel versprochen hat. In null Komma nichts wäre das geklärt, hat er behauptet, aber ein paar Monate später hatte er immer noch absolut nichts in der Hand. Deshalb hat Dobbs ihn zur Ausgangskontrolle vom Depot beordert. Was so ziemlich der beschissenste Job bei uns Blauen ist. Abgesehen vom Drohnenflugplatz.«

»Ja, als Dobbs sich mit mir zusammengesetzt hat, hat er was über Leute gesagt, die aus Machthunger über die Stränge schlagen.«

»Genau, der Mann leidet am Napoleon-Komplex, und zwar hochgradig«, sagte Dakota. »Pass auf, wenn du mit ihm umgehst. Er meint, man hätte dich engagiert, um ihn zu ersetzen. Was überhaupt nicht stimmt, du bist bloß zufällig in einem Moment hier reingeschneit, wo

Dobbs jemand Neues brauchte. Trotzdem wird er dich wahrscheinlich anschwärzen, wenn er meint, dass er dich damit stutzen und sich einen Vorteil verschaffen kann.«

»Na toll.«

»Er ist extrem nervig, aber die anderen mögen ihn«, sagte Dakota. »Er arbeitet hart, er ist aggressiv, und er hält sich strikt an die Vorschriften, weshalb Dobbs es nicht rechtfertigen könnte, ihn woandershin zu versetzen. Nicht dass ich wüsste, ob Dobbs daran überhaupt schon mal gedacht hat. Normalerweise habe ich keine Ahnung, was der so denkt.«

»Hab schon kapiert«, sagte Paxton.

Als sie im zweiten Wohnbau angelangt waren, nahm der Trubel ab. Offenbar hatte eine Schicht begonnen. Paxton prägte sich den Zeitpunkt ein, um einen Überblick über den Ablauf der Anlage zu gewinnen. Es war wie der Blick in eine riesenhafte Maschine. Noch hatte er keine Ahnung, wie alles funktionierte, aber wenn er die Dinge aufmerksam beobachtete, konnte er sich bestimmt manches zusammenreimen.

»Kennst du irgendwelche guten Knastgeschichten?«, fragte Dakota.

»So was wie eine gute Knastgeschichte gibt es nicht«, sagte Paxton.

Schweigend gingen sie eine Weile weiter. »Tut mir leid«, sagte sie schließlich.

Paxton seufzte. »Ach, ist schon in Ordnung. Das wollen alle immer wissen. War das so ein Knast, wo die Insassen sich vergewaltigt und abgestochen haben? War es nicht. Die Anstalt, in der ich war, hatte die minimale Sicherheitsstufe und war hauptsächlich für Leute mit Zivilstraftaten. Die härtesten Burschen bei uns waren nicht annähernd so hart, wie sie sich eingeschätzt haben.

Gut, ich habe unheimlich viel darüber gelernt, wie man Konflikte löst, aber es lief absolut nicht so, wie man's im Fernsehen sieht.«

»Aha«, sagte Dakota, ohne ihre Enttäuschung zu verbergen.

Worauf Paxton sich schuldig fühlte. Das war zwar töricht, aber er tat es trotzdem, weshalb er noch einmal nachdachte. Sofort kam ihm eine bestimmte Geschichte in den Sinn. Die eine, bei der ihm nicht zum Kotzen war.

»Okay«, sagte er. »Pass auf.«

Dakota wurde munter.

»Also, jeden Morgen hat es Punkt sechs geklingelt, und dann mussten alle aus ihren Zellen raus und zum Appell antreten«, begann er. »Da waren diese zwei Zellengenossen. Titus und Mickey. Ältere Typen, bisschen überkandidelt, haben sich meistens abseits gehalten. Ständig haben sie erzählt, dass sie irgendwann abhauen würden, aber keiner hat ihnen geglaubt. Hätten wir aber tun sollen. Als eines Tages der Appell stattfindet, stehen sie nämlich nicht mit draußen. Wir gehen in die Zelle, und da sehen wir den nackten Hintern von Mickey, der halb im Boden steckt und mit den Beinen strampelt. Die beiden hatten ein Loch gegraben, und Mickey war darin stecken geblieben.«

»Moment mal ... Du sagst, er war nackt?«

»Und ob«, sagte Paxton. »Sie hatten fleißig gebuddelt und den Aushub in der Toilette runtergespült. Unglaublich, dass das nie jemand aufgefallen ist, aber für den betreffenden Block war nachts bloß ein einziger Wärter eingeteilt, weil ja alle in ihren Zellen eingesperrt waren. Das war eine Sparmaßnahme, allerdings eine dämliche. Es hätte noch jemand durch die Gänge gehen sollen. Also, unser Titus ist als Erster durch das Loch gekrochen, und weil er klapperdürr war, hat er problemlos durchgepasst, obwohl es ziemlich eng war. Den hat man nie wiedergesehen. Mickey hingegen war ein bisschen dicker und hat es nicht durch das Loch geschafft. Deshalb ist er auf die Idee gekommen, sich nackt auszuziehen, damit er mit seinen Kleidern nirgendwo hängen bleibt.«

»Nicht gerade hyperintelligent, was?«

»Es kommt noch besser«, sagte Paxton. »Zusammen mit einem Kollegen mache ich mich daran, ihn rauszuholen. Wir packen jeder ein Bein, und auf drei ziehen wir mit aller Kraft. Worauf wir beide abrutschen und auf den Rücken fliegen. Dabei hat der Kollege sich eine Gehirnerschütterung geholt. Wie sich herausstellte, hatte Mickey von Anfang an damit gerechnet, dass das Loch zu eng sein könnte. Deshalb hatte er in der Küche ein großes Stück Butter geklaut und sich damit eingeschmiert. Er wollte eben kein Risiko eingehen.«

Dakota stieß ein tiefes Lachen aus, das direkt aus dem Bauch kam. »Du lieber Himmel!«

Paxton musste ebenfalls lachen. »Er hat also weiter da dringesteckt, mit Butter beschmiert und den Arsch in der Luft. Wir mussten ihn erst abwaschen, damit wir nicht mehr abrutschten. Es gab viele Momente, wo ich mir damals gewünscht habe, weit fort zu sein. Das war einer davon, wie ich da gestanden und auf diesen nackten, kläglichen Männerarsch gestarrt habe, während ich dem Kerl mit einem Schwamm die Beine wusch.«

Wieder lachte Dakota, hell und unbeschwert. »Na, was für ein Glück für dich, dass du so was hier nicht erleben wirst.«

»Das hört man gern«, sagte Paxton.

Sie betraten das Labyrinth von Live-Play. Offenkundig wusste Dakota, wo sie hinwollte, weshalb Paxton ihr einfach hinterherging. Erst eine und dann noch eine Rolltreppe hinauf, in eine abgedunkelte Spielhalle voller Retro-Automaten, die extrem ramponiert aussahen, aber trotzdem zu funktionieren schienen. Der chaotische Geräuschteppich und die schwache Beleuchtung ließen den Ort noch leerer erscheinen, als er war.

»Was wollen wir hier drin?«, fragte Paxton.

Anstatt zu antworten, ging Dakota weiter nach hinten auf einen Skeeball-Automaten zu. Daneben war eine dunkle Nische, wo Paxton eine Bewegung zu sehen glaubte. Dakota streckte die Hand aus und zog einen jungen Mann mit einem grünen Poloshirt ans Licht. Er war dürr, hatte einen blonden Wuschelkopf und war eindeutig nicht glücklich darüber, im Hellen zu sein. Er hob die Arme, um die Augen abzuschirmen.

»Hallo, Warren«, sagte Dakota.

»Ich hab überhaupt nichts angestellt!«

»Außer dich zu verstecken.«

»Ich hab gerade Skeeball gespielt. Als ich dich kommen sehen habe, war mir klar, dass du mich schikanieren willst.« Er warf einen Blick auf Paxton und deutete mit dem Kinn auf ihn. »Wer ist denn der Penner da?«

»Ist neu bei uns«, sagte Dakota. »War früher Gefängniswärter. An deiner Stelle würde ich mich nicht mit ihm anlegen. Der hat so allerhand erlebt.«

In Warrens Augen flackerte so etwas wie Furcht auf. Paxton spielte mit, indem er den Mund hielt. Sollte Warrens Fantasie doch ruhig Amok laufen.

»Der gute Warren dealt mit Oblivion«, sagte Dakota zu Paxton. »Deshalb hängt er hier rum.« Sie zeigte auf die Nische. »Hier kommen nicht allzu viele Leute rein, deshalb verkriecht er sich da, um den Scheiß zu verhökern.«

Warren hob abwehrend die Hände. »Ich hab keine Ahnung, wovon du da redest.«

»Was würde ich wohl finden, wenn ich deine Taschen umkehren würde?«

»Das darfst du nicht.«

»Wer sagt das denn? Und wer würde sagen, dass es dir nicht aus der Tasche gefallen ist? Oder dass ich dich damit in der Hand erwischt habe?« Sie warf einen Blick auf Paxton. »Wer würde das wohl sagen?«

Paxtons Gesicht brannte. Er zuckte die Achseln. Vermittelte den Eindruck von jemand, der nichts gesehen hatte.

Warren nickte. Kehrte seine Hosentaschen um. Grinste leicht.

»Zufrieden?«, sagte er.

»Natürlich nicht, das weißt du doch«, sagte Dakota. »Was ist, wenn ich mich hier genauer umsehe? Was werde ich da wohl finden?«

Warren blickte sich um. »Massenhaft Elektronik, nehme ich an.«

Dakota zog die Luft durch die Zähne. Sie machte den Eindruck, als wollte sie etwas tun, was sie später bedauern würde. Nach einem Augenblick sagte sie: »Mach bloß, dass du wegkommst!«

Warren drehte sich um und verschwand zwischen den aufgereihten Automaten. Paxton und Dakota warteten eine Minute, bevor sie die Spielhalle verließen und ihren Rundgang wieder aufnahmen. Bis auf den Dampf, der Dakota aus den Ohren kam, hatte sich nichts geändert.

»Wieso lässt man ihn denn nicht von jemand beschatten?«, fragte Paxton. »Oder tritt ihm stärker auf die Zehen? Es muss doch Möglichkeiten geben, Druck auf ihn auszuüben.«

»Das will Dobbs nicht«, sagte sie. »Dobbs meint, man soll behutsam vorgehen.«

»Weshalb?«

»So will er es eben haben.«

»Komm schon, der Typ ist ein richtiger Hosenscheißer. Wenn man den in ein Zimmer setzt und die Heizung hochdreht, wird er weich.«

»Dobbs will es aber anders haben«, sagte Dakota.

»Während du irgendwelche Zuhälter niederschlägst. Behutsam ist was anderes.«

»Wer das Sagen hat, entscheidet eben, wie's gemacht wird«, fuhr sie ihn an.

»Schon gut, schon gut«, sagte Paxton beschwichtigend. »Aber ihr habt doch bestimmt die Daten ausgewertet, die von seiner Uhr aufgezeichnet wurden. Das heißt, ihr wisst, mit wem der Typ sich getroffen hat, oder?«

Sie nickte. »Wenn er in der Spielhalle ist, dann immer ganz allein. Die Leute, mit denen er zusammenarbeitet, haben offenbar eine Möglichkeit gefunden, seine Bewegungen zu verschleiern, oder er geht ganz ohne Uhr durch die Gegend. Das ist einer der Gründe, weshalb Dobbs den Fall unbedingt lösen will. Es geht nicht bloß darum, den Handel mit Oblivion zu unterbinden, offenbar gibt es auch irgendwelche Schwachstellen bei der Überwachung.«

Paxton betrachtete seine Uhr und drehte den Unterarm hin und her. »Eigentlich soll man die ja nur nachts abnehmen«, sagte er.

»Stimmt.«

»Und wenn man sie nicht trägt, kommt man nirgendwohin, weil man sie an allen Türen, Aufzügen und Schleusen braucht.«

»Korrekt.«

»Wie soll man das Ding dann austricksen?«

»Das ist die Frage.«

»Irgendwelche Ideen?«

»Negativ«, sagte sie. »Wenn man versucht, die Uhr auseinanderzunehmen, wird ein Alarm ausgelöst. Und wenn man sie zu lange abnimmt, ohne sie auf das Ladegerät zu legen, ebenfalls. Außerdem ist sie individuell codiert; es ist also nicht so, dass man sie mit jemand anderes austauschen könnte.«

»Wäre also gut, wenn wir den Schwachpunkt finden würden.«

»Auf jeden Fall.«

»Von Computerspezialisten hat man das doch sicher schon untersuchen lassen, oder?«

»Eingehend.«

Paxton rückte die Uhr an seinem Handgelenk zurecht. Einerseits fühlte er sich einer solchen Sache nicht so recht gewachsen, andererseits gefiel ihm die Vorstellung, ein Rätsel zu knacken. Auf jeden Fall war die Arbeit dann nicht mehr so eintönig.

Die beiden gingen wieder die Promenade entlang. Paxton beäugte die verschiedenen Blauen, die ihnen begegneten. Studierte die Gesichter. Er sah niemand, den er vom Büro oder der Einführung her gekannt hätte. Offenbar gab es hier eine Menge Security-Personal.

Glücklicherweise war auch von Vikram nichts zu sehen.

»Sollte ich mir wegen unserem Napoleon eigentlich echt Sorgen machen?«, sagte Paxton.

»Sehen wir mal, ob er in ein paar Tagen überhaupt noch da ist.«

»Wieso?«

»Bald ist Bilanztag.«

»Keine Ahnung, was das sein soll.«

Dakota blieb stehen. Drehte sich zu ihm um. »Ach, ich dachte, das hätte man euch bei der Einführung erzählt. Aber gut. Am Bilanztag bekommen haufenweise Leute mit niedrigem Ranking mitgeteilt, dass man sie rausschmeißt. Da haben wir meist allerhand zu tun. Viele wollen nämlich nicht gehen. Manchmal kommt es sogar dazu, dass jemand ... Na ja.« Sie ließ den Blick schweifen, bevor sie sich wieder konzentrierte. »Jedenfalls haben wir meist allerhand zu tun.«

»Hab verstanden. Hört sich ziemlich mörderisch an.«

»Das ist es auch, aber mach dir keine Sorgen. Du hast nämlich eine Gnadenfrist. Im ersten Monat kannst du nicht gefeuert werden.«

»Das ist ... gut«, sagte Paxton. Er war sich nicht sicher, ob *gut* das richtige Wort war, aber egal.

»Komm, fahren wir ins Büro zurück«, sagte Dakota. »Wir sollten uns ein paar Gedanken zu der Taskforce notieren.«

»Ich habe immer noch nicht zugestimmt.«

»Doch, hast du.« Damit marschierte sie davon, ohne sich darum zu kümmern, ob Paxton ihr folgte. Er musste traben, um mit ihr Schritt zu halten.

Zinnia

Bratensaftspritze. Buch. Katzenfutter. Weihnachtsbaumbeleuchtung. Zahnweißpulver mit Aktivkohle. Kunstfellpantoffeln. Webcam. Tablet. Spielzeuglaserpistole. Selfie-Stick. Filzstifte. Garn. Vitamin-D-Tabletten. Nachtlichter. Baumschere. Fleischthermometer. Entfeuchter. Kokosnussöl.

Zinnia rannte. Die neuen Sneakers waren potthässlich, aber bequem, und obwohl ihre bandagierten Füße schmerzten, konnte sie mächtig Tempo machen, während sie zwischen den Regalen und den Förderbändern hin und her tanzte. Wie von einer unsichtbaren Hand geleitet. Der Algorithmus sorgte für ihre Sicherheit, indem er die Sammler und die Regale im Tandem bewegte. Zinnia machte aus ihrem Job ein Spiel. Wie oft konnte sie die grüne Linie wohl aufleuchten lassen?

Druckertinte. Schutzhaube für Gartengrill. Schlafanzug. Kauspielzeug für Hunde. Schlafsack. Tablet. Buch. Malpinsel. Geldbörse. Schnürsenkel. Mikro-USB-Kabel. Aufblasbares Nackenkissen. Eiweißpulver. Steckdosenleiste. Silikonbackformen. Ätherische Öle. Tragbares Ladegerät. Thermobecher. Plüschbademantel. Kopfhörer.

Vier. Die Linie hatte viermal grün aufgeleuchtet, seit Zinnia angefangen hatte, obwohl sie noch nicht mal ihre erste Pinkelpause absolviert hatte. Das hieß, sie hatte den Durchbruch geschafft. Wenn es ihr gelang, dass die Linie grün aufleuchtete, wie lange konnte sie dann dafür sorgen, dass das Ding grün blieb?

Papierkorb. Zeckenhalsband. Farbstifte. USB-Hub. Tablet. Luftbefeuchter. Stirnthermometer. French-Press-Kaffeebereiter. Gemusterte Socken. Eiswürfelformen. Lederhandschuhe. Rucksack. Buch. Campinglampe. Thermoskanne. Schlafmaske. Wollmütze. Stiefel.

Die Linie blieb immer nur einige Sekunden lang grün, aber jede Sekunde kam Zinnia wie eine besondere Leistung vor. Als ob sie etwas Gutes getan hätte. Das lag an dem Farbwechsel von Gelb zu Grün, denn Gelb war die Farbe der Schwäche und Grün die Farbe der Macht. Die Farbe von Geld, Natur, Leben. Im jetzigen Kontext war die Farbe zugleich völlig wertlos und alles, was Zinnia wollte. Außerdem verging beim Herumrennen die Zeit schneller, weshalb es nicht so lange bis zur Mittagspause dauerte. Als es so weit war, befand Zinnia sich glücklicherweise in der Nähe eines Pausenraums. Sie lief hinein, besorgte sich eine Flasche Wasser und zog den Energieriegel aus ihrer Gesäßtasche. Dann setzte sie sich an einen freien Tisch.

Während sie den Riegel kaute – Erdnuss-Karamell von PowerBuff, ihr Lieblingsgeschmack, den es in einem Laden auf der Promenade gab –, summte ihre Uhr.

Wir stehen momentan vor einer Periode verstärkter Nachfrage. Wären Sie daran interessiert, Ihre Schicht zu verlängern?

Sie betrachtete die Nachricht. Dachte darüber nach. Dann hob sie die Uhr und drückte auf die Krone.

»Miguel Velandres.«

Die Uhr führte sie zurück in die Halle. Zehn Minuten später erblickte sie Miguel, der eine Packung Kugelschreiber in der Hand hielt. Sie lief los, um ihn einzuholen, und ging dann im Gleichschritt neben ihm her.

»Hi«, sagte sie.

Er drehte den Kopf und zögerte eine Sekunde. Offenbar versuchte er, sich an ihren Namen zu erinnern. Dann leuchteten seine Augen auf. »Zinnia. Alles in Ordnung?«

»Klar. Hab bloß eine kurze Frage.«

»Nur zu!«

»Die Uhr hat mich gefragt, ob ich Überstunden machen will.«

»Ah ja. Das solltest du unbedingt tun.«

»Bezahlt man uns dafür extra?«

Miguel lachte und legte die Kugelschreiber in eine Box, die er dann auf ein Förderband stellte und mit einem kleinen Schubs auf die Reise schickte. »Es ist völlig freiwillig. Aber es trägt zu deinem Renommee bei. Wird bei deinem Rating eingerechnet.«

»Ich dachte, es ist eine freie Entscheidung.«

»Das ist es auch«, sagte er, warf einen kurzen Blick auf seine Uhr und machte sich auf den Weg zu seinem nächsten Artikel. »Aber es ist eine freie Entscheidung, für die man sich entscheiden sollte.« Er sah sich um, stellte fest, dass niemand in der Nähe war, und winkte sie näher zu sich. »Du baust dadurch einen Puffer für dein Rating auf. Je öfter du dich weigerst, desto mehr geschieht das Gegenteil.«

Zinnias Uhr summte erneut.

Wir stehen momentan vor einer Periode verstärkter Nachfrage. Wären Sie daran interessiert, Ihre Schicht zu verlängern?

Sie blieb stehen, während Miguel weiterging.

»Mach bloß keinen Ärger, *mi amiga*«, sagte er.

Damit ging er um eine Ecke und war verschwunden. Zinnia hob die Uhr an die Lippen. Wollte am liebsten sagen, *leck mich, ich bin müde*. Stattdessen sagte sie: »Klar.« Auf dem Display leuchtete ein übertrieben grinsender Smiley auf.

Weil ihre Pause nun vorüber war, machte sie sich wieder an die Arbeit und verlor sich in einem Wirbelwind aus Büchern, Kosmetikprodukten, Tierfutter und Batterien. An dem Spiel mit der grünen Linie war sie jetzt weniger interessiert als daran, so schnell wie möglich hier rauszukommen.

Nach dem Ende ihrer Überstunde, die nur in zusätzlichen dreißig Minuten bestand, brauchte sie weitere vierzig Minuten, bis sie durch die Schleuse gelangt war. Anschließend fühlte sie sich völlig verausgabt, aber so, als hätte sie gerade ein gutes Work-out hinter sich. Sie konzentrierte sich auf dieses Gefühl.

Darauf, dass sie Kalorien verbrannt und ihre Muskeln trainiert hatte, anstatt ihre Würde preiszugeben.

Als sie auf dem Weg zu dem Portal, durch das man in die Eingangshalle ihres Wohnbaus gelangte, die Promenade überquerte, fiel ihr Blick auf die offene Glastür vor ihr. Dahinter konnte man den Flur aus Sichtbeton sehen, an dessen Ende sich mehrere Toiletten befanden.

Auf halbem Wege, etwa fünfzehn Meter weit entfernt, war im Flur ein CloudPoint-Terminal in die Wand eingelassen.

Auf dem Weg zur Arbeit war sie schon einmal da drin gewesen. Die Toiletten waren nicht besonders frequentiert, da es nicht weit bis zu den Aufzügen war. Offenbar nutzten die Leute lieber die eigene Toilette, bevor sie zur

Arbeit fuhren und wenn sie zurückkamen. Auch als Zinnia jetzt in den Flur spähte, war er leer.

Sie erreichte den Aufzug und hielt ihre Uhr an den Scanner. Eine weitere Frau kam herein. Jung, kompakt, in einem Rollstuhl, die braunen Haare zu einem Bob geschnitten. Gelbes Poloshirt. Auf ihrem Uhrband tummelte sich eine Reihe Comickatzen, auf dem Schoß hatte sie einen Stapel Kartons. Sie lächelte Zinnia zu und sagte höflich hallo, dann warf sie einen Blick auf die Ziffer, die am Bedienfeld leuchtete. Offenbar wollte sie in dieselbe Etage wie Zinnia, jedenfalls verzichtete sie darauf, ihre Uhr zu scannen.

Das bestätigte den Plan, den Zinnia entwickelt hatte, weshalb auch das Terminal unten im Flur eine gute Entscheidung war. Lieber hätte sie eines verwendet, das weiter von ihrer Wohnung entfernt lag, am besten in einem anderen Gebäude, aber es musste in der Nähe sein, damit sie es ohne ihr CloudBand erreichen konnte. Je länger sie sich ohne das Ding außerhalb der Wohnung aufhielt, desto größer war die Entdeckungsgefahr.

Als die Tür aufging, hob Zinnia schnell den Arm, um sie aufzuhalten, damit die Frau ihren Rollstuhl hinausbugsieren konnte. Die Frau bedankte sich und rollte den Flur entlang. Zinnia folgte ihr, bis sie an ihre eigene Tür gelangt war. Im selben Moment hörte sie ein gedämpftes Poltern. Die Rollstuhlfahrerin links von ihr hatte die Kartons vom Schoß heruntergestoßen, als sie versucht hatte, in ihre Wohnung zu gelangen. Zinnia ließ ihre Tür wieder zufallen und ging hinüber.

»Kann ich dir helfen?«

Die Frau hob den Kopf. »Das wäre toll, vielen Dank!«

Zinnia sammelte die Schachteln auf und wartete, während die Frau ihre Uhr an die Scheibe hielt und die Tür aufzog. Anstelle der behindertengerechten Wohnung, die Zinnia erwartet hatte, sah sie den gleichen Raum wie ihren. Den gleichen engen Eingang, durch den der Rollstuhl kaum passte. Zinnia folgte der Frau hinein und stellte die Schachteln auf die Ablage neben der Kochplatte.

Die Frau fuhr neben das Bett, wo sie genügend Platz hatte, den Rollstuhl herumzudrehen, was sie flink und geschickt tat. Klar, sie war daran gewöhnt.

»Das war aber wirklich nett!«, sagte sie.

»Gern geschehen, aber ...«

Zinnia sah sich um. Für sie selbst war ein solches Apartment zwar klein, aber sie kam damit zurecht. Aus der Perspektive einer Rollstuhlfahrerin kam es ihr jedoch regelrecht erstickend vor.

»Ich will ja nicht aufdringlich sein«, sagte sie. »Aber könnten die dir nicht was anbieten, was ein bisschen ... geeigneter ist?«

Die Frau zuckte die Achseln. »Ich brauche nicht viel Platz. Klar könnte ich eine größere Wohnung kriegen, aber ich spare das Geld lieber. Übrigens, ich heiße Cynthia.«

Ihr Händedruck war kräftig; die Haut der Handfläche war dick und mit Schwielen überzogen.

»Bist du neu hier auf der Etage?«, fragte sie. »Ich hab dich jedenfalls noch nie gesehen.«

»Erste Woche.«

»Aha«, sagte Cynthia, schniefte und setzte ein verschwörerisches Lächeln auf. »Willkommen in der Nachbarschaft!«

»Danke«, sagte Zinnia. »Kann ich dir sonst noch irgendwie behilflich sein?«

Cynthia lächelte wieder, aber diesmal mit leicht

gequälter Miene. Zinnia brauchte einen Moment, bis sie begriff, was das aussagen sollte: *Bemitleide mich bloß nicht!* Sie hätte sich gern für ihr Angebot entschuldigt, spürte jedoch, dass das alles nur schlimmer machen würde, weshalb sie das Schweigen aushielt, bis die Frau sagte: »Nein danke, ich komme schon zurecht.«

»Alles klar. Na, dann gute Nacht!«

Als Zinnia schon die Tür öffnen wollte, sagte Cynthia: »Wart mal.«

Zinnia drehte sich um.

»Hier kann es ziemlich heftig sein, vor allem wenn man neu ist. Wenn du was brauchst, kannst du gern bei mir anklopfen.«

»Das ist nett«, sagte Zinnia.

Sie trat in den Flur und ging zu ihrer Wohnungstür zurück. Trat ein und dachte staunend darüber nach, womit diese arme Frau zurechtkommen musste. Dann wurde ihr klar, dass die besagte Frau es sich verbitten würde, als arm bezeichnet zu werden.

Sie musste noch ein bisschen Zeit totschlagen, bevor sie mit Paxton ausging. Deshalb griff sie nach dem Multitool und stieg aufs Bett, um einige der Reißzwecken zu entfernen, mit denen sie die Wandbehänge an der Decke befestigt hatte. Als die Ecke des Behangs herunterfiel, kam die etwa fünfzehn Zentimeter lange Kerbe zum Vorschein, die sie aus der Deckenplatte herausgeschnitten hatte. Sie arbeitete nicht gern lange an ihrem Projekt, sonst wurde es im Raum zu staubig. Außerdem bereitete ihr der Lärm dabei Sorgen. Immerhin war es leicht. Die Decke war mit billigem, dünnem Gipskarton verkleidet und ließ sich schneiden wie ein Steak. Zinnia bohrte das Messer hinein und zog es wieder heraus. Es knirschte so laut, dass sie die Zähne zusammenbiss und die Schultern hob. Weißer Staub regnete auf die Tagesdecke.

Noch ein, zwei Tage, dann war sie durch. Hoffentlich war da oben genug Platz zum Herumkriechen. Hoffentlich löste sie keinen Alarm aus. Hoffentlich blieb sie nicht irgendwo stecken.

Nachdem sie ein paar weitere Zentimeter herausgeschnitten hatte, klappte sie das Messer ein, pinnte den Wandbehang wieder fest und knüllte die Tagesdecke zusammen. Sie deponierte den gesammelten Staub im Spülbecken und ließ kurz den Wasserhahn laufen, dann suchte sie in ihrer Reisetasche nach dem elektrischen Haartrimmer. Sie öffnete das Batteriefach, schob den Akku heraus und nahm ihre Pinzette zur Hand. Kratzte damit im Fach herum, um die dünne Schicht Klebstoff zu lösen, mit der sie den Kollektor befestigt hatte, ein USB-Medium, so klein wie ihr Fingernagel.

Das Gefährlichste am Hacken war die Zeit, die man am Rechner verbrachte, um Informationen abzuschöpfen. Um in ein so großes System einzudringen, brauchte man Stunden, wenn nicht gar Tage. Aber schon eine Sekunde reichte aus, um entdeckt zu werden.

An diesem Punkt kam der Kollektor zur Anwendung – ein praktisches, verheerend teures kleines Gerät, mit dem man den internen Systemcode einer Organisation ausspionieren konnte. An die zeitraubende Aufgabe, alles zu entschlüsseln und zu verarbeiten, machte man sich später, ohne mit dem System verbunden zu sein.

Wenn Zinnia den Kollektor in ein Terminal steckte – irgendeines, das mit dem Intranet eines Unternehmens verbunden war –, machte er innerhalb weniger Sekunden eine Kopie des internen Codes. Anschließend steckte sie ihn in ihren Laptop, der still und heimlich alles knackte, was zu knacken war, auch wenn er dabei noch so viele CPU-Zyklen brauchte. Dabei konnte er irgendwo in einer Schublade liegen.

Dieser Prozess dauerte eine Weile und bedurfte hier und da einer gewissen Unterstützung, aber sobald er beendet war, verfügte Zinnia über ein heimtückisches kleines Malware-Programm, das sie wieder in das System einspeisen konnte. Dann spazierte es einfach hinein und fand innerhalb weniger Momente, was sie suchte.

Pläne, Schaltbilder, Energiedaten, Überwachungsberichte.

Das auszuwerten ging nicht schnell. Sie hatte den Kollektor bereits mehrmals verwendet und oft mehrere Wochen für den gesamten Prozess gebraucht. Da Cloud über ausgefeilte Abwehrmaßnahmen verfügte, würde es womöglich einen Monat oder länger dauern.

Aber ab und zu einen Umweg zu machen war bekanntlich sicherer.

Das größte Hindernis war im Grunde ein Hardware-Problem. An jedem CloudPoint-Terminal war auf Augenhöhe das blau-weiße Cloud-Emblem angebracht, das kaum erkennbar durchsichtig war. Bestimmt befand sich dahinter eine Überwachungskamera. Auch wenn man diese Methode bei Cloud nicht besonders schätzte, hatte man bei einem Automaten für finanzielle Transaktionen sicher nicht darauf verzichtet.

In der Hinsicht hatte Zinnia allerdings auch schon einen Plan.

Während sie sich dem Terminal näherte, würde sie sich entweder bücken, um einen Schuh zuzubinden, oder eine volle Einkaufstasche auf den Boden fallen lassen. Das würde ein heikler Moment werden. Sie würde sich schon ein gutes Stück von der Kamera entfernt ducken müssen, weil das Ding bestimmt über ein Fischaugenobjektiv verfügte. Dann zack, Konsole öffnen, Kollektor rein, Kollektor raus, Deckel schließen und nichts wie weg.

Sie nahm einen Schminkstift mit Plastikhülse aus ihrem Kosmetikbeutel und riss mit den Zähnen die Spitze und das Farbreservoir herunter. Dann zog sie ein Taschenmesser aus ihrer Reisetasche und machte sich daran, die Hülse so zurechtzuschnitzen, dass man sie ins Schloss des Konsolendeckels stecken konnte, um diesen dann mit einer festen Drehung aufzubekommen.

Ein wirklich erfreulicher Aspekt der Wirtschaftsspionage war die Tatsache, dass man nirgendwo auf der Welt etwas darin investierte, neue Schlösser zu entwickeln.

Als sie fertig war, legte sie den Kollektor und die Hülse nebeneinander auf die Ablage. Holte ein schmales Brillenetui aus der Reisetasche und brachte beides darin unter. So konnte sie es permanent mit sich herumtragen, falls sich eine Gelegenheit ergab, die besser war als ihr aktueller Plan.

Sie sah auf die Uhr und stellte fest, dass es bald Zeit für die Verabredung mit Paxton war. Sie hatten sich auf eine Kneipe in Live-Play geeinigt, die wie ein britischer Pub aussah, was Paxton zu begeistern schien. Zinnia wiederum trank am liebsten Wodka und war daher weniger wählerisch, was den Ort des Konsums anging. Wodka war das effizienteste Zuführsystem in Sachen Alkohol.

Zinnia zog ihr Shirt aus und merkte, dass sie von der Arbeit her mit getrocknetem Schweiß bedeckt war. Sie überlegte, ob sie sich kurz unter die Dusche stellen oder wenigstens frische Unterwäsche anziehen sollte, aber sie hatte nicht vor, schon heute Nacht mit diesem Typen zu schlafen, und selbst wenn es dazu kommen sollte, würde er sich kaum beschweren. Die meisten Männer konzentrierten sich eher auf das Spiel als auf den Zustand des Spielfelds. Während sie ein sauberes Shirt überzog, summte ihre Uhr.

Nur zur Erinnerung: Sie müssen noch die Formulare für die Rentenversicherung ausfüllen!

Verdammt. Das hatte sie schon längst tun wollen. Sich für die Rentenversicherung anzumelden war ein Teil ihres Plans. Kein extrem wichtiger Teil, aber sie würde bestimmt weniger auffallen, wenn sie sich so verhielt, als wollte sie langfristig dableiben.

Dann:

Sie können das an jedem CloudPoint erledigen oder auch am Fernseher in Ihrer Wohnung.

Sie griff nach der Fernbedienung. Schaltete den Fernseher ein, in dem sogleich ein Werbespot für PowerBuff-Riegel kam. Ein schmächtiger Typ verzehrte einen Riegel, worauf er Muskeln wie Popeye bekam.

PowerBuff macht alle baff!

»Na«, sagte sie zu dem leeren Zimmer. »So weit kommt's noch.«

Sie klappte die Fernbedienung auf, und eine Tastatur kam zum Vorschein. Nachdem sie die Taste mit der

Beschriftung *Browser* gedrückt hatte, tauchte auf dem Bildschirm die CloudPoint-Startseite auf.

Ganz oben stand: *Willkommen, Zinnia!*

»Fick dich«, sagte Zinnia.

Paxton

Paxton dehnte die Schultern, worauf der Barhocker wackelte. Es war kein normales Wackeln, sondern eines, das vor dem endgültigen Zusammenbruch warnte. Er sprang herunter und inspizierte den Hocker daneben, der ebenfalls ein schwarzes Lederpolster und grob geschnitzte Holzbeine hatte. Als Paxton daran rüttelte, rührte er sich nicht. Paxton erklomm ihn und nahm den nächsten Schluck von seinem Bier. Das Glas war jetzt drei Viertel leer.

Der Barkeeper kam angeschlendert. Grünes Shirt, die Haare nach hinten an den Kopf geklatscht, mehrfach gebrochene Nase. Das Uhrband war aus dickem Leder und breiter als das Display. »Noch eins?«, fragte er.

Es war nicht sinnvoll, sich zu besaufen, bevor Zinnia auftauchte. »Vorläufig nicht. Ich warte auf jemand.«

Der Barkeeper hob die Mundwinkel. Paxton war nicht klar, ob das *okay* bedeuten sollte oder *schön für dich*. Jedenfalls war es ein Lächeln. Er senkte den Kopf und betrachtete sein schwarzes T-Shirt und seine Jeans. Fühlte sich gut an, mal kein Blau zu tragen. So erntete er keine argwöhnischen Blicke, sondern war nur einer unter vielen.

»Tut mir leid!«

Paxton drehte sich um und sah Zinnia hereinstürmen. Schwarzer Pulli, violette Leggings, die Haare hochgesteckt und oben zu einem Knoten gebunden. Er deutete mit dem Kinn auf den wackligen Hocker.

»Den solltest du nicht nehmen«, sagte er. »Kaputt.«

Zinnia bestieg den Hocker auf seiner anderen Seite. Während sie es sich bequem machte, rückte er ein kleines Stück zurück, damit sie sich nicht bedrängt fühlte.

Sie blickte sich um. »Ist wirklich ganz hübsch hier.«

Der Meinung war Paxton ebenfalls. Golden funkelnde Zapfhähne, lackiertes Holz. Eindeutig nicht von jemand entworfen, der einmal in einem richtigen englischen Pub gewesen war – in seiner Zeit als Unternehmer hatte Paxton eine Geschäftsreise nach Großbritannien gemacht –, aber eine gewisse Ahnung vom Grundkonzept war nicht zu leugnen.

Der Barkeeper kam herbei, damit beschäftigt, ein Bierglas zu polieren. Er nickte Zinnia zu.

»Wodka mit Eis«, sagte sie. »Die Hausmarke ist schon okay.«

Mit einem abermaligen Nicken machte der Barkeeper sich daran, den Drink einzuschenken.

»Du gibst dich nicht mit halben Sachen ab, was?«, sagte Paxton.

»Nein, tu ich nicht«, sagte sie, ohne ihn anzusehen, und nahm das Glas entgegen. Sie klang erschöpft. Kein Wunder, als Rote rannte man ja den ganzen Tag durch die Gegend. Sie beugte sich vor, um ihre Uhr an die Bezahlscheibe zu halten, die vor Paxton in den Tresen eingelassen war.

»Lass mich das machen«, sagte er und streckte die Hand aus, wobei er ihre leicht berührte.

»Du musst mich doch nicht …«

»Aber ich will es«, sagte er und tippte mit seiner Uhr auf die Scheibe, die dabei grün aufleuchtete. Zinnia lächelte und hob ihr Glas. Er stieß mit ihr an.

»Prost«, sagte sie.

»Prost.«

Sie nahm einen anständigen Schluck, während er sein Bier leerte und das Glas so auf den Tresen stellte, dass der Barkeeper es sehen und ihm noch eines bringen konnte. Das Schweigen hing eine Sekunde zu lange in der Luft, dann wurde es noch tiefer und schien den ganzen Raum einzusaugen. Schließlich gab Paxton es auf, sich etwas Schlaues aus den Fingern zu saugen, und sagte: »Wie kommst du zurecht?«

Zinnia hob eine Augenbraue. *Mehr fällt dir nicht ein?* »Bisher ganz gut. Es ist härter, als ich dachte. Die holen wirklich das Letzte aus einem raus.«

Er nahm sein neues Glas entgegen und nippte daran. »Wie läuft das bei euch eigentlich genau?«

Zinnia setzte zu einer knappen Erklärung an. Wie man die Artikel zum Förderband brachte, geleitet von den Richtungsangaben der Uhr. Dass der ganze Prozess wie ein Tanz war. Worauf Paxton sie sich als Zahnrädchen in einer riesigen Maschine vorstellte, das sich unablässig drehte, ein winziges Teil, von dem das Ganze in Bewegung gehalten wurde.

»Wolltest du eigentlich zu den Roten kommen?«, fragte er.

»Ganz sicher nicht«, sagte Zinnia und nahm einen weiteren Schluck Wodka. »Ich wollte zur Technik. Da hab ich Erfahrungen.«

»Ich dachte, du wärst Lehrerin gewesen.«

Wieder die gehobene Augenbraue. Eine Geste, die an Deutlichkeit nichts zu wünschen übrig ließ. »War ich auch. Aber auf dem College hab ich mich mit Elektronikreparaturen über Wasser gehalten. Mein Zimmer hab ich finanziert, indem ich gesplitterte Displays ausgetauscht hab. Wenn die Kids sich besaufen, ruinieren sie bekanntlich gern ihr Handy.«

Paxton lachte. »Tja, ich würde liebend gerne mit dir tauschen, wenn ich könnte.«

»Echt?«, sagte sie. »Spielst du etwa nicht gerne Cop?«

Paxton spürte, wie der Alkohol in seine Synapsen sickerte. Seine Nerven entspannten sich. Es war ein gutes Gefühl, etwas zu trinken und sich dabei zu unterhalten, weil es eine Weile her war, dass er beides getan hatte.

»Das hat nie richtig zu mir gepasst«, sagte er. »Ich bin von Haus aus kein autoritärer Mensch.«

»Na hör mal, da gibt es aber Schlimmeres ...«

Sie schien in Gedanken zu versinken, aber er wollte nicht so schnell ihre Aufmerksamkeit verlieren. »Erzähl mir doch ein bisschen mehr von dir. Ich weiß jetzt, dass du Lehrerin warst, und ich weiß, dass du kaputte Handys reparieren kannst. Wo kommst du eigentlich her?«

»Von hier und da.« Sie hatte den Blick geradeaus gerichtet, auf ihr Spiegelbild, das hinter einem funkelnden Regenbogen aus Schnapsflaschen zu sehen war. »In meiner Kindheit sind wir oft umgezogen. Deshalb habe ich nicht so recht das Gefühl, dass ich aus irgendeinem bestimmten Ort komme.«

Sie nippte an ihrem Wodka. Paxton ließ die Schultern hängen. Für eine erste Verabredung lief es ziemlich beschissen.

Doch dann lächelte sie. »Tut mir leid, das hört sich ein bisschen trostlos an, was?«

»Nein, überhaupt nicht«, sagte Paxton, um sogleich aufzulachen. »Na ja, okay, stimmt, das tut es.«

Sie erwiderte das Lachen und stupste ihn am Arm an. Ganz leicht, mit dem Handrücken und anscheinend nur, weil sie die Hand schon gehoben hatte, um nach ihrem Glas zu greifen. Dennoch fasste er das als gutes Zeichen auf.

»Was ist mit deiner Familie?«, fragte er.

»Meine Mutter ist noch am Leben«, sagte Zinnia. »An Weihnachten telefonieren wir miteinander. Mehr bringen wir nicht zustande.«

»Ich habe einen Bruder«, sagte Paxton. »Mit dem geht es mir genauso. Wir kommen miteinander aus, geben uns aber keine große Mühe, mal zusammenzukommen. Was ... Weiß auch nicht ...« Irgendein Gedanke war in ihm aufgetaucht, aber das Bier drängte sich dazwischen. Er fragte sich, ob er einfach austrinken, sich verabschieden und in seine Wohnung gehen sollte. Um seine Verluste einzuschränken, bevor er endgültig die Waffen strecken musste.

»Was denn?«, fragte Zinnia. Ihre Stimme drückte aus, dass sie es nicht unbedingt erfahren musste, aber doch gern wissen wollte.

Paxton atmete ein und aus, dann fing er den Gedanken ein. »Hier zu sein fühlt sich fast so an wie auf einem anderen Planeten, findest du nicht? So als könnte man nicht mal einfach so rausmarschieren. Wo sollte man dann hin? Man würde verdursten, bevor man in eine bewohnte Gegend kommt.«

»Ja, so kommt es mir auch vor«, sagte Zinnia. »Und woher kommst du?«

»Aus New York. Genauer gesagt aus Staten Island.«

Zinnia schüttelte den Kopf. »Ach, New York. Das mag ich nicht.«

Paxton lachte. »Wie bitte? Wie kann man New York nicht mögen? Das ist ja, wie wenn man sagen würde, man mag ... hm ... Paris nicht.«

»Es ist so groß. Und dreckig. Man hat keinen Abstand voneinander.« Sie legte die Schultern an, als würde sie durch einen überfüllten Flur gehen. »Paris ist übrigens auch nicht so toll.«

Paxton breitete die Arme aus. »Findest du es hier etwa schöner?«

»Das habe ich natürlich nicht gemeint«, sagte Zinnia. Die Augenbraue hob sich, senkte sich jedoch gleich wieder. Ihre Miene entspannte sich. »Hier ist es wie ... Ich weiß nicht recht ...«

»Es ist, als würde man auf irgendeinem beschissenen Flughafen leben«, sagte Paxton mit leiserer Stimme, als könnte jemand ihn hören und zur Rechenschaft ziehen.

Zinnia lachte auf. Es war ein schnelles, kleines Lachen, das ihr wie eingeölt durch die Lippen schlüpfte. Ihre Augen weiteten sich, als hätte das Geräusch sie überrascht. Als wünschte sie, es zurücknehmen zu können. Doch schließlich sagte sie: »Genau das habe ich am ersten Abend auch gedacht. Flughafenschick.«

Sie leerte ihren Wodka und winkte dem Barkeeper, um sich noch einen zu bestellen.

»Ich bitte um Entschuldigung, aber heute Abend schlage ich richtig zu.« Sie reckte den Zeigefinger in die Luft. »Und hör bloß auf mit deinem galanten Getue. Die Runde bezahle ich.«

»Also, ich mag Frauen, die aufs Ganze gehen«, sagte Paxton, was er sofort bedauerte, weil es vielleicht zu direkt war.

Tatsächlich hob sich die Augenbraue, was jedoch plötzlich ganz anders als vorher wirkte. Jetzt wölbte sie sich über ein wunderschönes braunes Auge, so groß, dass er das Weiß rund um die Iris sehen konnte, und das Ganze kam ihm wie ein Zeichen des Einverständnisses vor.

»Und?«, fuhr er ermutigt fort. »Hast du einen bestimmten Grund dafür, dass du heute aufs Ganze gehst?«

»Meine Füße.«

»Deine Füße?«

»Ich habe den idiotischen Fehler gemacht, an meinem ersten Tag Stiefel zu tragen.« Der Barkeeper setzte ihr ein neues Glas vor. »Danke.« Sie nahm einen Schluck. »Weil ich keine Sneakers hatte. Jetzt habe ich welche. Hätte ich vorher draufkommen sollen. Aber du bist wahrscheinlich auch viel auf den Beinen.«

Paxton überlegte, ob er von der Taskforce erzählen durfte. Ein Geheimnis war die ja wohl nicht, jedenfalls hatte Dobbs ihm nicht gesagt, er dürfe nicht darüber sprechen. Manchmal half es, wenn man sich mit jemand austauschte. Außerdem war Zinnia vielleicht beeindruckt davon, dass man ihn für eine spezielle Aufgabe ausgewählt hatte, obwohl er gerade erst angekommen war.

»Offenbar hat man hier gewisse Probleme mit Oblivion«, sagte er. »Und man meint, weil ich früher im Gefängnis gearbeitet habe, könnte ich von Nutzen sein. Als ob ich Experte für Schmuggelwaren wäre, was gar nicht der Fall ist. Aber egal, es ist besser, als bloß in der Gegend rumzustehen. Und es macht mir Spaß, Probleme zu lösen.«

»Bist du deshalb Erfinder geworden?«

»Ich weiß nicht, ob man das so nennen kann«, sagte er, legte die Hand um sein Bierglas und blickte in den Schaum. »Schließlich habe ich nur eine einzige Erfindung gemacht. Und selbst dabei habe ich mir mehrere ältere Produkte angeschaut und überlegt, wie man sie verbessern kann.«

»Okay, aber erfunden hast du trotzdem was.«

Er lächelte. »Und jetzt bin ich hier.«

Die Worte kamen kalt und spröde aus seinem Mund. Zinnia verspannte sich. Paxton wusste, dass seine Bemerkung nicht zu der Atmosphäre passte, die er aufrechterhalten wollte, aber er konnte nicht anders. Er drehte sich leicht von Zinnia weg und wandte sich seinem Bier zu. Die Erinnerung brannte in seiner Kehle wie glühende Kohlen.

Aus den Augenwinkeln sah er etwas aufblitzen. Zinnia hatte ihr Glas gehoben.

»Ich bin ja auch hier«, sagte sie, grinste und legte den Kopf schief.

Er stieß mit ihr an, und sie tranken.

»Erzähl mir mehr über deinen Job«, sagte sie. »Du hast bestimmt überall Zugang.«

»Meinst du? Also, ich bin ja noch keine ganze Woche hier, aber wahrscheinlich gibt es schon einige Türen, die ich nicht öffnen kann. Bin allerdings noch auf keine gestoßen.«

»Wart ab, bis du das Warendepot kennenlernst«, sagte sie. »Da sieht man nicht mal, wo es zu Ende ist. Und das ist noch nicht alles. Es gibt eine ganze Reihe von Gebäuden, in die ich nicht reindarf.«

»Ja, klar«, sagte er. »Wäre cool, sich die anzuschauen.«

»Also, ich würde liebend gerne einmal einen Rundgang machen. Um alles zu sehen, weißt du? Die Anlage ist ja echt gewaltig.«

Wieder verzogen ihre Lippen sich zu einem feinen Grinsen. Als sie einen Schluck trank, verschwand es. Paxton fragte sich, worauf sie hinauswollte. Wollte sie, dass er sie überall herumführte? Er wusste gar nicht, ob er das durfte. Oder hatte sie es darauf abgesehen, irgendwo allein mit ihm zu sein?

»Ich bin mir nicht sicher, ob so was erlaubt ist, aber wenn es geht, können wir das gern mal machen«, sagte er.

»In Ordnung«, sagte sie. Enttäuscht?

»Mal sehen. Fragen kostet nichts.« Er sah Zinnia von der Seite her an. »Also. Du hast gesagt, wenn du hier weggehst, willst du irgendwo im Ausland Englisch unterrichten, stimmt's? Bist du da wirklich fest entschlossen?«

Sie zuckte die Achseln. »In anderen Ländern sind die Lebenshaltungskosten niedriger. Amerika habe ich gerade ziemlich satt, ganz allgemein gesprochen.«

»Toll ist es nicht hier, aber besser als in vielen anderen Ländern. Immerhin haben wir sauberes Trinkwasser.«

»Dafür gibt's Jodtabletten. Oder man kocht das Wasser ab.«

»So habe ich es nicht gemeint. Ehrlich gesagt, bin ich ein bisschen neidisch. Könnte ganz schön sein, hier abzuhauen.«

»Wieso sollte man's dann nicht tun?«

»Was tun?«

»Abhauen?«

Paxton schwieg. Dachte darüber nach. Schlürfte sein Bier. Stellte das Glas ab. Sah sich in der weitgehend leeren Kneipe um. Richtete den Blick auf die funkelnde Landschaft von Live-Play jenseits des Eingangs. Er wusste nicht, wie er die Frage beantworten sollte. So, wie sie es gesagt hatte, klang es so leicht, wie nach einem Bierglas zu greifen und es an den Mund zu führen. Als wäre es etwas, was man einfach tun könnte.

»So einfach ist es auch wieder nicht«, sagte er.

»Normalerweise schon.«

»Wieso? Nehmen wir an, ich marschiere jetzt hier aus der Tür. Womit soll ich mein Geld verdienen? Und wo soll ich hin?«

Sie lächelte. »So ist es eben mit der Freiheit. Sie gehört dir, bis du sie aufgibst.«

»Was willst du damit sagen?«

»Denk drüber nach.«

Sie nahm einen Schluck und lächelte wieder, dann

erschlafften ihre Gesichtsmuskeln ein bisschen. Offenbar spürte auch sie den Alkohol. Und sie stellte Paxton auf die Probe. Das gefiel ihm.

»Mir ist bloß eines klar«, sagte er deshalb. »Ich kann's kaum erwarten, hier rauszukommen.«

Was der Grund war, weshalb er die Aufforderung seines CloudBands ignoriert hatte, sich für die Rentenversicherung anzumelden. Wenn er das getan hätte, dann hätte er zugegeben, dass das Spiel zu Ende war.

»Das kannst du laut sagen.« Sie kippte den Rest ihres Drinks hinunter. »Hör mal, wie wär's, wenn wir ein bisschen spazieren gehen? Ich war zwar den ganzen Tag unterwegs, aber jetzt habe ich das Gefühl, dass meine Beine steif werden.«

»Klar«, sagte Paxton. Er leerte sein Glas, schloss seine Rechnung ab und tippte sich durch die Bezahlfunktion auf seiner Uhr, um Trinkgeld zu hinterlassen. Zinnia tat dasselbe. Als sie die Kneipe verließen, schien sie ein bestimmtes Ziel zu haben.

»Wo geht es hin?«, fragte Paxton.

»Ich habe Lust auf ein paar Videospiele. Stehst du auf so was?«

»Klar.«

Sie fuhren in die oberste Etage und betraten die Spielhalle, in der Dakota diesen Typ namens Warren in die Zange genommen hatte. Zinnia marschierte schnurstracks nach hinten und blieb vor dem Pac-Man-Automaten stehen. Sie griff nach den Hebeln, ließ sie jedoch gleich wieder los. »Ach, tut mir leid, das kann man nur alleine spielen.«

Was sie eindeutig tun wollte. Neben ihrem Automaten stand ein Hirschjagdspiel mit großen Plastikschrotflinten, eine orange, eine grün. »Ist schon okay. Mach nur.« Er griff nach der grünen Flinte. »Ich nehme das hier.«

»Ehrlich?«, sagte sie, obwohl sie schon zu spielen angefangen hatte.

Er hielt seine Uhr an den Scanner und spannte die Flinte. »Klar.«

Zinnia riss die Hebel hin und her, während Paxton sich dem Videoschirm zuwandte, auf dem eine idyllische Wiese zu sehen war. Im Hintergrund ein Wald, davor ein plätschernder Bach. Ein Hirsch sprang aus dem Wald. Im wirklichen Leben wäre er einige Hundert Meter entfernt gewesen. Paxton zielte und drückte ab. Verfehlte. Der Hirsch schaffte es unversehrt an den Rand des Bildschirms und verschwand.

»Du bist ein richtiger Fan von Videospielen, was?«, sagte er.

»Von dem hier schon«, sagte Zinnia. »Ich glaube, ich werde irgendwann versuchen, den Highscore zu knacken.«

»Und das heißt?«

»Der höchste Score, den je jemand erreicht hat, liegt über drei Millionen«, sagte sie. »Auf diesem Ding hier ist der Highscore hundertzwanzigtausend. Es wird eine Weile dauern, aber ich glaube, da komme ich drüber. Heute Abend nicht, aber ich kann ja schon mal ein bisschen üben.«

Der nächste Hirsch. Wieder daneben. »Dann ist man wenigstens beschäftigt, was?«

»Genau.«

Paxton konzentrierte sich auf seinen Automaten. Sah einen weiteren Hirsch auftauchen. Diesmal blieb der an dem Bach stehen, um zu trinken. Fast so, als hätte der Automat Mitleid mit Paxton und wollte ihm ein Freispiel schenken. Er zielte und drückte ab, worauf der

Hirsch umfiel. Eine kleine, grob gepixelte rote Fontäne stieg in die Luft.

Gut gemacht, verkündete der Automat.

Zinnia blickte kurz zu ihm herüber. »Bravo!«

Damit wandte sie sich wieder ihrem Bildschirm zu. Ihre Miene war angespannt, ihre Zungenspitze ragte ein kleines Stück zwischen den Lippen hervor. Sie betätigte die Hebel so konzentriert, als würde sie eine Gehirnoperation durchführen.

Aus den Augenwinkeln sah Paxton eine Bewegung. Jemand ging in den hinteren Teil der Spielhalle. Vielleicht handelte es sich um Warren. Paxton hängte die Flinte ein, und ohne sich richtig bewusst zu sein, wozu er sich entschlossen hatte, sagte er zu Zinnia: »Ich muss mal raus. Bin gleich zurück.«

»Alles klar«, sagte sie, ohne sich vom Bildschirm abzuwenden.

Paxton überlegte kurz, wie die Spielhalle ausgelegt war. Dann ging er an Zinnia vorbei zu einer Reihe Automaten, von wo aus er Warrens Schlupfwinkel im Blick hatte, ohne selbst richtig sichtbar zu sein.

Als er sich vorbeugte, sah er, dass es tatsächlich Warren war. Der Kerl zählte etwas ab, was er in den Händen hatte, und hob dann den Blick, aber in die andere Richtung. Paxton wartete ab, wurde jedoch allmählich nervös, weil Zinnia womöglich auf die Idee kam, dass er gerade ein Ei legte, was ihm beim ersten Date peinlich wäre. Da kam eine zweite Gestalt in Sicht. Paxton trat einen Schritt zurück, um nicht gesehen zu werden, was angesichts der trüben Beleuchtung und der Entfernung ohnehin unwahrscheinlich war.

Es war ein relativ kurz geratener Mann. Glatze, breite Schultern, dicke Arme. Der machte Krafttraining, das war klar. Braunes Hemd, also einer vom technischen Team. Er sprach mit Warren, wobei er am Saum des langärmeligen T-Shirts unter seinem Poloshirt zupfte, um es sich übers Handgelenk zu ziehen. Als er wieder davonging, schlüpfte Paxton hinter einen Automaten.

Er erinnerte sich daran, dass Dakota gesagt hatte, diese Leute würden die Ortungsfunktion ihrer Uhren austricksen. Deshalb eilte er ans Ende des Gangs, um von dort nach draußen zu gelangen. Er wollte den Mann in Braun am Eingang abfangen, um sein Gesicht zu sehen. Stattdessen landete er in einer mit Automaten verstellten Sackgasse. Während er umkehrte, wurde ihm klar, dass er auf dem Weg zum Eingang an Zinnia vorbeikommen würde und ihr erklären müsste, was er da trieb. Außerdem war der Typ sicher schon längst über alle Berge.

Na, etwas hatte er immerhin vorzuweisen. Eine ungefähre Personenbeschreibung war besser als gar nichts.

Wieso sollte er den Kerl überhaupt verfolgen? Er war schließlich nicht im Dienst und hatte etwas Wichtigeres im Sinn. Als er wieder bei Zinnia war, ließ sie gerade die Hebel los. Offenbar war ihr nicht bewusst, wie viel Zeit vergangen war.

»Ich bin nicht mehr in Form«, sagte sie.

»Macht nichts«, sagte er. »Das kommt schon wieder.«

»Hast du Hunger?«

»Ein bisschen.«

»Wie wär's mit einem Teller Ramen?«

»So was hab ich noch nie gegessen.«

Sie lachte.

Paxton überlegte, wie er sich rechtfertigen sollte. »Ich meine, bisher kenne ich bloß diese billigen kleinen Packungen, die total salzig schmecken.«

Sie stemmte die Hand in die Hüfte und legte den Kopf schief. Offenbar fühlte sie sich inzwischen wohler mit ihm, wofür auch sprach, dass sie noch zum Essen gehen wollte. »Hier gibt's nämlich einen Ramen-Laden nebenan. Wollen wir den mal ausprobieren?«

»Und ob«, sagte Paxton.

Sie verließen die Spielhalle und gingen auf das Lokal zu. Paxton blickte auf Zinnias Hand hinunter, die an ihrer Seite vor und zurück schwang. Er überlegte, ob er sie ergreifen sollte. Schon um die glatte Haut zu spüren. Aber das wäre voreilig gewesen, weshalb er sich dagegen entschied. Er war schon froh, heute Abend noch ein bisschen länger mit Zinnia zusammen zu sein.

Zinnia

Er war süß und sehr bemüht, ihr zu gefallen, so wie ein Hündchen. Schlimmer noch, er brachte sie zum Lachen. Bei ihrem kurzen Heiterkeitsausbruch – nach dem Spruch mit dem Flughafen – war es ihr vorgekommen, als ob er ihr etwas gestohlen hätte.

Aber es hatte ihr auch ein klein bisschen gefallen.

Ursprünglich hatte Zinnia vorgehabt, es nach dem Pub gut sein zu lassen. Aber je länger sie sich mit Paxton unterhielt, desto eher hatte sie das Gefühl, ihn ertragen zu können. In der Spielhalle und später im Lokal hatte sie nicht bedauert, länger mit ihm zusammengeblieben zu sein. Auf jeden Fall war seine Gesellschaft besser als das Essen.

Schlecht waren die Ramen nicht gewesen. Alle Elemente waren vorhanden, aber das gewisse Etwas hatte gefehlt. Jener besondere Touch, wenn jemand sich leidenschaftlich für die Zubereitung interessierte. Die Realität sah so aus: eine kleine, bleiche Frau mit Haarnetz in einem grünen Poloshirt, die bereits abgewogene Portionen Nudeln in einen Teller beförderte, den sie in die Mikrowelle stellte.

Nach dem Essen hatte Zinnia das Gefühl, sich allmählich schlafen legen zu müssen, aber sie ließ sich von Paxton zu ihrem Wohnbau begleiten, und in dem Spielraum, der sich am Ende jedes Dates ergab, hätte sie nicht viel dagegen gehabt, wenn er sich über sie gebeugt und sie geküsst hätte.

Aber er beugte sich nicht über sie. Er setzte sein

albernes, schüchternes Lächeln auf und nahm ihre Hand, um die zu küssen, was eine verdammt schwache Aktion war. Sie errötete, aber eher, weil sie sich für ihn schämte.

»Das war ein wunderschöner Abend«, sagte er.

»Finde ich auch.«

»Meinst du, das können wir mal wiederholen?«

»Ja, ich glaube schon. Auf jeden Fall ist es gut, jemand zu haben, mit dem man was trinken gehen kann.«

Bei diesem Satz sank Paxton sichtlich in sich zusammen. Sie hatte sich bewusst so ausgedrückt, damit er ihr nicht zu schnell zu nahe kam. Es galt, ein delikates Gleichgewicht zu halten. Sie konnte von der Beziehung zu ihm profitieren. Er war weder fies noch widerwärtig, und er roch gut. Mensch, er schien sogar der Typ Mann zu sein, der sich tatsächlich dafür interessierte, ob seine Partnerin einen Orgasmus bekam.

Sie verabschiedete sich mit einem durchtriebenen Lächeln, das gewisse Entwicklungsmöglichkeiten andeutete, weil sie wusste, dass das beschwichtigend wirken würde. Das tat es auch, jedenfalls erwiderte er das Lächeln mit deutlicher Erleichterung.

Zinnia machte sich auf den Weg in ihre Wohnung, wo sie sich bis auf die Unterwäsche auszog und aufs Bett lümmelte, soweit man sich auf der schmalen Matratze lümmeln konnte. Dann starrte sie an die Decke und fragte sich, wen Paxton in der Spielhalle wohl beobachtet hatte.

So wie er sich entschuldigt hatte, war ihr gleich klar geworden, dass er etwas im Schilde führte. Das war offensichtlich. Es war nicht schwer, sich hinter ihm herzuschleichen, obwohl sie nur ungern mitten in einem Spiel aufhörte.

Der Raum war ein Labyrinth aus Schatten und engen Nischen. Paxton beobachtete irgendeinen Tauschhandel. Wahrscheinlich ging es um Drogen. Was bedeutete, dass er jemand war, der auch in seiner Freizeit nicht von seiner Arbeit abließ.

Sie war noch nicht so müde, dass sie einschlafen konnte, weshalb sie überlegte, den Fernseher einzuschalten, um sich für die Regenbogen-Allianz anzumelden. Vielleicht ergab sich dadurch ja die Chance, bald befördert zu werden und Zugang zu anderen Teilen der Anlage zu erhalten. Allerdings hatte sie so viel Alkohol intus, dass sie sich jetzt nicht mit einem Formular beschäftigen wollte.

Sie setzte sich auf und massierte sich die schmerzenden Oberschenkelmuskeln und dann die wunden Füße. Zeit für eine Dusche. Weniger, um sich zu säubern, als um sich vom warmen Wasser berieseln zu lassen. Sie zog eine Jogginghose und ein T-Shirt an, nahm frische Unterwäsche und ein Handtuch mit und schlüpfte in die Flipflops, die sie sich gekauft hatte. Ging den Flur entlang zu den Sanitäranlagen, wo sie an der für Frauen ein Schild mit der Aufschrift *Außer Funktion* vorfand. Sie hielt ihre Uhr also an den Scanner des geschlechtsneutralen Waschraums.

Zwei der WC-Kabinen und eines der Urinale waren mit gelbem Absperrband markiert. Zinnia ging daran vorbei zu einer kleinen Umkleide mit einer Reihe Duschkabinen, die jeweils mit einem Vorhang versehen waren. Alle leer. Zinnia wählte die letzte in der Reihe. Sie zog sich aus, faltete die Sachen zusammen, legte sie auf die nächste Bank und hängte das Handtuch an die Wand. Die Luft war so kalt, dass sie eine Gänsehaut bekam.

Sie trat in die Dusche und hielt die Uhr an den Scanner neben dem Regler, um die ihr zustehenden fünf Minuten warmes Wasser in Anspruch zu nehmen. Aus dem Duschkopf kam ein kläglicher Sprühregen, der zuerst eiskalt war. Ihre Muskeln verkrampften sich, und sie bekam kaum Luft. Die leichte Trunkenheit des Abends zerplatzte wie ein Stein.

Das Wasser wurde schnell wärmer, und als die Anzeige sich dem Ende zuneigte, überlegte sie, ob sie ein paar zusätzliche Credits bezahlen sollte, um die Duschzeit zu verlängern. Sie beschloss jedoch, sich diesen Luxus für einen anderen Abend aufzusparen.

Die Umwelt dankt dir, dass du Wasser sparst! Das stand auf dem Schild über dem Scanner, der nun piepte, um ihr mitzuteilen, dass noch dreißig Sekunden übrig waren.

»Fick dich«, sagte Zinnia.

Als sie fertig war und den Vorhang beiseiteschob, sah sie auf einer von den Bänken einen Mann sitzen.

Schnell griff sie nach dem Handtuch, um es sich um den Oberkörper zu wickeln. Ihre anfängliche Verlegenheit verwandelte sich bald in Wut, weil der Mann sie beobachtete. Sie trat aus der Kabine. Der Mann trug ein weißes Poloshirt und Jeans. Er war barfuß. Seine Sneakers standen neben ihm, die Socken hatte er zusammengeballt und hineingestopft. Ein Handtuch hatte er scheinbar nicht mitgebracht. Er starrte sie an. Dicklich, rotes Gesicht, dunkles Haar. Das Uhrband war aus geflochtenem Edelstahl.

»Kann ich Ihnen irgendwie behilflich sein?«, sagte Zinnia.

»Ich warte bloß, bis ich dran bin.«

Sie blickte an der Reihe Duschkabinen entlang, die immer noch alle leer waren.

Ihr Gehirn schaltete in den Kampfmodus und zerlegte den Körper des Mannes in empfindliche Zonen. Suchte nach allen Stellen, wo ein Schlag eine schmerzhafte Reaktion hervorrufen würde. Aber wenn sie sich dazu hinreißen ließ, wurde sie mit Sicherheit gefeuert, weshalb sie nach ihren Kleidern griff, um schleunigst in den Schutz ihrer Wohnung zu flüchten.

Während sie die Sachen an sich nahm, stand er auf.

»Du bist eine von den Roten, stimmt's?«, sagte er. »Neu auf der Etage, hm?«

»Entschuldigung«, sagte sie und machte einen Umweg an der Wand entlang, damit mehrere Bänke zwischen ihm und ihr blieben.

Der Mann ahnte wohl, was sie vorhatte, weshalb er vor den Ausgang trat und ihr den Weg versperrte. Er warf einen kurzen Blick zu den Toiletten, um sich zu vergewissern, dass er mit ihr allein war.

»Tja, als Rote hat man nicht gerade den lustigsten Job hier«, sagte er. »Da sind zwar alle scharf drauf, aber bloß, bis sie es wirklich machen. Immerhin gibt's manchmal Schichten, die ein bisschen leichter sind.«

»Entschuldigung«, wiederholte sie und wollte sich an ihm vorbeidrängen.

Er trat aufs andere Bein, um sie daran zu hindern. Jetzt war sie ihm so nahe, dass sie ihn riechen konnte. Waschpulver. Zigaretten?

»Tut mir leid, das war ein schlechter Anfang«, sagte er und streckte ihr die Hand hin. »Ich bin Rick.«

Sie wich einen Schritt zurück. »Und ich möchte raus.«

»Du kannst mir ruhig deinen Namen verraten«, sagte er. »Ziemlich unhöflich von dir.«

Zinnia wich einen weiteren Schritt zurück und zog ihr Handtuch enger um sich. Rick richtete den Blick auf die nackte Haut unterhalb des Schlüsselbeins. Seine Miene drückte aus, dass er das Handtuch gern weggerissen hätte, um zu sehen, was sich darunter verbarg. Was in Zinnia den Wunsch weckte, ihm das Grinsen vom Gesicht zu wischen, um zu sehen, was sich darunter verbarg.

Sie trug ihre Uhr am Handgelenk. Das hielt sie davon ab, ihm die geballte Faust an den weichen Teil seines Halses zu schmettern, um ihm die Luftröhre wie eine Bierdose zu zerquetschen. Dann hätte sie sich gemütlich auf eine Bank setzen und zusehen können, wie er vergeblich versuchte, Luft in seine Lunge zu saugen, bis er erst immer röter wurde und dann blau und schließlich tot war.

»Sieh mal, du bist neu, deshalb hast du die Machtstruktur hier noch nicht recht kapiert«, sagte er. »Wir Manager können dir entweder weiterhelfen oder dich zur Sau machen. Zum Beispiel kann ich dafür sorgen, dass du nie wieder aufgefordert wirst, Überstunden zu machen, und zwar ohne dass dein Ranking dadurch negativ beeinflusst wird.«

Zinnia erwiderte nichts.

»Aber es gibt auch 'ne Menge Dinge, die das Ranking absacken lassen. Ist dir das klar?« Wieder blickte er sich um und senkte die Stimme. »Hör zu, ich hab schon verstanden. Du musst dich hier ja erst mit allerhand vertraut machen.« Er trat einen Schritt zurück und hob die Hände. »Keine Angst, ich fasse dich nicht an. Wie wär's, wenn du dich einfach abtrocknest und anziehst, dann lassen wir es gut sein, hm? Bezeichnen wir es einfach als ein Unentschieden. Dann hast du ein bisschen mehr Zeit, dich ... zu akklimatisieren.«

Zinnia dachte nach. Spürte noch größere Lust, ihm

wehzutun. Nicht nur weil er sich so verhielt, sondern weil er das offenbar schon oft getan hatte. Er wirkte völlig locker. So als würde er sich eine Tasse Kaffee bestellen.

Schließlich siegte das langfristige Ziel. Zinnia wich ein paar weitere Schritte zurück. Eher zu seiner Sicherheit, falls er doch noch auf die Idee kam, sie zu befummeln. Sie ließ das Handtuch fallen und spürte, wie die Luft jeden Zentimeter ihrer nackten Haut berührte, genau wie sein Blick.

Er grinste und ließ sich langsam auf der Bank neben der Tür nieder.

»Nur zu«, sagte er leise.

Sie hob das Handtuch wieder auf, um sich abzutrocknen. Dabei bemühte sie sich, ihm in die Augen zu schauen. Jedes Mal wenn ihr das gelang, zuckte sein Blick zur Seite. Was für ein verfluchter Feigling! Sie starrte ihn noch intensiver an.

Als sie abgetrocknet war, griff sie nach ihrem Slip, zog ihn an und stieg dann in ihre Hose.

Sie griff gerade nach dem T-Shirt, da hob er die Hand.

»Moment, Moment«, sagte er. »Ich will mir den Anblick für später einprägen.«

Sie sog scharf die Luft ein, bevor sie sich das Shirt über den Kopf zog. Dann schlüpfte sie in ihre Flipflops, blieb stehen und zuckte die Achseln. *Was jetzt, du Arschloch?*

Er schwieg, als würde er nachdenken. Ob er wohl mehr von ihr fordern wollte? Zinnia bekam es mit der Angst. Nicht vor ihm, mit so einem wurde sie leicht fertig. Sondern davor, wozu sich die Situation entwickeln konnte. Schließlich hatte der Typ da keine Ahnung, wie sehr er sie in die Enge getrieben hatte, während ihr die Hände gebunden waren, weil ihr Auftrag von ihr verlangte, sich zu verstellen.

Endlich stand er auf. »War doch gar nicht so schwer, oder?«

Sie antwortete nicht.

»Sag mir doch endlich, wie du heißt.«

»Zinnia.«

Er grinste. »Was für ein hübscher Name. Zinnia! An den werde ich mich gut erinnern. Ich wünsch dir eine wunderschöne Nacht, Zinnia. Willkommen bei Cloud, okay? Sobald du dich daran gewöhnst, wie es hier läuft, ist es total einfach, versprochen.«

Auch darauf erwiderte sie nichts.

Er drehte sich um und ging hinaus. An der Tür rief er über die Schulter: »Man sieht sich, Zinnia!«

Sobald er fort war, setzte sie sich auf eine der Bänke und starrte an die Wand.

Sie hasste sich, weil sie ihm keine Abreibung verpasst hatte, aber sie wusste nicht, wie sie es anders hätte machen sollen. Was sie nicht davon abhielt, im Kopf jedes einzelne Szenario durchzuspielen: Ellbogen in die Augenhöhle. Fußtritt in die Eier. Ihm das Gesicht an die geflieste Wand schmettern, bis etwas brach, ein Gesichtsknochen oder eine Fliese, egal was als Erstes kam.

Sie saß so lange da, bis sie vergaß, wo sie sich befand. Als sie die Energie aufbrachte, in den Flur zu treten, stellte sie fest, dass das Sperrschild jetzt am geschlechtsneutralen Waschraum hing, aus dem sie gerade kam. Der für Frauen war doch nicht außer Funktion gewesen.

Kein Wunder, dass sie so lange mit dem Kerl allein gewesen war.

Während sie zu ihrer Tür ging, sah sie sich ständig nach hinten um, und als sie glücklich in der Wohnung angekommen war, hängte sie das nasse Handtuch an einen Wandhaken und setzte sich auf die Matratze. In ihrem Kopf kreischte es wie eine Kettensäge, weshalb sie den Fernseher einschaltete und zur Anmeldung für die Regenbogen-Allianz navigierte. Hoffentlich hörte der Lärm dann auf.

Die Regenbogen-Allianz

Zu unserer Mission bei Cloud gehört es, eine bereichernde und unterstützende Atmosphäre zu schaffen, in der wir alle Freude und Erfolg haben. Zu diesem Zweck fördern wir bewusst gemeinschaftliche Bemühungen unserer Mitarbeiter, Personen mit jeder Art von Bedürfnissen zu integrieren, ihnen Zugang zu allen Einrichtungen zu ermöglichen und sie gleichberechtigt zu behandeln. Die Regenbogen-Allianz sorgt dafür, dass unsere Mitarbeiter ihr Schicksal selbst in die Hand nehmen können.

Die Menschheit bietet ein vielfältiges Bild, und hier bei Cloud ist uns bewusst, welche Bedeutung jede einzelne Person für unsere Belegschaft hat. Aus diesem Grunde haben wir die Regenbogen-Allianz ins Leben gerufen, um zu gewährleisten, dass allen, die dies wollen, eine Vielzahl an Möglichkeiten offensteht.

Laut den genetischen Informationen, die Sie beim Bewerbungsverfahren zur Verfügung gestellt haben, sind Sie unter den folgenden Rubriken aufnahmeberechtigt:

- weiblich
- schwarz bzw. afroamerikanisch
- hispanisch bzw. Latino/a

Beim Rating-Prozess werden sowohl Ihr Ranking als auch Ihre frühere Berufserfahrung einbezogen. Wir werden dabei erneut prüfen, welchem Arbeitsbereich Sie zugeteilt werden sollten, um eine Position für Sie zu finden, die gleichermaßen unsere und Ihre Bedürfnisse erfüllt. Am Anfang dieses Prozesses steht ein persönliches Gespräch mit einem Repräsentanten/einer Repräsentantin der Regenbogen-Allianz im Gebäude der Administration.

Der nächste verfügbare Termin ist in: **102 Tagen.**

Möchten Sie fortfahren?

Paxton

»Sag mal, willst du mich verarschen?«

Dakota hatte das Gesicht zu einer grotesken Grimasse verzogen. Sie runzelte die Stirn und ließ das Kinn herabhängen. So blieb sie einige Momente, das Kaffeepad in der Hand. Paxton war dankbar dafür, dass sich außer ihnen gerade niemand im Pausenraum aufhielt.

Schließlich seufzte Dakota, steckte das Pad in die Maschine und stellte ihren Becher darunter. Sie schlug die Hände vors Gesicht.

»Du hattest also jemand Verdächtiges direkt vor der Nase und hast ihn einfach davonspazieren lassen?«

»Na ja, ich war nicht im Dienst, und da ...«

»Moment, ich will dich gleich mal unterbrechen«, sagte sie und hob die Handfläche wie ein Messer. »Du gehörst zum Security-Team. Da bist du immer im Dienst.«

Paxton merkte, wie ihm das Blut ins Gesicht schoss. »Tut mir leid, ich hätte nicht gedacht ...«

»Gedacht hast du tatsächlich nichts, da hast du ausnahmsweise recht.« Dakota betrachtete die Kaffeemaschine, merkte, dass sie die gar nicht eingeschaltet hatte, und versetzte ihr einen Klaps, bevor sie auf die Taste drückte. »Verdammt. Jetzt brauche ich wirklich einen Kaffee.« Sie verschränkte die Arme, lehnte sich an die Theke und fixierte Paxton. »Du hast mich heute in relativ guter Stimmung erwischt, deshalb werde ich Dobbs nichts verraten. Es ist deine erste Woche, da will ich nicht so streng sein. Aber wenn du dich hier durchsetzen willst, musst du dich wirklich reinknien, kapiert?«

»Es tut mir leid«, wiederholte Paxton, obwohl sich das nicht richtig anfühlte. Wofür entschuldigte er sich eigentlich? Schließlich hatte er den Job gar nicht haben wollen.

»Das sollte es auch«, sagte sie. »Ich bin echt enttäuscht, so was zu hören.«

Das saß. Es war die Sorte Kritik, bei der Paxton sich am liebsten in sein Schneckenhaus zurückziehen, im Boden versinken oder durch die Decke entschweben wollte. Nur weg von hier. Er wandte sich zum Gehen und wollte später zurückkommen, um sich einen Becher Kaffee zu besorgen, wenn er hier allein war. Doch dann riss er sich zusammen.

»Danke«, sagte er.

Dakota nickte. Ihre Miene wurde weicher. Sie griff nach dem fertigen Kaffee und hielt ihn sich unter die Nase, um den Dampf einzuatmen. »Sieh mal«, sagte sie. »Ich kapier es schon. Du wirst es auch noch kapieren. Aber es ist einfach so ... Du musst den Überblick über den ganzen Scheiß behalten.«

»Es war gedankenlos.«

»Richtig.«

»Das nächste Mal mache ich es besser.«

»Das weiß ich.« Sie zog leicht die Mundwinkel nach oben, als wollte sie grinsen, was die Scham, die in Paxtons Bauch brannte, ein bisschen milderte. Doch dann verschwand das Grinsen, und ihr Blick richtete sich auf jemand hinter ihm.

Als Paxton sich umdrehte, wurde ihm so flau, als hätte er den Boden unter den Füßen verloren. In der Tür stand Vikram. Ganz ruhig stand er da, wohl um auszudrücken, dass er alles mitbekommen hatte, was gesprochen worden war. Anstatt etwas zu sagen, pfiff er unmelodisch vor sich hin. Dann schlenderte er zur Kaffeemaschine, wobei er den beiden übertrieben heftig zunickte.

»He, Vicky«, sagte Dakota gedehnt.

»Guten Morgen, meine Liebe. Bin nur wegen dem Kaffee da. Der ist gut hier.«

»Der Kaffee hier ist absoluter Müll. Wir trinken ihn, weil er kostenlos ist.«

»Des einen Mannes Müll ist des anderen Mannes Müsli.«

»Das ist nicht halb so witzig, wie du meinst.«

Vikram zuckte die Achseln und grinste, während er Dakotas Kaffeepad in den Abfalleimer warf und ein neues einlegte. Während das Wasser durchlief, wandte er sich Paxton zu und starrte ihn an. Sein Ausdruck besagte: *Hab ich dich erwischt, du Penner!*

»Komm, Pax«, sagte Dakota. »Verziehen wir uns irgendwohin, wo weniger Trottel herumstehen.«

»Liebend gern«, sagte Paxton und folgte ihr aus dem Raum. Sobald man sie nicht mehr hören konnte, sagte er: »Das lässt nichts Gutes ahnen.«

»Nein, tut es nicht«, sagte sie. »Zieh dich warm an. Man wird dir wahrscheinlich ganz schön den Arsch versohlen.«

»Danke für den Hinweis.«

»Gern geschehen.«

Sie machten sich auf den Weg zur Promenade. Jeder Schritt, den Paxton tat, jeder Meter, mit dem er den Abstand zur Administration vergrößerte, kam ihm wie eine Erlösung vor. Vielleicht hatte Vikram doch nichts mitbekommen, sondern sich nur aufgespielt. Nach einer Weile fühlte er sich so sicher, dass er dachte, jetzt wäre es endlich an der Zeit, sich einen Kaffee zu besorgen.

Sein CloudBand summte. Als er daraufblickte, sah er

eine Nachricht, bei der sich ihm wieder der Magen verkrampfte.

Bitte melden Sie sich in der Administration bei Sheriff Dobbs.

Er war stehen geblieben, Dakota jedoch nicht. Als er den Blick hob, war sie schon zwanzig Schritte weitergegangen und sah sich nach ihm um. Zuerst verwirrt, dann ahnungsvoll. Schließlich, was das Schlimmste war, mit einem Anflug von Mitleid. Als er sie eingeholt hatte, nickte sie ihm zu. »Viel Glück«, sagte sie.

Zehn Minuten später stand Paxton vor dem Büro von Dobbs und fragte sich, weshalb er sich das alles überhaupt antat. Wieso machte er nicht einfach kehrt und haute von hier ab, wie Zinnia es vorgeschlagen hatte? Brauchte er den Job denn wirklich?

Hm. Ja, er brauchte ihn. Er war mit praktisch leeren Taschen eingetroffen. Die Alternative wäre gewesen, sich irgendwo an eine Straßenecke zu hocken und einen leeren Hut vor sich aufzubauen.

Er hielt den Atem an und klopfte. Dobbs reagierte knapp: »Kommen Sie rein!«

Als Paxton eintrat, saß Dobbs mit über dem Bauch verschränkten Händen zurückgelehnt an seinem Schreibtisch. Er sagte nichts, weshalb Paxton sich auf den Stuhl ihm gegenüber niederließ, die Hände zwischen den Knien faltete und abwartete. Dobbs sah so aus, als würde er nicht einmal atmen. Sein Blick war messerscharf.

Der Sekundenzeiger der Uhr auf dem Tisch vollführte beinahe eine ganze Umdrehung, bevor Dobbs mit dem Kinn über Paxton hinwegdeutete und sagte: »Machen Sie die Tür zu.«

Paxton stand auf und tat wie geheißen. Es gefiel ihm gar nicht, wie der Raum sich jetzt anfühlte. So als würde er mit Wasser volllaufen.

»Also, Sie haben einen Deal beobachtet und den Verdächtigen nicht verfolgt, ja nicht mal versucht, ihn richtig zu Gesicht zu bekommen?«, sagte Dobbs. »Das ist ja kaum zu glauben.«

Er klang weder höhnisch noch zornig. Er klang besorgt und traurig. Als würde er denken, dass mit Paxton etwas nicht in Ordnung sei.

»Ich habe einfach gedacht, äh ... Na ja, ich war auf einem Date.« Als er das sagte, zuckte er innerlich zusammen.

Dobbs grinste missbilligend. »Auf einem Date. Na, dann wäre das ja geklärt. Hören Sie, ich kann es nicht genug betonen – wenn Sie für mich arbeiten, sind Sie immer im Dienst. Ich will damit nicht sagen, dass Sie kein Privatleben hätten. Aber wenn Sie etwas Illegales sehen und der Einzige in der Gegend sind, der etwas unternehmen kann, müssen Sie sich aufraffen und eingreifen.«

»Ich weiß, aber ...«

Dobbs verschränkte die Hände hinter dem Kopf. »Offenbar habe ich mich in Ihnen geirrt. Schade. Morgen melden Sie sich im Depot zum Dienst an den Schleusen. Das passt vielleicht besser zu Ihnen.«

»Sir, ich ...«

»Danke, Paxton. Das wäre alles.«

Dobbs drehte sich auf seinem Stuhl zu seinem Computer um und bearbeitete mit zwei Fingern die Tastatur. Ohne aufzublicken, wiederholte er nach einem Moment: »Das wäre alles.«

Paxton erhob sich. Sein Gesicht brannte vor Scham.

»Es tut mir leid, Sir«, sagte er. »Ich werde es wiedergutmachen.«

Dobbs tippte weiter. Keine Antwort.

Paxton hätte den Mann am liebsten bei den Schultern gepackt und geschüttelt, um ihm zu demonstrieren, wie ernst es ihm war. Aber da gab es nur die eine Möglichkeit: Er musste es tatsächlich wiedergutmachen.

Als er aus dem Büro trat, sah er Dakota an der Wand lehnen.

»Schleusendienst?«, sagte sie.

»Genau.«

»Viel Glück dabei.«

»Habt ihr eigentlich die Daten von Warren überprüft? Um rauszubekommen, wer gestern Abend mit ihm in der Spielhalle gesprochen hat?«

»Da war niemand außer ihm, dir und irgendeiner Roten. Aber kein Mann in Braun.«

»Die Uhren«, sagte er. »Wie funktionieren die überhaupt genau? Was das Tracking angeht, meine ich.«

Anstatt zu antworten, starrte Dakota nur auf sein drittes Auge, als wollte sie ihm ein Loch in die Stirn bohren.

»Ich weiß, ich hab's verbockt«, sagte er. »Das will ich aber wieder in Ordnung bringen. Gebt mir doch einfach eine Chance!«

Sie starrte ihn weiter an.

»Egal ob du mir hilfst oder nicht, ich tue es!«

Dakota verdrehte leicht die Augen. Wandte sich um und forderte ihn mit einem Nicken auf, ihr zu folgen. Sie führte ihn in ein Besprechungszimmer, wo sie die Tür schloss und nach einer Funktastatur griff. Nachdem sie etwas eingetippt hatte, leuchtete eine ganze Wand auf, ein riesenhafter Bildschirm, der den dunklen Raum mit künstlichem Licht erfüllte. Paxton versuchte zu begreifen, was er da sah. Es war ein Drahtgittermodell, in dem sich zahllose winzige Punkte wie Ameisen herumbewegten.

»Drück mal auf einen Punkt«, sagte Dakota.

Paxton trat zum Bildschirm, wählte aufs Geratewohl einen Punkt aus und legte die Fingerspitze darauf. Ein kleines Kästchen erschien, in dem ein langer Code aus Buchstaben und Zahlen stand.

»Okay, jetzt drück noch mal, und lass den Finger drauf«, sagte sie.

Er gehorchte. Das Kästchen vergrößerte sich, bis darin ein Porträtfoto, der Name und die Wohnungsnummer einer schwarzen Frau mittleren Alters mit kahl geschorenem Kopf auftauchten.

»Die Uhr übermittelt deinen Standort, egal wo du dich befindest«, sagte Dakota. »Das dürfte klar sein. Allerdings gibt es niemand, der irgendwo vor einem Monitor sitzt und alles im Auge behält. Es handelt sich um passive Überwachung. Falls nötig, können wir uns die Aufzeichnungen anschauen. Das haben wir auch mit den Daten von gestern Abend getan.«

Paxton sah eine Nahaufnahme der Spielhalle. Zwei Punkte bewegten sich hinein, er und Zinnia. Sie blieben vor dem Pac-Man-Automaten stehen. Ein weiterer Punkt kam herein. Warren. Der Punkt für Paxton löste sich, um Warren ein Stück weit zu folgen.

Zinnia kam hinterher.

Weit genug entfernt, dass sie nicht gesehen werden konnte.

Nach einigen Minuten wuselte der Punkt für Zinnia schnell zu dem Automaten zurück. Der für Paxton gesellte sich dazu, worauf beide Punkte die Spielhalle verließen.

Keine weiteren Punkte, also auch keiner für den Mann in Braun.

»Das heißt, er hat seine Uhr nicht getragen«, sagte Paxton.

»Bekanntlich kann man ohne die nicht mal die Wohnung verlassen.«

»Dann hat er sie nach dem Verlassen abgenommen und irgendwo deponiert.«

»Wenn eine Uhr abgenommen wird und mehr als ein, zwei Minuten nicht auf einer Lladematte liegt, wird bei uns der Alarm ausgelöst.«

Paxton stand da und betrachtete den Bildschirm, der sich wieder erweitert hatte. Die Punkte schwebten hin und her, verschmolzen, lösten sich voneinander und bildeten zufällige Muster. Wie Wolken sahen sie aus. Es war ein Anblick, der merkwürdig befriedigend wirkte und zugleich wütend machte, weil sich irgendetwas auf diesem Bildschirm verbarg. Etwas, was eigentlich offensichtlich war.

»Tja, den restlichen Tag sollst du auf Streife gehen, also ...«

»Was heißt das?«

Dakota hob ihre Uhr und tippte mehrere Male aufs Display. »Das heißt, dass du auf der Promenade hin und her spazierst. Die Versetzung zum Schleusendienst gilt erst für morgen. Also ans Werk.«

»Okay. Tja. Schade, was?«

»Jep.« Dakota drehte sich auf dem Absatz um und ging davon.

Paxton blieb eine Weile stehen und sah ihr hinterher. Er ärgerte sich über sich selbst, dass er so durcheinander war. Wieso er sich so engagierte, war ihm nicht recht klar, aber er hatte den Eindruck, Mist gebaut zu haben und das ausbügeln zu müssen. Als er das Gebäude verließ, in die Bahn stieg und zur Promenade fuhr, grübelte er allerdings nach, wieso er diesen Eindruck hatte. In welcher Hinsicht hatte er Mist gebaut? Weil er keine unbezahlten Überstunden gemacht hatte? Weil er darauf verzichtet hatte, sich womöglich in Gefahr zu bringen?

Je länger er anschließend durch die Gegend ging, desto weniger beschäftigte ihn das. Stattdessen ging ihm der Punkt für Zinnia im Kopf herum. Sie war ihm gefolgt und hatte sich schnell wieder zurückgezogen, als er auf dem Rückweg zu ihr war.

Sie hatte ihn beobachtet, während er Warren beobachtet hatte.

4. Bilanztag

Gibson

Ist eine Weile her, seit wir uns unterhalten haben, hm?

Ich tue mein Bestes, aber leicht ist es nicht. Jeden Tag spüre ich, was mit mir los ist. Inzwischen macht es mir ein bisschen mehr Mühe, aus dem Bett zu steigen. Im Bauch spüre ich jetzt so ein Pochen. Ich trinke Kaffee wie ein Irrer, um mich tagsüber aufrecht zu halten.

Wisst ihr, worüber ich ständig nachdenke?

Meine letzten Male.

Wisst ihr, neulich sind wir durch New Jersey gerollt, und als wir auf dem Garden State Parkway nach Süden fahren, sage ich zu Jerry, meinem Fahrer, er soll an einem bestimmten Sandwich-Laden stoppen. Bud's Subs. Ich schwöre euch, es gibt nirgendwo anders ein besseres Sandwich auf unsrer schönen Erde, und deshalb muss ich einfach haltmachen, wenn ich mich dem Laden auf dreißig Meilen nähere. Jerry biegt also vom Parkway ab, und dann muss der arme Kerl sich doch tatsächlich eineinhalb Stunden die Beine in den Bauch stehen, bloß um reinzugelangen. So beliebt ist der Laden.

Schließlich kommt Jerry mit dem Bud Sub Special wieder. Also, das Ding ist ein Monstrum. Sechzig Zentimeter lang, mit Salami, Provolone, Schinken, Coppa und Peperoni. Früher habe ich mir immer zwei besorgt, eines für sofort und eines für später. Aber diesmal habe ich mir nur eines bestellt, weil mein Appetit nicht so besonders war. Ich dachte, ich würde erst mal nur die eine Hälfte essen und mir die andere für den nächsten Tag aufsparen. Und als ich etwa die Hälfte weghatte und vergnügt vor mich hin kaue, wird mir klar, dass es wahrscheinlich das letzte Mal sein wird, dass ich so ein Sandwich esse.

Ich habe das Ding beiseitegelegt und bin ein bisschen melancholisch geworden. Was hatte ich eigentlich sonst noch zum letzten Mal getan? Zum Beispiel werde ich wahrscheinlich keine Zeit mehr finden, jagen oder angeln zu gehen, was die einzigen Aktivitäten sind, bei denen ich mich komplett ausklinke und weigere, mein Handy einzuschalten. Auch einen Weihnachtsmorgen mit meiner Frau und meiner Tochter werde ich nicht mehr erleben. Das hat mich ziemlich mitgenommen, weshalb ich eine ganze Weile wirklich nicht in der Stimmung war, etwas zu schreiben.

Aber je mehr ich darüber nachdenke, desto mehr akzeptiere ich es. Wie alles andere ist es genau das, was mir das Schicksal vorgesetzt hat, und obwohl ich es nicht mag, muss ich damit umgehen. Deshalb dachte ich, heute wäre ein guter Tag, mich wieder zu melden und ein bisschen über das zu sprechen, was so abläuft. Bei Cloud ist heute nämlich Bilanztag. Den haben wir zwar nur vier Mal im Jahr, aber jedes Mal regen die Leute sich furchtbar auf. Man hat ihn als barbarisch bezeichnet. Da bin ich anderer Meinung. Ich habe es ja schon früher gesagt: Es nützt weder dir noch deinem Arbeitgeber, wenn du einen Job machst, für den du nicht geeignet bist.

Nicht dass ich glücklich darüber wäre. Am liebsten würde ich niemand gehen lassen. Aber es ist besser für die Betroffenen, und es ist besser für mich, weshalb es mich auf die Palme bringt, was darüber gefaselt wird. Diese ganzen unwahren Geschichten, dass die Leute mit Gewalt vor die Tür gesetzt werden, sich unter einen Zug werfen und dergleichen. So was kommt schlicht und einfach nicht vor, und wenn es doch mal passieren sollte, ziemlich selten, und damit ist es wahrscheinlich ein Anzeichen dafür, dass die Betroffenen irgendwelche anderen Probleme haben. Es ist hundsgemein, uns für solche Leute verantwortlich zu machen, das heißt für deren psychischen Zustand, und es dient lediglich dazu, das Märchen von Cloud als einer Art bösartigem Imperium weiterzuverbreiten. Ich habe eine ziemlich gute Ahnung, wer so etwas tut – dieselben Genies, die für die Massaker am Black Friday verantwortlich waren –, werde jedoch lieber nicht deutlicher, weil ich schon höre, wie meine Anwälte kollektiv in Schnappatmung verfallen.

Worauf ich hinauswill – ein Job muss etwas sein, was man sich verdient, nicht etwas, was man einfach überreicht bekommt. Das ist der amerikanische Imperativ: Strebe nach Größe! Nicht: Jammere wegen etwas, was jemand anderes hat.

Tut mir leid. Wie schon gesagt, mir geht in letzter Zeit viel im Kopf herum. Trotzdem versuche ich, positiv zu bleiben, und ich werde mich anstrengen, das auch hier zu tun, weil es keinen Sinn hat, euch mit so was zu belasten. Diese Last muss ich alleine tragen.

Wichtig ist hingegen, dass meine Reise durchs Land ganz gut läuft. Nach New Jersey haben wir uns auf den Weg nach Pennsylvania gemacht, zu einer der ersten MotherClouds, die ich errichtet habe. Ich war jahrelang nicht dort, und es war toll zu sehen, was daraus geworden ist. Anfangs gab es zwei Wohnbauten mit je sechs Stockwerken. Jetzt sind es vier, alle haben zwanzig Etagen, und die Anlage wächst weiter. Im Grunde sieht sie wie ein riesiger Bauplatz aus. Ich liebe Baumaschinen. Das Geräusch eines Baggers ist das Geräusch des Fortschritts. Besonders schön war es, das in Pennsylvania zu beobachten. Historisch gesehen, hat der Schwermaschinen- und Baumaschinenbau zu den wichtigsten Industriezweigen in diesem Staat gehört. Das weiß ich nur zu gut, schließlich habe ich diesen Zweig vor etwa zwölf Jahren selbst übernommen.

Als ich dort ein bisschen herumspaziert bin, habe ich einige wirklich nette Leute kennengelernt. Das war eine gute Erinnerung daran, weshalb ich meine letzten paar Monate unterwegs verbringe, anstatt zu Hause zu hocken und Trübsal zu blasen. Ich tue das wegen Leuten wie Tom Dooley, einem unserer erfahrensten Sammler.

Wir kamen ins Gespräch, und da wir beide alte Hasen sind, hatten wir viel gemein. Er hat mir erzählt, wie er bei der letzten Wohnungskrise sein Haus verloren hat, weshalb er und seine Frau schließlich einen schrottreifen Campingbus gekauft haben, um darin zu wohnen. Wie sie damit durch die Gegend gefahren sind und sich mit Hilfsarbeiten über Wasser gehalten haben, bis sie eines Tages an einer Tankstelle gehalten haben, um Sprit nachzufüllen. Leider hatten sie ihre Finanzen aus dem Blick verloren – Toms Frau hatte einen Scheck ausgeschrieben und vergessen, ihm davon zu erzählen –, und das Konto war leer. Deshalb saßen sie mitten in Pennsylvania fest, ohne Geld, ohne Ziel und mit kaum genügend Proviant, die Woche zu überstehen.

Das war genau die Woche, wo die MotherCloud von Pennsylvania eröffnet hat. Wie das Schicksal so spielt! Tom und seine Frau haben dort gute Jobs und eine Wohnung bekommen, wofür sie unheimlich dankbar sind, was mich wiederum ungemein freut. Er hat gesagt, das sei mir zu verdanken, aber ich habe erwidert: Nein, Tom, das stimmt nicht. Ihre Frau und Sie, habe ich gesagt, haben es geschafft, weil Sie hart gearbeitet und nicht aufgegeben haben. Ihr beide habt euch nicht unterkriegen lassen.

Wir haben so lange miteinander geplaudert, dass wir schließlich zusammen in die Cafeteria gegangen sind, um einen Happen zu essen. Dort habe ich mich an einen Manager gewandt, der Margaret – so heißt die Frau von Tom – von ihrem Arbeitsplatz im technischen Support losgeeist und zu uns gebracht hat. Wir drei haben uns bestens unterhalten. Ich wette, die beiden werden in den nächsten paar Wochen ziemlich gefragt sein. Ihr hättet die ganzen Leute sehen sollen, die mit ihnen sprechen wollten, nachdem ich mich verabschiedet hatte.

Tom und Margaret – danke für eure Freundlichkeit und dafür, dass ihr einem alten Mann beim Schwadronieren zugehört habt! Ich freue mich, dass es euch beiden so gut geht, und ich wünsche euch noch viele Jahre Glück und Zufriedenheit.

Die beiden zu sehen hat mich richtig aufgebaut.

Ach, ich wollte ja noch etwas berichten: Ich bin bereit zu verkünden, wer meine Nachfolge antreten wird.

Und das wird ...

... in meinem nächsten Posting geschehen!

Tut mir leid, ich wollte euch nicht auf die Schippe nehmen. Aber angesichts der Tatsache, dass heute Bilanztag ist, will ich nicht zu der Hektik beitragen, die an solchen Tagen in unseren Cloud-Anlagen herrschen kann. Nur so viel – die Entscheidung ist gefallen. Erwartet jedoch bitte keine Leaks! Ich habe es bisher nur einer einzigen Person erzählt, meiner Frau Molly, und da werde eher *ich* es versehentlich ausplaudern, als dass sie etwas verraten würde. Das Geheimnis ist also gut gehütet. Ihr könnt euch darauf verlassen, bald mehr zu hören. Übrigens glaube ich, dass dann alle zufrieden sein werden. Meiner Meinung nach ist es die logischste Wahl.

So, das wäre alles für heute. Jetzt geht es weiter nach Westen zu einigen weiteren letzten Erlebnissen. Wie ich festgestellt habe, ist es wichtig für mich, so zu denken, weil es mich etwas wirklich Wichtiges gelehrt hat – kürzerzutreten und die Dinge zu genießen, weil man nie weiß, wann es vorüber sein wird. Ganz ehrlich, nachdem ich mich wieder zusammengenommen hatte, hat mein Bud Sub Special besser denn je geschmeckt.

Ich werde es vermissen, aber ich bin froh, dass ich es gegessen habe.

Zinnia

Ganz in der Nähe sank eine Frau auf die Knie und stieß einen verzweifelten Schrei aus.

In diesem Moment hatte Zinnia gerade versucht, die gelbe Linie in den grünen Bereich zu locken. Darauf fixiert, musste sie ein Zucken in den Beinen unterdrücken, als sie stehen blieb, um festzustellen, was geschehen war. Etwa ein Dutzend andere Leute in Rot taten dasselbe.

Die Frau war etwa Mitte dreißig. Pink gefärbte Haare, das Gesicht von Sommersprossen übersät. Sie war sehr hübsch, aber jetzt auch sehr traurig. Schluchzend blickte sie auf ihre Uhr, als könnte das, was sie da sah, sich ändern, wenn sie nur fest genug hinstarrte.

Neben Zinnia stand eine ältere Frau, deren silberweiße Haare sich zu Löckchen ringelten. Sie schüttelte den Kopf und machte *ts, ts, ts*. »Die arme Kleine ...«

»Was ist denn passiert?«, fragte Zinnia.

Die ältere Frau sah sie an, als müsste sie das wissen. »Bilanztag«, sagte sie. Dann blickte sie auf den Artikel in ihren Händen – eine externe Tastatur für ein Tablet – und marschierte schnell davon, um das richtige Förderband zu finden. Zinnia betrachtete noch einige Sekunden die Szene, bis jemand anderes, offenbar eine Bekannte der Frau auf dem Boden, zu dieser trat und sie tröstete. Dann wandte sie sich wieder ihrer Aufgabe zu, einen rosa Werkzeugkasten zu holen.

Noch aus der Entfernung spürte Zinnia den Schrei der Frau mit den pinkfarbenen Haaren tief in ihrer Brust. Es war ein archaischer Laut gewesen, ein Ausdruck von

Kummer, wie er sonst nur bei einem Begräbnis oder körperlicher Folter vorkam. Vom Verstand her sagte sich Zinnia, sie müsse sich zusammennehmen, aber sie konnte nicht leugnen, dass es ihr kalt ums Herz wurde.

Während sie durch den Raum ging, stieß sie auf weitere Leute, die auf den Knien lagen oder reglos dastanden und auf die frischen Trümmer ihres Lebens starrten.

Als sie gerade einen Artikel auf einem Förderband deponierte, sah sie einen Mann in Rot mit einem in Weiß diskutieren. Es ging um eine Fußverletzung, mit der der Rote nicht so schnell vorwärtskam. Da sich der Weiße davon offenbar nicht beeindrucken ließ, ballte der Rote die Fäuste und konnte sich sichtlich kaum zurückhalten. Ein Gewaltausbruch lag in der Luft wie ein Geruch nach Blut und flüssigem Kupfer. Zinnia wollte stehen bleiben, um zu beobachten, was geschah, doch als sie auf ihre Uhr blickte, sah sie die gelbe Linie ein Stück schrumpfen.

Kabellose Ohrhörer. Fitness-Tracker. Buch. Sneakers. Schultertuch. Bauklötze. Geldbörse mit RFID-Schutz ...

Als sie die Geldbörse zum vorgesehenen Laufband trug, spürte sie mit den Fingern, dass etwas mit der Klappverpackung nicht stimmte. Sie hob die Schachtel vors Gesicht und sah, dass sich an der Seite ein Schlitz befand. Die Geldbörse sah zwar unbeschädigt aus, aber Zinnia wusste nicht recht, wie sie mit der beschädigten Ware umgehen sollte. Sie überlegte kurz, ob sie zurückgehen und den Artikel umtauschen sollte, aber die Regale hatten inzwischen bestimmt die Position gewechselt, und außerdem hatte sie die Nummer der Box vergessen. Sie hielt sich die Uhr vor den Mund und sagte: »Miguel Velandres.«

Miguel Velandres ist momentan nicht im Dienst.

»Manager.«

Das sanfte Summen führte sie durch die Halle. Sie war beinahe eine halbe Stunde unterwegs, in der die gelbe Linie gnädig pausierte. Obwohl sie an sechs Leuten in weißen Shirts vorüberkam, schickte die Uhr sie immer weiter. Was Zinnia wie Verschwendung vorkam, aber vielleicht war sie ja auf dem Weg zu einem Spezialisten.

Sie erreichte einen langen Gang mit Haushaltswaren und Badezimmerzubehör. Matten, Duschregale, Vorhänge, Toilettensitzabdeckungen. Die Uhr summte, ohne wieder aufzuhören.

»Da bist du ja!«

Sie drehte sich um und sah Rick vor sich stehen.

»Das kann ja wohl nicht wahr sein!«, rief sie aus.

Rick grinste, wobei gelbliche Zähne zum Vorschein kamen. »Tja, du bist einfach so hübsch, dass ich dich in meine Liste aufgenommen habe. So kann ich dein Standardmanager sein, falls du etwas brauchen solltest. Weißt du, Zinnia, man wird hier besser behandelt, wenn man so eine Beziehung hat.«

Sie wollte ihm einen Magenschlag verpassen. Sie wollte ihm ins Gesicht kotzen. Sie wollte wegrennen. Sie wollte alles lieber tun als das, was sie tat – sie hielt ihm die Schachtel hin. »Die ist offen. Ich weiß nicht, was man mit einer beschädigten Verpackung macht.«

Er nahm die Schachtel entgegen, wobei er die Hand weiter ausstreckte als nötig, sodass er Zinnia leicht berührte. Seine Haut war kalt. Reptilienhaft. Aber vielleicht lag das nur an Zinnias Fantasie, die ihren Abscheu ausdrückte. Sie bezähmte das Erschaudern in ihren Schultern.

»Sehen wir mal«, sagte Rick. Er drehte die Verpackung in den Händen und fand den Schlitz. »Ist eventuell bei der Anlieferung beschädigt worden. Du hast gut daran getan, das Ding herzubringen. Schließlich wollen wir nicht, dass unsere Kunden schadhafte Artikel erhalten.«

Er trat einen Schritt näher an Zinnia heran und hob seine Uhr.

»In solchen Fällen verfährt man folgendermaßen, Süße«, sagte er ganz langsam, als müsste er einem Kind etwas erklären. »Wir halten unsere Uhr so, wie ich es dir zeige, und sagen *beschädigter Artikel*. Dann wird uns ein Förderband zugewiesen, genau wie sonst auch.«

Er grinste sie an, als hätte er ihr gerade das Geheimnis des ewigen Lebens mitgeteilt. Zinnia roch seinen Atem. Thunfisch. Sie spürte einen Würgereflex.

»Das hätte man dir eigentlich schon bei der Orientierung erklären sollen«, sagte Rick und hob die Augenbrauen, als würde er sich ärgern. »Kannst du mir mal den Namen der Person nennen, die dafür verantwortlich war?«

Zinnia dachte einen Moment lang darüber nach. Wahrscheinlich hatte Miguel das schlicht vergessen. Weil sie ihn nicht in Probleme bringen wollte, sagte sie: »John oder so.«

Rick schnitt eine Grimasse und schüttelte den Kopf. »So was musst du dir aber wirklich merken, Zinnia.«

»Oje.«

»Keine Sorge, das wirst du bestimmt wiedergutmachen.« Er hob seine Uhr und tippte aufs Display. Ihre Uhr summte. Sie warf einen Blick darauf und sah, dass sie zu einer Packung Gitarrenpicks geschickt wurde.

»Nur zu!«, sagte Rick. »Wir sehen uns. Du bist um sechs Uhr fertig, oder?«

Zinnia antwortete nicht. Sie drehte sich einfach um und ging davon.

Den restlichen Tag überstand sie, indem sie sich ganz auf das Spiel mit der gelben Linie konzentrierte. Sie hatte beim Beobachten der Leute, die weinend auf ihren Rausschmiss reagiert hatten, etwas Zeit verloren. Deshalb konnte sie sich noch so sehr abhetzen, es gelang ihr nicht, auf Grün zu kommen.

Auf dem Weg durch die Schleuse überlegte sie, ob sie in der Eingangshalle ihres Wohnbaus einen Blick in den Flur werfen sollte. Wenn die Luft rein wäre, könnte sie den Kollektor einsetzen. Allerdings war ihr klar, dass sie im Moment von Wut und Abscheu erfüllt war. Von solchen Emotionen durfte sie ihre Entscheidungen nicht beeinflussen lassen.

Sie fuhr hinauf in ihre Etage, wo mehr los war als sonst. Normalerweise sah sie dort nur ein, zwei Leute, die auf dem Weg zu den Sanitäranlagen oder zur Arbeit waren, aber jetzt hatte sich ein halbes Dutzend um einen großen älteren Mann mit Bürstenhaarschnitt und schlaffer Haut geschart. Er trug eine Reisetasche über der Schulter und blickte zu Boden, während die anderen ihn trösteten. Zwei Security-Leute, ein Afroamerikaner und eine Frau mit indischen Gesichtszügen, standen in der Nähe und behielten das Ganze im Blick. Cynthia war ebenso bei der Gruppe wie die junge Frau mit den comichaft großen Augen. Harriet? Nein, Hadley.

Hadley, das nette Mädel.

Zinnia beobachtete das Geschehen, von dem sie etwa zehn Türen weit entfernt war. Es war eine Abschiedszeremonie. Umarmungen, Küsse auf die Wange, Rückenklopfen. Offenbar hatte der Mann, um den es ging, eine ganze Weile hier gewohnt. Der Umgang mit ihm hatte eine Wärme an sich, bei der Zinnia wieder ganz kalt ums Herz wurde.

Die im Flur Stehenden schienen zu zögern, als wollten sie nicht zu etwas anderem übergehen, sondern für immer in diesem Augenblick verharren. Schließlich klatschte Cynthia in die Hände, um alle auf sich aufmerksam zu machen. Es war Zeit zu gehen. Da der Abschied beendet war, ging der ältere Mann davon, gefolgt von den beiden Security-Leuten – nicht so nah, als dass sie ihn regelrecht eskortiert hätten, aber nah genug, ihn fest im Blick zu haben. Als er an Zinnia vorüberkam, sah sie, dass an seinem CloudBand zwei winzige glitzernde Spielwürfel baumelten. Die anderen machten sich auf den Weg in ihre Wohnungen. Nur Cynthia blieb zurück. Sie blickte zu Zinnia herüber und schüttelte den Kopf, als wollte sie sagen: *Kaum zu glauben, was?* Dann drehte sie ihren Rollstuhl in Richtung ihrer Wohnung.

Zinnia blieb mit der Hand an ihrem Türknauf stehen, doch anstatt hineinzugehen, machte sie sich auf den Weg zu Cynthia.

An der Tür angelangt, klopfte sie. Einige Momente später schwang die Tür nach innen auf. Cynthia lächelte. »Na, was kann ich für dich tun, meine Liebe?«

»Ich würde gern was mit dir besprechen«, sagte Zinnia. »Vertraulich.«

Cynthia nickte. Zinnia hielt die Tür auf, damit ihre Gastgeberin rückwärts in die Wohnung zurückrollen könnte. Dann trat sie selbst ein und schloss die Tür. Cynthia fuhr ganz bis zur hinteren Wand, damit Zinnia genügend Platz hatte, sich auf das Bett zu setzen.

»Ganz schöner Hammer, was?«, sagte Cynthia. »Dass sie den rausgeschmissen haben, meine ich.«

»Wer war das denn?«

»Bill«, sagte Cynthia. »Aber alle haben ihn nur Dollar

Bill genannt, weil er seine ganze Freizeit im Spielkasino verbracht hat. Acht Jahre war der hier.«

»Wieso muss er denn gehen?«

»Er hat's bis zur Rente geschafft, genauer gesagt bis zur reduzierten Arbeitszeit. Weil er noch ziemlich fit war und gern durch die Gegend marschiert ist, hatte er beschlossen, Sammler zu bleiben, worauf man ihn auf die Seniorenquote gesetzt hat.« Cynthia seufzte und blickte in die Ferne, als würde sie Bill noch hinterhersehen, wie er den Flur entlangtrottete. »Aber als er älter wurde, hat er nicht mal mehr die geschafft, obwohl er gemeint hat, das würde schon gehen, und ... Na ja, da ist es eben so gekommen, wie's gekommen ist.« Sie sah Zinnia an. »Verdammt schade. Er hätte sich einfach versetzen lassen sollen.«

»Wie geht das denn?«

»Wenn man sich verletzt oder etwas nicht mehr schafft, kann man beantragen, woanders hinzukommen«, sagte Cynthia. »Zum Beispiel war ich früher Sammlerin, bis ich von einem Regal gefallen bin. Jetzt bin ich von der Taille abwärts gelähmt.«

»Du lieber Himmel!«, sagte Zinnia schaudernd.

Cynthia zuckte die Achseln. »Ich hab mich nicht eingehakt, also war es mein eigener Fehler. Trotzdem hab ich Glück gehabt. Cloud hat mich behalten und zum Kundensupport versetzt. Telefonieren und am Computer arbeiten kann ich ja noch. Na, wie auch immer, jedenfalls hätte Bill akzeptieren sollen, dass er eine zu seinem Tempo passende Arbeit bekommt, aber das wollte er eben nicht.«

Zinnia lehnte sich auf der Matratze zurück. Jetzt war ihr erst recht kalt geworden. »Was dir da zugestoßen ist, tut mir echt leid.«

Cynthia zuckte wieder die Achseln und lächelte gequält. »Immerhin habe ich ja einen Job.« Sie beugte sich vor und tätschelte Zinnia am Knie. »Aber entschuldige bitte, du hast gesagt, du willst mich etwas fragen, und ich habe bloß von mir erzählt. Also, worum geht es?«

»Tja, ich ...«

»Ach je!« Cynthia schlug die Hand vor den Mund. »Wie unhöflich von mir. Möchtest du vielleicht was zu trinken? Bedienen wirst du dich leider selber müssen, aber anbieten hätte ich's dir schon längst sollen.«

Zinnia schüttelte den Kopf. »Nein, ist schon gut, danke. Es geht mir bloß darum ... Das wird doch unter uns bleiben, oder? Ich will nämlich etwas beurteilen können, was passiert ist.«

Cynthia nickte so ernst, als würde sie einen Blutschwur ablegen.

»Ich bin nämlich auf einen bestimmten Typen gestoßen«, sagte Zinnia. »Einen Manager. Rick ...«

Cynthia schnaubte. Verdrehte die Augen. »Rick.«

»Also hab ich die Sache richtig eingeschätzt?«

»Und ob«, sagte Cynthia. »Er wohnt am anderen Ende vom Flur. Lass mich mal raten. Hat er mit dir das Schildvertauschespielchen gespielt, als du duschen gegangen bist?«

»Wie kommt es, dass so jemand immer noch hier arbeitet?«

Cynthia ließ den Kopf sinken. »Keine Ahnung. Wahrscheinlich ist er mit jemand Wichtiges verwandt, oder das obere Management will sich einfach nicht damit befassen. Ich weiß nur, dass sich einmal eine von uns bei der Personalabteilung über ihn beschwert hat – Constance hieß sie, ein richtig lieber Mensch –, und am nächsten Bilanztag war sie weg vom Fenster. Sie hat beim Support gearbeitet, ganz in meiner Nähe, und sie war total clever.« Sie seufzte. »Ich weiß schon, dass das nicht besonders angenehm ist, und es ist natürlich auch nicht die Antwort, die du hören wolltest. Aber ... wenn du ihn siehst, verzieh dich woandershin. Geh ausschließlich in die Frauendusche. Wenn du Glück hast, nimmt er bald jemand anderes aufs Korn.«

Das Mitgefühl, das Zinnia empfunden hatte, löste sich in Luft auf.

Glück. So wie Cynthia das Wort ausgesprochen hatte, klang es deformiert.

»Ich habe heute wegen irgendwas einen Manager gebraucht und wurde direkt zu ihm geleitet«, sagte Zinnia.

»Dann hat er ein echtes Interesse an dir«, sagte Cynthia. »Das ist nicht gut.«

»Was meinst du, wie weit er gehen wird?«

»Dumm ist er nicht«, sagte Cynthia. »Das heißt, er wird keine Gewalt anwenden, um dich ins Bett zu kriegen oder so. Er ist einfach ein Ekel. Beglotzt einen gern. Was ich dir rate? Tja ...« Sie seufzte wieder. »Geh damit um.«

Einen Moment lang wusste Zinnia nicht recht, auf wenn sie zorniger war, auf Cynthia oder auf Rick. Dann merkte sie, dass ihr Zorn noch größer war. Er war wie jemand, der neben ihr stand und sie dazu antrieb, etwas zu unternehmen.

Sie bedankte sich bei Cynthia und verließ schleunigst die Wohnung, bevor sie etwas von sich gab, was sie später vielleicht bedauert hätte. Marschierte durch den Flur, hielt ihre Uhr an den Scanner und ließ sich drinnen auf die Matratze fallen. Dann schaltete sie den Fernseher ein und hoffte, dass seine Geräusche den Lärm in ihrem Kopf übertönten.

Plötzlich fiel ihr etwas ein. Sie hob ihr CloudBand und fragte: »Wie ist mein Rating?« Ohne zu wissen, ob das überhaupt ein legitimer Befehl war.

Auf dem Display leuchteten vier Sterne auf.

»Fick dich«, sagte sie.

Sie holte das Multitool von ganz hinten in der Küchenschublade hervor, stieg aufs Bett, löste den Wandbehang und machte sich an die Arbeit. Es fehlten nur noch etwa zehn Zentimeter, und diesmal hörte sie nicht auf, bis sie fertig war. Sie rammte das Messer so in die Decke, wie sie es am liebsten Rick in die Kehle gebohrt hätte. Mit einer letzten Staubwolke löste sich das Rechteck aus Gipskarton.

Sie ließ das Bruchstück aufs Bett fallen, fuhr mit den Händen am Rand der Öffnung entlang, um den besten Halt zu finden, und hievte sich dann in den Raum zwischen den Platten und der eigentlichen Decke. Mit der Taschenlampe ihres Handys leuchtete sie ringsum. Was sie sah, war ein Durcheinander aus Kabeln und Rohren. Es roch nach etwas Verfaultem. Der Zwischenraum war jedoch so hoch, dass man darin herumkriechen konnte, und da die Zwischenwände sichtbar waren, würde sie nicht bei irgendjemand anderes durch die Decke krachen.

Von hier waren es circa siebenunddreißig Meter bis zur Frauentoilette. Das hatte sie mit Schritten abgemessen.

Paxton

Der Mann mit den zusammengewachsenen Augenbrauen rempelte Paxton so heftig mit der Schulter an, dass er fast zu Boden gegangen wäre. Er fing sich gerade noch und sah den Mann an, weil er eine Entschuldigung erwartete, aber der andere knurrte nur: »Verdammte Scheiße! Jetzt warte ich schon eine geschlagene Stunde.«

Inzwischen war der Mann in den Terahertz-Scanner getreten und hob die Arme, um sich von den mechanischen Flügeln umkreisen zu lassen. Paxton warf einen Blick zu Robinson, der Frau am Monitor, die daraufhin leicht nickte: *Keine Schmuggelware.*

Niemand hatte etwas in den Taschen. Niemand war so dämlich, hier etwas zu klauen. Alle wussten, was das bedeutet hätte: sofortige Entlassung. Noch nicht mal die Zeit, seine Habseligkeiten zu packen, bekäme man gewährt. Man würde sofort nach draußen geschleppt und dort stehen gelassen werden.

Drei Tage stand Paxton nun schon hier und zählte die Rempelei des Mannes im Scanner noch zu seinen angenehmeren Begegnungen. Niemand hatte besondere Lust, nach einem langen Tag auf den Beinen auch noch Schlange zu stehen. Deshalb tat Paxton, was er am besten konnte: Er lächelte und tat so, als wäre alles in bester Ordnung. Abgesehen davon, hoffte er, irgendwann Zinnia zu sehen, aber unter den Tausenden Leuten, die in den letzten drei Tagen an ihm vorbeigekommen waren, war sie nicht gewesen. Wahrscheinlich war das hier nicht mal der Teil des Warendepots, wo sie arbeitete.

Um sich die Zeit zwischen dem Kreisen des Scanners und dem leichten Kopfnicken von Robinson zu vertreiben, grübelte er über das Drei-Sterne-Rating nach, das er nach dem Gespräch mit Dobbs auf seinem CloudBand entdeckt hatte.

Darüber und über die Punkte auf der Überwachungsaufnahme.

Wahrscheinlich hatten die nichts zu bedeuten. Vielleicht hatte Zinnia sich nur nach ihm umgesehen. Es gab unzählige mögliche Erklärungen, die nicht darauf hinausliefen, dass sie ihm regelrecht hinterherspioniert hatte.

Über die Sterne und Punkte nachzugrübeln lenkte ihn außerdem von den Bildschirmen ab, auf denen in Endlosschleife Cloud-Videos liefen. Bereits am Ende seines ersten Tages hatte er den Text auswendig gelernt. Am zweiten Tag fraßen sie sich wie eine Bohrmaschine in seinen Kopf. Am dritten Tag waren sie zu einer wahrhaft höllischen Geräuschkulisse geworden.

Cloud ist die Lösung für alle Bedürfnisse.
… arbeite *ich* für *Sie*.
Vielen Dank, Cloud!

Als seine Schicht zu Ende war, fuhr er zu Live-Play hinüber, wo er auf Dakota stieß. Sie trabte von den Aufzügen her auf ihn zu.

»Wo brennt's denn, Kleine?«, fragte er.

»Nenn mich bloß nicht Kleine. Ich glaube, ich bin älter als du. Los, wir gehen beide auf Patrouille.«

»Ich war gerade mit der Arbeit fertig«, sagte er.

»Und heute ist Bilanztag. Das bedeutet: Alle Mann an Deck. Aber wenn du verhindern willst, dass man dir wieder wohlgesinnt ist, kannst du gerne ablehnen.«

Paxton folgte Dakota ergeben. »Na, dann wohin, Boss?«

»Schon besser. Auf die Promenade. Wir machen einen Rundgang. Vor allem müssen wir die Bahnen im Auge behalten.«

»Wieso die Bahnen?«

»Die transportieren heute massenhaft Leute rein und raus«, sagte sie. »Jetzt hör aber mal auf, Fragen zu stellen, und leg lieber einen Zahn zu.«

»Schon gut, schon gut«, murmelte Paxton vor sich hin. Er bemühte sich, seinen Ärger zu unterdrücken, was ihm jedoch nicht gelang. »Wenn Dobbs sauer auf mich ist, wieso eigentlich nicht auch du?«

Dakota warf ihm einen Seitenblick zu. »Weil du ein paar mehr graue Zellen im Kopf hast als die meisten Trottel, die hier durchkommen. Du hast zwar Scheiße gebaut, aber ich finde, Dobbs war zu hart zu dir. Deshalb hab ich versucht, ihn dazu zu bringen, dass er dich wieder der Taskforce zuteilt. Hat allerdings nicht geklappt.«

»Du meinst die Taskforce, die eigentlich keine ist.«

»Genau die.«

»Tja, danke, dass du's versucht hast.«

Dakota hob die Hände. »Immerhin darf ich heute mit dir auf Streife gehen.«

Sie erreichten die Promenade, wo ihnen in Tränen aufgelöste Leute entgegenkamen, die mit Reisetaschen oder Rollkoffern zur Bahn unterwegs waren. Die würde sie zum Aufnahmegebäude bringen, das für sie nun zur Endstation ihrer Zeit bei Cloud wurde.

Dakotas Uhr gab einen Klingelton von sich. Sie hob den Arm.

»Code S in der Technik«, sagte jemand.

Dakota drückte zum Antworten die Krone. »Verstanden.«

»Code S?«, sagte Paxton.

Dakota bedachte ihn mit einem eisigen Grinsen. »Wirst du bald genug rausbekommen.«

Sie gingen weiter. Im Lauf von zwei Stunden bekamen sie nichts Besonderes zu Gesicht außer weiteren traurigen Leuten, die zur Bahn schlurften. Dann war es Zeit, etwas zu essen. Paxton schlug den CloudBurger vor, aber Dakota rümpfte nur die Nase und bestand auf Tacos. Nicht die schlechtesten, wie sich herausstellte. Während sie schweigend aßen, beobachteten sie die Leute draußen. Zweimal wurde erneut Code S gemeldet, woran Dakota aber kein besonderes Interesse zeigte. Sie bestätigte die Meldungen nur und aß weiter.

Nach langem Schweigen versuchte Paxton, eine Unterhaltung in Gang zu bringen, indem er einen Gedanken äußerte, der ihm ständig im Kopf herumgegangen war. »Was ist, wenn der Trick von diesen Typen wie ein Faradaykäfig funktioniert?«

»Was soll das denn sein?«

»So nennen Techniker eine Hülle, die elektromagnetische Wellen abschirmt. Benannt nach dem Wissenschaftler, der auf das Prinzip gestoßen ist, irgendwann im 19. Jahrhundert. Deshalb funktioniert ein Handy in einem Aufzug nicht so gut. Weil man da von Metall umschlossen ist.«

Dakota nickte. »Wirkt wie ein Signalblocker.«

»Ich will dir mal was aus dem Gefängnis erzählen. Da darf man bekanntlich keine Handys besitzen. Weshalb die mit Vorliebe eingeschmuggelt werden. Allerdings hatten wir diese Sensoren, mit denen man Funksignale aufspüren kann. Deshalb sind ein paar von den Insassen auf die Idee gekommen, ihr Handy in ein Säckchen zu stecken, das sie mit Alufolie ausgekleidet haben.«

»Und das hat funktioniert?«

Paxton spreizte die Finger. »Je nachdem welcher Provider es war und wie gut sie den Beutel ausgestopft haben. Darauf gekommen sind sie offenbar durch die präparierten Taschen, die manche Ladendiebe verwenden. Wenn man Waren in eine solche Tasche steckt und durch den Ausgang geht, schirmt die Folie den Inhalt vor dem Scanner ab, der sonst Alarm schlagen würde. Bei uns hat der Trick nicht mehr funktioniert, weil man direkt neben dem Gefängnis einen neuen Handymast errichtet hat. Danach war das Signal zu stark.«

Dakota schluckte ihren letzten Tacobissen, wischte sich den Mund ab und warf die Serviette aufs Tablett. Sie standen auf, entsorgten den Abfall und traten hinaus. Dakota nickte unablässig mit dem Kopf, als würde sie Musik hören.

»Du meinst also, diese Genies wickeln sich Alufolie ums Handgelenk?«, sagte sie.

»Nicht unbedingt«, sagte er. »Bei uns hat es zwar relativ gut geklappt, war jedoch nicht gerade narrensicher. Aber vielleicht ist es was Ähnliches.«

Ein Klingelton, diesmal nicht nur auf der Uhr von Dakota, sondern auch auf seiner. »Code W, Code W, Eingangshalle von Maple.«

»Auf geht's!«, sagte Dakota.

»Was heißt Code W nun wieder?«

»Widerstand. Jemand, der sich weigert, seinen Rausschmiss zu akzeptieren.«

»Und was tun wir da?«

»Denk dir was aus.«

Die beiden trabten los. Als sie sich der Eingangshalle von Maple näherten, wurde die Menge dichter. Die Leute blieben stehen, um das Geschehen zu beobachten. Es dauerte nicht lange, bis Paxton und Dakota es vor sich sahen: eine sechsköpfige Gruppe – zwei Rote, zwei Grüne, ein Brauner und ein Blauer – hatte sich auf den Boden gelegt und stellte sich tot. Sie ließen den Körper schlaff werden, während eine ganze Brigade von Blauen versuchte, sie zur Bahn zu zerren. Auf dem Boden lagen Reisetaschen, die teilweise aufgerissen waren; Kleidung und persönliche Gegenstände quollen heraus. Paxton kickte eine rosa Dose Deo aus dem Weg. Er hörte die auf dem Boden liegenden Leute schreien.

»Bitte!«

»Nein!«

»Gebt uns noch eine Chance!«

»O Mannomann!«, sagte Dakota und stürzte sich ins Getümmel. Im selben Moment sah Paxton Zinnia, die auf einen zu den Toiletten führenden Flur zuging. Bei ihrem Anblick war er wie gelähmt, bis Dakota ihm zubrüllte: »Her mit dir!«

Er riss sich zusammen und lief zu Dakota, die eine Frau mittleren Alters am Arm gepackt hatte, um sie zur Bahn zu schleifen.

»Was tun wir hier eigentlich?«, fragte Paxton.

»Wir schaffen sie in die verdammte Bahn, damit das Team an der Aufnahme sich mit ihnen rumschlagen kann.«

»Ist das wirklich die beste Methode, die wir haben?« Er ging neben der Frau auf ein Knie und sagte: »Miss, ich bin Paxton. Sagen Sie mir bitte, wie Sie heißen?«

Mit tränennassen Augen sah sie ihn an. Sie bewegte den Mund, als wollte sie etwas sagen, spuckte ihm stattdessen jedoch eine Ladung ins Gesicht. Er schloss die Augen, während ihm die warme Flüssigkeit über die Wange lief.

»Verpiss dich, du Schwein«, sagte sie.

Inzwischen waren die beiden an allen Seiten von Security-Leuten umringt, einer Wand aus Blau, die alle Umstehenden daran hinderte zu sehen, was auf dem Boden vor sich ging. Dakota sah in die Runde, um auf Nummer sicher zu gehen, dann legte sie der Frau den Daumen an den Hals, direkt über dem Schlüsselbein, und drückte fest zu. Die Frau schrie auf und versuchte ihr zu entkommen, aber Dakota hatte sie fest im Griff.

»Hoch mit dir, verdammt noch mal«, sagte sie. »Das Spiel ist vorbei.«

»Bitte nicht …«, keuchte die Frau.

»Dakota«, sagte Paxton.

»Was ist?« Sie sah zu ihm hoch, während sie den Druck erhöhte. »Die arbeiten nicht mehr hier, da ist es egal, was wir mit ihnen anstellen. Und je schneller wir hier fertig werden, desto besser, denn …«

Hinter ihnen gellte ein Schrei.

Paxton sprang auf die Beine und rannte in die Richtung, aus der der Schrei gekommen war. Auf die Bahngleise zu. Auf den zum Bahnsteig führenden Stufen drängten sich die Leute, dahinter sah man eine Bahn stehen, die nur zur Hälfte eingefahren war. Paxton drängte sich durch, um nach vorn zu gelangen.

Der Zugführer, ein älterer Mann mit Glatze, beugte sich aus dem Fenster und starrte auf die Schienen vor seinem Fahrzeug. Sein Gesicht war völlig erschlafft. Ein Stück weiter lag etwas, was gerade noch als Mensch erkennbar war.

Paxton sprang zwischen die Schienen und machte sich auf den Weg. Schon aus der Distanz war zu sehen, dass der Mann nicht mehr am Leben war. Zu viel Blut. Reglos lag der Körper da; ein Bein stand so absurd zur

Seite ab, als hätte das Knie sich vollständig in die falsche Richtung gedreht. Am Handgelenk funkelte etwas – ein CloudBand, das mit kleinen glitzernden Spielwürfeln geschmückt war.

Als Paxton vor der Leiche stand, erfasste ihn ein leichter Schwindel. Dann hörte er, wie jemand neben ihn trat. Er drehte den Kopf und sah Dakota auf den Toten starren.

»Das ist Code S«, sagte sie.

»S steht für Springer, ja?«

Dakota nickte. »Hab gehofft, dass du deinen ersten Bilanztag überstehst, ohne mit so was zu tun zu haben. War offenbar ein frommer Wunsch.« Sie hob ihre Uhr an die Lippen. »Code S, Bahngleis Maple. Exitus bei Ankunft schon erfolgt.«

Paxton ließ sich in die Hocke sinken und hielt die Hand vor den Mund. Es war nicht die erste Leiche, die er zu Gesicht bekam; im Gefängnis damals war es zwar einigermaßen zivilisiert zugegangen, aber trotzdem gelegentlich zu Drogentoten und Gewaltdelikten gekommen. Auf einen weiteren solchen Anblick hätte er jedoch gern verzichtet.

»Komm jetzt«, sagte Dakota. »Wir müssen hier aufräumen.« Sie schwieg für einen Moment. »Besser er als wir, oder?«

Paxton wollte etwas sagen, brachte jedoch nur ein einziges Wort zustande, und selbst das blieb ihm in der Kehle stecken.

Nein.

Zinnia

Zinnia verbrachte eine geschlagene Viertelstunde damit, durch einen Spalt zwischen den hier lose aufliegenden Deckenplatten zu spähen und zu warten, bis der Waschraum leer war. Und das, nachdem sie sich von losen Kabeln zwei Elektroschocks geholt und sich an einer scharfen Kante das Knie aufgeschrammt hatte.

Der beim Kriechen durch den engen Zwischenraum aufgewirbelte Staub hatte sich gelegt, aber ihre Atemwege fühlten sich immer noch wie verstopft an. Sie sah mehrere Leute hereinkommen, die duschen oder auf die Toilette gehen wollten, aber schließlich war nur noch eine einzige Frau übrig. Die wusch sich die Hände und verschwand dann in den Flur.

Zinnia schob eine Platte beiseite und ließ sich auf den Boden fallen. Dann stieg sie auf eine Bank, um die Platte wieder an Ort und Stelle zu schieben. Die Decke war recht niedrig. Leicht war es nicht, aber es klappte, und als sie in den Flur trat, stand vor der Tür kein ganzer Trupp von Blauen, wie sie fast erwartet hätte.

Sie tastete in ihrer Hosentasche nach dem Brillenetui und zog sich dann den Pulliärmel übers Handgelenk, um zu kaschieren, dass sie kein CloudBand trug.

Durch den Bilanztag waren alle abgelenkt. Wenn es einen günstigen Zeitpunkt gab, dann jetzt, ganz abgesehen davon, dass sie schleunigst hier wegwollte. Wobei sie sich nach Erledigung ihres Auftrags gern Zeit genommen hätte, Rick eine anständige Abreibung zu verpassen. Nur so zum Spaß.

Gerade gingen mehrere Leute zu den Aufzügen; sie folgte ihnen. Beim Einsteigen entstand ein Gedränge, weil irgendwie jeder seine Uhr an den Scanner halten wollte. Niemand achtete auf Zinnia, die sich mit auf dem Rücken verschränkten Händen nach hinten schob.

Schon auf der nächsten Etage hielt der Aufzug wieder. Zwei weitere Leute stiegen ein. So ging es weiter. Zinnia verdrehte die Augen und musste sich bezähmen, dass sie nicht laut aufseufzte. Dass so etwas gerade jetzt passierte!

Als sich die Tür endlich zur Eingangshalle öffnete, überlegte Zinnia kurz, ob sie sich ein Feuerzeug besorgen sollte, um irgendwo etwas in Brand zu stecken. Das war eine ebenso erprobte wie wirksame Ablenkungsmethode, die ihr in solchen Situationen immer einfiel, seit ein kleiner Brand auf einem Polizeirevier sie in Singapur vor der Todesstrafe gerettet hatte. Doch sobald sie auf den glänzenden Boden der Eingangshalle trat, wurde ihr klar, dass sie sich keine Sorgen machen musste. Fünf, sechs Leute inszenierten irgendeinen Protest, indem sie sich auf den Boden legten und sich dagegen wehrten, von der Security-Mannschaft auf die Beine gezerrt zu werden.

Ausgezeichnet. Zinnia ging auf den Flur zu. Alle beobachteten die Auseinandersetzung.

Sie sah sich noch einmal um, um sich zu vergewissern, dass die Luft rein war. Bevor sie an dem CloudPoint-Terminal vorüberkam, ging sie in die Hocke und bewegte sich im Entengang weiter, damit sie nicht von der Kamera erfasst wurde. Dann richtete sie sich wieder auf und ging zu den Toiletten. Beide hatten keine Tür, sondern einen Eingang, hinter dem es um die Ecke ging. Wenn man sich vorbeugte, konnte man hineinspähen.

Die Männertoilette sah leer aus, in der für Frauen war unter einer Kabinentür ein Paar Plateausandalen zu sehen. Gut. Zinnia wählte eine freie Kabine aus, setzte sich auf die Toilette und zählte ihre Atemzüge, während sie darauf wartete, dass die andere Frau fertig war, spülte, sich die Hände wusch und hinausging. Das dauerte länger, als ihr lieb war, aber wenigstens kam niemand Neues herein.

Auf dem Weg hinaus warf sie wieder einen Blick in die Männertoilette. Immer noch leer. Rasch ging sie den Flur entlang, den Blick auf den Eingang gerichtet, falls jemand auftauchte. Einige Leute gingen vorüber, hatten es aber offenbar darauf abgesehen, den Tumult an der Bahn zu begaffen.

Zinnia schob sich an der Wand entlang, ging in die Hocke und sank dann vor dem Terminal auf ein Knie. Sie stellte den anderen Fuß auf und löste mit einer Hand die Schnürsenkel, während sie mit der anderen das Brillenetui aus der Hosentasche zog. Sie öffnete es mit dem Daumen, holte die Plastikhülse heraus und steckte sie in den Schließzylinder. Drehte fest daran. Der dünne Metalldeckel sprang auf.

Im Innern befand sich ein Labyrinth aus Kabeln und Schaltkreisen. Zinnia hielt Ausschau nach einer freien Buchse, dann fuhr sie mit den Fingern über die Stellen, die sie nicht einsehen konnte. Ihr Herzschlag beschleunigte sich. Was tun, wenn sie doch nichts fand?

Weitere Leute gingen am Eingang vorüber. Niemand kam herein.

Aber irgendwann würde das jemand tun.

Sie spürte etwas. Da war eine Vertiefung unter ihrem Finger. Sie wagte einen Blick nach unten.

Nein, das war nicht das, wonach sie suchte.

Zinnia tastete weiter.

Sie wollte schon aufgeben, als sie endlich eine kleine rechteckige Buchse ertastete. Schnell steckte sie den Kollektor ein, zählte lautlos bis zehn und zur Sicherheit noch bis elf, bevor sie ihn wieder herauszog.

Der erste Schritt war geschafft.

Sie band ihren Schuh zu und setzte den Deckel wieder auf der Konsole ein, während ihr Herz wie wild raste. Sie kroch einige Meter auf Händen und Füßen auf den Ausgang zu, bevor sie sich aufrichtete und schleunigst aus dem Flur in die Eingangshalle ging. Dort stellte sie sich vor die Aufzüge und trat von einem Bein auf das andere, während sie darauf wartete, dass eine größere Gruppe einstieg, weil dann mit größerer Wahrscheinlichkeit jemand in ihre Etage fuhr. Wenig später sah sie Paxton aus Richtung der Bahn kommen. Er steuerte den Flur mit den Toiletten an.

Eigentlich schlurfte er eher vor sich hin. Seine Arme hingen schlaff herab. Zweimal blieb er stehen, um seine Hände zu betrachten, aber aus der Entfernung konnte Zinnia nicht erkennen, weshalb. Sie trat hinter eine Informationstafel, damit er sie nicht sah, falls er herüberblickte.

Paxton

Paxton wedelte mit den Händen vor dem Sensor für den Wasserhahn. Er wünschte sich nichts mehr, als das klebrige, trocknende Blut von seiner Haut zu bekommen.

Nichts geschah. Er legte die Hände ineinander und bewegte sie erst aufwärts und abwärts, dann im Kreis. Immer noch nichts. Er wedelte erneut. Sah sein Gesicht, das sich in der silbern glänzenden Metallscheibe des Sensors spiegelte.

Paxton ballte die Faust und schlug auf die Scheibe ein. Einmal, zweimal. Bis sie so mit Blut verschmiert war, dass er sich nicht mehr sehen konnte.

Er hatte dem Mann den Puls gefühlt, obwohl er zu wissen glaubte, dass er tot war. Obwohl man so viel Blut sah. Einer der beiden Sanitäter, die nach einer Weile aufgetaucht waren, musste beim Anblick des zertrümmerten Körpers kotzen und ergriff die Flucht, weshalb Paxton dem anderen half, die Leiche des Springers in einen Sack zu befördern. Das hatte sich angefühlt, als würde man mit einem Sack Kartoffeln hantieren.

Jetzt schloss er die Augen. Atmete durch die Nase ein. Hielt die Hände immer wieder unter den Wasserhahn. Endlich rann ein dünner Strahl heraus. Er benetzte die Hände, ließ dick Seife aus dem Spender darauflaufen und fing an, sie aneinander zu reiben. Das Wasser war lauwarm anstatt brühend heiß, wie er es sich gewünscht hätte. Am liebsten hätte er sich die oberste Hautschicht abgerubbelt. Selbst als seine inzwischen rosaroten Hände völlig sauber waren, fühlten sie sich nicht so an.

Als er an dem CloudPoint-Terminal im Flur vorüberkam, sah er, dass der Deckel unterhalb des Bildschirms nicht ganz geschlossen war. Er bückte sich, um ihn zuzudrücken, was aber nicht ging, weil das Schloss nicht einschnappte. Daraufhin fuhr er mit den Fingern über den Zylinder und stellte fest, dass darin ein kleines Stück weißes Plastik steckte.

Zuvor hatte er Zinnia auf den Flur zugehen sehen, offenbar auf dem Weg zur Toilette. Ob ihr wohl aufgefallen war, dass der Deckel ein Stück offen stand? Er ging in die Eingangshalle zurück und winkte Dakota zu sich, die gerade mit einem anderen Blauen diskutierte.

Sie kam herbeigetrabt. »Was ist?«

Paxton führte sie wortlos zum Terminal und berührte mit dem Fuß leicht den Deckel. Sie hockte sich davor und studierte das Schloss.

»Da steckt ein Stückchen Plastik drin«, sagte sie.

»Was hältst du davon?«

Dakota erhob sich. Stemmte die Hände in die Hüften. Blickte den Flur entlang und dann wieder auf das Terminal. »Könnte eine Ratte gewesen sein. Ich überprüfe mal die Überwachungsdaten.«

»Das hat eine Ratte zustande gebracht?«

»Wir haben hier eine besondere Sorte Ratten. Gut gemacht!«

»War nicht gerade schwer zu sehen«, sagte er.

»Nimm das Kompliment ruhig an, Alter!«

»Tu ich ja.«

Dakota drückte auf die Krone ihrer Uhr. »Schickt ihr mal ein paar Techniker in die Eingangshalle von Maple? In dem Flur, der zu den Toiletten führt, gibt's ein Problem mit dem Terminal, das sich jemand anschauen sollte.«

Sie warf einen Blick aufs Display, dann sah sie Paxton an. »Schluss für heute.«

»Schon?«, sagte er.

»Das war eine Nachricht von Dobbs«, sagte sie. »Wir sind fertig. Wenn man so was mitgemacht hat, darf man Feierabend machen.«

Paxton warf einen Blick nach draußen. Selbst vom Flur aus war zu erkennen, dass sich immer mehr Leute in der Eingangshalle versammelten.

»Helfen wir erst mal dabei, draußen Ordnung zu schaffen«, sagte er. »Dann können wir immer noch gehen.«

Dakota nickte. »Klar.«

Sie gingen hinaus, um mit den Grüppchen zu sprechen, die sich gebildet hatten. Baten die Leute, in ihre Wohnung zurückzukehren oder sich woanders aufzuhalten. Nicht alle gehorchten, aber doch die meisten. Trotz ihrer geringen Körpergröße schien Dakota eine besondere Autorität zu genießen, wohl weil man sie kannte. Nach einer Weile kamen ein paar Leute in Grün mit Reinigungsutensilien angeschlurft, so ungerührt, als hätten sie den Auftrag, im Supermarkt eine Pfütze aufzuwischen.

Paxton wartete, bis Dakota das Gespräch mit einer Frau beendet hatte, dann stellte er sich neben sie. »Tut das an jedem Bilanztag jemand?«

»Eine Handvoll, ja.« Sie zögerte, als wollte sie noch etwas hinzufügen, schien es sich jedoch anders zu überlegen. »Hör mal, jetzt ist alles so weit geregelt, würde ich sagen. Wie wär's, wenn du nach Hause gehst?«

»Okay«, sagte Paxton. »Danke.«

Er blieb noch eine Weile stehen und überlegte, ob das wirklich alles war. Ob es sich vielleicht um einen Test handelte und er bleiben sollte. Aber Dakota wandte sich von ihm ab, um sich um etwas anderes zu kümmern.

Nach einem kurzen Besuch in seiner Wohnung suchte Paxton den Waschraum auf. Er stellte die Dusche so heiß, wie es ging, auch wenn er sich fast die Haut verbrühte, und zahlte die nötigen Credits für zusätzliche fünf Minuten. In seine Wohnung zurückgekehrt, zog er das Bett heraus und arrangierte das Kissen und die Decke so, dass er bequem aufrecht sitzen konnte. Dann griff er zur Fernbedienung und schaltete den Fernseher ein.

Als Erstes kam ein Werbespot für eine wirklich hübsche Thermoskanne. Dabei bekam er Kaffeedurst, weshalb er sich mit einem Tastendruck in den Cloud-Store einloggte. Sobald er die Kanne bestellt hatte, wurden ihm eine Kaffeemaschine und dazu passende Pads angeboten. Dabei wurde ihm klar, dass er noch überhaupt nichts für seine Wohnung gekauft hatte, weil er sich davor scheute. Je mehr er sich einrichtete, desto länger würde er hier bleiben. Kaffee war allerdings eine Notwendigkeit, weshalb er auch die Maschine samt Pads bestellte. Der Bildschirm teilte ihm mit, dass alles innerhalb einer Stunde geliefert werde.

Er konnte wahrlich eine Tasse Kaffee gebrauchen, bevor er ausging.

Was er wegen Zinnia machen sollte, wusste er immer noch nicht recht. Vielleicht war es das Beste, die Sache auf sich beruhen zu lassen.

Zinnia war hübsch, und sie schien sich für ihn zu interessieren. Reichte das nicht aus? Musste er es verkomplizieren, indem er sich komische Gedanken machte?

Es blieben noch ein paar Stunden, bis er sie wieder in der Kneipe treffen würde. Die Zeit konnte er nutzen, um etwas zu erledigen. Aus dem kleinen Stapel Bücher, die er mitgebracht hatte, zog er ein leeres Notizbuch. Er setzte sich damit wieder hin und schlug die erste Seite auf. Leer, frisch, voller Verheißung.

Ganz oben schrieb er hin: *NEUE IDEE.*

Dann starrte er auf die Seite, bis seine Bestellung eintraf. Als es an der Tür klopfte, schrak er zusammen und ließ das Notizbuch fallen. Im Flur stand ein kleiner, bleicher Mann mit rotem Poloshirt und neongelbem Uhrenarmband, der ihm einen Karton überreichte. Dann nickte er und hastete davon.

Paxton stellte den Karton auf die Ablage, riss ihn auf und nahm die Kaffeemaschine und die anderen Sachen heraus. Den Karton räumte er beiseite, um ihn später zu entsorgen. Die Pads hatten verschiedene Geschmacksrichtungen. Er wählte *Zimtgebäck* und stellte einen Becher unter, den er im Küchenschrank gefunden hatte. An der Seite war der Becher mit der Aufschrift HOT STUFF dekoriert. Als das erledigt war, setzte er sich wieder hin, rief in seinem Fernseher den Browser auf und tippte den Suchbegriff *revolutionäre Küchengeräte* ein. Wenn er sich die Ideen von anderen Leuten anschaute, kam ihm vielleicht selber eine. Mit dem Touchpad scrollte er sich durch Listen und Blogs über Digitalwaagen mit Bluetooth-Konnektivität, eine Barmaschine zum Mixen von Cocktails aus vorgefertigten Packungen, eine Mühle zum Mahlen gefrorener Butterstücke, um diese streichfähiger zu machen.

Eine Nudelpresse für hausgemachte Ramen.

Eine Bratpfanne mit selbstregulierender Temperatursteuerung.

Eine Instant-Pancake-Maschine.

Paxtons Gehirn blieb eine unfruchtbare Einöde. Keinerlei Geistesblitze. Er verlor sich in den Klicks, bis ihm der Kaffee wieder einfiel. Er nahm den Becher aus der Maschine, stellte ihn auf seinen Bauch und blies in den Dampf, während er auf das Fernsehprogramm umschaltete und herumzappte, um etwas Interessantes zu finden. Es kamen mehr Werbespots als echter Inhalt. Eine kleine Weile blieb er beim Cloud News Network hängen, wo über den Kursanstieg der Firmenaktie berichtet wurde, weil man die Ernennung von Ray Carson zum CEO erwarte.

Als es allmählich Zeit wurde, Zinnia zu treffen, schlüpfte er in ein sauberes Hemd, kippte den restlichen, kalt gewordenen Kaffee hinunter und verließ die Wohnung. Obwohl er etwa zehn Minuten zu früh beim Pub ankam, saß Zinnia dort bereits mit einem halb leeren Glas Wodka vor ihr auf einem der Hocker. Er rüttelte an dem Hocker neben ihr, um sich zu vergewissern, dass das Ding stabil war, bevor er daraufkletterte.

Zinnia winkte dem Barkeeper, den sie bereits kannten. Er zapfte dieselbe Biersorte, die Paxton am ersten Abend getrunken hatte, was ihn glücklich machte. Er fühlte sich dadurch wie ein Stammgast, und das war ein schönes Gefühl, selbst an einem Ort wie diesem.

In die gleiche Stimmung hatte ihn auch der Kaffeegeruch in seiner Wohnung versetzt. Und wie er so neben Zinnia saß, kam ihm dieses gigantische Flughafenwartezimmer wie ein Ort vor, wo man tatsächlich leben konnte.

Zinnia hielt ihre Uhr an den Sensor. »Heute zahle erst mal ich.«

»Als Gentleman finde ich das nicht so gut.«

»Und ich finde es ziemlich sexistisch, wenn du meinst, mir was spendieren zu müssen.« Sie sah ihn stirnrunzelnd an, und er erstarrte. Doch dann lächelte sie. »Ich bin eben ein modernes Mädel.«

»Na, wenn das so ist«, sagte Paxton und nahm sein Bier entgegen.

Sie prosteten sich zu. Er trank einen Schluck und stellte das Glas ab. Für eine Weile saßen sie einfach nur da und schwiegen.

Endlich machte Zinnia den Mund auf. »Ich hab gehört, dass in Maple jemand von einer Bahn überfahren worden ist.«

»Stimmt.«

»Ein Unfall?«

»Nein.«

Sie sog scharf die Luft ein. »Schrecklich.«

Paxton nickte. »Schrecklich.« Er trank wieder einen Schluck. »Erzähl mir doch mal, wie es dir heute ergangen ist. Irgendwas, was nicht schrecklich war.«

Lieber hätte er allerdings über gewisse Punkte auf einem gewissen Bildschirm gesprochen.

»Ich habe Waren herausgesucht und zum Förderband gebracht«, sagte Zinnia. »Das war nicht mal annähernd interessant.«

Wieder schwieg sie. Paxton versuchte, in ihrem Gesicht zu lesen, was sie wohl dachte, was ihm aber nicht gelang.

Das war eindeutig nicht der Tag, einen Vorstoß zu wagen. Nach einigen weiteren Schlucken und weiterem Schweigen wollte er es für den Abend gut sein lassen, um es in ein paar Tagen wieder zu versuchen, da wandte sie sich an ihn.

»Wie steht es eigentlich mit dieser Taskforce?«

»Ich glaube, die Sache ist gelaufen«, sagte er. »Man hat beschlossen, was anderes zu versuchen. Ich werde an der Ausgangskontrolle vom Warendepot arbeiten.«

»Das ist aber schade«, sagte Zinnia.

»Na ja, in meiner ersten Woche konnte ich schließlich nicht mit großartigen Erkenntnissen aufwarten, und ich hab auch sonst nichts Entscheidendes zustande gebracht. Das Problem an der Sache ist, dass bestimmte Leute sich durch die Gegend bewegen, ohne von ihrer Uhr überwacht zu werden. Wie das möglich ist, weiß niemand, und obwohl ich gerade erst angekommen bin, scheint man total sauer zu sein, dass ich keine Lösung parat habe.« Paxton atmete aus. »Tut mir leid.«

Zinnia setzte sich aufrecht hin. Ihre Miene hellte sich auf. »Wieso? Das ist doch total interessant!«

Paxton genoss ihre Begeisterung. »Okay, also, es ist nicht so einfach, das Signal zu blockieren. Wenn man die Uhr zu lange abnimmt, ohne sie auf ein Ladegerät zu legen, sollte eigentlich Alarm ausgelöst werden. Und die Wohnung kann man ohne sie bekanntlich auch nicht verlassen.«

Zinnias Blick schweifte nach draußen. In der Halle von Live-Play herrschte Gedränge. Ein Regenbogen an Poloshirts schob sich in beiden Richtungen am Eingang des Pubs vorbei. »Wie zum Teufel schaffen die Typen das dann?«

»Hast du etwa vor, mit Oblivion zu dealen?«

»Warum nicht?«

Paxton lachte. Es war ein echtes Lachen, das ihm in den Rippen wehtat.

»Nein«, sagte sie, nahm ihr Glas und hielt es in die Höhe. »Natürlich nicht. Die Sache fasziniert mich einfach.«

Paxton nickte und nahm einen Schluck Bier. Dachte an den Punkt auf der Überwachungsaufnahme. Daran, sie danach zu fragen. Wie leicht es doch wäre, es einfach anzusprechen.

Aber je länger er so dasaß, desto weniger kümmerte es ihn.

Dann schob Zinnia ihre Hand über den Tresen. Berührte ihn am Ellbogen. Es war ein kurzer, freundschaftlicher Stups, wie um ihn auf sie aufmerksam zu machen. »Wie gesagt, ich laufe den ganzen Tag durch die Gegend, um irgendwelche Sachen zu holen und auf dem Band zu deponieren«, sagte sie. »Da ist es interessant, mal was anderes zu hören.«

Wieder lächelte sie. Es war ein Lächeln, in dem man sich verlieren konnte, und für einen Moment dachte er, es sei eine Einladung, sich zu ihr zu beugen und sie zu küssen, doch bevor er das tun konnte, hörte er jemand murmeln: »Scheiße, was ist denn das?«

Es war der Barkeeper, der auf seine Uhr starrte, weshalb Paxton nun dasselbe tat. Auf dem Display war ein Streichholz zu sehen. Auf dem von Zinnia ebenfalls. Paxton tippte darauf, was aber nichts bewirkte. Das Bild veränderte sich nicht.

»Hast du eine Ahnung, was das zu bedeuten hat?«, fragte Zinnia.

Wie zur Antwort entzündete sich das Streichholz. An seiner Spitze tanzte eine orangefarbene Flamme. Dann löste sich das Bild auf, und es hatte den Anschein, dass sich Wörter bilden würden, kleine Rechtecke, die sich an den richtigen Platz schoben. Im nächsten Moment erlosch die Darstellung, und der Startbildschirm kehrte zurück, auf dem die aktuelle Zeit und ein kleiner Countdown in der Ecke sichtbar waren – die Stunden und Minuten bis zu Paxtons nächster Schicht.

Paxton und Zinnia sahen den Barkeeper an, weil der schon länger in der Anlage war und sich vielleicht besser auskannte. Der zuckte jedoch nur die Achseln. »Keine Ahnung.«

Paxton nahm sich vor, Dakota morgen danach zu

fragen. Vielleicht war es eine Fehlfunktion. Jedenfalls hatte sich das warme, kuschelige Gefühl, das er für Zinnia empfunden hatte, in Luft aufgelöst, und er musste wieder an den Toten auf den Schienen denken. Offenbar hatte die Erinnerung daran die Absicht, ihm den Abend zu ruinieren.

Das Blut. Das erschlaffte Gesicht. Dieser Körper, der im Tod in sich zusammenzufallen schien.

Verglichen damit, kamen Paxton der Punkt auf der Überwachungsaufnahme und der lose Deckel des Terminals regelrecht belanglos vor.

Er wog alles gegeneinander ab. Seine Gedanken summten wie Fliegen im Kopf herum. Er musste sie einfangen oder es wenigstens versuchen.

»Ich habe eine komische Frage an dich«, sagte er.

»Nur zu!«

»Ich habe dich heute gesehen.«

Zinnia erwiderte nichts, weshalb Paxton sich ihr zuwandte. Ihre Augen hatten sich geweitet. Sie saß so erstarrt auf ihrem Barhocker, als müsste er sie nur leicht anstupsen, und schon würde sie herunterfallen und wie Glas zersplittern.

»Als du in den Flur mit den Toiletten gegangen bist, unten in der Eingangshalle.«

»Okay ...«

»Es ist ja nichts Besonderes, ich wollte bloß wissen ... Später bin ich nämlich auch dort reingegangen, um mir die Hände zu waschen, und da ist mir aufgefallen, dass der Deckel unten an dem CloudPoint-Terminal offen stand. Hast du vielleicht gesehen, wie da jemand rumgefummelt hat?«

Zinnia stieß langsam die Luft aus, dann nickte sie. »Nein, aber aufgefallen ist mir das auch. Wobei ja die

Hälfte von dem Scheiß hier mehr oder weniger kaputt ist, findest du nicht?«

»Doch«, sagte Paxton. »Vielleicht war es ja das. Aber komischerweise sah es so aus, als würde ein kleines Stück Plastik im Schloss stecken. Ich habe es jedenfalls gemeldet.«

Zinnias Hand, die auf dem Tresen gelegen hatte, ballte sich zur Faust. Sie drehte langsam die Knie von Paxton weg und dem Ausgang zu. Mit einem Mal verfluchte er sich, weil er es ausgesprochen hatte. Das war aufdringlich gewesen.

»Es tut mir leid«, sagte er. »Ich hab dir bestimmt nicht hinterherspioniert. Bloß ... Ach, es tut mir wirklich leid. Ich hätte dich nicht danach fragen sollen.« Er stützte den Kopf in die Hände. »War ziemlich anstrengend heute.«

»He«, sagte Zinnia.

»Hm.«

»Wieder in Ordnung?«

»Nein.«

Sie nickte. »Sollen wir ein bisschen spazieren gehen?«

»Gern«, sagte er.

Sie leerten ihre Gläser und gingen dann schweigend hinaus. Zinnia, die offenbar wusste, wo sie hinwollte, übernahm die Führung, weshalb Paxton einfach mit ihr mitging. Die Promenade entlang und auf die Aufzüge von Maple zu. Es durchfuhr ihn wie ein elektrischer Schlag, als sie ihn zu einem leeren Aufzug führte und die Uhr an das Bedienfeld hielt. Dann lehnte sie sich an die Wand und blickte mit einer Miene geradeaus, als wollte sie in den Krieg ziehen.

Paxton war zwar kein Typ, der gern Vermutungen anstellte, aber in diesem Moment glaubte er, das ausnahmsweise tun zu können.

Vor ihrer Tür hielt Zinnia die Uhr an den Sensor. Als sie eintraten, waren die Lampen ausgeschaltet; durch die mattierte Fensterscheibe fiel trübes Sonnenlicht. Die Decke war mit sich überlappenden Tüchern in jeder Farbe des Regenbogens geschmückt, und es machte Paxton glücklich, diesen Teil von Zinnia zu sehen, den sie in ihrer Wohnung verborgen hielt.

Er war fast einen Kopf größer als sie, fühlte sich aber momentan kleiner, so als würde sie wachsen und den ganzen Raum ausfüllen, aber dann ergriff er ihre Hand, beugte sich über sie und drückte den Mund auf ihre Lippen. Sie erwiderte den Kuss, erst sanft, dann heftiger. Schließlich legte sie ihm beide Hände an die Brust und stieß ihn zurück. Er landete rücklings auf der Matratze, die schon herausgezogen war.

Zinnia

Als gute Nachricht war zumindest zu verbuchen, dass der Sex anständig war. Paxton versetzte Zinnia zwar nicht gerade in Ekstase, strengte sich jedoch aufrichtig an. Er gab nicht auf. Er schaffte es sogar beinahe, was besser war als das, woran sie sich aus der letzten Zeit erinnern konnte. Deshalb bedachte sie ihn mit einem kurzen, gnädigen Erschauern und Keuchen. Das hatte er sich verdient.

Vorher hatten sie ein paarmal lachen müssen, als sie auf jene heiklen Momente stießen, wo etwas das erste Mal war. Als sie sich abtasteten und stockend gemeinsam bewegten, weil Körper und Rhythmus des anderen noch fremd waren.

Als es vorüber war, schmiegten sie sich auf der dünnen Matratze aneinander und versuchten, eine bequeme Position zu finden, bis Paxton sich nackt auf die Bettkante setzte. So konnte er sie nicht direkt ansehen, weshalb er sich mühsam in ihre Richtung drehte.

»Tut mir leid, aber ich gehe jetzt wohl lieber in meine eigene Wohnung«, sagte er. »Das hat nichts mit dir zu tun, überhaupt nichts, aber neben anderen Leuten kann ich normalerweise nicht schlafen. Dazu ist mein Schlaf zu leicht. Außerdem ist die Matratze eigentlich nicht groß genug ...«

Zinnia spürte einen Anflug von Traurigkeit. Sie schlief gern neben jemand anderes. Die Nähe, die Wärme vermittelten ihr Geborgenheit. Was in gewissem Sinne komisch war, weil sie ihren Bettgefährten dann auf verschiedenste Weise hätte töten können. Dennoch hätte sie sich gewünscht, dass die Matratze ein bisschen größer gewesen wäre.

Als sie zusah, wie er sich anzog, stellte sie fest, dass er besser in Form war, als es sonst den Anschein hatte. Seine Klamotten passten ihm nicht so recht, weshalb sie die Muskeln zwischen seinen Schulterblättern kaschierten, die sich jetzt im matten Licht hoben und senkten.

Schließlich beugte er sich über sie und drückte sein Gesicht auf ihres. »Das war toll«, sagte er. »Würde ich gerne wieder tun.«

Zinnia lächelte, während die Lippen der beiden sich noch aneinanderschmiegten. »Ich auch.«

Nachdem er gegangen war, hätte sie sich gern noch ein bisschen in dem warmen Glühen nach dem Sex geaalt, was ihr aber nicht gelang. Sie konnte ihre Gedanken nicht daran hindern, sich ständig im Kreis zu drehen.

Da hatte doch tatsächlich jemand herausbekommen, wie man das Signal der Uhr blockierte.

Während sie wie eine verfluchte Anfängerin durch die Decke gerobbt war, hatte ein Haufen dämlicher Drogenhändler eine elegantere Lösung gefunden.

Das ärgerte sie zum einen schlicht deshalb, weil diese Typen überhaupt darauf gekommen waren, und zum anderen weil sie deren Geheimnis erfahren wollte.

Ihre eigene Lösung war praktikabel, aber keineswegs ideal. Viel besser wäre es, das Signal blockieren zu können, wenn das nötig war, anstatt die Uhr ganz zurückzulassen. Wenn sie die nämlich nicht trug, war sie in Gefahr; falls es jemand entdeckte, weil ihr Ärmel hochrutschte, oder wenn sie an irgendeiner Tür nicht weiterkam, war sie geliefert.

Sie musste eine Möglichkeit finden, Paxton weitere

Informationen zu entlocken, ohne zu aufdringlich und zu interessiert zu wirken. Falls man der Methode auf die Schliche kam, wollte sie das so bald wie möglich erfahren.

Deshalb wollte sie Paxton unbedingt wiedersehen.

Das redete sie sich jedenfalls ein, und nach einigen Versuchen glaubte sie es auch.

Sie zog sich an. Warf einen Blick in den Flur, ob die Luft rein war. Am Waschraum für Frauen angelangt, fand sie wieder das Schild mit der Aufschrift *Außer Funktion* vor, ging jedoch trotzdem hinein. Natürlich funktionierte alles bestens. Als sie sich unter die Dusche stellte, beschloss sie, sich später eine Flasche Wein zu besorgen und die zu trinken, während sie noch einmal das Handbuch für die Uhr studierte. Sie musste sich mit etwas beschäftigen, während ihr unter einem Haufen Klamotten versteckter Laptop am internen Code von Cloud tüftelte.

Paxton

Paxton schwebte den Flur entlang, als würde er mit den Füßen kaum den Boden berühren. Er hatte den Eindruck, dass es der Anfang von etwas war. Von etwas Substanziellem.

In seiner Wohnung angekommen, ließ er sich aufs Bett fallen, ohne auch nur die Schuhe auszuziehen. Als der matte gelbe Schein der Sonne durchs Fenster drang und ihn weckte, wurde ihm klar, dass er schon wochenlang nicht mehr so gut geschlafen hatte.

Das CloudBand piepte ihm zu, als wüsste es, dass er wach war. Es wollte ihn daran erinnern, dass in drei Stunden seine Schicht begann und dass der Akku nur noch zu vierzig Prozent geladen war. Er legte es auf die Lademattte und brühte sich einen Becher Kaffee. Als sich der kleine Raum mit dem Duft von gerösteten Kaffeebohnen füllte, wurde sein Sinnesgedächtnis geweckt, und in seinem Kopf spulte sich der vergangene Abend noch einmal ab.

Er hatte sie zum Höhepunkt gebracht, da war er sich sicher. Das konnte nicht gespielt gewesen sein, so wie sie ihm die Fingernägel in den Hinterkopf gebohrt und mit den Hüften gezuckt hatte. Es hatte ihm fast den Unterkiefer ausgerenkt.

Er schaltete den Fernseher ein – *Hallo, Paxton!* – und sah einen Werbespot für das neue CloudPhone-Modell, das eine um vier Prozent höhere Batterielebensdauer hatte und zwei Millimeter dünner war als das vorige. Paxton überlegte, ob er sich auf die Warteliste eintragen sollte, um eines zu ergattern, beschloss dann jedoch, noch ein bisschen zu warten. Er hatte gehört, dass die nächste Generation noch besser sein würde.

Dann zeigte das Cloud News Network Aufnahmen von einem Grenzübergang irgendwo in Europa. Tränengasgranaten flogen in hohem Bogen durch die Luft. Polizisten in Kampfausrüstung prügelten auf Familien ein, Flüchtlinge aus Großstädten wie Dubai, Abu Dhabi und Kairo, die durch die Temperaturschwankungen inzwischen unbewohnbar geworden waren. Leider wollte niemand sie aufnehmen, weil das die verfügbaren Ressourcen zu sehr belastet hätte. Ziemlich deprimierend.

Paxton schaltete aus, schlürfte seinen Kaffee und starrte an die leere Wand.

Irgendjemand hatte an dem Terminal herumgepfuscht, weshalb Dakota und die anderen sich die Überwachungsdaten anschauen würden, um festzustellen, wer sich dort aufgehalten hatte. Wahrscheinlich führte das zu nichts, weil manche Leute es eindeutig schafften, ohne ihre Uhr durch die Gegend zu spazieren. Er dachte an die Punkte auf der Überwachungsaufnahme, die den Eindruck vermittelten, dass sich die Leute wie Ameisen umherbewegten. Oder wie Wolken. Wie große, dichte Menschenwolken, die kurz auseinanderbrachen, um sich dann gleich wieder neu zu bilden. Massen von Punkten, die miteinander verschmolzen ...

Hm.

Er nahm sein Handy und schickte Dakota eine Nachricht: *Hatte gerade eine Idee, von der ich dir gern erzählen würde. Falls du sie hören willst.*

Nachdem er einige Minuten im Fernseher herumgezappt hatte, ohne sich für etwas entscheiden zu können, legte er seine Uhr wieder an – die war inzwischen zu

92 Prozent geladen – und machte sich auf den Weg zum Waschraum.

Am liebsten hätte er gar nicht geduscht, damit der Duft von Zinnia den ganzen Tag lang auf seiner Haut blieb. Aber es war nötig, das wusste er; wahrscheinlich stank er nach Alkohol und Sex, und so konnte man unmöglich zur Arbeit gehen. Als er das Wasser anstellte, fiel ihm wieder ein, wie er sich auf der Toilette das Blut des von der Bahn zermalmten Mannes von den Händen gewaschen hatte. Was die guten Erinnerungen an die vergangene Nacht gründlich auslöschte.

Nachdem er sich frische Sachen angezogen hatte, fühlte er sich ein bisschen besser, und das verstärkte sich noch, als er auf seinem Handy eine Nachricht von Dakota vorfand: *Komm ins Büro. Bin gespannt.*

Als er ankam, saß Dakota in ihrer Arbeitskabine und war damit beschäftigt, ein Blatt Papier zu studieren. Sie hob den Blick. »Puh, da hat sich heute Nacht wohl jemand flachlegen lassen.«

Nach Worten verlegen, stotterte Paxton etwas vor sich hin.

»Du stinkst danach«, sagte sie.

»Tja … also, ich … ich hab geduscht und …«

Dakota knallte das Blatt Papier auf den Tisch. »Gib es bloß nicht auch noch zu. Das macht es noch schlimmer.«

»Tut mir leid, ich …«

»Also, was hast du dir überlegt?«

Um sich zu konzentrieren, legte Paxton die Hände wie zum Gebet zusammen. »Also, wir wissen, dass gewisse Leute irgendwie das Signal blockieren können. Dazu ist mir heute etwas eingefallen. Man kann die Leute zwar nicht im Auge behalten, aber sollte man nicht den Moment, wo sie aus dem System verschwinden, erfassen können? Das heißt, wenn ihr Signal abbricht. Was meinst du?«

Dakota starrte ihn mit ungerührter Miene an. Nach einer Weile erhob sie sich und zog los. »Warte hier«, sagte sie über die Schulter hinweg.

Paxton sah sie im Besprechungszimmer verschwinden. Er setzte sich auf ihren Stuhl, der noch warm von ihr war, und betrachtete die Schreibtischplatte. Drehte sich auf dem Stuhl hin und her, bis er Schritte hörte. Dakota stand hinter ihm.

»Komm mit«, sagte sie.

Im Besprechungszimmer herrschte Halbdunkel. Auf dem Bildschirm an der Wand leuchtete der Ausschnitt, den Paxton schon kannte – Live-Play mit Schwärmen von orangefarbenen Punkten. Am oberen Ende des Tischs thronte Dobbs, daneben saßen mit dem Rücken zur Wand zwei Frauen und ein Mann, alle in den braunen Poloshirts des technischen Teams.

Dobbs nickte Paxton zu. Dakota setzte sich an den Tisch, Paxton ebenfalls, wobei er zwischen ihr und ihm einen Stuhl frei ließ. Er lächelte die drei Leute gegenüber an, die wie von den Scheinwerfern eines dahinrasenden Sattelzugs erfasste Rehe dreinblickten.

Dobbs räusperte sich. Die Techniker zuckten zusammen. »Wir haben uns gerade über bestimmte Themen unterhalten. Über CloudPoint-Terminals, CloudBand-Signale und dergleichen.« Er deutete mit dem Kinn auf Paxton. »Und da kommt Dakota herein und berichtet mir von Ihrer Vermutung.« Er sah die Techniker an. »Siobhan. Legen Sie los!«

Eine der beiden Frauen – sie hatte rotblondes Haar und eine Stupsnase – setzte sich aufrecht hin. »Okay«, sagte sie. Und noch einmal: »Okay.« Sie holte tief Luft, dann richtete sie den Blick auf Dakota und Paxton. »Wir haben noch nie richtig … Äh, ich meine … das Problem liegt darin, dass die Signale alle irgendwie … verschmelzen, wenn zu viele Leute an einem Ort sind.«

Dobbs schnaufte hörbar durch die Nase.

Siobhan sah ihn von der Seite her an, als befürchtete sie, er könnte sich auf sie stürzen. »Es sind einfach zu viele Daten. Zu viele Leute. Zu viele Signale. Das da …« Sie deutete auf die orangefarbenen Punkte. »In vieler Hinsicht ist das nur eine Annäherung. Das CloudBand ermittelt die Position anhand von mehreren Aspekten: WLAN, GPS, Mobilfunk. Wo jemand sich gerade befindet, können wir jedoch nicht auf den Zentimeter genau feststellen. Die Punkte da können drei bis sechs Meter danebenliegen, unter Umständen sogar mehr. Und manchmal springen sie bloß aufs Geratewohl ein bisschen herum. Was daran liegt, dass das System dermaßen viel verarbeiten muss.«

Paxton dachte an Zinnia, an den sie darstellenden Punkt, der seinem Punkt gefolgt war.

Das musste es gewesen sein. Ein Fehler im System.

»Anders ausgedrückt, ist Ihnen tatsächlich nicht eingefallen, nach abbrechenden Signalen zu suchen?«, fragte Dobbs.

Siobhan murmelte etwas, was sich nach *das stimmt* anhörte.

Dobbs schnaubte wieder. »Ich dachte, die Anlage hier hat einen eigenen Satelliten, verdammt noch mal.«

»Sie hat sogar sechs«, sagte Siobhan. »Aber bis man endlich einen funktionsfähigen Quantenprozessor entwickelt hat, können wir gleichzeitig nur eine bestimmte Menge Daten verarbeiten. Das wird sogar zunehmend schwieriger, weil es immer mehr …«

Dobbs starrte sie an.

»Ich meine ... versuchen könnten wir es schon«, sagte Siobhan. »Allerdings müssten wir manuell vorgehen, was eine Menge Zeit in Anspruch nehmen wird.«

»Versuchen Sie's«, sagte Dobbs lächelnd. »Mehr erwarte ich gar nicht. Und irgendeine Ahnung, womit man das Signal blockiert, haben Sie offenbar immer noch nicht, oder?«

Die drei Techniker sahen sich an. Offenbar hatten die beiden anderen Angst, den Mund aufzumachen, weshalb es wieder Siobhan war, die sprach.

»Nein«, flüsterte sie.

»Toll«, sagte Dobbs. »Einfach toll. Da wir in der Hinsicht im Dunkeln tappen, können Sie mir da wenigstens sagen, was zum Teufel das gestern mit dem Streichholz war?«

»Das habe ich mich auch gefragt«, sagte Paxton, um zu demonstrieren, dass er auf dem Laufenden war, aber Dobbs warf ihm nur einen scharfen Blick zu. Worauf er den Mund hielt und sich Siobhan zuwandte.

»Das Übliche«, sagte sie. »Hacker. Zum ersten Mal seit etwa ...« Sie sah die Frau zu ihrer Linken an. »Seit eineinhalb Jahren? Oder ist es länger her?«

»Länger« war die Antwort.

»Also länger«, sagte Siobhan. »Ehrlich gesagt, wissen wir nicht mal, welchen Zweck das hatte. Klar ist nur, dass es sich um einen Angriff von außen gehandelt hat und dass dabei nichts im System hinterlassen wurde.«

Dobbs seufzte. Legte die flachen Hände auf den Tisch. Starrte sie konzentriert an, als könnten sie sich dadurch in etwas Interessanteres verwandeln.

»Die Schwachstelle, die man genutzt hat, haben wir gefunden«, fuhr Siobhan fort. »Es war ein kleiner Fehler im Code, der sich beim letzten Systemupdate eingeschlichen hat. Er ist bereits gepatcht. Aber jetzt müssen wir ein größeres Software-Update vorbereiten. Um solche Sachen zu verhindern, aber außerdem sind wir dabei eventuell in der Lage, die Ortungsdaten zu präzisieren. Dafür brauchen wir allerdings ... Zeit.«

Dobbs sah sie mit gehobener Augenbraue an. »Wie viel Zeit?«

»Zwei Monate?«, sagte sie. »Vielleicht auch länger.«

»Das geht sicher schneller«, sagte Dobbs, was eindeutig kein Vorschlag war. »Außerdem will ich, dass sich ein Team speziell mit dem Abbruch von Signalen beschäftigt. Selbst wenn das bedeutet, dass ein paar Leute zusammen in einem Raum hocken und einfach nur auf den Bildschirm glotzen.«

Der Mund von Siobhan klappte auf, als wollte sie etwas einwenden, doch dann schien sie es sich anders zu überlegen.

»Gut«, sagte Dobbs. »Das wäre alles.«

Die drei Techniker standen auf und verließen im Gänsemarsch den Raum. Sie konnten es sichtlich kaum erwarten, in die Helligkeit jenseits des Eingangs zu gelangen. Die Tür ließen sie offen, weshalb Dakota aufstand und sie schloss. Dann setzte sie sich wieder.

Dobbs legte die Fingerspitzen aneinander, wie er es zum Nachdenken immer tat. »Manchmal braucht man eben jemand, der eine frische Perspektive auf die Dinge hat. Kaum zu glauben, dass uns nicht eingefallen ist, nach abgebrochenen Signalen zu suchen. Außerdem war es ein guter Hinweis, dass jemand an diesem Terminal rumgepfuscht hat.« Er nickte Paxton zu. »Offenbar habe ich mich in Ihnen doch nicht getäuscht.«

Paxton wusste nicht recht, wie er reagieren sollte.

Deshalb genoss er einfach die Anerkennung, die sich wie Sonnenlicht an einem kalten Tag anfühlte.

»Vergessen Sie den Schleusendienst«, fuhr Dobbs fort. »Wenn Sie weiter solche Beobachtungen machen, sind Sie genau der Mann, den ich in meinem Team brauche. Ich will, dass Sie mit Dakota durch die Gegend gehen und mit den Leuten reden. Sehen Sie sich um. Um den Fall zu lösen, muss man sich anscheinend wie in der guten alten Zeit die Hacken ablaufen. Also, auf geht's! Versuchen Sie, mir was zu bringen, womit ich etwas anfangen kann.«

Dakota erhob sich sofort, schob ihren Stuhl zurück und wandte sich zur Tür. Paxton zögerte, weil er glaubte, noch etwas besprechen zu müssen. Dobbs hatte den Blick wieder auf seine Hände gerichtet, und Paxton war sich bewusst, dass es ein Fehler war, das Thema zur Sprache zu bringen, tat es jedoch trotzdem. »Was ist mit dem Mann, der gestern von der Bahn überfahren wurde? Und mit den anderen?«

»Verdammt schade, so was«, sagte Dobbs. »Was soll damit sein?«

»Sollten wir nicht was dagegen tun? Zum Beispiel ... haben Sie schon mal diese Trennwände in den U-Bahnen gesehen? Die sind aus Plexiglas und gehen erst auf, wenn ein Zug eingefahren ist. Dadurch kann niemand auf die Gleise stürzen. Oder ... Na ja ...«

Dobbs erhob sich, legte die Hände auf die Stuhllehne und beugte sich vor. »Wissen Sie, was das kosten würde? Wir haben uns nämlich schon darüber informiert. Mehrere Millionen, um alle Bahnsteige damit auszustatten, und zwar nur hier bei uns. So viel wollen die Leute oben aber nicht ausgeben, und deshalb verstärken wir an solchen Tagen einfach nur die Patrouillen. Wir tun also, was wir können. Wenn Sie das nächste Mal ein bisschen besser aufpassen, was um Sie herum passiert, können wir so was vielleicht vermeiden.«

Paxton blieben die Worte in der Kehle stecken. So hatte er die Sache nicht gesehen. Als seinen eigenen Fehler. Einen Moment lang war er sich nicht sicher, ob Dobbs es wirklich so meinte, was es allerdings weder besser noch schlimmer gemacht hätte. Er hätte sich ohrfeigen können. Wieso hatte er sich nicht mit der Anerkennung begnügt, die ihm zuteilgeworden war?

»Worauf warten Sie, junger Mann?«, sagte Dobbs und zeigte auf die Tür. »An die Arbeit!«

Paxton nickte. Vor der Tür stand Dakota, die offenbar gelauscht hatte. Schweigend gingen sie zum Ausgang, fuhren mit der Bahn zur Promenade und hatten beinahe einen ganzen Rundgang absolviert, bevor Dakota etwas sagte.

»Natürlich ist es nicht deine Schuld.«

»Kommt mir aber so vor.«

»Dobbs hat gerade schlechte Laune«, sagte sie. »Aber du hast bei ihm jetzt einen Stein im Brett, und das ist alles, worauf es ankommt.«

»Stimmt«, sagte Paxton. »Stimmt. Alles, worauf es ankommt.«

Während er weiterging, nahm er sich vor, am Ende seiner Schicht sein Rating zu checken.

Gibson

Es ist so weit. Jetzt ist es an der Zeit, euch zu verraten, wer an meine Stelle treten wird, wenn ich einmal nicht mehr da bin.

Ich will euch gleich am Anfang etwas offen sagen – die Entscheidung ist mir sehr schwergefallen. Ich musste viele Faktoren abwägen. Es gab viel, was mich nachts wach gehalten hat, und da ich schon vorher Probleme mit dem Einschlafen hatte, waren die letzten Wochen nicht gerade angenehm für mich.

Außerdem habe ich gedacht: Es wird verteufelt schwierig sein, die Entscheidung zu erklären. Vieles daran ergibt rein theoretisch Sinn, aber da ist auch vieles, was nur in meinem Kopf Sinn ergibt. Und wenn ich versuche, Letzteres auszudrücken, gerät es immer durcheinander.

Letztlich ist es jedoch meine Entscheidung. Es geht nicht um eine bestimmte Person, sondern darum, was gut für das Unternehmen ist. Es geht um das, was ich mir beim Aufbau von Cloud geschworen habe – dass wir uns nicht nur damit beschäftigen würden, Waren von hier nach dort zu schaffen. Dass wir unser Bestes geben würden, die Welt zu einem besseren Ort zu machen. Indem wir Arbeitsplätze, medizinische Versorgung und Wohnraum zur Verfügung stellen. Indem wir die Treibhausgase reduzieren, die unseren Planeten ersticken, mit dem Traum, dass die Menschen eines Tages wieder das ganze Jahr über ins Freie gehen können.

Ich möchte Ray Carson für seine Jahre im Dienste von Cloud danken. Der Mann ist von Anfang an dabei. Er war immer wie ein Bruder für mich. Und ich werde nie den Liebesdienst vergessen, den er mir an jenem ersten Abend erwiesen hat, dem Abend, den ich mit einem Drink feiern wollte, es mir jedoch nicht leisten konnte. An so etwas erkennt man echten Charakter, und den hat dieser Mann in höchstem Maße. Ich weiß, ihr erwartet alle, dass ich ihn zum Nachfolger ernennen werde. Alle Nachrichtensender auf der Welt, selbst jene, die ich selbst besitze, haben das berichtet.

Aber als Firmenchef und CEO von Cloud wird mir meine Tochter Claire nachfolgen.

Ich habe Ray bereits gebeten, seine Ämter als Stellvertreter und leitender Geschäftsführer beizubehalten, und ich warte auf seine Reaktion. Ich hoffe von ganzem Herzen, dass er bleiben wird. Das braucht Claire. Auch das Unternehmen braucht es. Wir sind mit ihm am besten aufgestellt. Das ist alles für heute. Ich wollte jetzt nur endlich diese Sache klarstellen. Leicht ist mir die Entscheidung nicht gefallen, aber es ist die richtige.

5. Alltagstrott

Zinnia

Zinnia wachte beim sanften Summen ihres CloudBands auf. Blickte aufs Display. Noch eine Stunde bis zum Anfang ihrer Schicht. Stieg aus dem Bett und schlüpfte in ihren Bademantel. Hielt auf dem Weg durch den Flur nach Rick Ausschau. Nicht zu sehen. Betrat den Frauenwaschraum. Duschte. Ging in ihre Wohnung zurück. Warf einen Blick auf ihren Laptop. Der arbeitete noch. Zog sich an. Suchte den üblichen Laden auf, um sich einen Erdnuss-Karamell-Riegel von PowerBuff zu besorgen. Fuhr mit der Bahn zum Warendepot. Holte Tablets und Bücher und Handyladekabel. Machte Pinkelpause. Holte Taschenlampen und Filzstifte und Sonnenbrillen. Aß ihren Eiweißriegel. Holte Fußabstreifer und Rucksäcke und OP-Kleidung. Noch mal Pinkeln. Holte Duschradios und Weingläser und weitere Bücher. Holte Kopfhörer und Puppen und Backbleche. Verließ mit schmerzenden Füßen das Depot. Ging an der Spielhalle vorüber und überlegte, ob sie Pac-Man spielen solle. Ging an der Kneipe vorüber und überlegte, ob sie sich einen Wodka genehmigen solle. Aber ihre Füße protestierten. Sie trottete zu ihrer Wohnung und las, bis sie einschlief.

Paxton

Einige Minuten, bevor sein CloudBand ihn geweckt hätte, wachte Paxton von selbst auf. Überprüfte sein Rating. Immer noch drei Sterne. Er stolperte in den Waschraum, duschte und rasierte sich. Dann zog er sein blaues Shirt an und machte sich auf den Weg zur Administration, wo er mit Dakota zusammentraf. Gemeinsam gingen sie auf der Promenade hin und her, ein endloser Marsch, gelegentlich dadurch unterbrochen, dass sie eingreifen mussten. Zwei Leute, die miteinander stritten. Ein junger Mann, den man des Ladendiebstahls bezichtigte. Ein aggressiver Betrunkener. Dann: weiter. Immer auf der Ausschau nach Drogendeals, ohne welche zu beobachten. Ein bisschen Small Talk mit Dakota. Mittagspause im Ramen-Lokal. Wieder auf Rundgang. Wieder mussten sie mehrfach eingreifen. Ein Oblivion-User, der in Live-Play bewusstlos auf einer Bank lag. Eine Schlägerei in einer Kneipe. Junge Leute, die in einer Ruhezone Skateboard fuhren. Am Ende der Schicht trottete Paxton zu seiner Wohnung und überlegte, ob er Zinnia eine Nachricht schicken solle, entschied sich jedoch dagegen. Zu erschöpft. Zu Hause angelangt, kümmerte er sich nicht darum, das Bett ganz herauszuziehen, und schlief beim Fernsehen ein.

Zinnia

Das sanfte Summen ihres CloudBands weckte Zinnia. Noch eine Stunde bis zum Anfang ihrer Schicht. Auf dem Weg durch den Flur hielt sie nach Rick Ausschau. Der war nirgends zu sehen. Sie betrat den Frauenwaschraum. Duschte. Suchte unten den üblichen Laden auf, um sich einen Erdnuss-Karamell-Riegel von PowerBuff zu besorgen. Fuhr mit der Bahn zum Warendepot. Holte Fischöltabletten und Stricknadeln und Pfannenwender. Machte Pinkelpause. Holte Hocker und Maßbänder und Fitnesstracker. Holte Gartengrillhauben und Nachtlichter und Duschköpfe. Verließ mit schmerzenden Füßen ihren Arbeitsplatz. Ging an der Spielhalle vorüber zum Pub, wo sie sich einen Wodka bestellte. Wenig später traf Paxton ein. Sie unterhielten sich. Nichts Neues über die Ortungssignale. Sie gingen zu ihrer Wohnung und schliefen miteinander. Paxton verschwand. Sie wollte duschen, aber der Waschraum für Frauen war versperrt, und im geschlechtsneutralen Waschraum fing Rick sie ab und sah ihr beim Ausziehen zu. Auf dem Rückweg in ihre Wohnung bekam sie mit, wie ein zweiköpfiges Team einen Leichensack aus der übernächsten Wohnung holte. Einer der beiden sagte etwas über eine Überdosis Oblivion. Sie trat durch ihre Tür und griff nach einem Buch, zögerte, legte das Buch wieder weg und schlief ein.

Paxton

Paxton wachte auf, weil sein CloudBand leise piepte. Er duschte und rasierte sich, kleidete sich in Blau und machte sich auf den Weg zur Administration. Gemeinsam mit Dakota ging er auf der Promenade hin und her. Zwischendrin warfen sie einen Blick in die Spielhalle, ob Warren sich da herumtrieb oder ob es etwas anderes zu beobachten gab, aber das war nicht der Fall. Sie setzten ihren Rundgang fort, immer auf der Ausschau nach Drogendeals. Ein bisschen Small Talk mit Dakota. Mittagspause im Taco-Lokal. Fortsetzung des Rundgangs. Ab und zu mussten sie eingreifen. Betrunkene, die sich in einer Kneipe prügelten. Kids, die Lärm machten. Am Ende seiner Schicht schickte Paxton Zinnia auf dem Rückweg zu seiner Wohnung eine Nachricht, ohne gleich eine Antwort zu erhalten. In einem Laden für CloudBand-Accessoires entdeckte er ein hübsches braunes Lederband im Vintage-Stil mit Nieten und Ziernähten. Er kaufte es und ging nach Hause, wo er es gegen das standardmäßige Band austauschte. Ohne das Bett ganz herauszuziehen, setzte er sich mit seinem Notizbuch hin, schlug die Seite mit der Überschrift *NEUE IDEE* auf und schlief beim Fernsehen ein.

Zinnia

Zinnia wachte auf. Noch eine Stunde bis Schichtbeginn. Sie ging den Flur entlang, immer auf der Hut vor Rick. Keine Spur von ihm. Sie duschte. Besorgte sich im gewohnten Laden einen Erdnuss-Karamell-Riegel von PowerBuff. Holte Kraftsporthandschuhe und Halstücher und Energydrinks. Holte Kissen und Wollmützen und Scheren. Kam an der Spielhalle vorbei. Ging hinein, um PacMan zu spielen. Traf sich mit Paxton zum Kino. Schlief mitten im Film ein und sagte Paxton, sie könnten nachher nicht miteinander schlafen, weil sie ihre Periode habe. Sein neues Uhrarmband gefiel ihr, weshalb er ihr den Laden zeigte, wo sie ein hübsches Stoffband in Magenta entdeckte. Anschließend trottete sie zu ihrer Wohnung und las, bis sie einschlief.

Paxton

Paxton wachte auf. Drei Sterne. Er stieß eine Reihe Flüche aus. Duschte, rasierte sich, kleidete sich in Blau. Zusammen mit Dakota ging er auf der Promenade hin und her. Hielt Ausschau nach Warren. Mittagspause im Taco-Lokal. Weitere Rundgänge. Sie bekamen eine Nachricht über einen Roten, der nicht zur Arbeit erschienen sei oder sich krankgemeldet habe, was sich dann als Überdosis Oblivion herausstellte. Sie schirmten die Szene ab, während das medizinische Team die Leiche abtransportierte, dann klopften sie an alle Türen in dem betreffenden Flur, um mehr über den Toten herauszufinden. Sein Name war Sal. Neue Anhaltspunkte erhielten sie nicht. Am Schichtende überlegte Paxton, ob er Zinnia eine Nachricht schicken solle, tat es nicht und ging nach Hause. Schlief beim Fernsehen ein.

Zinnia

Zinnia wachte auf. Fuhr zur Arbeit. Holte Waagen und Bücher und Steckschlüsselsets. Während ihr Laptop weiterhin daran arbeitete, den Code von Cloud in etwas zu übersetzen, was sie verwenden konnte, streifte sie zwei Stunden lang durch die Gegend und grübelte darüber nach, woher wohl die ganze Elektrizität kam, die die Anlage in Gang hielt. Danach ging sie schlafen.

Paxton

Paxton wachte auf. Fuhr zur Arbeit. Ging auf der Promenade hin und her, grübelte dabei darüber nach, was nötig war, um ihn endlich auf vier Sterne zu bringen. Ging mit Zinnia ins Bett. Schlief beim Fernsehen ein.

Zinnia

Zinnia wachte auf. Arbeitete. Schlief ein.

Paxton

Paxton wachte auf. Arbeitete. Schlief ein.

6. Software-Update

Gibson

Da wär ich wieder. Und wieder muss ich ein paar Dinge ins rechte Licht rücken.

Es ist eine Weile her, dass ich das letzte Mal geschrieben habe. Das liegt daran, dass es ziemlich turbulent wurde, nachdem ich verkündet hatte, Claire werde die Firma übernehmen. Daraufhin haben die Medien allerhand Geschichten darüber verbreitet, dass Ray wütend auf mich wäre, weil er gemeint hätte, als Nächster dran zu sein. Nichts könnte weniger der Wahrheit entsprechen. Wer unser Cloud News Network verfolgt, weiß das natürlich, aber offenbar kann man von manchen Leuten nicht erwarten, sich zu informieren.

Schlimmer noch, in manchen Berichten hieß es, Ray wäre von einer der letzten großen Einzelhandelsketten abgeworben worden, die scheinbar mehr Zeit damit verbringt, mir eins auszuwischen, als damit, sich um ihr eigenes Geschäft zu kümmern (wenn die Verantwortlichen das täten, hätten sie vielleicht keine derartigen Probleme). Das stimmt ebenfalls nicht. Ray ist immer noch mein Stellvertreter.

Ich habe sogar gerade eben erst mit ihm telefoniert, und er hat mir gesagt, wie sehr er sich darauf freue, mit Claire zusammenzuarbeiten. Ich habe ja keine Geschwister, aber Ray steht mir so nahe, dass Claire immer Onkel Ray zu ihm gesagt hat. Sie hat ihn anfangs tatsächlich für meinen Bruder gehalten, bis sie ein bisschen älter wurde und begreifen konnte, dass es einfach nur ein Zeichen von Respekt war, ihn Onkel zu nennen.

Über Ray möchte ich Folgendes sagen: Wie ich euch schon erklärt habe, war er von Anfang an da, als ich noch ein junger Kerl war, der versucht hat, ein bisschen Geld zu verdienen. Und er hat zu mir gehalten, an meiner Seite gekämpft und dazu beigetragen, Cloud zu dem Unternehmen zu machen, das es jetzt ist. Ich vertraue Ray mehr als irgendwem sonst. Und Ray vertraut mir. Wie gesagt, ich habe keinen Bruder, und er ist das Nächstbeste, was ich haben könnte. Klar, wie Brüder sind wir manchmal anderer Meinung, und manchmal streiten wir, aber genau das ist der Grund, weshalb unsere Beziehung so gut funktioniert.

Ich möchte euch eine Geschichte erzählen, und zwar eine gute. Es ist die Geschichte, die Ray auf meiner Hochzeitsfeier erzählt hat. Natürlich war er mein Trauzeuge.

Also: Meine Frau Molly war ursprünglich Kellnerin in einem kleinen Lokal ganz in der Nähe von unserem Büro. Ich ging gerne dorthin, weil es den ganzen Tag über ein ziemlich gutes Frühstück gab, aber auch weil Molly mir gefiel. Ich habe mich immer dorthin gesetzt, wo sie bediente, und oft versucht, etwas Lustiges oder Cleveres zu ihr zu sagen, was bestimmt nie so charmant war, wie ich dachte, aber sie hatte trotzdem immer ein Lächeln parat. Oft war ich auch mit Ray dort, weshalb er wohl irgendwann gemerkt hat, wie sehr ich sie mochte, und eines Tages, als wir so dasitzen und unser Rührei mit Schinken futtern, sagte er zu mir: »Wieso verabredest du dich nicht mal mit ihr?«

Worauf ich praktisch erstarrt bin. Ich dachte, eine so hübsche Frau wie Molly würde niemals auf einen Typen wie mich stehen. Das war damals in den Anfangstagen von Cloud, als ich eine Idee und zwei Paar Hosen hatte, aber nicht viel mehr. Zu dem Zeitpunkt war ich zwar nicht gerade pleite, aber ziemlich verschuldet und machte mir Sorgen, einen gewaltigen Fehler begangen zu haben. Trotzdem hat Ray mich dazu gedrängt. Hat gesagt, ein so hübsches und liebes Mädchen würde man nicht alle Tage treffen. Aber, ganz ehrlich, ich hatte Angst, weshalb ich mich auch nicht getraut habe. Als sie kam, habe ich mir nur an die Mütze getippt, wie ich es immer tat, und dann haben wir aufgegessen und sind gegangen.

Zwei Stunden später, ich war gerade im Büro von Ray, kommt ein Anruf. Es war Molly, und die sagte: »Aber klar, Gibson, ich freue mich, wenn du mich zum Abendessen ausführst.«

Ich war völlig baff. Glücklicherweise schaffte ich es, mich so zusammenzureißen, dass ich ihr sagen konnte, ich würde mich mit einem konkreten Plan wieder bei ihr melden, und als ich mich umdrehe, sitzt Ray da an seinem großen alten Schreibtisch. Er hat die Füße hochgelegt, die Hände hinter dem Kopf verschränkt und den Mund zu einem so breiten Grinsen verzogen, als würde es bis zu seinem Hinterkopf reichen, sodass ihm gleich der Schädel abfallen könnte.

Er hatte ihr etwas auf die Rechnung geschrieben und meinen Namen daruntergesetzt.

Daraufhin habe ich mich für ein paar Tage später abends mit Molly verabredet und hatte vor, sie nach der Arbeit abzuholen. Es war ein hektischer Tag, aber Ray hat dafür gesorgt, dass ich rechtzeitig Schluss machte. Also habe ich mich in meinem Büro umgezogen, und ich hatte so eine Fliege zum Umbinden. Was für eine tolle Fliege, wenigstens dachte ich das. Rot und blau, mit einer Art Paisley-Muster. Ich habe sie immer noch. Die habe ich mir umgebunden, bin ins Büro von Ray marschiert und habe ihn gefragt: »Na, wie sehe ich aus?«

Nun waren ich und Ray damals schon lange befreundet, aber trotzdem war ich sein Chef. Und eine Menge Leute hätten ihren Chef angeschaut und nur gesagt: »Klar, Sir, Sie sehen prima aus!«

Nicht jedoch Ray. Er hat mich von oben bis unten gemustert und gesagt: »Kumpel, du weißt schon, dass es beim ersten Date darum geht, ein zweites Date zustande zu bringen, oder?«

Wozu sind Freunde da? Ich habe die Fliege abgenommen und mir eine von Rays Alltagskrawatten geborgt, ein hübsche kleine schwarze. Die, wie Molly mir an jenem Abend beim Essen gesagt hat, richtig vornehm aussah. Als ich ihr die Geschichte einige Jahre später erzählt und ihr dabei die Fliege gezeigt habe, ist sie vor Schreck beinahe vom Hocker gefallen.

Und ich hatte das Ding für hübsch gehalten! Jedenfalls bedeutet Ray mir nicht nur so viel, weil er von Anfang an dabei ist, sondern weil er ein ehrlicher Kerl ist. Er ist mir gegenüber aufrichtig. Wenn ich irgendetwas so oder so machen wollte, hat Ray mir nicht gesagt, was ich hören wollte, sondern was ich hören musste. Das ist etwas Besonderes.

Aber so ist es eben mit den Medien, oder? Deshalb sind die Zeitungen ja schon vor Jahren zusammengebrochen. Es ist nicht so, dass die Leute keine Nachrichten hören wollen. Natürlich wollen sie erfahren, was auf der Welt geschieht. Aber sie wollen nicht angelogen werden, und sie merken es, wenn das geschieht. Wenn man eine Story darüber bringt, dass ich und Ray uns angeblich an die Gurgel gehen, generiert das eventuell genügend Klicks, um mit den Werbeeinnahmen ein paar Tassen Kaffee zu kaufen. Es ist traurig. Das ist übrigens der Grund, weshalb ich das Cloud News Network gegründet habe. Ich hatte es satt, die Dinge ständig ins rechte Licht rücken zu müssen.

Dass meine Entscheidung den Kurs unserer Aktie beeinflusst hat, stimmt allerdings. Ja, der ist ein bisschen abgesackt, nachdem ich Claire ernannt hatte. Allerdings hatte das nichts mit ihr zu tun. So läuft es an der Börse eben, Leute. Der Markt hat einfach darauf reagiert, dass meine Zeit bald zu Ende ist und dass die Firma in andere Hände kommt. Abgesehen davon, wird alles weitergehen wie bisher, weshalb der Kurs sich wieder erholen wird. Bis dahin bin ich knapp eine Milliarde Dollar ärmer. Schluchz, schluchz.

So ist es also. Was euch daran erinnern sollte: Wenn ihr die Wahrheit hören wollt, müsst ihr das Cloud News Network einschalten. Alles andere sind bloß Fake News, hinter denen irgendwelche Absichten stecken, was wirklich traurig ist. Aber das ist die Sache mit dem Internet. Keine Regulierung, keine Normen, jeder kann sagen, was er will. Von mir aus! Ich bin hier mit echter Arbeit beschäftigt.

Puh.

Wie gesagt, es ist eine Weile her, dass ich hier etwas geschrieben habe. Eigentlich fühle ich mich ziemlich gut. Ich nehme sechs verschiedene neue Medikamente, weil mein Arzt der Meinung ist, dass ich an diesem Punkt nicht mehr viel tun könne, was mir schade, und vielleicht schenkt mir eines davon sogar ein bisschen mehr Zeit. Jedenfalls schlucke ich den Tag über so viele Pillen, dass ich den Überblick verloren habe. Molly hilft mir, sie abzuzählen.

Auch meine Bustour läuft ziemlich gut. Bald ist Weihnachten, was sowohl gut wie schlecht ist. Gut, weil Cloud dann optimal die Rolle erfüllt, den Menschen im Land

Glück und Komfort zu liefern. Schlecht, weil es wieder einmal an der Zeit ist, uns an die Massaker am Black Friday zu erinnern, aber natürlich ist es wichtig, dass wir sie nie vergessen.

Nach allem, was mein Arzt mir sagt, muss ich euch mitteilen, dass mein Verfallsdatum irgendwann nach Neujahr liegen dürfte. Eventuell ist mir also noch einmal Weihnachten auf dieser Erde vergönnt. Was eine letzte Gelegenheit bedeutet, Cloud in vollem Schwung zu sehen. Das wird schön sein. Es hat mich immer begeistert, in der Adventszeit durch unsere Anlagen zu spazieren. Da kann man so viel gute Arbeit beobachten.

Behaltet die Straßen im Blick, Leute! Wer weiß, vielleicht fahre ich doch bald einmal an euch vorüber ...

Zinnia

Der Laptop gab einen Klingelton von sich.

Zinnia dachte zuerst, dass es sich wieder um eine Sinnestäuschung handelte. So einen Ton hatte sie in der vergangenen Woche mindestens ein Dutzend Mal gehört. Wenn sie gelesen oder vor sich hin gedöst hatte, war manchmal leise einer erklungen, worauf sie die Schublade unter ihrem Bett aufgezogen und den Laptop unter den Klamotten und Büchern hervorgezogen hatte, nur um festzustellen, dass ihre Fantasie ihr einen Streich gespielt hatte.

War nur ein Scherz, bin noch nicht fertig, du Dödel!

Diesmal hörte es sich allerdings ziemlich echt an, weshalb sie den Laptop wieder einmal ausgrub. Es stimmte. Der Kollektor war vollständig programmiert. Sie zog das kleine Plastikteil aus der USB-Buchse und legte es auf ihre Handfläche. Jetzt musste sie es nur noch irgendwo in ein Computerterminal stecken und würde auf diese Weise in einer guten Minute das erhalten, was sie brauchte.

Sie schob den Kollektor in das Münztäschchen ihrer Jeans. Dabei rutschte die Hose ein kleines Stück hinunter, weshalb Zinnia prüfend am Bund zog. Sie hatte deutlich abgenommen. Der einzige Vorteil, im Warendepot herumzurennen.

Ein Nachteil war das Zwicken in ihrem linken Knie. Der Betonboden war gnadenlos; sie hatte bereits ein Paar Sneakers durchgelaufen. Sie stellte sich aufs linke Bein und hob das rechte Knie an. Streckte die Hände aus und ging in eine einbeinige Hocke. Ihr linkes Bein wackelte. Um ein Haar wäre sie umgekippt; nur indem sie schnell den anderen Fuß aufsetzte, konnte sie das verhindern.

Sie seufzte. Schaltete den Fernseher ein, in dem gerade ein Werbespot für eine Mentholsalbe zum Einreiben lief, was beinahe das war, was sie brauchte, aber doch nicht ganz. Deshalb rief sie den Cloud-Store auf und bestellte eine elastische Kniebandage zum Stabilisieren des Gelenks. Es war nicht gut, an Knien herumzupfuschen. Knie waren eine heikle Angelegenheit. Sie erinnerten an eine Kugel und zwei Stöcke, die mit Gummibändern zusammengehalten wurden. Um ein Knie zu lädieren, musste man es wesentlich weniger stark verdrehen, als die meisten Leute dachten, und Zinnia hatte keinerlei Lust, das Geld aus ihrem Auftrag in irgendwelche Operationen zu investieren.

Wo sie schon dabei war, bestellte sie sich auch ein neues Paar Jeans, und zwar eine Größe kleiner. Das vermittelte ihr wenigstens ein gutes Gefühl. Als sie fertig war, verließ sie die Wohnung und nickte auf dem Weg mehreren Nachbarn zu, die sie flüchtig kannte, aber sonst eher mied.

Der Große mit der Glatze.

Der Pelzige.

Hadley, das nette Mädel.

Sie hatte Cynthia, Paxton und Miguel. Das waren genügend Freunde. Ohnehin schien es hier so zu laufen. Die Leute begegneten sich, ohne wirklich Kontakt zueinander aufzunehmen. Es gab keine Versammlungen und keine Gruppenaktivitäten bis auf gehetzte Unterhaltungen im Pausenraum. Was das anging, hatte Zinnia eine Theorie entwickelt: Je mehr Zeit man mit einer bestimmten Person verbrachte, desto stärker wurde man von dem für den Arbeitsplan verantwortlichen Algorithmus von ihr getrennt. Am Anfang hatten Zinnia und Paxton etwa denselben Arbeitsrhythmus gehabt, der sich jedoch allmählich auseinanderentwickelt hatte, sodass sie jetzt regelmäßig vier oder fünf Stunden früher Feierabend hatte als er. Mit Miguel war es dasselbe; die wenigen Male, die sie versucht hatte, über das CloudBand Kontakt zu ihm aufzunehmen, war er nicht bei der Arbeit gewesen. Sie war ihm nur ab und zu auf der Promenade begegnet.

Dennoch sprachen die Leute miteinander. In den Waschräumen, beim Schlangestehen vor den Ein- und Ausgängen des Warendepots. Meist mit gedämpfter Stimme. In letzter Zeit ging es um die angekündigte Veränderung an der Firmenspitze. Man fragte sich, ob es unter der Tochter anders sein werde. Besser oder schlechter. Zinnia hatte zwar nicht den Eindruck, dass es noch viel Raum für Verschlechterungen gab, aber in großen Unternehmen fand man bekanntlich immer etwas, was in diese Richtung ging.

Sie trat aus ihrem Wohnbau auf die Promenade. Machte einen langen Rundgang, wie sie es jeden Tag vor der Arbeit tat. Vor allem hielt sie dabei Ausschau nach irgendetwas, was wie ein Terminal aussah. Keiner für das CloudPoint-System, die waren zu riskant, und nachdem Paxton den Rest der Plastikhülle entdeckt hatte, der versehentlich im Schloss geblieben war, hatte man die Sicherheitsmaßnahmen wahrscheinlich verschärft. Sie brauchte einen Ort, wo sie sich mindestens eine Minute aufhalten konnte, ohne erwischt zu werden.

In den Geschäften gab es allerdings keine Computer, zumindest keine, die zugänglich waren. Ein paarmal hatte sie etwas in der Administration besorgen müssen und gedacht, dabei könne sie sich in ein Büro schleichen, aber wenn eine Tür offen stand, hatte immer jemand im Raum gesessen. An einem Büro, das sichtbar leer war, war sie noch nicht vorbeigekommen.

Eine derartige Operation war eine heikle Angelegenheit. Wenn man sie zu sehr forcierte, fiel das auf.

Manchmal ergab sich eine gute Gelegenheit, wenn Inspiration und Chance zusammentrafen. Zum Glück hatte man ihr sechs Monate zugebilligt. Sie hatte also noch Zeit. Nicht massenhaft, aber genug.

Auf dem Weg zur Arbeit betrat sie den gewohnten kleinen Laden, dessen glänzende Regale so von hinten beleuchtet waren, dass die Artikel darauf zu glühen schienen. Wie immer ging sie nach links hinten zu der Schachtel mit den PowerBuff-Riegeln. Sie war dankbar, dass sie nach jahrelanger Suche einen Eiweißriegel gefunden hatte, der wenig Fett und wenig Kohlenhydrate, aber viel Protein enthielt, ohne wie ein mit fader Erdnussbutter beschmierter Styroporblock zu schmecken.

Sie hatte festgestellt, dass sie sich selbst in den härtesten Momenten bei der Arbeit darauf freuen konnte, den salzigen Karamellriegel auszupacken. Den konnte man zwar mit vier Bissen verschlingen, aber sie machte immer fünf daraus, um ihn wirklich zu genießen.

Als sie jedoch nach hinten kam, war die Schachtel leer. Es gab andere Geschmacksrichtungen von PowerBuff, mit denen sie durchaus schon geflirtet hatte, denen aber irgendetwas fehlte. Der Riegel mit Schokolade und Erdnussbutter war zu mächtig und auch etwas bitter, und der mit dem schönen Namen *Geburtstagskuchen* schmeckte wie aus dem Abflussrohr einer Zuckerersatzfabrik.

Sie betrachtete die Schachtel eine Weile und fragte sich, wie lange die schon leer war. Wie lange war es her, dass jemand den letzten Riegel herausgenommen hatte? War es gestern gar sie selbst gewesen, ohne darauf zu achten?

Gestern hatte sie ihren letzten Karamellriegel von PowerBuff gegessen, ohne es zu wissen. Das machte sie traurig. Noch trauriger wurde sie, als ihr klar wurde, wie traurig sie das machte.

Neben ihr tauchte ein korpulenter Latino in einem grünen Poloshirt auf. Er hatte eine neue Schachtel in den Händen. Zinnia strahlte ihn an. Er strahlte ebenfalls, nahm die leere Schachtel vom Regal, stellte die neue darauf und drückte die perforierte Linie zum Öffnen nach innen.

»Mir ist aufgefallen, dass nicht mehr viel drin war«, sagte er. »Zuerst war ich überrascht, weil die sonst nicht gut gehen. Niemand mag sie. Aber dann hab ich gesehen, dass du sie regelmäßig kaufst, und da dachte ich, du wärst enttäuscht, wenn ich sie nicht auf Lager habe.«

Er nahm einen Riegel heraus und streckte ihn ihr hin. Sie nahm ihn entgegen. Die Zellophanhülle knisterte. Der Mann stand lauernd da, als würde er erwarten, dass sie ihn abklatschte oder ihm einen Blowjob verpasste.

»Danke schön«, murmelte sie.

Er nickte, drehte sich um und ging zur Kasse zurück.

So traurig sie vorher schon gewesen war, jetzt war sie noch trauriger. Sie hatte eine Routine entwickelt. War zu einer Stammkundin geworden. War schon so lange hier, dass ein völlig Fremder über ihre Essgewohnheiten Bescheid wusste. Es ging nicht um ihren Auftrag und darum, sich nicht zu verraten oder nicht sonst wie aufzufallen. Das beschissene Gefühl hatte sie nur, weil es sie daran erinnerte, dass sie sich schon monatelang an dem Ort hier aufhielt, und nichts hatte sich verändert. Sie hatte sich lediglich besser daran gewöhnt.

Zinnia machte sich auf den Weg zum Warendepot. Als sie dort den harten Betonboden betrat, protestierte ihr Knie schmerzhaft.

Tablet. Ausweishülle aus Leder. Fliege zum Umbinden. Wollmütze. Tampons. Filzstifte. Kopfhörer. Telefonladegerät. Leuchtmittel. Gürtel. Luftbefeuchter. Schminkspiegel. Socken. Marshmallow-Röstspieße ...

Paxton

Im Besprechungsraum herrschte Gedränge. Paxton kam sich wie zur Rushhour in der Bahn vor. Die Körper drückten sich so eng aneinander, dass man riechen konnte, wer sich die Zähne nicht geputzt, wer zu viel Parfüm aufgetragen und wer Rührei zum Frühstück gegessen hatte.

Die meisten Anwesenden kannte er, einige jedoch nicht. Dakota stand ganz vorn neben Dobbs. Vikram hatte sich ebenfalls dorthin gedrängt. Paxton war froh, dass er dabei war. In den letzten beiden Monaten hatte er das Gefühl gehabt, in Ungnade gefallen zu sein.

Früher hatte ihn Dobbs regelmäßig nach Neuigkeiten zum Thema Oblivion gefragt, aber inzwischen geschah das immer seltener, weil Paxton jedes Mal nichts anderes sagen konnte, als dass er daran arbeite. Was auch stimmte. Er dachte ständig darüber nach. Auf die Lösung war er bislang jedoch nicht gekommen. Die Leute von der Technik hatten nichts über die Signale herausgekriegt, Warren zu überwachen hatte nichts gebracht, und Paxton war immer noch damit beschäftigt, die Anlage und ihre Bewohner besser kennenzulernen.

Klar war lediglich, dass das Zeug nicht da ankam, wo die Waren umgeladen wurden. Dort hatte er jeden Winkel erforscht, ohne das Geringste zu finden.

Die behutsame Herangehensweise, an die Dakota ihn ständig erinnerte, kam ihm nicht besonders effizient vor, aber er wollte Dobbs nicht kritisieren. Die drei Sterne ärgerten ihn. Er hoffte, von Nutzen zu sein und etwas zu tun, womit er sich auszeichnete. Aber da in seinem Job nichts vorwärtsging und die erste Seite seines Notizbuchs weiterhin leer blieb, verwandelte seine hoffnungsvolle Haltung sich allmählich in das Gefühl, auf der Stelle zu treten. Was ihn nervös machte.

Wenigstens hatte er Zinnia. Das war der einzige Lichtblick, mit dem er sich weismachen konnte, dass es nicht so schlimm wie damals im Gefängnis war.

»Gut, Leute, jetzt spitzt mal die Ohren«, sagte Dobbs. Es wurde still im Raum. »Morgen steht das große Software-Update an. Ihr wisst ja alle, was das bedeutet ...«

Paxton wusste das zwar nicht, hütete sich jedoch, die Hand zu heben und es einzugestehen.

Dakota hingegen stupste Dobbs an. »Wir haben ein paar Neulinge hier, Chef.«

»Ach so? Na gut.« Dobbs blickte sich um. »Das Software-Update wird drahtlos auf jedes CloudBand aufgespielt. Was bedeutet, dass Ausgangssperre herrscht. Für die Dauer, die das Update braucht, muss jeder sich in seiner Wohnung aufhalten.«

Jemand hob die Hand. Ein junger Schwarzer, der am Nacken eine Lotosblüte eintätowiert hatte. »Wieso macht man das nicht nachts, wenn alle schlafen?«

Dobbs schüttelte den Kopf. »Bekanntlich laufen die Schichten bei uns rund um die Uhr, weshalb zu keinem Zeitpunkt jeder im Bett liegt. Deshalb haben alle sich an dem betreffenden Tag Punkt acht Uhr morgens in ihre Wohnung zu verziehen. Mit Ausnahme von uns, dem Krankenhauspersonal und ein paar Leuten von der Technik.«

Im Raum erhob sich Gemurmel. Paxton wusste nicht recht, was es ausdrückte. Waren die Leute aufgeregt, frustriert oder nur neugierig? Auf jeden Fall bot sich bald eine interessante Gelegenheit, den Ort hier in einem Moment zu erleben, wo niemand unterwegs war. Das war beinahe so unvorstellbar, wie wenn man plötzlich den Times Square evakuieren würde.

»So, jetzt übergebe ich an Dakota«, sagte Dobbs und grinste ihr kurz zu. »Dieses Jahr wird sie die Verantwortung übernehmen, weil ich mich um was anderes kümmern muss. Als Nummer zwei wird Vikram dienen. Also hört ihr alle gut zu.«

Paxton sog so scharf die Luft ein, dass mehrere Leute zu ihm herüberblickten. Zum Glück nicht Dobbs, aber dafür Dakota, wenn auch wahrscheinlich nicht, weil sie ihn gehört hatte, sondern weil das einfach nahelag. Sie hatte einen merkwürdigen Ausdruck in den Augen. Paxton setzte eine ungerührte Miene auf, als wäre es keine große Sache, nur dass es eine war. Vikram war ein Arschloch, und außerdem bestätigte das Ganze mehr oder weniger, dass Paxton es endgültig vergeigt hatte. Jetzt war er wieder nur noch ein Niemand in Blau.

»Okay, es geht um Folgendes«, sagte Dakota. »Wer sich hier im Raum befindet, fungiert als Sektionsleiter. Das ist exakt das, wonach es sich anhört. Jeder bekommt eine bestimmte Sektion zugeteilt, und alle für diese Sektion abgestellten Blauen sind ihm unterstellt. Eure Aufgabe ist ziemlich einfach. Niemand darf sich außerhalb seiner Wohnung aufhalten. Die Bahn stellt den Betrieb ein, nur die Ambulanzshuttles fahren. In Care steht ein medizinisches Notfallteam zur Verfügung, und ein paar Techniker sind auf ihrem Posten, aber damit hat sich's. Wir müssen also wachsam sein. Da auch unsere Uhren upgedatet werden, können wir in der Zeit nicht damit kommunizieren. Deshalb werden wir eine Nachrichtenkette mit unseren privaten Handys einrichten. Es wird zwar keine Probleme geben, weil so viele von uns auf dem Posten sind, aber so ist es sicherer.«

Der junge Schwarze meldete sich wieder. »Wieso sicherer?«

»Während ein Software-Update durchgeführt wird, kommen manche Leute auf dumme Gedanken. Sie laufen in der ganzen Anlage herum, um rauszukriegen, wie weit sie kommen. Bei einem Update müssen wir sämtliche Türen entriegeln, aus Brandschutzgründen, weil die Scannerscheiben außer Funktion sind. Das hängen wir zwar nicht an die große Glocke, aber einige Leute haben es trotzdem herausbekommen. Wer bei einem Update irgendwelchen Blödsinn macht, verliert zwar einen ganzen Stern in seinem Ranking, was manche aber nicht zu stören scheint. Welcher Sektion ihr zugeteilt seid, wird euch bald auf eurem CloudBand angezeigt. Wer Fragen hat, wendet sich an mich oder an Vikram.« Dakota drehte sich zu ihrem Nebenmann. »Hast du dem noch was hinzuzufügen, Vik?«, fragte sie ihn wie mit zusammengebissenen Zähnen.

»Nur dass ihr unbedingt alle Anordnungen befolgen, euch gegenseitig den Rücken freihalten und wachsam bleiben müsst«, sagte Vikram und ließ den Blick durch den Raum schweifen. Bei Paxton blieb er hängen, und zwar länger, als es diesem lieb war.

Nach der Besprechung musste Paxton erst etwas Papierkram erledigen, dann sah er sich nach Dakota um. Die war im Pausenraum damit beschäftigt, mit einem Messerchen ein Kaffeepad aufzuschlitzen, um anschließend etwas Salz hineinzustreuen.

Als Paxton eintrat, blickte sie auf. »Das macht ihn weniger bitter«, sagte sie.

»Was denn?«

»Das Salz.«

»Also bin ich nicht mehr im Team?«

»In welchem Team?«

»Keine Ahnung. In dem aus Dobbs und dir.«

»Das ist was anderes«, sagte Dakota. »Vikram ist zwar ein Arschloch, aber ziemlich gut im Organisieren. Außerdem kann Dobbs ihn nicht ganz aufs Abstellgleis schieben. Und du sollst dich bekanntlich auf das Oblivion-Problem konzentrieren.«

»Ich habe den Eindruck, dass das nicht ganz stimmt.«

Dakota starrte ihn eine Weile an, dann steckte sie das Pad in die Kaffeemaschine, klappte sie zu und schaltete sie ein. »So ist es momentan eben.«

»Na gut«, sagte er. »Hat das Software-Update eigentlich mit diesem Streichholz zu tun?«

»Es ist einfach ein Software-Update«, sagte sie, ohne ihn anzusehen.

Paxton seufzte. »Okay. Wann gehen wir los?«

»Gar nicht«, sagte sie.

»Wieso?«

»Du wirst eine Weile solo auf Streife gehen. Ich muss mich mit der Planung für das Update beschäftigen. Und anschließend ...« Die Kaffeemaschine prustete und piepte. Dakota griff nach dem Becher und atmete den Dampf ein. »Ich glaube, Dobbs steckt mich bald in eine Uniform. Außerdem kennst du dich jetzt gut genug aus, dass du alleine zurechtkommst.«

»Okay«, sagte Paxton. »Okay.«

»Alles ist in bester Ordnung«, sagte sie. »Versprochen.«

Dass sie ihn dabei angestrengt fixierte, um zu demonstrieren, dass sie nicht log, ließ darauf schließen, dass es sich nicht um die Wahrheit handelte.

Paxton nickte. »Sag mir einfach, wenn du bei der Vorbereitung Hilfe brauchst.«

Sie nahm einen Schluck Kaffee, drehte sich zum Kühlschrank um, öffnete ihn und sagte: »Mach ich.«

Paxton zog ab. Machte sich auf den Weg zur Promenade. Marschierte eine Weile herum. In der Mittagspause entschied er sich für CloudBurger, weil Dakota kein Veto einlegen konnte. Nach dem Essen setzte er seinen Rundgang fort. Schlichtete einen Streit. Wies einem Neuankömmling den Weg. Grübelte darüber nach, weshalb er so neidisch auf Vikram war. Weshalb er unbedingt einer von denen da oben sein wollte. Das Ganze war ihm zuwider. Er wollte dieses Leben nicht. Er wollte es hinter sich lassen.

Aber jetzt war er hier und musste sich mit dem zufriedengeben, was er hatte. Wenn er es schaffen wollte, dann wollte er es gut schaffen. Er wollte Anerkennung. Wollte kein namenloser Blauer sein, der endlos über die Promenade wanderte.

Am Ende seiner Schicht zog er sich um und ging zum Pub. An Zinnia hatte er eine Nachricht geschickt, dass er dort sein werde. Einerseits kümmerte es ihn nicht, ob sie auftauchte, andererseits hoffte er es doch. Sie antwortete nicht, aber als er gerade sein drittes Bier bestellte, kletterte sie auf den Hocker neben ihm, noch in ihrem roten Poloshirt.

»Du musst ein paar Runden aufholen«, sagte Paxton und hob sein Glas.

»Harter Tag?«

»Kann man so sagen.«

Sie schwieg. Es war eine lange Pause, in der sie wahrscheinlich über irgendetwas nachdachte. Dann fragte sie: »Willst du darüber sprechen?«

»Nein.« Paxton leerte sein Glas und griff nach dem vollen, nahm einen Schluck und setzte das Glas wieder ab. »Doch. Tja, im Büro gibt es was Neues. Morgen ist Update-Tag. Und dieses Arschloch … Vikram. Habe ich dir von dem schon erzählt?«

»Hast du.«

»Der ist der neue Liebling von Dobbs. Der von Dakota wohl auch. Und ich fühle mich einfach …« Er griff nach dem Bier, setzte es jedoch gleich wieder ab. »Ach, ich weiß nicht, wie ich mich fühle.«

»Du fühlst dich wie jemand, der hart gearbeitet hat, und als es so weit war, ein bisschen Anerkennung zu bekommen, hat die jemand anderes eingeheimst.«

»Tja, genauso fühle ich mich.«

»Merkwürdig …«

»Was soll merkwürdig sein?«

Zinnia nahm einen Schluck von ihrem Drink. »Wenn dieser Vikram so ein Penner ist, wieso behält man ihn dann? Und hattest du schon mal den Eindruck, dass Dobbs euch beide gegeneinander ausspielt?«

Paxton richtete sich auf. Starrte in den Spiegel hinter dem Tresen. »Ich weiß nicht recht. Nein. Wieso sollte er das tun?«

Zinnia senkte die Stimme. »Klassische Schikanetaktik. Damit du dich mehr um seine Zuneigung bemühst.«

»Nein.« Paxton schüttelte den Kopf. »Nein. Das ist zu weit hergeholt. Also hör mal.«

»Na gut«, sagte Zinnia. »Und worum geht es bei diesem Software-Update?«

Paxton holte tief Luft. »Das wird gemacht, wenn sämtliche CloudBands upgedatet werden müssen. Weißt du noch, wie plötzlich dieses Streichholz auf dem Display aufgetaucht ist? Ich glaube, das ist der Grund dafür. Jedenfalls muss sich dabei jeder in seiner Wohnung aufhalten. Es dauert nicht lange, aber wir Blauen schwärmen dabei alle aus. Um dafür zu sorgen, dass sich niemand draußen herumtreibt.«

Zinnia beugte sich vor. »Wenn alle in ihrer Wohnung hocken, wieso braucht man dann so viel Security?«

Scheiße, das hätte er nicht erzählen sollen. Er blickte sich um. Die Kneipe war weitgehend leer. Der Barkeeper stand am anderen Ende des Tresens, wo er einer Frau einen komplizierten Cocktail servierte. »Alle Türen sind entsperrt. Brandschutzgründe. Deshalb sind nur wir und das Krankenhauspersonal im Dienst, während die anderen zu Hause sitzen.«

»Hm«, machte Zinnia und nahm einen großen Schluck Wodka. »Hm.«

Na, dachte Paxton, da habe ich heute wenigstens einmal bei jemand Eindruck geschunden.

Zinnia

Auf einen zweiten Wodka verzichtete Zinnia. Sie wollte einen klaren Kopf behalten. Als der Abend sich dem Ende zuneigte, kroch Paxtons Hand auf ihren Oberschenkel. Zinnia schüttelte sie nicht ab, schob sich ihr jedoch auch nicht entgegen. Und als er sich mit nach Bier riechendem Atem zu ihr beugte und fragte, ob sie jetzt wohl noch zu ihr gehen könnten, sagte sie, sie habe ihre Periode.

Was gelogen war, denn die würde noch eine Woche auf sich warten lassen. Inzwischen hätte er das eigentlich wissen müssen, aber offenbar konnten Männer periodenbezogene Informationen einfach nicht behalten. Er war enttäuscht, blieb jedoch liebenswürdig und brachte sie sogar zu ihrem Wohnbau, wo er sie küsste, bevor er sich verabschiedete. Dann rannte sie geradezu in ihre Wohnung.

Ein Software-Update. Mit einer Ausgangssperre, die eigentlich keine war, weil nichts abgesperrt sein würde.

Das hörte sich gut an.

Eine ganze Armee Security-Leute auf Patrouille.

Das hörte sich weniger gut an.

Sie setzte sich auf die Matratze, beugte sich vor und stützte die Ellbogen auf die Knie.

Das musste gut durchdacht werden.

Alle mussten in ihrer Wohnung sein, weil die Uhren außer Funktion waren und keine Ortungsdaten liefern konnten. Außerdem verwendeten die Security-Leute ihre Uhren normalerweise dazu, miteinander zu kommunizieren. Da sie das dann vermutlich auch nicht mehr tun konnten, mussten sie geballt auftreten, falls etwas eine schnelle Reaktion erforderte.

Das Krankenhaus blieb in Funktion. Dort war sie zwar noch nicht gewesen, aber es bot sich als Zugangspunkt an.

Zinnia mochte Krankenhäuser. Dort gab es im Allgemeinen weniger Sicherheitsmaßnahmen als anderswo. Und desinteressierte Wachleute, die früher meistens wichtigere Aufgaben wahrgenommen hatten und jetzt in erster Linie damit beschäftigt waren, den Medikamentenvorrat zu beschützen.

Der Plan entwickelte sich in ihrem Kopf von selbst so schnell, dass sie kaum mitkam. Direkt vor dem Update würde sie irgendeine Verletzung oder Krankheit vortäuschen, damit sie ins Krankenhaus kam. Anschließend konnte sie improvisieren. Die Security-Leute würden sich wahrscheinlich auf die Wohnbauten konzentrieren, um dort alles unter Kontrolle zu halten. Im Krankenhaus war wohl nur eine Rumpfmannschaft auf Posten. Und die paar Schwestern und Pfleger? Die konnte sie leicht ins Bockshorn jagen.

Duschen. Sie musste sich unter die Dusche stellen. Da konnte sie immer am besten nachdenken.

Zinnia zog sich aus, schlüpfte in Bademantel und Flipflops, griff nach ihrem Waschbeutel und trat auf den Flur. Sie war kaum drei Meter weit gekommen, als sie Rick aus dem geschlechtsneutralen Waschraum kommen sah, wo diesmal das Sperrschild hing. Zinnia spürte, wie sie eine unbändige Wut durchfuhr. Das Ganze verstärkte sich noch, als sie die Gestalt hinter Rick sah – eine junge Frau, im Bademantel wie sie selbst, mit feuchten Haaren und ebenfalls feuchtem Gesicht, Letzteres aber nicht vom Duschen. Sie zog den Mantel eng zusammen, als könnte er sie beschützen.

Hadley.

Rick blickte zu Zinnia herüber und grinste. »Lange nicht gesehen! Hab schon gedacht, du magst mich nicht.«

Zinnia reagierte nicht auf ihn. Sie hatte nur Hadley im Blick, die zu Boden starrte und sich sichtlich wünschte, irgendwo anders zu sein als ausgerechnet hier.

Rick sah Hadley über die Schulter hinweg an. »Jetzt aber husch nach Hause«, sagte er. »Und denk dran, was ich dir gesagt habe.«

Hadley trabte davon. Zinnia beobachtete, wie sie vor ihrer Wohnung stehen blieb und die Uhr an den Scanner hielt.

Rick zuckte die Achseln. »Wie wär's, wenn jetzt wir zwei da reingehen?«

Im Kopf von Zinnia tobte ein Sturm, der ihren Schädel fast zum Platzen brachte. Sie konnte mit Rick umgehen. Das fiel ihr zwar schwer, aber sie bekam es hin.

Die Sache mit Hadley allerdings ...

Ihr Auftrag war wichtiger. Mit größter Mühe entspannte Zinnia ihre Muskeln und setzte ein Lächeln auf. »Klar«, sagte sie und spürte, wie der in ihrem Kreislauf verbliebene Wodka ihr ein warmes Gefühl im Unterbauch verlieh.

Rick sah sich um, ob jemand sie beobachtete, dann drückte er die Tür zum Waschraum auf. Zinnia schob sich an ihm vorbei, ohne ihn zu berühren, als wäre seine Haut giftig. Dann ging sie auf die Duschen zu.

Die Chance, einen echten Durchbruch zu erzielen, beflügelte sie so sehr, dass es ihr leichtfiel, diesen geilen Bock zu ignorieren, der ein paar Minuten auf ihre Titten stieren wollte. Was mit Hadley geschehen war, schob sie erst einmal von sich weg. Damit konnte sie sich später beschäftigen. Wenn alles erledigt war, würde sie es Rick endlich heimzahlen.

Als er hinter ihr eintrat, drehte sie sich zu ihm um, bereit, ihren Bademantel auszuziehen.

»Morgen wird ein Update durchgeführt«, sagte er.

Zinnia nickte, während sie an ihren Gürtel griff.

»Da ist zwar Ausgangssperre, aber du könntest mich ja mal besuchen, um mir ’ne Privatvorführung zu geben«, fuhr er fort. »Zum Ausgleich für die ganze Zeit, die du mir aus dem Weg gegangen bist. Ich bin in Wohnung S.«

Die Hand am Knoten, hielt Zinnia inne. Sie sah Rick an. In seinem Gesicht lag kein Lächeln, und er zwinkerte nicht. Er meinte es ernst.

»Das wäre wirklich nett von dir, Zinnia«, sagte er. »Und klug dazu.«

»Nein«, sagte sie, ohne zu überlegen. »Das werde ich nicht tun.«

Sein Gesicht verfinsterte sich. »Tut mir leid, als Frage war das nicht gemeint.«

Wieder spürte sie, wie die Wut sie durchzuckte. Nachdem sie zwei Monate lang Tag für Tag diesen Schwachsinn mitgemacht hatte, würde sie es nicht zulassen, dass dieses kranke Arschloch ihre Chance zunichtemachte.

Und sosehr sie es auch verhindern wollte, ging ihr das Gesicht von Hadley nicht aus dem Kopf.

Im Allgemeinen hatte Zinnia kein Mitgefühl für zarte Seelen. Die Welt war ein harter Ort, und man lernte entweder, ein paar Schläge hinzunehmen, oder man kaufte sich einen Helm. Aber der Blick auf Hadleys Gesicht, während Rick sie herumkommandiert hatte – das ließ sie an ein Vögelchen denken, das jemand in der Hand zerquetschte.

»Ich hab eine andere Idee«, sagte Zinnia und ließ ihren Bademantel fallen, damit Rick ihre nackte Haut beglotzen konnte. »Wie wär's, wenn ich dir jetzt gleich eine Privatvorführung gebe? Eine ganz spezielle?«

Rick grinste, wich jedoch einen Schritt zurück. Offenbar hatte er Angst vor diesem plötzlichen Ausbruch sexueller Aggression. Was für ein Feigling. Als Zinnia sich ihm jedoch näherte, wurde er mutig, blieb stehen und bereitete sich auf das vor, was kommen sollte.

Dass es sich um einen harten, schnellen Schlag mit dem Ellbogen an seine Schläfe handeln würde, hatte er wohl nicht erwartet.

Als ihr Ellbogen sein Ziel traf, spürte Zinnia das Adrenalin in ihren Adern. Mit einem Aufschrei stürzte Rick zu Boden und schlug sich dabei an der Bank den Kopf auf. Sie kniete sich neben ihn, während er auf dem Boden zappelte und wegzukriechen versuchte, von der Bank jedoch daran gehindert wurde.

»Wie traurig und wie schade, dass du hingefallen bist und dir wehgetan hast«, sagte Zinnia.

»Du verfluchte Schlampe!«, fauchte Rick.

Zinnia packte ihn an der Gurgel. »Ist dir nicht klar, wie gefährlich es ist, mich noch wütender zu machen, als ich es eh schon bin?«

Das brachte ihn zum Schweigen. Zinnia beugte sich näher zu ihm.

»Das war das letzte Mal, dass du dein Spielchen mit den Schildern draußen abgezogen hast«, sagte sie. »Das letzte Mal, dass die Frauen, die hier wohnen, deinen kranken Scheiß ertragen mussten. Klar, du kannst dafür sorgen, dass man mich rausschmeißt, aber bevor ich abhaue, finde ich dich und mache dich endgültig fertig, das kannst du mir glauben. Ist ja nicht so, dass du deine

Kollegen dazu bringen könntest, dich vor mir zu beschützen, denn dann müsstest du denen sagen, wieso das nötig ist, und das wäre gar nicht gut für dich. Hast du kapiert?«

Rick murmelte etwas, was unverständlich blieb, weil nicht genügend Luft durch seine Kehle kam. Zinnia lockerte ihren Griff ein wenig.

»Ob du kapiert hast?«, wiederholte sie.

»Ja.«

»Kann ich dir das glauben?«

»Ja, bestimmt. Ich tu's nicht mehr.«

»Gut.«

Sie ließ los. Überlegte, ob sie ihm zum Abschied noch einen Hieb oder Tritt verpassen sollte. Aber sie kam zu dem Schluss, dass sie genug getan hatte, weshalb sie ihren Bademantel wieder anzog und den Waschraum verließ. Draußen nahm sie das Sperrschild ab und warf es über die Schulter.

Das war dumm gewesen.

Ausgesprochen dumm.

Aber das war ihr völlig schnuppe.

Sie ging in den Frauenwaschraum, wo mehr los war als sonst. Zwei WC-Kabinen waren besetzt und sämtliche Duschen hinten. Cynthia und zwei Frauen, die Zinnia kaum kannte, saßen da und warteten, dass etwas frei wurde. Sie flüsterten miteinander. Die Luft war dampfig.

Cynthia winkte Zinnia, die sich zu ihr setzte. »Na, wie geht es dir heute, Liebes?«

»Ich schwebe wie auf Wolken«, sagte Zinnia.

»Das sieht man«, sagte Cynthia. »Nichts für ungut, aber so gestrahlt hast du noch nie, seit ich dich kenne.«

»Manche Tage sind eben besonders.«

»Sind sie das, ja?«

Zinnia nickte, gewärmt von dem Gedanken an das Gefühl, mit dem ihr Ellbogen an den Knochen gekracht war. Es bestand die reelle Chance, dass sie Rick das Jochbein gebrochen hatte.

Einer der Duschvorhänge wurde beiseitegezogen, und eine schlanke ältere Frau trat heraus. Sie griff nach ihrem Handtuch und wickelte sich darin ein. Eine der Wartenden stand auf und ging in die frei gewordene Kabine.

»Allerdings hab ich den Eindruck, dass ich mir irgendwas geholt habe«, sagte Zinnia. »Eine Magengrippe oder so.«

»Das tut mir aber leid, Liebes.«

»Vielleicht sollte ich für ein, zwei Tage ins Krankenhaus gehen. Zur Sicherheit.«

»O nein, nein, nein«, sagte Cynthia. »Das solltest du nicht tun.«

»Wieso nicht?«

Cynthia sah sich um, dann beugte sie sich in ihrem Rollstuhl vor. »Wenn man sich krankmeldet, wirkt sich das auf das Ranking aus.«

»Im Ernst?«

»Wenn man sich richtig verletzt, müssen sie einen natürlich ins Krankenhaus schicken«, sagte Cynthia. »Aber wenn man bloß Bauchschmerzen, eine Erkältung oder so was in der Richtung hat, wird erwartet, dass man zur Arbeit geht und es ausschwitzt. Manchmal lassen sie einen nicht mal in den Ambulanzshuttle, wenn sie meinen, es wär nicht so schlimm.«

Zinnia lachte, weil das wie ein Scherz klang. »Das ist ja völlig absurd.«

Cynthia lachte nicht mit, ja sie lächelte nicht einmal. »Mit solchen Sachen ist nicht zu spaßen.«

»Gott, was für ein Scheißladen.«

Nun lächelte Cynthia doch. »Ich will dir einen Rat geben. Meide das Krankenhaus, soweit es geht. Die Versorgung da ist zwar ziemlich gut, aber man will nicht, dass wir sie tatsächlich in Anspruch nehmen. Außerdem kostet sie massenhaft Credits.«

Der Vorhang der Behindertendusche am Ende der Reihe ging auf. Eine Frau kam heraus, nackt und auf Krücken, den Bademantel unter dem Arm und ihren Waschbeutel um den Hals gehängt. Sie humpelte zu einer Bank, während Cynthia die Räder ihres Rollstuhls fasste und sich vorwärtsschob.

»Tut mir leid, das mit deinem Magen«, sagte sie. »Gute Besserung!«

Zinnia lehnte sich zurück und sah zu, wie Cynthia den Vorhang zuzog. Einige Minuten lang saß sie reglos da und dachte an Hadley.

Sie konnte sich vorstellen, wie Hadley auf ihrer Bettkante saß und sich mit den Armen umklammerte, während sie sich schluchzend an das erinnerte, was Rick ihr angetan hatte. Zinnia überlegte, ob sie zu Hadleys Wohnung gehen und an die Tür klopfen sollte, um nachzusehen, wie es ihr ging. Aber dazu war sie emotional nicht in der Lage, weshalb sie an Cynthias Kabine trat. »Hör mal«, rief sie durch den Vorhang.

»Was denn, Liebes?«

»Du kennst doch Hadley, oder? Die mit den Augen wie ein Comichäschen?«

»Natürlich.«

»Kannst du nachher mal bei ihr vorbeischauen? Als ich sie vorhin gesehen hab, ist sie mir ziemlich durcheinander vorgekommen. Aber ich kenne sie nicht genug, und ...«

»Hab schon verstanden«, sagte Cynthia. »Ich besuche sie gleich nachher.«

Zinnia lächelte. Sie war immer noch aufgebracht, aber das half ein bisschen. Und während sie, ohne geduscht zu haben, zu ihrer Wohnung zurückging, hatte sie wieder eine Idee.

Es war eine Idee, die ihr zwar nicht gefiel, die jedoch wahrscheinlich funktionieren würde.

Ankündigung eines Software-Updates

Morgen Vormittag ab 8.00 Uhr wird Cloud ein Software-Update auf alle CloudBands aufspielen. Durch dieses Update werden einige kleinere Fehler beseitigt sowie die Überwachung der Herzfrequenz und die Lebensdauer des Akkus verbessert. Um 6.30 Uhr werden daher sämtliche Arbeitsprozesse bei Cloud eingestellt, und falls Sie keine anderen Anweisungen erhalten, haben Sie sich augenblicklich in Ihre Wohnung zu begeben, wo Sie sich aufzuhalten haben, bis das Update abgeschlossen ist.

Nach Abschluss des Updates haben alle zu diesem Zeitpunkt Schicht habenden Mitarbeiter sich unverzüglich zu ihrem Arbeitsplatz zu begeben, um ihre Schicht zu beenden. Dasselbe gilt für Mitarbeiter, deren Schicht während des Updates begonnen hat.

Nehmen Sie bitte zur Kenntnis, dass während des Updates ausschließlich medizinisches Personal sowie Mitarbeiter des Security-Teams im Einsatz sind. Wer in dieser Zeit sonst außerhalb seiner Wohnung angetroffen werden sollte, verliert einen vollen Rating-Stern. Für Mitarbeiter mit einem Zwei-Sterne-Rating bedeutet das die sofortige Entlassung.

Danke für Ihr Verständnis und für Ihre Kooperation in dieser Angelegenheit. Es ist uns bewusst, dass es sich um eine Unannehmlichkeit handelt, und wie immer werden wir uns um einen möglichst glatten Ablauf bemühen. Wir wissen Ihre Unterstützung zu schätzen.

Paxton

Paxton ersetzte sein Lieblingsfrühstück – zwei Spiegeleier mit Toast – durch einen Eiweißriegel. Während er ihn kaute, hatte er nur eines im Sinn: Heute würde ein Vier-Sterne-Tag werden.

Sein Einsatzgebiet war die Eingangshalle von Oak, und da er als Sektionsleiter fungierte, musste er in erster Linie dafür sorgen, die anderen so zu postieren, dass jeder Winkel unter Beobachtung stand. Dafür hatte er zwanzig Leute zur Verfügung, was mehr als ausreichend war. Das war gut, denn er wollte Vikram keine Gelegenheit geben, ihn noch mehr bei Dobbs anzuschwärzen, als er es wohl ohnehin schon getan hatte.

In der Eingangshalle herrschte etwas weniger Trubel als üblich. Wahrscheinlich waren viele Leute von Anfang an in ihrer Wohnung geblieben, weil sie sich bald sowieso dort aufhalten mussten. Paxton machte einige Rundgänge, fand mehrere gute Beobachtungspunkte, an die er bisher nicht gedacht hatte, und fuhr dann in die Administration, wo eine letzte Lagebesprechung mit Vikram stattfinden sollte.

Derselbe Besprechungsraum mit demselben Platzmangel, aber mit einer gelösteren Atmosphäre, da Dobbs nicht zugegen war. Vikram stand vorn und wartete darauf, dass die Letzten hereinkamen. Als sich der Raum gefüllt hatte, starrte er in die Runde, bis alle Gespräche verstummt waren. Als hätten die anderen sofort die Klappe zu halten, wenn er an der Reihe war.

»Gut«, sagte er, als es endlich ruhig war. »Heute ist

also der große Tag. Eins will ich euch gleich klarmachen: Wenn ihr irgendwelchen Scheiß baut, bin ich dran. Weshalb ich in diesem Fall dafür sorgen werde, dass ihr ebenfalls dran seid. Ich habe eure privaten Handynummern zu einer Gruppe zusammengefasst und werde euch alle Neuigkeiten zeitnah mitteilen. Die Nachrichten gehen an jeden; ignoriert einfach das, was euch nicht betrifft. Sollte jemand gegen die vorgenommenen Sperrmaßnahmen verstoßen ...«

Hinten kicherte jemand, offenbar weil Vikram das Wort *Sperrmaßnahmen* so bedeutungsschwer ausgesprochen hatte, als ginge es wie in einem Science-Fiction-Film um die Abwehr Säure spuckender Aliens, die von draußen mit dem Kopf an die Tür rammten.

»Falls also jemand gegen die Sperrmaßnahmen verstößt, meldet ihr das und haltet ihn fest«, fuhr Vikram nach einer Pause fort. »Und jetzt stehe ich noch kurz zur Verfügung, falls es Fragen geben sollte.«

Er klatschte in die Hände, um das Ende der Besprechung zu signalisieren. Jemand öffnete die Tür, worauf endlich frische Luft hereindrang, dann gingen die Leute allmählich hinaus. Paxton nickte Vikram zu, um auszudrücken, dass er ein verlässlicher Teamplayer sei, ohne das verbal kundtun zu müssen. Worauf Vikram nur finster die Stirn runzelte.

Auf halbem Wege zurück in Richtung Oak summte sein CloudBand.

Noch eine Stunde bis zum Software-Update. Falls Sie keine anderen Anweisungen erhalten haben, begeben Sie sich bitte in Ihre Wohnung.

Zinnia

Noch eine Stunde bis zum Software-Update. Falls Sie keine anderen Anweisungen erhalten haben, begeben Sie sich bitte in Ihre Wohnung.

Dann:

Bitte schließen Sie Ihren letzten Auftrag ab.

Das Regal vor Zinnia kam zum Stillstand. Ganz oben musste sich der Artikel befinden, den sie holen musste, eine Schachtel mit einem Puzzle. Sie kletterte hinauf, ohne den Sicherheitsgurt einzuklinken. Ob man sie dafür wohl bestrafen würde?

Was weniger wichtig war, als richtig zu landen.

Oben angelangt, fand sie die Box mit den Puzzles, nahm eines heraus und ließ es von ihrem CloudBand registrieren.

Dann hielt sie den Atem an, drehte sich um und sprang in die Luft.

Ihr Magen krampfte sich zusammen. Sie zog den Kopf ein und streckte den linken Arm aus. Einerseits, um den Sturz abzufangen, und andererseits, damit der Schultergelenkkopf aus der Pfanne sprang. Locker saß das Ding schon seit jenem Auftrag in Guadalajara.

Sobald sie landete, spürte sie, wie der Knochen sich verschob und herausploppte. Sie atmete kraftvoll aus, um den Schmerz zu lindern, was jedoch keine Wirkung zeigte. Als sie sich auf den Rücken drehte, fühlte ihr linker

Arm sich wie ein Stück Fleisch an, das locker an ihren Rumpf gebunden war. Der Schmerz schrillte durch ihren ganzen Körper wie ein dissonantes Orchester.

Sie atmete ein. Atmete aus. Konzentrierte sich auf das Zentrum des Schmerzes, seine ganze Kakophonie. Ließ sich davon überfluten. So zerstörerisch wirkten Schmerzen nur, weil die Leute verzweifelt dagegen ankämpften. Das Geheimnis lag darin, sie stattdessen als vorübergehende Realität zu akzeptieren und sich auf etwas anderes zu konzentrieren. Zum Beispiel aufs Aufstehen.

Einige Leute waren stehen geblieben, aber nicht viele. Die anderen waren zu sehr damit beschäftigt, ihren letzten Auftrag zu erledigen. Mit ihrer funktionsfähigen rechten Hand ergriff Zinnia die Puzzleschachtel und schleppte sich zum angezeigten Förderband, das glücklicherweise in der Nähe lag. Dann hob sie ihre Uhr, schaffte es aber mit dem an der Seite baumelnden Arm nicht, die Krone zu drücken. Sie presste das Kinn dagegen und sagte: »Notfall. Manager.«

Sie befolgte die Richtungsanweisungen, die sie postwendend erhalten hatte, und stieß bald auf eine blonde Powerfrau in einem weißen Poloshirt. Die warf einen Blick auf Zinnias herabbaumelnden linken Arm und meinte dann: »Brauchen Sie Hilfe oder was?«

»Das wäre nett, ja«, sagte Zinnia. »Ich bin von einem Regal gefallen.«

»Hatten Sie Ihren Sicherungsgurt eingeklinkt?«

»Nein.«

Die Frau kräuselte die Lippen, trat auf Zinnia zu und hielt ihr Tablet an deren Uhr, um die Geräte zu koppeln. Dann tippte sie aufs Display und hielt es Zinnia unter die Nase. »Ich brauche eine Unterschrift zur Bestätigung, dass Sie den Gurt nicht eingeklinkt haben.«

Zinnia stieß die Luft aus. Was Neues, worauf sie sich konzentrieren konnte. Beknackte Bürokratie. Sie hob die rechte Hand, und da sie Linkshänderin war, krakelte sie einfach etwas aufs Display. Die Frau nickte und machte sich daran, etwas einzutippen. Dafür, dass sie es hier mit einem Unfall zu tun hatte, brauchte sie ganz schön lange.

»Ich glaube, ich habe eine Gehirnerschütterung«, sagte Zinnia in der Hoffnung, den Vorgang zu beschleunigen. »Den Kopf habe ich mir nämlich auch angeschlagen.«

»Dann wollen Sie wohl ins Krankenhaus, ja?«

»Deshalb bin ich hier.«

Die Frau sah sie scharf an, wohl um ihr klarzumachen, dass jetzt nicht die richtige Zeit zum Scherzen sei.

Du kannst mich mal, dachte Zinnia. Aber mit Honig fing man bekanntlich Fliegen oder wie der behämmerte Spruch lautete. »Bitte«, fügte sie deshalb hinzu.

»Können Sie alleine gehen, oder brauchen Sie eine Begleitung?«, fragte die Frau.

Zinnia verdrehte die Augen. »Das schaffe ich alleine.«

»Gut.« Die Frau tippte wieder auf ihr Tablet. Auf Zinnias Uhr tauchten Richtungsanweisungen auf. »Folgen Sie denen zum Ambulanzshuttle.«

Zinnia fand zwar nicht, dass die Frau es verdiente, bedankte sich jedoch trotzdem bei ihr. Sie brauchte nicht lange bis zum Shuttle, der in einer Ausbuchtung zwischen einem Pausenraum und mehreren Toiletten stationiert war. Etwa so groß wie ein regulärer Bahnwaggon, war er mit Liegen und medizinischen Geräten ausgestattet und gelangte auf einem speziellen Gleis zum Krankenhaus. Zinnia stieg ein und stieß auf einen kräftigen, gut aussehenden jungen Mann mit Dreitagebart, der auf seinem Handy herumspielte. Als er sie sah, ließ er das Gerät in der Hosentasche verschwinden und sprang fast über eine Liege, um sie am Eingang zu empfangen.

»Was ist passiert?«, fragte er.

»Bin runtergefallen«, sagte sie. »Hab mir die Schulter ausgerenkt.«

Der Mann wollte Zinnia sofort auf eine der Liegen bugsieren, aber sie wehrte sich, was beim Zustand ihrer Schulter nicht gerade einfach war. Aber wenn er die jetzt gleich wieder in Ordnung brachte, hatte die ganze Aktion ihren Zweck verfehlt.

»Du musst mich die Schulter einrenken lassen, sonst verkrampfen sich die Muskeln«, sagte er. »Je länger das Gelenk ausgekugelt bleibt, desto schwerer kriegt man es wieder rein.«

»Mag sein, aber ich würde wirklich lieber ...«

Während sie noch damit beschäftigt war zu protestieren, griff er fest zu. Sie hätte nicht gedacht, dass es so einfach war, aber er verdrehte die Schulter schnell und kraftvoll, und zack, war das Gelenk wieder eingerenkt. Einfach so. Die Schmerzen veränderten sich, verwandelten sich einen Moment lang in ein seltsam angenehmes Gefühl und beruhigten sich dann, bis sie nur noch als Hintergrundgeräusch vorhanden waren. Zinnia setzte sich auf die Liege, hob den Arm senkrecht in die Höhe und drehte ihn einwärts und auswärts.

»Das war gekonnt«, sagte sie beeindruckt.

»Mit so was haben wir oft zu tun«, sagte der Mann. »Lass mich mal raten – du hast deinen Gurt nicht eingeklinkt.«

Zinnia lachte. »Natürlich nicht.«

»Geh nach Hause, nimm etwas Ibuprofen und leg eine kalte Kompresse auf die Stelle, dann wird das schon wieder.« Er sah sich um. »Oder ... falls du was haben willst, was ein bisschen ... wirksamer ist ...«

Zinnia war zwar jederzeit bereit, alles zweimal zu versuchen, aber das war jetzt nicht der richtige Zeitpunkt dafür. »Übrigens habe ich mir den Kopf heftig angeschlagen«, sagte sie.

Der Sanitäter nahm einen Stift aus der Brusttasche und klickte darauf. Ein Lichtstrahl leuchtete auf, so grell, dass Zinnia zusammenzuckte, als er ihn vor ihren Augen hin und her führte. Dann schüttelte er den Kopf. »Ich habe nicht den Eindruck, dass du eine Gehirnerschütterung hast.«

»Also, ich glaube, es ist trotzdem besser, wenn ich ins Krankenhaus gehe«, sagte sie. »Zur Sicherheit.«

Wieder blickte er sich um, als wollte er sich vergewissern, dass sie allein waren. »Meinst du wirklich? Ich will deinen Zustand nämlich nicht verharmlosen. Aber bei so was bist du besser dran, wenn du alleine damit fertigwirst.« Er beugte sich vor und senkte die Stimme. »Ich will dir nur helfen, ganz ehrlich.«

»Das habe ich schon kapiert«, sagte sie. »Aber mir tut der Kopf furchtbar weh, und ich will nichts falsch machen.«

Er nickte und seufzte. Offenbar hatte auch er kapiert, fand es jedoch schade, dass sie seinen Rat nicht annahm. Er klopfte auf die Liege. »Leg dich hin und schnall dich an.«

Zinnia machte es sich bequem, worauf er nach vorn in die geschlossene Kabine schlüpfte. Sie tastete nach dem Gurt, der von der Liege hing, legte ihn sich um und fixierte den Verschluss. Im selben Moment fuhr der Shuttle los. Er schwebte so sanft dahin, als würde er sich kaum bewegen.

Paxton

Vor den Aufzügen hatten sich lange Schlangen gebildet. Der letzte Schwung Arbeiter, die sich für die Dauer des Updates in ihre Wohnung verziehen wollten. Das Ganze sah aus wie die Einzelteile eines zersplitterten Regenbogens, die man zu einem Haufen zusammengefegt hatte. Paxton unternahm einen weiteren Rundgang durch die Eingangshalle, um zu kontrollieren, ob alle Blauen auf ihrem Posten waren.

Unter anderem stieß er auf Masamba, den er zu seinem inoffiziellen Stellvertreter gemacht hatte, weil er irgendwie ein echtes Interesse daran zeigte, einen guten Job zu machen. Masamba hatte einen so starken Akzent, dass er ständig gebeten wurde, sich zu wiederholen, aber Paxton verstand ihn ganz gut.

Er nickte dem großen, massigen Mann zu. »Alles in Ordnung?«

Masamba salutierte. »Jawohl, Sir, zu Befehl, Sir!«

Paxton lachte. »Lass das, bitte.«

Um zu verstehen zu geben, dass er verstanden hatte, wollte Masamba wieder salutieren, verkniff es sich dann aber. »Okay«, sagte er.

Paxtons Handy vibrierte in der Hosentasche. Eine Nachricht von Vikram.

Test Gruppenversand. Bitte nicht beachten.

Es passte ihm gar nicht, dass Vikram seine persönliche Telefonnummer hatte. Aber gut, immerhin war Paxton

Sektionsleiter, keiner vom Fußvolk, das man nach dem Zufallsprinzip irgendwo postiert hatte. Ganz zu schweigen von denen, die in ihre Wohnung geschickt worden waren.

Inzwischen hatten die Warteschlangen sich stark verringert; es waren höchstens noch zwei Aufzugfahrten nötig, bis die Eingangshalle geräumt war. Wieder traf eine Nachricht ein.

Ein Ambulanzshuttle auf dem Weg ins Krankenhaus. Sonst alle Bahnen gestoppt und registriert. Letzten Rundgang machen, Leute!

Schon nach wenigen Momenten kam die nächste Nachricht.

Die Süße, die gerade zum Krankenhaus gondelt, ist verdammt heiß, Mann. Ich sollte sie mal nem kleinen Check unterziehen. Hat sicher Sehnsucht nach ein bisschen Liebe.

Und gleich die nächste Nachricht mit dem Mitarbeiterfoto von Zinnia.

Paxton konnte es kaum glauben. Das war nicht richtig. Wie zum Teufel kam Vikram auf die Idee, ein Foto von Zinnia zu verschicken?

Dann:

Das Systm wurde gehact. Gehackt. letzte Nachricht nicht beachten beachten beachten. Die kam nicht von Virkam ich wiederhole DIE KAM NICHT VON VIKRAM.

Paxton ließ den Blick durch die Eingangshalle schweifen, als wäre da jemand, der seine Fragen beantworten konnte. Zinnia befand sich in einem Ambulanzshuttle? War sie verletzt? Und wenn ja, wie schwer? Er starrte auf seine Uhr, um sich in der Administration oder dem Krankenhaus zu erkundigen, wusste jedoch nicht, wen er kontaktieren sollte.

Die letzten beiden Aufzüge fuhren nach oben. Bis auf die Blauen war die Eingangshalle leer. Paxtons Bein zuckte. Irgendwie wollte sein Körper sich bewegen und drückte das durch diese unwillkürliche Reaktion aus.

Die Bahn war außer Funktion, aber die Ambulanzshuttles waren noch bemannt und fahrbereit. Paxton ging zu Masamba hinüber. »Ab sofort übernimmst du das Kommando«, sagte er. »Dir ist doch klar, was du tun musst, oder?«

Masamba schüttelte den Kopf. »Also, weiß nicht recht …«

»Man hat gerade meine Freundin ins Krankenhaus gebracht. Ich muss nachschauen, wie es ihr geht.«

Masamba setzte zu einem Salut an, hielt inne und zuckte die Achseln. »Schon klar«, sagte er resigniert. »Tu, was du tun musst.«

»Danke«, sagte Paxton, schlug Masamba anerkennend auf den Arm und machte sich auf den Weg zum nächsten Shuttle-Haltepunkt.

Eine Botschaft von Claire Wells

Eine Frau sitzt an einem Schreibtisch. Flammend rotes Haar. Der Schreibtisch ist groß, schwer, auf Hochglanz poliert und völlig leer. Ein Schreibtisch wie ein Statement. Dahinter blickt man durch ein Fenster auf eine bewaldete Landschaft. Die Bäume sind kahl.

Die Frau hat die Hände auf dem Tisch gefaltet. Sie lächelt, als wüsste sie nicht, wie ein Lächeln interpretiert werden kann. Sie spricht jedes einzelne Wort deutlich aus, als müsste sie Kindern etwas erklären. Die Satzmelodie fällt zum Ende hin ab.

Hallo. Mein Name ist Claire Wells. Ich möchte mich gleich am Anfang dafür entschuldigen, dass Sie diese Nachricht nicht abschalten können. Bestimmt haben Sie sich während des Software-Updates auf ein paar Minuten Freizeit gefreut, aber da es mir nicht möglich ist, Sie alle persönlich kennenzulernen, dachte ich, dass ich mich auf diesem Wege am schnellsten und effizientesten vorstellen kann. Es wird nicht sehr lange dauern, das verspreche ich.

Sie kennen alle meinen Vater und wissen, was für ein großartiger Mensch er ist. Und Sie wissen alle, dass dies eine unglaublich schwere Zeit für meine Familie ist. Aber mein Vater hat mich dazu erzogen, auch dann durchzuhalten, wenn es schwer wird. Deshalb möchte ich Ihnen heute sagen, dass ich vorhabe, Cloud genauso zu führen wie er, nachdem er den Stab an mich weitergegeben hat.

Wie eine Familie.

Genau wie mein Vater gerne unsere MotherCloud-Anlagen besucht hat, hoffe ich, das in den kommenden Monaten ebenfalls zu tun. Ich werde ihn sogar auf einem Teil seiner Abschiedstour begleiten. Wenn Sie mich also sehen sollten, dürfen Sie mich gerne begrüßen.

Claire hebt die Hand, um ebenso übertrieben wie unbeholfen in die Kamera zu winken.

Danke fürs Zuhören! Ich bitte nochmals, die Störung zu entschuldigen.

Zinnia

Der Shuttle hielt an einer kleinen Station, und als Zinnia ausstieg, sagte sie: »Du hast vorhin von was Wirksamerem gesprochen …«

Ein kleiner Vorrat an Oblivion konnte nützlich sein. Als Verhandlungsargument, um Kontakt mit den Dealern herzustellen, oder auch einfach, um nachts schlafen zu können. Auf jeden Fall schadete es nicht, etwas davon in die Hände zu bekommen.

Der Sanitäter sah sich argwöhnisch um, dann griff er in seine Tasche und drückte ihr etwas Kleines und Quadratisches in die Hand. »Ich heiße Jonathan. Du findest mich dienstags in Live-Play.«

»Wie viel?«, fragte Zinnia und schob die Hand in die Hosentasche.

»Das Erste gibt's umsonst.«

Am liebsten hätte sie ihn gefragt, wie man das Cloud-Band manipulieren konnte, aber das war jetzt nicht der richtige Zeitpunkt. Sie konnte ihn später immer noch darauf ansprechen. »Danke«, sagte sie deshalb einfach.

Jonathan strahlte sie kurz an. »Geh der roten Linie nach.«

Auf den polierten Betonboden war ein roter Streifen lackiert. Dem folgte Zinnia durch einen langen Korridor zu einem großen Raum mit mehreren Schaltern, zu denen man durch ein Labyrinth aus Absperrseilen gelangte. Vor dem einzigen Schalter, der besetzt war, warteten einige Leute. Zinnia ging im vorgeschriebenen Zickzack bis zum Ende der Schlange.

Vor ihr standen drei Leute. Zuhinterst ein älterer Mann mit einer blutenden Wunde an der Stirn, an die er sich einen durchnässten Packen Papierhandtücher presste. Die junge Frau vor ihm hielt sich den Bauch und krümmte sich vor Schmerzen. Am Schalterfenster stand ein Mann, der offenbar dringend eine Entgiftung brauchte. Er schwitzte und zuckte mit allen Gliedern.

Hinter dem Fenster saß eine Art Höhlentroll, der alle schnell abfertigte. Als Zinnia an der Reihe war, verdrehte er seufzend die Augen, sichtlich empört, dass er noch jemand vor sich hatte.

»Beschwerde?«, fragte er.

»Ausgerenkte Schulter«, sagte Zinnia. »Außerdem habe ich mir den Kopf angeschlagen. Vielleicht eine Gehirnerschütterung.« Sie wollte ihre Uhr an die Scannerscheibe unter dem Fenster halten, sah jedoch, dass das Display erloschen war. Nur eine graue Linie kroch langsam von links nach rechts.

Der Troll runzelte die Stirn. »Das müssen wir wohl wie früher machen. Mitarbeiternummer?«

Während Zinnia sie hersagte, tippte er sie ein. Die Computer im Krankenhaus waren also weiterhin online, genau wie sie erwartet hatte. Volltreffer!

»Sie haben wahrscheinlich den Gurt nicht eingeklinkt«, sagte der Troll kopfschüttelnd.

»Ja, leider«, sagte sie. »Kann ich jetzt weiter? Mein Kopf tut weh.«

Er wandte sich wieder ans Tippen. Seine Hände flogen regelrecht über die Tastatur. Schließlich sagte er: »Bitte begeben Sie sich in Raum sechs, Bett Nummer siebzehn, dann wird in Kürze jemand bei Ihnen sein.« Nach dem zu urteilen, wie er *in Kürze* sagte, würde das Gegenteil der Fall sein.

Zinnia ging durch die Schwingtür am Ende der Schalterreihe und kam wieder in einen langen Korridor, wo es nach verschüttetem Putzmittel roch. Die glänzende Schicht auf dem Boden war so dick, dass ihre Sohlen quietschten. Sie kam an mehreren grauen Türen vorüber, auf die riesige blaue Zahlen lackiert waren.

Durch Tür sechs gelangte sie in einen lang gestreckten Raum mit durch Vorhänge abgetrennten Betten. Die meisten Vorhänge waren aufgezogen, die meisten Betten leer. Am Ende machte der Raum eine Biegung nach rechts. Zwei Betten waren belegt, von der unter Schmerzen leidenden Frau von vorhin, der es jetzt, wo sie auf der Seite lag, ein bisschen besser zu gehen schien, und von einem jungen Typen, der mit gekreuzten Beinen dahockte und auf seinem Handy daddelte.

Zinnia ging zu Bett siebzehn und setzte sich darauf. Es war schmal und fühlte sich wie eine mit dünnem Schaumstoff bedeckte Steinplatte an. Als sie sich umblickte, sah sie an der Wand gegenüber einen Bildschirm hängen. Darunter stand ein Rolltisch mit einer Tastatur. Nicht schlecht, aber zu nah an dem ihr zugewiesenen Bett und damit zu gefährlich.

Der auf seinem Handy spielende Typ hatte kurze, hellgrün gefärbte Stoppelhaare. Auf der Kopfhaut sah man Flecken aus dunklerem Grün.

»He«, rief Zinnia ihm zu.

Er wandte nicht einmal den Blick von seinem Handy ab.

»He!«

Ohne sich ihr zuzuwenden oder sein Daddeln einzustellen, hob er zur Antwort eine Augenbraue.

»Wann war das letzte Mal eine Krankenschwester hier?«, fragte Zinnia.

»Ist mindestens eine Stunde her«, sagte er. »Wahrscheinlich kommt erst wieder jemand, wenn das Update gelaufen ist. Dann sind alle wieder auf ihrem Posten.«

»Gut«, sagte Zinnia. »Wenn ich so lange warten muss, lege ich mich erst mal schlafen.«

Der Typ zuckte kurz die Achseln. *Von mir aus.*

Zinnia zog die Vorhänge rund um ihr Bett zu, dann ließ sie sich auf den Boden gleiten und machte sich daran, unter den Betten hindurch zu der Biegung am Ende des Raums zu kriechen. Als sie unter dem Bett der Frau mit den Magenproblemen durchkam, bewegte sie sich besonders vorsichtig. Je länger sie kroch, desto mehr schmerzte ihre lädierte Schulter, aber sie ignorierte das, so gut es ging.

Vor der Biegung hielt sie inne und spähte um die Ecke. Dahinter standen weitere Betten. Füße darunter waren nicht zu sehen, aber ob auf irgendeinem der Betten jemand lag, war nicht zu erkennen. Das gefiel ihr nicht, weshalb sie an die Wand gedrückt aufstand.

Hinter der Biegung saß eine Krankenschwester und tippte etwas in ihr Tablet. Auf dem Bett neben ihr lag jemand zusammengerollt unter einer Decke, den Blick an die Wand gerichtet.

Zinnia zuckte zurück. Schloss kurz die Augen. Holte tief Luft, bevor sie um die Ecke bog und schnell auf die Schwester zuging. Die, eine Latina mit braunem Kraushaar, sah auf. »Tut mir leid«, sagte sie. »Ich komme gleich.«

»Ich wollte bloß da rein«, sagte Zinnia und deutete auf die Tür zur Toilette, die hinter der Schwester zu sehen war. »Aber da um die Ecke liegt eine Frau, die furchtbare Schmerzen hat.«

Die Schwester nickte und legte das Tablet weg. »Okay. Und was ist mit dir?«

»Ich komme schon zurecht«, sagte Zinnia. »Aber du solltest wirklich mal kurz nach der Frau schauen.«

Die Schwester ging mit quietschenden Sohlen davon. Sobald sie um die Ecke verschwunden war, griff Zinnia in ihre Hosentasche und zog den Kollektor hervor. Ging hastig ein Stück weiter, wo sie einen runden Tisch mit mehreren Computerterminals sah. Alle waren noch eingeschaltet. Sie wählte das nächstbeste und steckte den Kollektor in eine der unbenutzten USB-Buchsen auf der Rückseite.

Sie konnte es nicht hören, konnte es nicht sehen, aber beinahe konnte sie spüren, wie ihr kleines, von ihrem Laptop gebasteltes Schadprogramm sich durch das System schlich und alle Informationen herauszog, die sie brauchte.

Sie wandte sich der Toilette zu und zählte im Kopf die Sekunden:

einundzwanzig
zweiundzwanzig
dreiundzwanzig
vierund…

Die Zahlen zersplitterten, weil etwas Schweres an ihren Hinterkopf prallte.

Sie kam hart auf dem Boden auf und schaffte es gerade noch, das Gesicht mit den Händen zu schützen, damit sie sich nicht alle Zähne ausschlug. Sofort drehte sie sich auf den Rücken, einen Fuß auf dem Boden, das andere Bein angezogen und zum Tritt bereit.

Über ihr stand Rick mit rot geschwollenem, bandagiertem Gesicht. Er schwang einen Infusionsständer wie einen Baseballschläger. Offenbar war er der Patient in dem Bett gewesen, an dem die Schwester gerade gesessen hatte.

Zinnia schob sich im Krebsgang zurück, um Abstand zu gewinnen, stieß jedoch auf ein Hindernis.

»Verfluchte Schlampe«, sagte er und hob den Ständer über den Kopf, um ihn heruntersausen zu lassen.

Zinnia knallte ihm den Fuß in die Weichteile, die spürbar nachgaben. Während er sich krümmte, kam sie stolpernd auf alle viere, was in dem engen Winkel nicht einfach war. Inzwischen hatte er sich weit genug erholt, um ihr ebenfalls einen Tritt zu verpassen. Er erwischte sie am Kinn.

Nun sah sie Sterne. Sie rollte sich ab und kroch weg, so gut sie konnte. Es lief absolut beschissen, und – noch schlimmer – sie war selbst schuld daran.

Dann zwang sie sich, die Wut auf sich selbst zu vergessen. Sie würde es diesem Kerl geben.

Während Rick sich wieder aufrichtete, erhob sie sich auf ein Knie. Griff nach einer Bettpfanne und schleuderte sie nach ihm. Das Geschoss erwischte ihn im Gesicht, und obwohl es nicht schwer war, erschreckte es ihn so, dass er auf den Rücken plumpste. Zinnia überlegte, ob sie sich um den Kollektor kümmern sollte, war sich jedoch nicht sicher, ob schon genügend Zeit vergangen war. Wahrscheinlich nicht. Wenn man unter Adrenalin stand, lief alles wie in Zeitlupe ab. Sie hätte auf die Uhr dort an der Wand schauen sollen, als sie das Ding eingesteckt hatte.

Mühsam kam sie auf die Beine. Rick war ein Feigling. Ein totaler Schlappschwanz. Trotzdem hatte er einen Glückstreffer gelandet, denn jetzt hatte sie womöglich tatsächlich eine Gehirnerschütterung. Jedenfalls kam sie sich vor wie auf einem schwankenden Boot.

Sie blickte sich um. Die Krankenschwester war nirgendwo zu sehen. Vielleicht hatte sie nichts gehört oder den Raum verlassen. Oder sie hatte es mit der Angst bekommen.

Als Zinnia sich wieder zu Rick umdrehte, rappelte der sich gerade hoch, weshalb sie sich auf ihn stürzte und ihm das Knie ins Gesicht krachen ließ. Sein Kopf zuckte nach hinten. Er fiel gegen eines der Betten und sank zu Boden. Sie sah sich nach irgendetwas um, womit sie ihn fesseln könnte, fand jedoch nichts.

Ihr Gürtel. Der musste ausreichen. Sie zog ihn heraus und stellte sich über Rick, aber der trat auf einmal nach ihrem Fuß, worauf sie stolperte und hinfiel. Offenbar war sie von dem Tritt ans Kinn noch so benommen, dass sie nicht recht wusste, was sie tat. Sie drehte sich auf die Seite, nur um ebenfalls an ein Bett zu stoßen. Verdammt, das war wirklich nicht der passende Ort, sich zu prügeln. Außerdem war Rick tatsächlich wieder auf die Beine gekommen. Diesmal hatte er den Hocker gegriffen, auf dem die Krankenschwester gesessen hatte.

Während er den Hocker hob, streckte sie die Arme aus, um sich zu schützen. Besser, die Unterarme wurden getroffen als ihr Kopf.

Das würde richtig wehtun.

»He!«

Die Stimme kannte sie und wusste Bescheid, bevor sie ihn sah. Paxton stürzte sich auf Rick und taumelte gemeinsam mit ihm zu Boden. Sie zog sich ein Stück zurück und sah, wie Paxton sich rittlings auf Rick hockte und ihm die Faust ins Gesicht rammte. Es knackte, wie wenn ein Kürbis platzte.

Das war jetzt gleich zu Ende, wonach Paxton sie nicht mehr aus den Augen lassen würde. Auch die Krankenschwester würde wieder auftauchen. Deshalb ignorierte Zinnia das Dröhnen in ihrem Kopf, stemmte sich hoch und rannte zu dem Tisch mit den Computern. Hoffentlich hatte das Programm inzwischen genug Zeit gehabt, alle Informationen herauszuziehen und zu speichern.

Sie zog den Kollektor heraus.

Als sie sich umwandte, sah sie Paxton, der sich halb zu ihr umgedreht hatte. Rick lag unter ihm.

Paxton starrte sie an.

Paxton

Paxton ging auf den Schalter zu. Der alte Kerl dahinter blickte auf etwas in seinem Schoß. Als Paxton mit der flachen Hand so heftig an die Scheibe schlug, dass sie erzitterte, zuckte der Mann hoch und wäre fast vom Stuhl gefallen.

»Ist hier eine Frau namens Zinnia durchgekommen?«

Der Mann starrte ihn verwirrt an.

Paxton hob die Hand ans Kinn. »Ungefähr so groß. Braune Haut. Hübsch.«

Der Mann nickte und deutete zur Seite. »Hab sie vor einer Weile da reingeschickt. In Zimmer sechs, glaube ich.«

»Danke.«

Paxton hastete in den Korridor und dann in das angegebene Zimmer, wo er eine lange Reihe Betten sah. Auf einem saß ein mürrischer junger Typ, der auf sein Handy stierte. Den würde bloß ein Atomschlag aus seiner Lethargie reißen. Ein Stück weiter hinten krümmte eine Frau sich vor Schmerzen, und neben ihrem Bett hockte eine Krankenschwester auf dem Boden, als würde sie sich vor etwas verstecken. Als die Schwester ihn sah, fiel sie vor Erleichterung fast in Ohnmacht. »Gott sei Dank, dass Sie da sind. Da hinten geht's drunter und drüber.«

»Wo hinten?«, fragte Paxton.

Im selben Moment hörte er einen dumpfen Schlag und sah, dass der Raum am Ende eine Biegung machte. Er rannte zwischen den Betten hindurch, und als er um die Ecke kam, sah er einen Mann, der einen Hocker in die Luft hob, um ihn auf jemand herunterkrachen zu lassen. Auf dem Boden kniete mit blutigem Gesicht Zinnia.

Paxton sah rot. Er stürzte sich mit voller Wucht auf den Mann. Das tat ihm selbst weh, dem anderen aber bestimmt mehr. Sie taumelten auf den Boden und kugelten übereinander, bis es Paxton gelang, sich rittlings auf den Kerl zu setzen.

In solchen Situationen war es das Beste, den Übeltäter festzuhalten und zu warten, bis Unterstützung eintraf.

Als ob es da eine Wahl gäbe.

Er ballte die Faust und ließ sie in das Gesicht des Mannes krachen. Dessen Augen weiteten sich, dann flackerte es in ihnen, als würde das Licht ausgeschaltet. Nach einem Moment spürte Paxton etwas in seiner Hand. Schmerzen, die sich von den Knöcheln bis zum Ellbogen zogen. Wahrscheinlich hatte er sich etwas gebrochen.

Als er sich nach Zinnia umdrehte, sah er, dass sie sich aufgerappelt hatte. Sie stand an einem Tisch mit mehreren Computerterminals und fummelte an einem Monitor herum.

Dann blickte sie sich zu ihm um.

»Was machst du da?«, fragte er.

Sie sah ihn an. Verwirrt? Erschrocken? Voller Schmerzen? Das war ihm nicht klar. Er wollte seine Frage wiederholen.

Da kippte sie ohnmächtig um.

Zinnia

Zinnia ließ sich so zu Boden sinken, dass ihr Kopf geschützt war. Sollte Paxton doch zu ihr stürzen, sie packen und schütteln, sollte er doch Angst um sie bekommen. Das würde ihn hoffentlich davon ablenken, dass sie sich den Kollektor in den Mund gesteckt und ganz nach hinten zwischen Zähne und Wange geschoben hatte, wo er sich an ihr Zahnfleisch presste.

Sie hatte überlegt, ob sie das Ding in die Hosentasche stecken sollte, aber was war, wenn Paxton sie abtastete? Oder wenn man sie medizinisch untersuchte und dabei nackt auszog? Es gab zahllose Möglichkeiten, wie sie den Kollektor verlieren konnte, und dann könnte sie den Auftrag abschreiben, denn allmählich wurde es selbst ihr zu viel.

Eine solche Situation war der Grund, weshalb sie sich immer wasserdichte Speichermedien besorgte. Das war zwar ein bisschen teurer, aber es lohnte sich. Damit steckte in ihrer Tasche zwar noch das Oblivion, doch darauf konnte sie verzichten.

Paxton eilte davon, um Hilfe zu holen. Zinnia warf einen Blick auf Rick. Der lag weiterhin am Boden.

Bestimmt hatte er gesehen, wie sie den Kollektor in die Buchse gesteckt hatte. Aber es würde jetzt sehr unangenehm für ihn werden, und zwar ganz offiziell. Schließlich hatte ein Security-Mann beobachtet, wie er eine Frau angriff. Mit so etwas kam man nicht so einfach davon.

So wie Cynthia es dargestellt hatte, war allerdings

bekannt, dass er Frauen belästigte. Ob er wohl eine besondere Stellung in der Firma hatte? Gab es etwas, was ihn in solchen Fällen schützte?

Und würde er das, was er gesehen hatte, dazu verwenden, sich aus der Affäre zu ziehen?

Auf dem Tisch über ihr lag eine Schere, die sie jetzt im Geiste vor sich sah. Sie hatte schon während der Prügelei daran gedacht, aber da war alles zu schnell gegangen. Die Schere hatte hellgelbe Kunststoffgriffe und sah so stumpf aus, dass sie möglicherweise leicht zerbrach, aber die Haut am Hals war sehr empfindlich. Und Zinnia konnte behaupten, dass Rick wieder versucht hatte, sie anzufallen.

Bevor sie sich zum Aufstehen entschließen konnte, kam Paxton um die Ecke, begleitet von der Krankenschwester und einem weiteren Mann in Blau, einem schlaksigen Kerl mit Bürstenhaarschnitt. Sie schloss die Augen und tat wieder so, als wäre sie ohnmächtig.

»Wo hast du eigentlich gesteckt, verdammt noch mal?«, hörte sie Paxton fragen.

»Ich hab ... ich hab bloß ...« Das war der andere Blaue.

»Was hast du?«, fragte Paxton. »Im Dienst gepennt?«

»Bitte ...«

»Jetzt komm mir bloß nicht so! Da kannst dich auf was gefasst machen. Die Frau da hätte ums Leben kommen können!«

Zinnia spürte, wie Paxton sie wieder abtastete, dann folgten zwei kleinere Hände. Die Krankenschwester, die nach Knochenbrüchen suchte und an einem Augenlid zog. Zinnia griff sich mit der Hand an die Stirn und blinzelte, worauf die beiden sie hochzogen und auf ein Bett legten.

»Geht es?«, fragte Paxton.

Ihr war nicht klar, was er dachte. Auf jeden Fall war er besorgt, was schon mal ein guter Anfang war. »Ja«, sagte sie. »Ich bin bloß … Ja, es geht schon.«

Paxton blickte auf seine Uhr, und im selben Moment summte auch die von Zinnia. Das Update war abgeschlossen. Das Display zeigte den bekannten Smiley, um dann in den Normalzustand zurückzukehren.

Auf Zinnias Uhr stand: *Bitte begeben Sie sich wieder an Ihren Arbeitsplatz.*

Paxton warf einen Blick darauf. »Das kannst du ignorieren.« Er sah die Krankenschwester an. »Behalten Sie sie im Auge.« Dann trat er beiseite, um etwas in seine Uhr zu sprechen. Dabei entfernte er sich ein Stück, sodass Zinnia nicht verstehen konnte, was er sagte.

Die Schwester richtete ihren Leuchtstift auf Zinnias Augen. »Wie fühlst du dich?«, fragte sie.

»Ich weiß nicht recht.«

»Willst du was gegen die Schmerzen?«

»Nein.« Natürlich wollte sie etwas dagegen, und zwar das, was in ihrer Hosentasche steckte. Aber jetzt war nicht der richtige Zeitpunkt, sich vollzudröhnen.

Paxton stand wieder neben ihr. »In ein paar Minuten wird mein Chef hier sein. Er sagt, dass allerhand Schwachsinn passiert ist. Aber bevor er kommt – weißt du, weshalb der Typ dich angegriffen hat?«

Zinnia überlegte, ob sie die Frage verneinen und sagen sollte, es sei wie aus heiterem Himmel passiert. Völlig unerwartet. Das wäre ihr lieber gewesen. Dann hätte sie nicht eingestehen müssen, dass sie sich in der Dusche Ricks Forderungen gefügt hatte wie ein schwaches, kleines Ding, das keine andere Wahl hatte.

Aber der Kollektor steckte zwischen ihrem Zahnfleisch und ihrer Wange, und Paxton sollte sich nicht daran erinnern, dass sie an dem Computer hantiert hatte.

Deshalb erzählte sie, was passiert war.

Dass sie es gewesen war, die Rick hier ins Krankenhaus befördert hatte, ließ sie weg, aber die Story zeigte trotzdem ihre Wirkung, denn Paxton und die Krankenschwester machten ein immer längeres Gesicht. Vor allem Paxton sah wiederholt zu Rick hinüber, der auf dem Rücken lag und an die Decke starrte, als wüsste er, dass er erledigt war. Es schien Paxton schwerzufallen, dem Kerl keinen Fußtritt an den Schädel zu verpassen.

Als Zinnia geendet hatte, sagte er: »Das hättest du mir aber erzählen sollen.«

Das hörte sich wie eine Schelte an, was Zinnia gar nicht passte. »Manchmal ist es am besten, so was auf sich beruhen zu lassen«, sagte sie.

Er schüttelte den Kopf. »Du hättest es mir erzählen sollen.«

Diesmal klang der Satz trauriger. In Zinnia löste das ein Durcheinander aus komplexen Gefühlen aus. Aus Gefühlen, die ihr nicht gefielen, auch wenn sie sie nicht richtig deuten konnte.

Wenig später war der ganze Raum voller Menschen. Fragen über Fragen wurden gestellt. Man legte Rick auf ein Bett und schnallte ihn fest. Ein älterer Mann mit einem verwitterten Gesicht in einer braunen Uniform – der berüchtigte Dobbs – wollte von ihr wissen, was geschehen sei. Ganz unvoreingenommen, ganz ohne Hintergedanken wollte er einfach ihre Geschichte hören. Sie spulte die Version ab, in der sie am besten davonkam, und zog dabei aus den Fragen, die Dobbs stellte, ihre Schlüsse. Auch die Unterhaltungen der Leute ringsum waren informativ.

Wahrscheinlich hatte der für diese Station zuständige Security-Mann, er hieß Goransson, sich irgendwo anders hin verzogen oder sogar im Nebenraum schlafen gelegt. Dobbs wiederum erklärte ihr, der mit der Einsatzleitung beim Update betraute Mitarbeiter habe ihr Profil aufgerufen, als sie ins Krankenhaus transportiert worden sei, und dann eine anzügliche Nachricht mit ihrem Foto verfasst. Eigentlich habe er die nur an einen Kumpel senden wollen, sie aber stattdessen an das gesamte Security-Personal geschickt.

Wodurch Paxton in der Lage gewesen sei, gerade noch rechtzeitig bei ihr einzutreffen.

Offenbar nahm man das, was Zinnia gegen Rick vorbrachte, ernst. Es war ihr zwar zuwider, die Opferrolle zu spielen, aber wenigstens würde er dafür bezahlen. Sie wollte das Ganze schon als Sieg abhaken, als sie ihn etwas brüllen hörte, während er auf seinem Bett aus dem Raum geschoben wurde. »Fragen Sie sie doch wenigstens! *Fragen Sie sie!*«

Dobbs, der gerade mit Rick gesprochen hatte, senkte den Kopf, stemmte die Hände in die Hüften und schüttelte sich, dann kam er anmarschiert.

»Tut mir leid, dass ich Ihnen die Frage stellen muss, aber der Mann behauptet, Sie hätten vorhin an einem der Computer herumgepfuscht«, sagte er. »Ich neige zwar nicht dazu, solchen Scheißkerlen Glauben zu schenken, aber ansprechen muss ich es trotzdem.«

Zinnia spürte, wie die scharfen Kanten des Kollektors in ihr Zahnfleisch schnitten.

»Als er mich überfallen hat, war ich auf dem Weg zur Toilette«, sagte sie. »Ich habe keine Ahnung, wovon er da redet.«

Dobbs nickte. Offenbar war er mit ihrer Antwort

zufrieden. Hinter ihm stand Paxton und starrte zu Zinnia herüber. Der Ausdruck in seinen Augen gefiel ihr nicht.

Paxton

Dobbs stemmte die geballten Fäuste so fest in die Hüften, als wollte er sich damit in die Zange nehmen. »Vikram, dieser Volltrottel«, sagte er. »Den säge ich jetzt endgültig ab. Goransson ebenfalls.« Seufzend ließ er den Blick über das Durcheinander wandern. »Was Sie angeht, bin ich mir nicht so sicher.«

»Sir?«, sagte Paxton.

»Sie haben Ihren Posten verlassen«, sagte Dobbs. »Jetzt mal ehrlich – läuft da was zwischen Ihnen und der Frau?«

»Wir gehen manchmal zusammen aus.«

Dobbs nickte. »Hübsch ist sie ja.«

Paxton spürte, wie er bei dieser anerkennenden Bemerkung rot wurde.

»Wie gesagt, Sie haben während einer wichtigen Mission Ihren Posten verlassen«, fuhr Dobbs fort. »Aber wenn Sie das nicht getan hätten, dann hätte dieser Scheißkerl der armen Frau den Schädel eingeschlagen.«

»Da wollte ich was fragen«, sagte Paxton. »Zinnia hat gesagt, er hätte häufig Frauen belästigt. Hat irgendjemand Strafanzeige gegen ihn gestellt? Oder so was in der Richtung?«

»Nicht dass ich wüsste«, sagte Dobbs. »Da muss ich allerdings noch recherchieren. Das System ist ja gerade erst wieder in Funktion.«

»Jedenfalls ist das ein Problem. Wenn er sich nämlich gewohnheitsmäßig so aufgeführt hat, werde ich keine Ruhe geben, bis man ihn gefeuert und ins Gefängnis gesteckt hat, das können Sie mir glauben.«

Dobbs nickte langsam, als würde er etwas wiederkäuen. Was, wusste Paxton nicht. Chinesisch war besser verständlich als Dobbs. Schließlich trat der näher an ihn heran und senkte die Stimme. »Ich brauche was von Ihnen. Hören Sie gut zu.«

»Ich höre.«

»Sie müssen jetzt ein Teamplayer sein. Schaffen Sie das?«

»Um was geht's?«

»Sie müssen Ihrer Freundin sagen, dass wir uns um diese Sache kümmern«, sagte Dobbs. »Dass Cloud den Dreckskerl feuern wird, was automatisch bedeutet, dass er auch nirgendwo anders im Land mehr einen Job bekommt. Vikram wird ebenfalls einen Preis bezahlen. Aber dafür brauche ich eine Gegenleistung.«

»Und die wäre?«

»Dass sie die Sache nicht an die große Glocke hängt. Wahrscheinlich ist sie jetzt ziemlich erschüttert und konfus, und da kommen Sie ins Spiel.« Dobbs legte Paxton die Hand auf die Schulter. »Sie müssen ihr klarmachen, was für ein Aufwand es wäre, das Ganze so zu verfolgen, wie sie es vielleicht vorhat. Wichtig ist, dass der Gerechtigkeit Genüge getan wird, aber das sollte so geschehen, dass es uns allen das Leben leichter macht.«

Paxton wurde heiß und kalt. Als Erstes kam ihm in den Sinn, Dobbs zu sagen, er solle sich zum Teufel scheren. Stattdessen holte er tief Luft und dachte rational über den Vorschlag nach.

Wenn er seine persönliche Betroffenheit außer Acht ließ, ergab es Sinn, das Ganze dezent zu behandeln.

Allerdings hatte er das Gefühl, Zinnia zu hintergehen, wenn er ihr erklärte, sie solle die Hände in den Schoß legen und den Mund halten. Was, wenn sie das nicht wollte? Wenn es ihr ausdrücklicher Wunsch war, die Sache an die große Glocke zu hängen? Es wäre nicht richtig von ihm, ihr da im Weg zu stehen.

»Meinen Sie, dass Sie das schaffen?«, fragte Dobbs.

»Ich tue, was ich kann.«

Dobbs drückte ihm die Schulter. »Danke, mein Junge. Das werde ich Ihnen nicht vergessen. Und jetzt kümmern Sie sich mal um Ihre Freundin. Sorgen Sie dafür, dass sie sich erholt. Ihr beide könnt euch erst mal freinehmen, den restlichen Tag heute und morgen auch, okay?«

»Wirklich?«

»Aber ja doch. Nehmt es als mein Geschenk für euch. Ihr habt beide eine Menge durchgemacht.«

Paxton wusste zwar nicht so genau, was er durchgemacht hatte, aber er war froh, ein bisschen freizuhaben. Er lächelte unwillkürlich, und als ihm das bewusst wurde, machte er ein ernstes Gesicht. Dobbs nickte und marschierte davon, um sich um irgendeine andere Katastrophe zu kümmern.

Als Paxton zu Zinnia kam, stand sie an ein Bett gelehnt da. Sie verhielt sich so, wie Verletzte es oft taten, ganz vorsichtig, als könnte sie zerbrechen, wenn sie sich zu schnell bewegte. Unter ihrem Auge hatte sich ein Bluterguss gebildet, auf ihrer Wange war ein Kratzer. Ihre Fingerknöchel waren bandagiert, was Paxton an die eigene pochende Hand denken ließ. Er spreizte sie. Sie tat noch weh, war aber wahrscheinlich doch nicht gebrochen.

»Tja«, sagte Paxton. »Was für ein Tag, hm?«

Zinnia verzog die Lippen. Ein Lachen erschütterte ihre Brust, obwohl aus ihrem Mund kein Laut kam, nur ein paar kurze Luftstöße. »Kann man wohl sagen«, brachte sie dann heraus.

»So weit ist alles geklärt«, sagte er. »Du hast heute und morgen frei. Ich ebenfalls. Ich habe den Arzt sagen hören, dass man dich nicht dabehalten muss. Was hältst du davon, wenn wir uns schleunigst davonmachen?«

»Ja«, sagte Zinnia. »Das wäre fein.«

Paxton wehrte sich erfolgreich gegen den Drang, sie zu küssen, zu umarmen oder irgendetwas anderes zu tun, was an diesem Ort eventuell unangebracht war. Dafür hielt er Zinnia den Arm hin, damit sie sich an ihm festhalten konnte. Ein bisschen Unterstützung zu bieten war gewiss akzeptabel. Gemeinsam suchten sie sich einen Weg durch die Leute, die herumwuselten.

Als sie in der Bahn standen, stellte sich heraus, dass der blaue Fleck in Zinnias Gesicht nicht so leicht zu verbergen war. Eine verletzte Frau, die von einem Security-Mann eskortiert wurde. Natürlich glotzten die Leute da.

In Maple angekommen, fuhren sie zur Wohnung von Zinnia hinauf. Als Zinnia hineinging, überlegte Paxton kurz, ob er verschwinden sollte, damit sie etwas Zeit für sich hatte, aber sie hielt ihm die Tür auf. An die Ablage gelehnt, zog sie Shirt und BH aus, um sich abzutasten und nach weiteren Blutergüssen oder Verletzungen zu suchen. Paxton wandte den Blick ab. Nicht dass er glaubte, das tun zu müssen, aber in der momentanen Situation wäre er sich sonst grob vorgekommen.

Nach einer Weile fragte er: »Brauchst du etwas?«

»Hundert Glas Wodka und einen Becher Eiscreme.«

»Die Eiscreme kann ich besorgen.« Er hielt kurz inne. »Von so viel Wodka rate ich ab.«

»Wodka und Eiscreme würden mich zum glücklichsten Menschen der Welt machen.«

»Wird besorgt«, sagte Paxton, verließ die Wohnung und machte sich auf den Weg zur Promenade.

Er war froh, den engen Raum erst einmal hinter sich zu lassen; außerdem stand ein Gespräch an, das er eigentlich nicht führen wollte. Jedenfalls noch nicht. Zuerst suchte er den Getränkeladen auf, um den Wodka zu besorgen. Leider hatte er nicht gefragt, welche Marke sie bevorzugte, doch dann fiel ihm ein, was sie normalerweise im Pub bestellte. Dann kaufte er in einem kleinen Supermarkt einen Becher Eis – das war einfach, sie liebte welches mit Chocolate Chips – und für sich ein abgepacktes Sandwich.

Die ganze Zeit über schwirrte ihm der Kopf. Weil er gleich versuchen musste, Zinnia davon zu überzeugen, dass Dobbs die Sache regeln werde und dass sie nicht auf die Idee kommen solle, offiziell Strafanzeige zu stellen.

Aber das war nicht alles. Irgendetwas stimmte an dem Ganzen nicht.

Dieses Dreckschwein – Rick – hatte behauptet, Zinnia habe an einem Computer herumgepfuscht, bevor er sie angegriffen habe. Und als Paxton auf Rick gehockt und sich nach Zinnia umgesehen hatte, da hatte sie tatsächlich an dem Tisch mit den Computern gestanden und irgendetwas getan. Er wusste nur nicht, was.

Der Ausdruck in ihrem Gesicht, als ob er sie bei etwas unterbrochen hätte.

Der Punkt auf der Überwachungsaufnahme. Der Deckel an dem CloudPoint-Terminal.

Dinge, die wie kleine Finger seine Gedanken anstupsten.

Zinnia

Zinnia fummelte den Kollektor aus ihrem Mund und kramte eilig ihren Laptop hervor. Der nächste Laden, wo man Alkohol bekam, war in der Mitte der Promenade, weshalb ihr mindestens zehn Minuten blieben, bevor Paxton wiederkam, und sie konnte unmöglich länger warten. Sie musste jetzt gleich Bescheid wissen, weil sie etwas als Ausgleich für die Scham und die Wut brauchte, die sie wegen Ricks Glückstreffer empfand.

Sie trocknete den Kollektor ab, steckte ihn in den Laptop und ließ diesen einige Minuten arbeiten. Das Programm hatte sie so eingerichtet, dass es verschiedene Ordner mit ähnlichen Dateitypen anlegte, damit die schon vorsortiert waren.

Am meisten interessiert war sie an dem Ordner mit den Lageplänen. Sie öffnete ihn und durchsuchte ihn so atemlos, dass ihre Finger an dem Touchscreen abglitten. Stromnetz. Wasserversorgung. Mittelmäßig nützlich. Endlich stieß sie auf das Transportsystem. Das sah irgendwie merkwürdig aus. Etwas war anders als auf den Bildschirmen, die überall öffentlich hingen.

Die Anlagen für die Wasseraufbereitung, das Abfallrecycling und die Energieversorgung befanden sich alle in der südöstlichen Ecke des Campus. Es handelte sich um eine Gruppe von eng zusammenstehenden Bauten, erreichbar durch eine am Aufnahmegebäude startende Bahn, die nicht mit dem restlichen System verbunden war.

Das war ja das Problem. Diese Bahn konnte Zinnia nicht verwenden. Kein Zugang für Rote.

In dem Gewirr von Bahnlinien war allerdings eine Strecke zu sehen, die nicht auf dem offiziellen Plan auftauchte. Sie führte von Live-Play direkt zur Abfallrecyclinganlage. Diente die vielleicht zum Mülltransport?

In Live-Play kannte Zinnia sich inzwischen bestens aus, hatte jedoch keine Bahnstation gesehen außer der normalen auf der untersten Ebene und den Haltepunkten für den Ambulanzshuttle. Sie zoomte auf das Ende der Strecke, um zu erraten, wo es sich befand, aber die einzelnen Lokale und Geschäfte waren nicht markiert. Irgendwo an der Nordwestseite.

Sie würde es finden. Schon durch diese Entdeckung hatte der ganze beschissene Tag sich doch gelohnt.

Paxton

Nachdem Paxton Eiscreme und Flasche überreicht hatte, goss Zinnia zwei Gläser Schnaps ein und bot ihm eines an. Er nahm es entgegen, obwohl er eigentlich nichts trinken wollte. Zinnia schaltete den Fernseher ein, in dem zuerst ein Werbespot für eine neue fettarme Eiscremesorte kam, die angeblich genau wie das Original schmeckte. Auf einem Musiksender fand Zinnia einen orchestralen elektronischen Titel von einer Band, deren Namen er nicht kannte und kaum aussprechen konnte. Aber er mochte den Titel. Es war Musik, die den Blutdruck senkte.

Zinnia fläzte sich auf die Matratze, stellte den Wodka auf die Ablage, nahm den Deckel der Eiscreme ab und warf ihn neben das Glas. Dann versenkte sie den Löffel im Eis, schaufelte eine ordentliche Portion heraus und beförderte sie sich in den Mund. Als Paxton sich neben sie setzte, steckte sie den Löffel wieder ins Eis und hielt ihm den Becher hin. Er winkte ab und widmete sich stattdessen seinem Sandwich.

»Tut mir leid, dass ich nicht früher im Krankenhaus war«, sagte er.

»Ach, ich bin froh, dass du überhaupt gekommen bist.«

»Schade, dass du mir nichts von dem Typen erzählt hast.«

»Sprechen wir lieber nicht darüber.«

»Okay.«

»So.« Sie stellte die Eiscreme ab und griff nach dem

Glas. Leerte es. Stand auf, um sich noch eines einzuschenken. »Wie geht es jetzt weiter?«

»Na ja.« Paxton beugte sich vor und stützte die Arme auf die Knie. Dieses Gespräch hätte er lieber nicht geführt. »Dobbs meint, es wäre besser, wenn du darauf verzichtest, offizielle Kanäle zu bemühen. Das würde alles unnötig aufblasen, meint er. Aber er hat versprochen, dass der Typ, der dich angegriffen hat, gefeuert wird und dass man Vikram auf einen schlechteren Posten versetzt.«

Zinnia griff in den Minikühlschrank, holte ein paar Eiswürfel heraus und ließ sie in das Glas fallen. Man hörte es klirren.

»Aber du sollst wissen, dass wir mit der Sache so umgehen werden, wie du es haben willst«, fuhr Paxton fort. »Was Dobbs denkt, ist mir völlig egal. Ich stehe hinter dir.«

Zinnia schraubte die Wodkaflasche auf und goss sich zwei Fingerbreit ein. Stellte die Flasche wieder hin und nahm einen kleinen Schluck.

»Allerdings kapiere ich schon, worauf Dobbs hinauswill.« Paxton zog eine Grimasse. »Weg des geringsten Widerstandes und so weiter. Wichtig ist allein, dass die beiden Typen bezahlen müssen. Kein Grund für uns, darunter zu leiden. Du zumindest hast schon genug gelitten.«

Zinnia wandte sich ihm zu. Ihr Gesicht war völlig ausdruckslos. Paxton hatte keinerlei Ahnung, wie er das interpretieren sollte. Was sie dachte. Ob er gerade einen gewaltigen Fehler begangen hatte. Er überlegte, ob er aufstehen oder etwas sagen sollte, damit er nicht einfach nur dasaß und vor sich hin starrte, doch da nickte Zinnia. Sie setzte sich wieder aufs Bett und rutschte an ihn heran, bis ihr Kopf an seiner Schulter lag.

»Dann gehen wir ihn eben, den Weg des geringsten Widerstandes«, sagte sie, bevor sie den Löffel wieder in die Eiscreme bohrte.

Paxton spürte, wie seine Schultern sich entspannten. Er sagte sich, dass es so am besten war – für ihn selbst, für Zinnia, für Dobbs, für alle. Und er überlegte, ob er sie fragen solle, was sie an dem Tisch mit den Computern getan habe, aber er hatte schon genug geredet und war müde. Deshalb legte er sein Sandwich weg und nahm Zinnia den Eisbecher aus der Hand. Dabei schloss er einen Moment seine Finger um ihre.

»He«, sagte sie.

»Hm.«

Sie hob den Kopf und sah ihm in die Augen. Wie man es tat, wenn der andere wirklich hören sollte, was man sagte. »Danke.« Dann drückte sie die Lippen auf seine, und er vergaß alles bis auf den Herzschlag in seiner Brust.

Gibson

Vor ein paar Stunden haben alle Mitarbeiter von Cloud meine Tochter Claire kennengelernt. Durch ein spezielles Video, das während eines routinemäßigen Software-Updates gesendet wurde (ihr wisst schon, warum – damit auch alle anständig aufpassen).

Nun möchte ich das Video hier mit euch allen teilen, damit ihr Claire ebenfalls kennenlernen könnt. Ich finde, sie hat sich ausgesprochen geschickt vorgestellt, und es macht mich ungemein stolz zu sehen, wie sie eine Führungsrolle in unserem Unternehmen übernimmt.

Allen, die meinen, eine Frau könnte eine so große Firma wie Cloud nicht führen, möchte ich sagen: Zum Teufel mit euch! Leider ist das nicht rein scherzhaft gemeint, denn einige Leute haben mir doch tatsächlich erklärt, meine Tochter sei der Herausforderung eventuell nicht gewachsen. Ich weiß nicht, mit wem ihr eure Zeit verbringt, aber die Frauen in meinem Leben sind unglaublich stark. Claire und Molly haben es nicht nötig, dass ich ihnen Rückendeckung gebe und ihre Kämpfe an ihrer Stelle austrage.

Seit ich Cloud gegründet habe, habe ich mich gegen die Diskriminierung gewendet, die so lange im Berufsleben geherrscht hat. Männer und Frauen haben von Anfang an dasselbe Gehalt bekommen, und ich bin mir ziemlich sicher, dass Cloud damit das Ende der ungleichen Lohnstruktur erzwungen hat. Das ist noch etwas, worauf ich ausgesprochen stolz bin.

Es ist mir sehr wichtig, dass wir die Frauen in unserem

Leben unterstützen und respektieren. Seien wir doch mal ehrlich – wo wären wir ohne sie? Ohne Molly würde ich irgendwo unter einer Brücke hausen. Und ohne den Wunsch, für Claire und später deren Kinder eine bessere Welt zu schaffen, wäre Cloud wahrscheinlich nicht das Unternehmen, das es heute ist.

Wie auch immer, hier kommt das Video. Ich bin stolz auf dich, Kleine!

(Ach ja, die paar Sätze am Anfang könnt ihr einfach ignorieren. Wie gesagt, der Clip ist während des Software-Updates gelaufen.)

Hallo. Mein Name ist Claire Wells. Ich möchte mich gleich am Anfang dafür entschuldigen …

Zinnia

Zinnias Handy summte.

Es weckte sie aus dem Halbschlaf – ihr Kopf pochte –, und sie dachte zuerst, es wäre das von Paxton, weil ihr Handy sonst niemals summte, doch dann fiel ihr ein, dass Paxton gegangen war. Nachdem er sich wie an jedem solchen Abend wortreich entschuldigt hatte – er könne auf dem schmalen Bett nicht schlafen, habe einen zu leichten Schlaf und so weiter.

Und wie an jedem solchen Abend hasste sie es, wie sehr sie es wollte, dass er blieb. Heute ganz besonders. Sie brauchte zwar keinen Schutz, aber manchmal war es nett, am Ende des Tages einen Arm um sich zu spüren.

Als ihr klar wurde, dass das Summen echt war und tatsächlich von ihrem Handy ausging, wurde ihr eiskalt. Hastig wandte sie sich der Ablage zu ihren Füßen zu, wo das Handy neben ihrem CloudBand eingesteckt war, und fand eine Nachricht von »Mama« vor.

Wann besuchst du uns mal, Schatz? Wir vermissen dich.

Zinnia lehnte sich an die Wand und starrte aufs Display. Eine codierte Botschaft von ihren Auftraggebern.

Mit der Bedeutung, dass jemand sich persönlich mit ihr treffen wolle, und zwar außerhalb der Anlage.

Zinnia legte das Handy weg, stützte den Kopf in die Hände und seufzte. Das Erfolgsgefühl, das sie bei der Entdeckung der geheimen Bahnlinie verspürt hatte, hatte sich in Luft aufgelöst.

7. Ausflug

Nachricht auf dem CloudBand

Wir möchten Ihnen mitteilen, dass Gibson Wells in zwei Wochen unsere MotherCloud besuchen wird. Sein Besuch wird mit unserem jährlichen Gedenken an die Massaker am Black Friday zusammenfallen. Weitere Informationen folgen.

Zinnia

Zinnia verzichtete darauf, das Deckenlicht anzuschalten. Durchs Fenster strömte mattgelbes Licht. Sie warf einen Blick auf die beinahe leere Flasche Wodka, die auf der Ablage stand. Ihr Gehirn fühlte sich an wie mit einer Frischhaltefolie umwickelt, die langsam straffer gezogen wurde. Sie war sich nicht sicher, ob das an dem Wodka lag oder an dem Tritt, den sie gestern an den Schädel bekommen hatte. Vielleicht an beidem.

Dass sie kaum geschlafen hatte, half auch nicht gerade.

Sie war ein paarmal eingeschlummert, wenn ihr Körper den Druck des Wachseins nicht mehr ausgehalten hatte, aber hauptsächlich hatte sie an die Wandbehänge an der Decke gestarrt und nachgegrübelt, wieso zum Henker sich ihre Auftraggeber wohl mit ihr treffen wollten.

So etwas war noch nie vorgekommen. Nicht ein einziges Mal, jedenfalls nicht, bevor sie den jeweiligen Auftrag erledigt hatte. Selbst Weisungsänderungen konnten durch codierte Nachrichten übermittelt werden. Es ging also um etwas, was zu sensibel war, als dass es auf gewohnte Weise mitgeteilt werden konnte.

Oder es ging um etwas anderes.

Etwas anderes gefiel Zinnia gar nicht.

In der Aufnahme standen Mietwagen zur Verfügung. Sie rief in ihrem Fernseher das System auf, klickte sich durch und stellte fest, dass die Wartezeit drei Monate betrug, falls man keinen Aufschlag bezahlte. Der jedoch war so hoch, dass er ihr Konto ruiniert hätte. Sie überlegte, ob es möglich war, die Anlage zu Fuß zu verlassen und sich so weit davon zu entfernen, dass sie ungefährdet Kontakt mit ihren Auftraggebern aufnehmen konnte, um einen Treffpunkt zu vereinbaren. Nur gab es hier meilenweit keinen Ort, der irgendeine Deckung bot.

Aber für so etwas gab es ja Paxton in ihrem Leben.

Sie griff nach ihrem Handy und tippte hastig eine Nachricht.

Wie wär's mit einem Ausflug? Würde unheimlich gern mal einen Tag raus hier. Leider ist Warteliste für Mietwagen zu lang. Kannst du da was drehen?

Sie musste nicht lange warten.

Ich versuche mein Bestes. Melde mich bald wieder.

Zinnia lächelte. Sie schlüpfte in ihren Bademantel und machte sich auf den Weg zum Waschraum, um zu duschen. Wahrscheinlich brauchte sie später noch mal eine Dusche, weil die Prügelei mit Rick noch an ihr klebte, ein Gefühl, das wahrscheinlich nicht so bald verschwinden würde. Am liebsten hätte sie sich unters warme Wasser gestellt, bis ihre Haut sich abschälte.

Nur zwei der Duschkabinen waren belegt, und auf einer der Bänke saß Hadley, in ein weißes, flauschiges Handtuch gewickelt. An den Füßen hatte sie neonfarbige Flipflops. Daneben saß Cynthia in ihrem Rollstuhl, ebenfalls nackt bis auf ein Handtuch. Sie massierte Hadley die Schultern und flüsterte ihr dabei etwas zu, was Hadley mit einem Nicken quittierte.

Als Zinnia den Raum betrat, hob Cynthia den Kopf und riss die Augen auf. Zinnia brauchte eine Sekunde, bis ihr klar wurde, woran das lag – an ihrem lädierten Gesicht.

Stirnrunzelnd nahm Cynthia die Hände von Hadleys Schultern. »Was ist denn mit dir passiert?«, fragte sie.

Zinnia zuckte die Achseln. »Bin in eine Schlägerei geraten.«

»Du lieber Himmel …«

»Ach, du solltest mal den anderen sehen.«

Hadley schielte zu Zinnia hoch, die sie kurz anlächelte und fixierte. Sie wollte ihr wortlos mitteilen, was geschehen war, aber Hadley ließ den Blick gleich wieder in den Schoß sinken. Zinnia ging zu einer anderen Bank und legte die Sachen darauf, die sie später anziehen wollte. Cynthia tätschelte Hadley noch einmal beruhigend die Schulter und rollte zur Behindertendusche am anderen Ende des Raums.

Zinnia ging zu einer freien Kabine und wollte schon den Bademantel ausziehen und an die Wand hängen, als ihr Blick noch einmal auf Hadley fiel. Die saß vornübergebeugt da wie eine zusammengerollte Katze und starrte auf den Boden. Zinnia trat zu ihr und setzte sich auf die Bank ihr gegenüber, so dicht, dass sich die Knie der beiden fast berührten.

Hadley sah nicht auf. Sagte kein Wort. Schien sich noch weiter in sich zurückzuziehen.

»Hör auf damit«, sagte Zinnia mit leiser Stimme, damit Cynthia nichts mitbekam und womöglich intervenierte.

Jetzt hob Hadley endlich den Kopf ein Stück. Durch die Haare, die ihr ins Gesicht hingen, war nur ein Auge sichtbar.

»Du darfst keine Angst vor ihm haben«, fuhr Zinnia fort. »Sonst hat er gewonnen. Und dann wächst er in deiner Vorstellung zu einem Monster, das du nicht mehr loswirst. Dann liegst du jede Nacht im Bett, bis du vor Erschöpfung einschläfst. Aber das ist er nicht wert. Er ist nicht unbesiegbar.« Zinnia beugte sich nah zu Hadley und senkte die Stimme noch weiter. »Wie gesagt, du solltest jetzt ihn mal sehen.«

Von dem Gesagten offenbar geschockt, zuckte Hadley zusammen, doch dann streckte sie ihr Rückgrat ein bisschen. Durch den Schleier aus Haaren hindurch wurde auch das andere Auge sichtbar.

»Hör doch endlich mit dem weinerlichen Getue auf«, sagte Zinnia.

Hadley sank in sich zusammen, als hätte die gerade gewonnene Kraft sich wieder in Luft aufgelöst, und Zinnia bekam leichte Gewissensbisse, weil sie so scharf gewesen war. Aber Hadley brauchte so etwas. Eines Tages würde sie vielleicht sogar dankbar dafür sein.

Unter der Dusche genoss Zinnia das warme Wasser auf ihrer Haut. Als sie auf den Seifenspender an der Wand drückte und sich einseifte, merkte sie, dass ihr das eine andere Wärme vermittelte, die sich von innen her in ihr ausbreitete. Sie ging von dem Bereich zwischen den Lungenflügeln aus, an der linken Seite der Brust.

Paxton

Paxton klopfte an die offene Tür und steckte den Kopf in den Raum. »Haben Sie einen Moment Zeit, Chef?«

Dobbs blickte von dem Tablet auf seinem Schreibtisch auf. »Ich dachte, ich hätte Ihnen für heute freigegeben, mein Junge.«

»Ja, aber ich will Sie um einen Gefallen bitten.«

Dobbs nickte. »Machen Sie die Tür zu.«

Paxton schloss die Tür, lehnte sich daran und verschränkte die Arme. Überlegte, ob er gleich sein Anliegen vorbringen oder erst einmal berichten sollte, wie das Gespräch mit Zinnia am Vorabend gelaufen sei. Wahrscheinlich Letzteres, dann war der Mann ihm wohlgesinnt. Hoffentlich jedenfalls. Doch dann nahm Dobbs ihm die Entscheidung ab, indem er sich auf seinem ächzenden Drehsessel zurücklehnte und fragte: »Na, haben Sie mit Ihrer Freundin gesprochen?«

»Habe ich«, sagte Paxton. »Sie wird die Sache auf sich beruhen lassen.«

»Gut«, sagte Dobbs mit ungerührter Miene. »Das ist gut. Ich freue mich sehr, das zu hören.«

»Aber man hat diesen Typ rausgeschmissen? Und Vikram ist versetzt worden, ja?«

»Alles erledigt.«

»Ausgezeichnet.«

»Also ...«

»Genau.« Paxton machte einen Schritt vorwärts, ohne die Arme auseinanderzunehmen. Er hatte ein bisschen Angst, um eine Extrawurst zu bitten, weil er sich nicht sicher war, ob er sich das verdient hatte. Außerdem hatte so etwas immer einen Haken. Man gab damit ein Versprechen, das man irgendwann einlösen musste. Aber er tat es für Zinnia und nicht für sich selbst, was als Grund ausreichte. »Meine Freun... Zinnia würde heute gern einen Ausflug machen. Ein bisschen durch die Gegend gondeln. Aber für die Mietwagen gibt's eine lange Warteliste. Wäre es eventuell möglich ...«

»Ist genehmigt«, sagte Dobbs und wedelte mit der Hand. »Fahren Sie rüber zur Aufnahme, dort wartet ein Wagen für Sie. Security-Mitarbeiter bekommen übrigens Rabatt. Wo wollt ihr denn hin?«

»Keine Ahnung. Weil wir beide freihaben, will sie einfach die Gegend erkunden. Und nach dem, was sie gestern durchgemacht hat, sollte ich darauf eingehen, meinen Sie nicht?«

»Kluger Mann«, sagte Dobbs, hob den Arm und tippte auf sein CloudBand. »Schon gelesen, was es Neues gibt?«

Paxtons Herz setzte einen Schlag aus. »Habe ich. Der große Häuptling kommt persönlich zu Besuch.«

»So ist es. Wie Sie sich sicher vorstellen können, wird das für uns kein Zuckerschlecken.«

»Ja, das denke ich mir.«

»Die Einsatzleitung wird natürlich Dakota übernehmen«, sagte Dobbs und blickte ins Großraumbüro hinaus, als würde die gleich hinter Paxton stehen. »Aber ich brauche ein paar gute Leute, die sie unterstützen.«

Paxton überlegte, was damit gemeint war. Die Frage klang töricht, aber er stellte sie trotzdem. »Gehöre ich denn zu den guten Leuten?«

Dobbs erhob sich und ging zu dem Fenster, durch das man in den Hauptraum blicken konnte. Hinter der Scheibe gingen Leute in Blau hin und her, ohne wahrzunehmen, dass jemand sie beobachtete. Dobbs war Paxton so nahe gekommen, dass er das Aftershave seines Chefs riechen konnte. Einen beißenden Moosduft. »Ich bin weiterhin wenig begeistert, dass Sie gestern Ihren Posten verlassen haben. Aber was mich interessiert, sind nicht die Vorschriften, sondern das Resultat.« Er sah Paxton in die Augen. »Ich glaube, dass ich andere Leute ganz gut einschätzen kann, was auch auf Sie zutrifft. Und ich sehe, dass Sie handeln, während viele andere bloß dazu neigen, auf ihrem Hintern zu sitzen.«

»Vielen Dank, Sir«, sagte Paxton. »Ich will gute Arbeit leisten.«

Dobbs nickte und ging zu seinem Tisch zurück. »Sprechen Sie gleich morgen früh mal mit Dakota, und sagen Sie ihr, dass ich Sie vorgeschlagen habe. Aber es ist ihr Team, also trifft sie die Entscheidung.«

»Okay«, sagte Paxton. »Mache ich. Und noch mal danke.«

Dobbs senkte den Kopf und wandte sich wieder seinem Tablet zu. »Gern geschehen. Und jetzt viel Spaß an Ihrem freien Tag. Sie wissen ja, wie selten man hier einen bekommt.«

Als Paxton die Tür hinter sich zugezogen hatte, merkte er, dass er strahlte. Völlig unwillkürlich. In ihm hatte sich so ein Gefühl aufgebaut, das er rauslassen musste. Jubeln und tanzen konnte er hier schlecht, weshalb er es im Gesicht trug wie jenen vierten Stern, den er sich zwar noch nicht verdient hatte, an dem er jetzt aber womöglich näher dran war.

Das war jedoch nicht alles. Das menschliche Gehirn war nicht in der Lage abzuzählen, wie oft er sich gewünscht hatte, Gibson Wells zur Rede zu stellen. Um ihm zu sagen, wie Cloud ihm das Genick gebrochen habe.

Und jetzt hatte es den Anschein, dass sich eine Chance dazu ergab.

Wonach er sich seine ganzen Sterne natürlich an den Hut stecken konnte.

Aber es war ja nicht so, dass er an diesem Ort Karriere machen wollte.

Zinnia

Aus den Düsen des Elektroautos strömte kühle Luft. Draußen glühte die verdorrte Erde in der Sonnenhitze. Im Rückspiegel sah Zinnia die Drohnen wie Schwärme von Insekten durch den Himmel fliegen. Die kastenförmigen Umrisse der MotherCloud verschwanden allmählich hinter dem Horizont. Nach vorn führte die Straße schnurgerade in die Ferne, so weit das Auge reichte. Auf beiden Seiten breitete sich eine flache Landschaft aus.

Es war ein gutes Gefühl, mal kein Poloshirt zu tragen. Nicht uniformiert zu sein machte den Tag noch spezieller. Ganz unten in ihrer Schublade hatte sie einen luftigen Jumpsuit entdeckt, den sie ganz vergessen hatte. Paxton trug blaue Shorts und ein weißes T-Shirt mit knappen Ärmeln, durch die seine Trizepse gut zur Geltung kamen.

»Wo wollen wir eigentlich hin?«, fragte Paxton, der damit beschäftigt war, den Beifahrersitz in eine bequeme Position zu bringen.

»Weiß noch nicht«, sagte Zinnia. »Ich brauche einfach ein bisschen Himmel über mir.«

Inzwischen waren sie so weit von der Anlage entfernt, dass sie es wagte, eine Antwort an ihre Auftraggeber zu senden. Sie ließ die rechte Hand am Lenkrad, während sie mit der linken einen kurzen Text in ihr Handy tippte: *Hoffentlich bald.*

Als sie das Handy wegsteckte, wurde ihr bewusst, dass seit ihrer Ankunft mehr als zwei Monate vergangen waren, und heute war das erste Mal, dass sie den Fuß nach draußen setzte. Falls man eine Fahrt in der relativen Sicherheit eines klimatisierten Fahrzeugs so bezeichnen konnte.

»Haben wir eigentlich Wasser dabei?«, fragte Paxton.

»Im Kofferraum. Mehr als genug.«

»Ich hätte meine Sonnenbrille mitnehmen sollen.«

Zinnia drückte auf eine Taste neben dem Rückspiegel, worauf sich ein kleines Fach mit zwei Sonnenbrillen öffnete. »Die werden wir wahrscheinlich brauchen, hat der Mietwagentyp gesagt. Als du auf der Toilette warst. Du hast es geschafft, dass man uns wie VIPs behandelt.«

»Tja, anscheinend habe ich wieder Gnade gefunden.«

»Weil du mich dazu gebracht hast, keine Anzeige zu erstatten?«

Paxton brauchte ein paar Sekunden, bis er antwortete. »Ja«, sagte er dann. Und nach einer weiteren Pause: »Ist das ... okay?«

Zinnia hob die Schultern. »Es wäre sonst wirklich zu stressig geworden.« Dass es ihr so ohnehin lieber war, brauchte er nicht zu wissen, und außerdem konnte es nicht schaden, ihn etwas schmoren zu lassen. Weil es in den meisten anderen Situationen keineswegs okay gewesen wäre. Das minderte seinen Heroismus ein bisschen.

Sie griff in das Fach und holte eine von den Sonnenbrillen heraus. Dicker, hellblauer Plastikrahmen. Die andere war weiß, feminin und an den Ecken spitz zulaufend wie Katzenaugen, aber Paxton setzte sie trotzdem auf. Dann wandte er sich Zinnia zu und blickte sie mit einem breitem Grinsen an, bei dem man alle Zähne sah.

»Sieht gut aus«, sagte Zinnia und spürte ein tiefes Lachen in sich aufsteigen. Sie wollte es unterdrücken, schaffte das jedoch nicht und merkte dann, dass es sie gar nicht kümmerte.

»Die ist ganz mein Stil«, sagte Paxton.

»Auf jeden Fall passt sie zu deinem T-Shirt.«

Der Himmel wurde klarer, weil die Drohnenwolken inzwischen dünner wurden. Die Sonne schien in den Wagen und ließ die Temperatur ansteigen.

Paxton deutete mit dem Kinn nach oben. »Irgendwie unglaublich, oder?«

»Was? Die Drohnen?«

»Ja, ich meine, schau sie dir mal an. Die fliegen den ganzen Tag hin und her, ohne ein einziges Mal zusammenzustoßen. Wenigstens glaube ich, dass sie das nicht tun. Und das ganze Zeug, das sie transportieren ...«

»Du hörst dich ja ganz sehnsüchtig an. Hattest du als Kind etwa eine Kuscheldrohne?«

»Nein, aber ...« Er legte den Kopf schief. »Cool sind die schon. Die waren es doch, was Cloud den entscheidenden Vorteil verschafft hat, stimmt's? Sobald das mit der Drohnenlieferung geklappt hat, war die Konkurrenz erledigt. Dagegen ist niemand angekommen. Ich frage mich, wie sich das anfühlen muss. Wenn einem etwas einfällt, was die Welt verändert.«

»Eierkocher sind doch auch was Cooles.«

»Hör auf«, sagte Paxton mit belegter Stimme. »Das ist nicht nett von dir.«

Zinnia schoss das Blut ins Gesicht. Sie warf einen Blick auf Paxton, der aus dem Fenster starrte. Er hatte den Kopf so weit von ihr weggedreht, wie er konnte.

»Tut mir leid«, sagte sie. »Das war ein schlechter Scherz.«

Weil er nicht antwortete, fummelte sie an der Steuerung der Klimaanlage herum, um eine Balance zwischen lauwarm und eisig zu finden. Dann schaltete sie das Radio ein, nicht so laut, dass eine Unterhaltung unmöglich wäre, aber wenn keine stattfand, war ihr das auch recht.

Sie checkte ihr Handy. Keine Nachricht.

»Wie geht es dir eigentlich?«, fragte Paxton plötzlich.

Zinnia überlegte, ob sie sich noch einmal entschuldigen sollte, aber die Frage bedeutete wohl, dass er die Sache ad acta legen wollte. »Der Wagen fährt sich gut«, sagte sie. »Man sitzt ziemlich bequem. Nur das Gaspedal mag ich nicht. Fühlt sich irgendwie teigig an.«

»Du weißt schon, was ich meine.«

Das tat Zinnia durchaus. Es wäre ihr allerdings lieber gewesen, wenn er kapiert hätte, dass sie nicht mehr darüber sprechen wollte. Sie beobachtete, wie der Kilometerzähler sich Schritt für Schritt weiterbewegte. »Es ist passiert, und jetzt ist es vorüber.«

»Wenn du darüber reden willst ...«

Zinnia wartete auf eine Fortsetzung. Die kam nicht. »Nicht nötig«, sagte sie, sah Paxton an und bedachte ihn mit einem kurzen Lächeln. *Alles cool.*

Er nickte.

»Also, nachdem wir diesen verdammten Kasten jetzt hinter uns gelassen haben ... was denkst du da über das Ganze?«, fragte sie.

»Über was genau?«

»Über Cloud. Darüber, dass man an seinem Arbeitsplatz wohnt. Nach einem bekloppten Sternesystem bewertet wird. Ist eigentlich nicht das, was ich erwartet habe.«

»Was hast du denn erwartet?«

Darüber musste Zinnia erst nachdenken. Schließlich fiel ihr ein Vergleich ein, der vielleicht passte. »Stell dir mal vor, du gehst in einen Fast-Food-Laden und hast im Kopf eine Vorstellung davon, wie es da sein wird. Von den Werbespots her. Zum Beispiel hat der Hamburger im Fernsehen fantastisch ausgesehen, aber als du ihn jetzt auspackst, ist er eine Katastrophe. Alles ist zerquetscht und verschmiert und unappetitlich. Das Ding sieht aus, als hätte jemand drauf gesessen.«

»Hm.«

»So in etwa meine ich das. Ich dachte, es würde netter sein, aber es kommt mir genau wie so ein Hamburger vor. Den kann ich zwar essen, wünsche mir aber irgendwie, dass ich das nicht tun müsste.«

»Interessant ausgedrückt.«

»Und was meinst du dazu?«

»Ich meine, dass CloudBurger es nicht verdient hat, von dir verächtlich gemacht zu werden.«

»Ach, jetzt bist wohl du mit Scherzemachen dran, was?«

Ein Bus kam ihnen entgegen, auf dem Weg zur MotherCloud. Frisches Menschenmaterial. Zinnia versuchte hineinzuspähen, um festzustellen, wie viele Leute darin saßen und wie sie aussahen, aber die Sonne spiegelte sich so grell in den Scheiben, dass ihr trotz der Sonnenbrille die Augen schmerzten.

Paxton lehnte sich zurück, reckte die Arme über den Kopf und wölbte den Rücken. »Ich vermisse meine kleine Firma. Ich vermisse es, Verantwortung zu tragen und etwas zu organisieren. Aber das jetzt ist besser als die Alternative. Es ist besser als nichts.«

»Hast du eigentlich vor, mit dem großen Boss zu sprechen?«

»Mit Wells?«

»Der kommt doch zu Besuch, oder?«

Paxton schnaubte. »Daran gedacht habe ich schon. Dobbs will sogar, dass ich bei den Schutzmaßnahmen mitwirke. Das muss noch von Dakota genehmigt werden, weil sie da federführend ist, aber vorstellen kann ich es mir.«

»Wenn du ihm tatsächlich die Meinung geigst, was denkst du wohl, wie lange es dauert, bis sie dich rausschmeißen?«

»Zwei, drei Sekunden wahrscheinlich. Vielleicht auch weniger.«

Zinnia lachte. »Da würde ich gern Mäuschen spielen.«

»Willst du etwa, dass ich meinen Job verliere?«

»Du weißt schon, was ich meine.«

Ihr Handy summte.

Prima! Versuchen wir, bald was auszumachen. Hier kommt ein Foto von uns, damit du durchhältst, bis wir uns wiedersehen.

Angehängt war das Allerweltsbild eines afroamerikanischen Paares, bei dem es sich eindeutig nicht um ihre Eltern handeln konnte, weil die beiden eine wesentlich dunklere Hautfarbe als Zinnia hatten, aber egal. Während sie auf das Foto tippte, es speicherte und dann in einer codierten App deponierte, zuckte ihr Blick zwischen Handy und Lenkrad hin und her.

»Wer war das?«, fragte Paxton.

»Meine Mutter. Wollte wissen, wie es mir geht.«

»Grüß sie doch mal von mir.«

Zinnia lachte. »Mach ich.«

Wie erwartet, war in dem Foto ein Code versteckt, den die App als Karte der Umgebung entschlüsselte. Etwa zwanzig Meilen weiter östlich war ein pulsierender blauer Punkt zu erkennen. Außerdem sah es so aus, dass bald ein Highway kam, und tatsächlich tauchte wie gerufen etwas in der Ferne auf. Eine kleine Erhebung in der flachen Landschaft. Zinnia trat aufs Gaspedal.

Highways waren eine riskante Sache, da viele inzwischen

so schlecht gepflegt waren, dass sie zerbröselten, aber der hier sah nicht so schlimm aus, weshalb Zinnia auf die Zufahrt einbog.

»Übrigens, wie läuft es mit deinem Plan?«, fragte Paxton.

Zinnia stockte der Atem. Aber dann erinnerte sie sich an die Geschichte, die sie sich zur Tarnung ausgedacht hatte, und ihre Panik legte sich. »So weit ganz gut. Ich spare fleißig.«

»So, so«, sagte Paxton mit gedehnter Stimme, als wollte er noch etwas anderes hören. Zinnia überlegte, ob sie ihn ermuntern sollte weiterzusprechen, aber das war gar nicht nötig.

»Kann ich dich etwas fragen?«, sagte Paxton.

»Hast du doch gerade schon getan.«

»Ha, ha. Gestern. Dieser Typ namens Rick. Der hat behauptet, du hättest an einem von den Computerterminals herumgepfuscht.«

»Habe ich aber nicht.«

»Aber als ich angekommen bin ... da hab ich gedacht, ich würde sehen, wie ...«

»Wie was?«

»Es hat so ausgesehen, wie wenn du wieder damit beschäftigt wärst. Mit den Terminals. Nachdem ich dir den Kerl vom Hals geschafft hatte.«

Zinnia atmete tief ein und noch tiefer aus. Versuchte, dabei so gequält zu klingen, dass er das Thema fallen ließ. Doch das tat er nicht, er hielt sich an seinem Schweigen fest wie an einer Waffe. Als sie antwortete, senkte sie die Stimme, um einen verletzlichen Ton hineinzulegen. Wenn er das hörte, würde er hoffentlich aufhören, sie unter Druck zu setzen. »Ich hatte Panik, und auf dem Tisch habe ich eine Schere liegen sehen. Die wollte ich holen, um mich zu verteidigen. Schließlich hat er versucht, mich umzubringen.« Sie warf Paxton einen kurzen Blick zu, bevor sie noch leiser weitersprach. »Und später hatte ich Angst, dass er *dich* umbringt.«

»Okay«, sagte Paxton nachdenklich. »Okay.«

»Was hätte ich denn überhaupt an den Computern machen sollen?«

»Das weiß ich nicht«, sagte Paxton. »Wirklich nicht. Aber der Typ hat es behauptet, und als ich dann gesehen habe ... Tut mir leid. Allerdings gibt es noch etwas anderes, was mir im Kopf herumgegangen ist.«

Sie schloss die Hände fester um das Lenkrad. »Was denn?«

»Ach, wahrscheinlich hat es gar nichts zu bedeuten.«

»Doch, hat es, sonst hättest du's ja nicht erwähnt.«

Wieder folgte ein kurzes Schweigen, in dem Zinnia das Herz bis zum Hals schlug.

Schließlich sagte Paxton: »Ich hätte den Mund halten sollen.«

»Aber das hast du nicht.«

»An dem ersten Abend, als wir zusammen ausgegangen sind«, sagte er. »Da waren wir in der Spielhalle, und ich habe jemand observiert. Aus beruflichen Gründen. Und als wir uns im Büro später die Ortungsdaten angeschaut haben ...« Er blickte aus dem Seitenfenster. »Da hat es so ausgesehen, als ob du mir gefolgt wärst.«

Wieder wusste Zinnia nicht, was sie sagen sollte. Ihre Gedanken wirbelten im Kreis wie ein außer Rand und Band geratenes Karussell. Scheiße. Wie lange schleppte er das wohl schon mit sich herum?

»Es war dein Hintern«, sagte sie schließlich.

»Was?«

Sie legte ihm die Hand auf den Oberschenkel und

begann ihn zu massieren. Dabei kamen ihre Fingerspitzen der Ausbeulung in seiner Hose gefährlich nahe. Der Stoff wölbte sich ein bisschen höher. »Ich wollte mir bloß deinen süßen Hintern näher anschauen. Jetzt hast du mich aber ganz schön in Verlegenheit gebracht. Na, zufrieden?«

Paxton legte seine Hand auf die von Zinnia. Sie dachte schon, er würde die Hand auf seinen Schwanz ziehen, aber er hielt sie nur fest. »Tut mir leid, aber da brauchst du nicht verlegen sein. Schließlich hab ich dir an dem Abend auch ständig auf den Hintern geschaut.«

Zinnia lachte, während er sich zu ihr beugte und ihr einen Kuss auf die Schulter gab. Die Stelle, an der seine Lippen ihre nackte Haut berührt hatten, fühlte sich feucht und kühl an. Ihr Lachen war ihm wahrscheinlich spielerisch und erotisch vorgekommen, und sie konnte kaum glauben, wie leicht es ihr gefallen war.

»Jedenfalls habe ich dir bestimmt nicht hinterherspioniert«, sagte sie. »Es ist mir bloß so in den Sinn gekommen. Bist du deswegen sauer auf mich?«

»Ein bisschen komisch ist es schon, aber das macht nichts.«

Über der Fahrbahn tauchte ein Schild auf, von der Sonne zu einem milchigen Meergrün gebleicht. Die Ortsangabe war nicht zu entziffern. Zwei Meilen weiter tauchten Anzeichen von Zivilisation auf. Eine verfallene Tankstelle an der Seite des Highways und eine Reihe von niedrigen Gebäuden, alte, längst aufgegebene Geschäfte, deren Schilder verblasst oder heruntergefallen waren. Die Parkplätze waren von Unkraut überwuchert. Zinnia warf einen Blick auf ihr Handy. Der Punkt befand sich genau in dieser Ansiedlung.

Sie betätigte den Blinker, musste dann jedoch kichern,

weil sie das für nötig befunden hatte. In den zwanzig Minuten, seit sie auf den Highway eingebogen waren, hatten sie kein einziges anderes Fahrzeug gesehen. Vorsichtig lenkte sie den Wagen auf die Ausfahrt und dann die Rampe hinunter. Wenig später fuhren sie eine breite Straße entlang, flankiert von Gebäuden, die höchstens zweistöckig waren.

Zinnia reckte den Hals, um die angegebene Adresse zu suchen, und als sie die gefunden hatte, war sie begeistert.

Ein Buchladen. In solchen Orten sah sie sich immer nach dem Buchladen um. In der Geisterstadt, durch die sie am Tag der Bewerbungsprozedur marschiert waren, hatte es keinen gegeben, was sie traurig gestimmt hatte. Der hier stand an einer Ecke, hatte große, verstaubte Erkerfenster und ein Schild über der Tür: Forest Avenue Books.

Aber war da nicht noch etwas anderes?

Etwas im Augenwinkel. Vielleicht nur ein Stäubchen im Auge oder eine belanglose Bewegung auf dem Dach des Gebäudes. Ein Tier? Sie stoppte den Wagen und beobachtete die Kante, an der das Dach in den blauen Himmel schnitt. Wartete darauf, dass etwas diese gerade Linie durchbrach.

»Was ist denn?«, fragte Paxton.

Offenbar hatten ihre Augen sie getäuscht. Eine Spiegelung von Sonnenlicht. Ihr Gehirn war überlastet, weil sie sich plötzlich im Freien befand. Außerdem hatte sie immer noch Kopfschmerzen. Das war bestimmt eine leichte Gehirnerschütterung gewesen.

»Nichts«, sagte sie. »Können wir uns mal den Buchladen ansehen?«

Paxton breitete die Hände aus. »Klar.«

Zinnia bugsierte den Wagen ein Stück weiter in eine

enge Durchfahrt zwischen zwei Häusern, wo es ein bisschen Schatten gab. Bis Mittag blieben noch ein paar Stunden. Sie schaltete den Motor ab und stieg aus. In der erstickenden Hitze war ihre Haut sofort mit Schweiß bedeckt.

Paxton stöhnte. »Was für ein Tag, draußen rumzulaufen.«

»Gibt es irgendwelche guten Tage, die man draußen sein könnte?«

»Stimmt auch wieder.«

Während sie die Straße entlanggingen, hielten sie sich im Schatten der Gebäude. Sie kamen an einem Antiquitätenladen, einem Imbiss und einer Haushaltswarenhandlung vorbei, bis sie wieder vor dem Buchladen standen. Das Gebäude war schmal, reichte jedoch weiter nach hinten, als es zuvor den Anschein gehabt hatte. Zinnia rüttelte am Türknauf.

»Bist du dir sicher, dass das okay ist?«, fragte Paxton.

»Ach komm«, sagte sie. »Was ist ein Leben ohne Risiko?« Sie ließ sich auf ein Knie nieder, zog eine Haarnadel aus ihren Haaren und machte sich daran, das Schloss zu knacken.

»Das meinst du doch nicht ernst, oder?«, sagte Paxton.

»Wieso?« Sie schob die eine Hälfte der Nadel bis ganz hinten in den Mechanismus und bog sie dann nach unten, um mehr Hebelkraft zu haben.

»Das ist illegal.«

»Tatsächlich?« Mit der anderen Hälfte der Nadel manipulierte sie die Stifte. »Da ist doch schon jahrelang niemand mehr drin gewesen. Wer sollte mich verhaften? Du etwa? Ich glaube nicht, dass du für das Kaff hier zuständig bist.«

Paxton bückte sich, um sie genauer zu beobachten. »Hast du das etwa schon mal gemacht?«

»Man weiß nie, was man in so einem Laden findet«, sagte Zinnia, während sie mit dem widerspenstigen Metall kämpfte. »Alte Bücher. Vergriffene Titel, die man sonst nirgendwo mehr findet. Sieh es doch einfach als urbanes Forschungsprojekt.«

»Was hast du mit den Büchern vor?«, fragte er. »Willst du sie verkaufen?«

»Nein, du Dödel. Ich will sie lesen.«

»Ach.«

Als der letzte Stift klickte, drehte Zinnia die gebogene Nadelhälfte mit aller Kraft, worauf sich das Schloss quietschend öffnete. Die Tür sprang auf. Zinnia stand auf und hob die Hand. »Tada!«

»Ich bin beeindruckt«, sagte Paxton. »Obwohl ich nicht weiß, was Dobbs davon halten würde, wenn er wüsste, dass ich mit einer Kriminellen durch die Gegend ziehe.«

Tja, Pech gehabt, dachte Zinnia. Sie betrat den Laden und schlenderte an den Regalen entlang, die noch halb gefüllt waren. Wenn sie lange genug im Laden herumhing und etwas Abstand von Paxton gewann, würde der sich hoffentlich langweilen und sich eine Weile draußen umschauen. Ihre Kontaktperson war sicher klug genug, auf die richtige Gelegenheit zu warten.

Viele der Titel in der Nähe des Eingangs waren uninteressant für sie: Kochbücher, Sachbücher, Titel für Kinder. Aber als sie zur Belletristik kam, fand sie allerhand, was sie ansprach. Buchcover, die ihr trotz der Staubschicht ins Auge sprangen. Sie kam sich wie eine Archäologin vor und stellte einen kleinen Stapel aus interessanten Titeln zusammen, die sie mitnehmen wollte.

Weiter hinten wurde die Luft dicker. Hier herrschte ein Geruch wie in einem Antiquariat, nach muffigem altem Papier, das täglich in der Sonnenhitze vor sich hin dörrte.

»Ich mache mal einen kleinen Spaziergang«, rief Paxton. »Will Luft schnappen und schauen, was es sonst noch hier gibt.«

Ausgezeichnet. »Okay«, rief sie zurück. »Bin auch bald fertig. Aber nimm trotzdem lieber den Autoschlüssel mit.«

Sie warf ihm den Schlüssel zu und lauschte, während er zum Eingang ging, die Tür öffnete und wieder schloss. Dann lief sie schnell nach ganz hinten, wo sie eine Ladentheke und eine mit Staub bedeckte Registrierkasse vorfand. Die Geldschublade war herausgezogen und umgedreht worden, auf dem Boden waren noch einige Kupfermünzen verstreut. Zinnias Handy summte. Eine neue Nachricht, die sie kurz ablenkte, weshalb sie nicht rechtzeitig reagierte, als hinter ihr die Bodendielen knarrten.

Dann hörte sie ein scharfes Klicken. Metall auf Metall.

Nicht dass sie noch eine Bestätigung gebraucht hätte, aber sie spürte, wie sich etwas Kaltes und Hartes an ihren Nacken presste. Dieses Etwas lag schräg an, weshalb die Person, die es in den Händen hielt, kleiner als Zinnia sein musste.

Eine Frauenstimme. »Gehörst du zu denen?«

Paxton

»Mr. Paxton, ich bin Gibson Wells …«

Quatsch, völlig falsch. Durchatmen!

»Mr. Wells, mein Name ist Paxton. Bevor ich hier bei Cloud angefangen habe, war ich der Besitzer … nein … war ich der CEO einer Firma mit dem Namen *Das Perfekte Ei*. Es war ein kleines Unternehmen, das ich mit großem Einsatz aufgebaut habe, aber als Cloud ständig immer größere Rabatte von mir verlangt hat …«

Zu lang. Die Worte fühlten sich in seinem Mund wie Brei an. Er musste mit einem kraftvollen Statement beginnen. Es ganz direkt sagen.

»Mr. Wells, Sie behaupten, dass Sie die Arbeitnehmer unseres Landes unterstützen, aber Sie haben mein Unternehmen ruiniert.«

Paxton nickte vor sich hin. Das würde Wells dazu bringen, ihm zuzuhören. Er wischte sich den Schweiß von der Stirn, während er aus der Sonne in den Schatten trat. Den gab es inzwischen kaum mehr, weil es auf Mittag zuging. Er überlegte, ob er sich wieder in den Buchladen verziehen sollte, aber da fühlte er sich nicht wohl. Irgendwo raschelte es. Vielleicht Ratten.

Er ging zum Wagen zurück, daran vorbei und weiter die Durchfahrt entlang, neugierig, wohin sie führte. Vielleicht zu einem anderen Häuserblock. Stattdessen gelangte er zu einer Laderampe und einem von fensterlosen Hauswänden umgebenen Parkplatz. Überall Unkraut. Aus dem harten Boden sprossen riesige Stängel.

Hinter sich hörte er ein Geräusch. Schritte, die auf

Kies knirschten. Als er sich umdrehte, standen da im grellen Licht drei Gestalten. Alle drei trugen eine Sonnenbrille und hatten ein Tuch um den Mund gebunden. Die Klamotten waren derb und abgewetzt. Zwei Männer und eine Frau.

Die Männer waren weißhäutig, groß und so hager, als hätte man sie in die Länge gezogen. Vielleicht Zwillinge, was wegen der Vermummung aber nicht recht zu beurteilen war. Die Frau war kräftig und untersetzt; sie hatte dunkle Haut und aufgetürmte graue Dreadlocks. In den Händen hielt sie eine antike Flinte, deren Lauf sie auf Paxtons Brust gerichtet hatte. Das Ding hatte wohl Kaliber .22, also kaum mehr als ein Luftgewehr, und war so verrostet, dass es wahrscheinlich gar nicht losgehen würde, aber das Risiko wollte er lieber nicht eingehen.

Er blieb stehen und hob die Hände in die Luft. Die drei standen ebenfalls da und starrten ihn an. Sie warteten. Hatten keine Eile. Von so einer Aktion hatte Paxton noch nie gehört. Das hier war Amerika, nicht irgendein absurder Schundfilm. Es gab doch keine Banditen, die durch die Wildnis streiften, um nichts ahnende Reisende zu überfallen.

Die Frau zog das Tuch herunter, um sprechen zu können. »Zu wem gehörst du?«

Beinahe hätte er Zinnia erwähnt, doch dann wurde ihm klar, dass die Typen vielleicht nichts von ihr wussten. »Zu niemand«, sagte er deshalb. »Bin ganz alleine da.«

Die Frau grinste kurz. »Wir wissen von deiner Freundin im Buchladen. Die haben wir schon einkassiert. Aber zu wem gehörst du?«

»Wo ist meine Freundin?«

»Erst will ich eine Antwort hören.«

Paxton reckte leicht die Brust.

»Wir haben eine Waffe«, sagte die Frau.

»Ja, das ist offensichtlich.«

Die Frau trat auf ihn zu und stieß den Flintenlauf mehrmals in seine Richtung, wie um ihre Worte zu unterstreichen. »Wer hat dich den weiten Weg hier rausgeschickt?«

Paxton wich zurück. »Uns hat niemand geschickt. Wir machen bloß einen Ausflug. Den Tag über. Ist ein urbanes Forschungsprojekt.«

»Ein urbanes Forschungsprojekt?«

Paxton hob die Schultern. »So nennt man das heute.«

Die Frau deutete mit der Mündung in Richtung Buchladen. »Abmarsch.«

»Wie wär's, wenn du aufhörst, mir die Flinte auf den Bauch zu richten?«

»Später vielleicht.«

»Hör mal, wir sind bestimmt nicht hier, um irgendjemand etwas anzutun.«

»Habt ihr Wasser dabei?«

Paxton deutete auf den Wagen. »Im Kofferraum.«

»Schlüssel.«

Er zog den Schlüssel aus der Hosentasche und warf ihn ihr vor die Füße in den Dreck. Als sie sich bückte, hätte er sich auf sie stürzen können. Hätte. Er wartete eine Sekunde zu lange, und da hatte sie sich schon wieder aufgerichtet. Sie gab den Schlüssel an einen der beiden hageren Typen weiter, der daraufhin zum Wagen ging, den Kofferraum öffnete und die Wasserflaschen herausholte.

»Sehr gut«, sagte sie. »Los jetzt.«

Die drei blieben ein Stück zurück, um Paxton genügend Abstand zu lassen, während er an den Ladenfronten entlang zum Buchladen ging. Sie waren clever. Kamen nie zu nah an ihn heran. Ein, zwei Meter näher, dann hätte Paxton den Lauf der Flinte packen, ihn in den Himmel richten und dann nach unten greifen können, um sich die Waffe anzueignen. Das war ein simpler Entwaffnungstrick, den er im Gefängnis alle drei Monate bei dem vorgeschriebenen Selbstverteidigungstraining geübt hatte.

Zumindest war ihm das simpel vorgekommen, aber eine Flintenattrappe war etwas anderes als eine echte.

Außerdem hatte er nicht das Gefühl, dass die drei ihm etwas antun wollten. Sie plusterten sich zwar mächtig auf, aber die Frau hatte ein leichtes Zittern in der Stimme, und ihre Schultern waren zu verspannt. Je länger Paxton nachdachte, desto mehr kamen die drei ihm wie verängstigte kleine Tiere vor, deren Versteck man entdeckt hatte. Nun bleckten sie die Zähne und hofften, dass das Raubtier sich davonmachte und sich eine andere Beute suchte.

Er trat in den Buchladen. »Zinnia!«, rief er. »Alles in Ordnung?«

Ihre Stimme kam von ganz hinten. »Ja, mir ist nichts passiert.«

Paxton hörte, wie die drei hinter ihm hereinkamen. Er hielt die Hände gehoben und bewegte sich ganz langsam. Nur keine plötzlichen Bewegungen. Wenn er cool blieb, wenn er und Zinnia es geschickt anstellten, war das hier bald erledigt, und sie konnten in die Geborgenheit der MotherCloud zurückkehren.

Zinnia saß hinten mit dem Rücken an der Wand da, die Hände auf dem Boden aufgestützt. Einige Meter von ihr entfernt stand eine junge, schmächtige Frau mit Zöpfen und milchweißer Haut und richtete einen kleinen schwarzen Revolver auf sie.

Verwirrt sah Zinnia ihn an, während seine drei Begleiter in den Raum zwischen den Regalen und der Ladentheke traten.

»Dich haben sie also auch erwischt, was?«, sagte Zinnia.

Paxton tröstete sich mit der Tatsache, dass sie offenbar nicht in Panik geraten war. »Bist du verletzt?«, fragte er.

»Nein.«

Paxton sah die Frau mit dem Revolver scharf an. »Gut.«

»Klappe«, sagte die Frau mit der Flinte und richtete ihre Waffe ebenfalls auf Zinnia. Die ließ brav die Hände auf dem Boden.

Paxton spürte, dass die Temperatur im Raum noch weiter anstieg. Dieses Gefühl kannte er. Man musste etwas dagegen tun, bevor das Thermometer explodierte. »Moment mal!«, sagte er laut und deutlich.

Alle sahen ihn an.

»Das Ganze ist ein Missverständnis«, fuhr er fort. »Wir wollen uns doch nichts gegenseitig antun, oder? Schließlich hat niemand ein Interesse dran, verletzt zu werden. Wir wollen alle bloß nach Hause.« Er deutete auf die Frau mit der Flinte, um Kontakt mit ihr herzustellen. »Ihr könnt das Wasser gern behalten. Wie wär's, wenn ihr einfach eure Waffen senkt und uns gehen lasst? Dann vermeiden wir, dass jemand erschossen wird.«

Die Frau fasste ihre Waffe fester, warf jedoch einen Blick auf die mit dem Revolver. Was bedeutete, dass Letztere das Sagen hatte.

»Wie heißt du überhaupt?«, fragte Paxton und wandte sich der Frau mit dem Revolver zu. »Ich bin Paxton, und meine Freundin da auf dem Boden heißt Zinnia. Wie ist dein Name?«

»Ember.«

»Amber?«

»Ember. Mit einem E.«

»Okay, Ember. Jetzt kennen wir uns. Wie wäre es also, wenn ihr beide eure Waffen sinken lasst, damit wir gehen können. Dann ist alles erledigt.«

»Auf eurem Wagen ist das Logo von Cloud«, sagte Ember.

»Wir arbeiten da.«

Ember nickte, ohne ihn aus den Augen zu lassen. Etwas an ihrem Gesicht war ihm vertraut, aber er wusste nicht, woher. Gesehen hatte er sie schon einmal. Vielleicht in der MotherCloud? Dort gab es so viele Gesichter.

»Dich habe ich doch bei der Bewerbung gesehen«, sagte Zinnia. Alle wandten sich ihr zu. Sie sah Ember fest an und nickte. »Du bist die, die man weggeführt hat. In dem Theater.«

Der harte Ausdruck auf Embers Gesicht milderte sich. »Da warst du auch dabei? Und erinnerst dich an mich?«

Zinnia hob die Schultern. »Ich kann mir Gesichter ganz gut einprägen.«

Jetzt erinnerte Paxton sich ebenfalls. Die Frau in dem lila Hosenanzug mit dem orangefarbenen Preisschild aus dem Secondhandladen. Während alle zum Bus gegangen waren, hatte man sie herausgegriffen.

»Wer seid ihr eigentlich?«, fragte Paxton.

Ember lächelte. »Wir sind der Widerstand.«

»Wogegen?«, fragte Zinnia.

»Gegen Cloud. Und ich glaube, ihr könnt uns helfen.«

Zinnia

Was für ein dämlicher Schwachsinn das doch war.

Das konnten unmöglich ihre Auftraggeber sein. Diese windschiefen, ungewaschenen Gestalten mit vergilbten Zähnen. Die konnten es sich kaum leisten, für sich selbst zu sorgen, geschweige denn eine anständige Summe auf Zinnias Konto zu überweisen.

Sie war nicht in der Lage gewesen, ihr Handy zu checken, weshalb sie keine Ahnung hatte, ob ihre Kontaktperson sich in der Nähe befand, woanders auf sie wartete oder schon wieder fort war. Deshalb konnte sie nichts anderes tun, als sich dumm zu stellen und auf ihre Chance zu warten. Sie sah sich prüfend um. Es war unmöglich, gleich zwei so weit von ihr entfernt stehende Personen zu entwaffnen, ohne dass jemand einen Schuss abbekam. Sie selbst wollte dieser Jemand nicht sein, und es war ihr lieber, wenn Paxton ebenfalls nicht erschossen wurde.

Nicht dass er ihr so wichtig gewesen wäre. Das war er nicht. Aber er hatte es nicht verdient, so zu enden.

Paxton trat neben sie an die Wand und ließ sich ebenfalls auf dem Boden nieder. »Können wir nicht einfach …«, fing er an.

»Stopp«, sagte Ember. »Kein Wort mehr. Jetzt hört ihr erst mal zu, kapiert? Ihr hört zu, dann dürft ihr reden. Aber überlegt euch gut, was ihr sagt, sonst hat das kein gutes Ende.«

Die Frau mit der Flinte winkte Ember zu sich und sprach leise mit ihr, wobei sie sich von Paxton und Zinnia abwandte, als könnten die sie dann nicht hören. »Meinst du denn, das sind die, hinter denen wir her waren?«

»Unmöglich«, sagte Ember. »Das Signal ist verschwunden, bevor sie hier eingetroffen sind. Außerdem haben sie bloß einen Kleinwagen.«

Scheiße. Die hatten Zinnias Kontaktperson verfolgt.

Aber weshalb? Fragen wollte sie das nicht, weil sie kein Interesse zeigen wollte. Deshalb war sie erleichtert, als Paxton das an ihrer Stelle trat.

»Moment, ihr habt jemand verfolgt? Ich dachte, ihr wohnt hier.«

Ember blickte zu ihm herab. Sie ließ den Revolver sinken und hielt ihn so, dass er mit dem Abzugsbügel an ihrem Zeigefinger hing. Einer der Männer nahm ihn ihr ab.

»Wir haben das Signal von einer Luxuslimousine aufgeschnappt, die durch die Gegend gefahren ist«, sagte sie. »Ist selten, dass solche Leute bis hier rauskommen. Wir hatten vor, sie auszurauben.«

Aha, dachte Zinnia. In dem Wagen hatte eindeutig ihre Kontaktperson gesessen.

»Wie Robin Hood?«, sagte Paxton. »Dann bist du wohl die Königin der Diebe?«

»Inzwischen sind die bestimmt schon über alle Berge.« Ember klatschte in die Hände. »Dafür haben wir gerade einen viel besseren Fang gemacht.«

Die beiden Bohnenstangen und die grauhaarige Frau zogen sich zu den Regalen zurück, wo sie sich wie Kinder im Schneidersitz auf den Boden setzten und mit Begeisterung im staubigen Gesicht zu Ember hochblickten. Die griff in ihre Gesäßtasche und zog etwas heraus, was sie vorerst in ihrer Faust verbarg. Ohne Zinnia und Paxton aus den Augen zu lassen, ging sie kurz in die Hocke.

Es klickte leise, dann stand sie wieder auf. Vor ihren Füßen lag ein USB-Stick.

»Das ist das Streichholz, das ganz Cloud niederbrennen wird«, sagte sie, als stünde sie auf einer Bühne und würde zu einem Saal voller Menschen sprechen.

Das Streichholz, das auf dem CloudBand aufgetaucht war. Waren die das gewesen? Zinnia hätte zu gern gewusst, wie sie in das System eingedrungen waren – das war wirklich eindrucksvoll gewesen –, aber jetzt war nicht der richtige Zeitpunkt für Fragen.

»Was habt ihr für Jobs?«, fragte Ember. »Was tut ihr dort?«

»Wir sind beide Sammler«, sagte Zinnia, während Paxton gleichzeitig mit »Security« antwortete.

Sie sah Paxton an und hob missbilligend die Augenbraue. Das konnte ja wohl nicht wahr sein!

Ember nickte und wandte sich an Paxton. »Wunderbar. Dann hör mal gut zu. Du wirst den Stick da in die MotherCloud mitnehmen. Dort steckst du ihn in ein Terminal und folgst den angezeigten Befehlen, bis das Programm läuft. Bis du wiederkommst, halten wir deine Freundin hier fest, aber dann kriegst du sie wieder.«

Zinnia lachte. Anfangs fiel ihr das leicht, so als hätte sie nicht gerade erst Monate ihres Lebens mit diesem Scheiß vergeudet. Aber dann durchfuhr es sie eiskalt. Was die da vorhatten, hörte sich ganz ähnlich an wie ihr eigener Auftrag. Stellten sie eine Konkurrenz dar? War es das gewesen, was ihre Auftraggeber ihr hatten mitteilen wollen? Sollte sie etwa ausgebootet werden?

»Nein«, sagte Paxton.

»Was soll das heißen – nein?«, fragte Ember.

»Das heißt genau das, was ich gesagt habe. Ich werde sie nicht hier zurücklassen. Und ich werde überhaupt nichts tun, bevor ihr mir erklärt, was zum Teufel das überhaupt soll.«

Ember warf einen Blick auf ihre Gefährten. Blickte Paxton und Zinnia von der Seite her an. »Wenn ihr eine Erklärung braucht, weshalb Cloud vernichtet werden muss, dann weiß ich nicht recht, wo ich anfangen soll«, sagte sie.

»Was ist denn das Problem mit Cloud?«, fragte Paxton. Seine Stimme hatte einen herablassenden, sarkastischen Ton, und in diesem Moment fühlte Zinnia sich stark zu ihm hingezogen. »Klärt mich bitte auf.«

Ember lachte. »Weißt du, was früher die durchschnittliche Arbeitszeit pro Woche war? Vierzig Stunden. Samstag und Sonntag hatte man frei. Für Überstunden wurde man bezahlt. Die Krankenversicherung war durchs Gehalt gedeckt. Wusstest du das? Und bekanntlich wurde man mit Geld bezahlt, nicht mit einem bizarren Credit-System. Man hat ein Haus oder eine Wohnung besessen. Man hatte ein Leben, das von der Arbeit getrennt war. Und jetzt?« Sie schnaubte. »Jetzt ist man ein Wegwerfartikel, der Wegwerfartikel verpackt.«

»Und weiter?«, sagte Paxton.

Ember erstarrte, als hätte sie erwartet, dass ihre Worte eine größere Wirkung erzielten. »Macht dich das denn nicht wütend?«

Paxton ließ den Blick über sie und ihre Spießgesellen wandern, die hinter ihr auf dem Boden hockten. »Für euch läuft es offenbar auch nicht so toll, oder? Sonst müsstet ihr nicht mitten in der Pampa irgendwelche Autos überfallen. Welche Wahl haben wir denn eigentlich?«

»Man hat immer eine Wahl«, sagte Ember. »Zum Beispiel könntet ihr euch entscheiden wegzugehen.«

Als Paxton weitersprach, dröhnte seine Stimme durch

den engen Raum. Der selbstsichere Auftritt, den Zinnia so attraktiv gefunden hatte, ging in etwas anderes über, was sich tief in seinem Innern befand. Sie nahm Emotionen in ihm wahr, die ihm womöglich gar nicht bewusst waren. »Man hat eine Wahl? Wirklich? Ich habe nämlich jahrelang in einem Job gearbeitet, der mir zuwider war, damit ich eine Firma gründen konnte. Und wisst ihr, was dann passiert ist? Der Markt hat seine Wahl getroffen. Er hat Cloud gewählt. Da kann ich jammern, klagen und mich auf den Kopf stellen, das bringt überhaupt nichts. Entweder ich reiße mich zusammen und tue meine Arbeit, oder ich lebe im Elend und verhungere. Darauf kann ich verzichten. Ich wähle ein Dach über dem Kopf und was zu futtern.«

»Und damit hat es sich?«, sagte Ember. »Du akzeptierst den Status quo? Nimmst die Dinge hin, wie sie sind? Lohnt es sich nicht, für etwas Besseres zu kämpfen?«

»Was soll denn besser sein?«

»Alles andere als das, wie es jetzt ist«, sagte Ember mit lauterer Stimme.

Die Stimme von Paxton wurde ebenfalls lauter. Seine Halsmuskeln spannten sich an, und sein Gesicht wurde rot. »Das ist das Beste, was man aus einer schlechten Situation machen kann. Ihr könnt also gern eure Spielchen spielen, verändern wird das überhaupt nichts!«

»Puh«, sagte Zinnia, worauf beide Kontrahenten sie ansahen. Sie stupste Paxton an. »Wie wär's, wenn du ruhig bleibst?«

Ember seufzte und tat einen Schritt auf die beiden zu. »Ich will euch mal was über Cloud erzählen. Wir haben uns selbst dafür entschieden, dass die Bosse da so viel Macht haben. Wir haben ihnen die Kontrolle überlassen. Als sie beschlossen haben, die Supermärkte aufzukaufen, haben wir das zugelassen. Als sie beschlossen haben, die Landwirtschaft zu übernehmen, haben wir das zugelassen. Als sie beschlossen haben, immer mehr Massenmedien und Internetprovider und Mobilfunkfirmen aufzusaugen, haben wir das ebenfalls zugelassen. Man hat uns gesagt, das würde zu besseren Preisen führen, weil bei Cloud nur der Kunde zählen würde. Weil er ein Teil der Familie wäre. Aber wir gehören nicht zur Familie. Wir sind das Futter, das große Unternehmen fressen, um noch größer zu werden. Wie's aussieht, waren die letzten Einzelhandelsketten das Einzige, was Cloud früher noch in Schach gehalten hat. Und dann kamen die Massaker am Black Friday, nach dem die Leute sich nicht mehr getraut haben, zum Einkaufen das Haus zu verlassen. Meint ihr etwa, das war ein Zufall? Eine Fügung des Schicksals?«

»Oje«, sagte Paxton mit normaler Stimme und nickte langsam. »Jetzt wird es lächerlich. Das sind doch schwachsinnige Verschwörungstheorien.«

»Das ist kein Schwachsinn.«

»Wenn du das glaubst, hast du nicht alle Tassen im Schrank.«

Sie stampfte mit dem Fuß auf, worauf ihre Gefährten zusammenzuckten. »Wie könnt ihr das bloß ignorieren? Wie könnt ihr nicht wütend darüber sein, dass sie euch und euer Leben im Würgegriff haben? Wie könnt ihr euch damit zufriedengeben, wie die Menschen von Omelas zu sein?«

»Omelas? Was ist das jetzt wieder?«

Ember presste die Hände ans Gesicht. »Das ist ja das Problem. Es ist nicht so, dass wir die Fähigkeit verloren hätten, etwas zu empfinden. Wir haben die Fähigkeit zu denken verloren.« Sie nahm die Hände herunter und sah

Paxton an. »Wir leben in einem Zustand der Entropie. Wir kaufen Dinge, weil wir auseinanderfallen und weil etwas Neues uns das Gefühl vermittelt, wieder ganz zu sein. Nach diesem Gefühl sind wir süchtig, und dadurch hat Cloud uns in der Gewalt. Das Schlimmste ist, wir hätten es kommen sehen sollen. Jahrelang haben wir Geschichten darüber gelesen, Bücher wie *Schöne neue Welt* und *1984* und *Fight Club*. Die Geschichten darin haben wir verschlungen, aber die Botschaft ignoriert. Und jetzt kann man zwar alles auf der Welt bestellen, was schon am nächsten Tag geliefert wird, aber wenn man versucht, ein Exemplar von *Fahrenheit 451* oder von *Der Report der Magd* zu bestellen, dauert es Wochen, falls das Buch überhaupt je ankommt. Das liegt daran, dass wir diese Geschichten nicht mehr lesen sollen. Man will nicht, dass wir auf bestimmte Ideen kommen. Ideen sind gefährlich.«

Paxton sagte nichts. Zinnia fragte sich, was er wohl dachte. Was sie selbst dachte, wusste sie: Ember war eine fantastische Rednerin. Sie hatte eine Stimme, die dich bei der Hand nahm, deine Wange streichelte, dich davon überzeugte, deine Kreditkartennummer preiszugeben.

Abgesehen davon, hatte sie nicht unrecht.

»Das ist eben das System, das wir haben«, sagte Paxton schließlich. »Die Welt fällt auseinander. Cloud versucht wenigstens, sie wieder ganz zu machen.«

»Ach, mit diesen sogenannten grünen Initiativen?«, sagte Ember. »Das soll eine Rechtfertigung sein?« Sie schüttelte den Kopf, machte einen weiteren Schritt vor und griff wieder in ihre Gesäßtasche. Zog etwas Kleines heraus und hielt es mit Daumen und Zeigefinger. Zinnia brauchte eine Sekunde, bis sie erkannte, was es war.

Ein schwarzes Streichholz mit einem weißen Kopf.

»Seht ihr das?« Ember fixierte Paxton und Zinnia abwechselnd so lange, bis beide nickten. »Das ist so klein und so zerbrechlich. Mit der Zeit wird es alt und unbenutzbar werden. Wenn es feucht ist, funktioniert es nicht. Man kann es unheimlich leicht verlieren oder verlegen. Und dennoch kann der darin enthaltene Funke einen ganzen Wald niederbrennen. Er kann eine Sprengstoffladung zünden, die in der Lage ist, ein ganzes Gebäude zu zerstören.«

Paxton lachte. »Das also war euer Plan mit dem Bild auf dem CloudBand? Ihr habt gemeint, wenn ihr den Leuten ein Streichholz zeigt, würde sich was ändern? Stattdessen hat niemand kapiert, was es bedeuten sollte.«

»Wir haben das Fundament geschaffen«, sagte sie mit scharfer Stimme. Widerspruch war sie offensichtlich nicht gewohnt. Sie war daran gewöhnt, dass die Leute sich an ihre Worte klammerten wie an einen Rettungsring. »Wir gewöhnen die Leute langsam daran.« Sie deutete hinter sich auf den USB-Stick, der wie ein sakraler Gegenstand auf dem Boden lag. »Aber damit schaffen wir es. Das ist unsere Antwort. Das ist unser Streichholz.«

»Und was dann?«, sagte Paxton. »Wenn ihr Cloud zu Fall gebracht habt, wie läuft es dann weiter? Wo sollen die Leute arbeiten? Was werden sie anfangen? Das würde bedeuten, die Wirtschaft völlig neu zu gestalten. Den Wohnungsmarkt ebenfalls.«

»Die Leute werden sich anpassen«, sagte Ember. »Jedenfalls können wir nicht zulassen, dass ein einziges Unternehmen die totale Macht über alles hat. Wisst ihr, dass es früher Gesetze dagegen gegeben hat? Bis die Regierung immer weniger Macht hatte und die Konzerne immer mehr. Bald haben die Konzerne die Gesetze geschrieben. Meint ihr etwa, euer Essen würde mit eurem Gehalt bezahlt? Oder eure Wohnung? Das ist nämlich nicht der Fall. Das bezahlt der Staat, indem er das Ganze subventioniert, genauso wie die medizinische Versorgung. Er bezahlt Geld, damit ihr euren Job behaltet, denn dann wählt ihr die entsprechenden Politiker, die dadurch ebenfalls ihren Job behalten. Das Ganze ist schlicht zu kaputt, als dass man es reparieren könnte. Es ist an der Zeit, das System zu Fall zu bringen und in Stücke zu schlagen.«

»Verdammt richtig«, murmelte einer der hageren Männer.

»Das klingt aber furchtbar überheblich«, sagte Paxton.

Zinnia war überrascht, mit welcher Leidenschaft er Cloud verteidigte. Das Unternehmen, das ihn ruiniert hatte. Bisher hatte er ihm immer kritisch gegenübergestanden, aber vielleicht war er ja bekehrt worden. Hatte sich zu einem wahren Gläubigen entwickelt. Vielleicht musste er den Anteil, den er daran hatte, im Angesicht von Gewalt und Tod vor sich selbst rechtfertigen, weil die Wahrheit zu schwer zu akzeptieren war. Sie lehnte sich zurück, beobachtete das Geschehen und wartete auf einen günstigen Moment.

Allerdings hatte Ember etwas gesagt, was ihr im Kopf herumging. Omelas. Das war aus einer Geschichte, die sie mal gelesen hatte, ganz bestimmt. Vor langer Zeit. Es war eine Geschichte, die ihr nicht gefallen hatte …

»He«, sagte Ember. »Du da.«

Zinnia hob den Blick.

»Du bleibst hier«, fuhr Ember fort. »Er verschwindet und tut das, was wir von ihm wollen, dann kommt er wieder. Wir werden dir nichts antun, außer es geht etwas schief. Zum Beispiel wenn er nicht alleine wiederkommt.

Das Ganze tut mir leid, aber es geht nicht anders. Wir arbeiten schon jahrelang daran. Dies ist unsere beste Chance.«

»Schon gut«, sagte Zinnia. Sie sah Paxton an. »Geh nur.«

»Wie bitte?«

Sie ließ ein bisschen Angst in ihre Stimme fließen. »Ich glaube, es ist am besten, wenn wir tun, was sie sagen.«

»Ich kann dich doch nicht einfach hierlassen!«

Verfluchter Beschützerinstinkt. Sie setzte eine tapfere Miene auf. »Bitte. Ich glaube, anders geht es nicht.«

Paxton lehnte sich an die Wand, als wollte er es sich gemütlich machen. »Nein!«

Ember ließ sich den Revolver geben und richtete ihn auf Zinnias Stirn, sah dabei jedoch Paxton an. »Los jetzt!«

Paxton hob die Hände in die Luft und stand auf, indem er sich an der Wand nach oben schob. Als er losging, senkte Ember ihre Waffe bei jedem Schritt ein bisschen. Er hob den USB-Stick auf, dann drehte er sich zu Zinnia um. »Ich komme bald zurück.«

»Das ist gut«, sagte Zinnia.

Er ging ein Stück weiter, bevor er sich wieder umdrehte. »Wenn ihr auch nur ein Härchen gekrümmt wird ...«

»Ja, ja, hab schon kapiert«, schnitt Ember ihm das Wort ab. »Hier wird nichts gekrümmt. Tu einfach, was ich gesagt habe.«

Als Paxton weiterging, folgten die Frau mit der Flinte und die beiden Männer ihm. Das war der erste eindeutig dämliche Schachzug, den sie machten, denn damit blieben Zinnia und Ember allein. Wahrscheinlich hielten sie Paxton für gefährlicher, weil er ein Mann war.

Zinnia blickte zu Ember hoch. »Willst du mich eigentlich fesseln oder so?«

»Ist das denn nötig?«

»Ich dachte, ihr wärt vorsichtig.«

Ember hob den Revolver. »Aufstehen!«

Zinnia erhob sich mit ausgestreckten Händen, wobei sie sich ein Stück auf Ember zubewegte, ganz langsam, damit die das vielleicht nicht bemerkte. Das Komische an Schusswaffen war, dass sie wesentlich weniger gefährlich als Messer waren. Deshalb verteidigte sie sich lieber gegen Leute, die einen Revolver in der Hand hatten. Um jemand damit in Schach zu halten, musste man einen Mindestabstand von gut sechs Metern einhalten. Tat man das nicht, konnte der andere den Spieß umdrehen. Abgesehen davon, brachte das Adrenalin in einer solchen Situation die Feinmotorik durcheinander, und der abrupt angestiegene Blutdruck machte einen schwindlig.

Man musste jahrelang trainieren, um das zu überwinden, und Zinnia rechnete damit, dass Ember nicht dasselbe Training hinter sich hatte wie sie. Außerdem waren die beiden jetzt keine drei Meter mehr voneinander entfernt.

»Ich muss dich nicht fesseln«, sagte Ember. »Da hinten ist ein Lagerraum, wo du warten kannst. Es ist zwar heiß da drin, aber glücklicherweise habt ihr ja Wasser mitgebracht.«

Zinnia machte einen weiteren Schritt vorwärts. Zweieinhalb Meter Abstand. Noch weniger. Sie tat so, als wollte sie an Ember vorbei in den Lagerraum gehen, und als die einen winzigen Moment zu der Tür hinblickte, durch die Paxton und die anderen verschwunden waren, ergab sich die Gelegenheit, auf die Zinnia gewartet hatte.

Sie sprang auf Ember zu, griff nach dem Revolver und umklammerte den Zylinder. Der schnitt zwar in ihre Handfläche, als Ember abdrückte, bewegte sich jedoch nicht. Zinnia schob die Mündung von sich weg, falls sich ihr Griff lockerte und das Ding doch losging.

Im selben Augenblick ließ sie den Ellbogen an Embers Schläfe krachen. Während ihr Arm erzitterte, sank Ember in sich zusammen und stürzte zu Boden. Dabei drehte Zinnia die Waffe und brachte sie in ihren Besitz.

Sie wich mehrere Meter zurück, klappte kurz den Zylinder heraus und stellte fest, dass nur zwei Patronen darin waren. Sie richtete die Waffe auf Embers Stirn. »Was ist eigentlich auf diesem USB-Stick?«, fragte sie.

Ember spuckte aus. »Du verfluchte Sklavin. Du Marionette. Willst du etwa für diese Typen kämpfen?«

»Wer bezahlt euch?«

»Wir werden von niemand bezahlt«, sagte Ember. »Wir leisten Widerstand.«

»Ja, ja, bla, bla, bla, ihr macht Revolution. Schon kapiert. Du bleibst jetzt schön da sitzen.«

Es leuchtete ein, dass diese Typen unabhängig waren. Ihr Plan war völliger Schwachsinn. Sie wollten sich nur Zugang zur MotherCloud verschaffen, dort ein Chaos veranstalten und die Flucht ergreifen. Es ärgerte Zinnia, dass Ember das so simpel dargestellt hatte. Während sie selbst schon Monate festsaß und sich den Arm auskugeln musste, um weiterzukommen.

Zinnia machte sich auf den Weg zum Ausgang, blieb jedoch gleich wieder stehen. Sie spürte den überwältigenden Drang, Ember wehzutun. Nicht, indem sie ihr eine Ohrfeige verpasste oder anderswie körperliche Schmerzen zufügte, sondern indem sie ihr etwas vom Schmerz der Welt zeigte. Von dem Schmerz, der das Hintergrundgeräusch zu jedem einzelnen Tag darstellte, den sie in dieser verdammten Anlage verbrachte.

»Nimm doch dein Streichholz«, sagte sie. »Geh rüber zur MotherCloud. Reiß das Streichholz an, und halt es an die Betonmauer. Sag mir, wie lange es dauert, bis die niedergebrannt ist.«

Embers Augen wurden trübe. Ihre Angriffslust hatte deutlich abgenommen.

Zinnia ging nach vorn und drückte sich ans Fenster. Niemand zu sehen. Paxton konnte noch nicht abgefahren sein. Wahrscheinlich waren sie gerade alle in der Durchfahrt. Sie sprang nach oben, um die Ladenglocke von der Tür zu reißen, damit sie nicht klingelte, dann schlüpfte sie so leise wie möglich hinaus. Zuckte bei jedem Geräusch zusammen, das ihre Sohlen auf dem ausgedörrten Pflaster hinterließen. Vorsichtig schob sie sich an den Ladenfronten entlang, deren Hitze ihr die Haut verbrannte.

Kurz vor der Durchfahrt hörte sie Stimmen. Sie blieb an der Ecke stehen und lauschte. Paxton beendete gerade einen Satz: »... und wenn ihr meiner Freundin auch nur das Geringste antut, mache ich euch fertig!«

Hm.

Seine Stimme war klar und deutlich, woraus zu schließen war, dass er in ihre Richtung blickte. Was wiederum bedeutete, dass seine drei Bewacher ihn anschauten und ihr den Rücken zuwandten. Sie duckte sich und spähte um die Ecke. Sah sechs Beine. Die Frau mit der Flinte stand ganz hinten.

Das war leicht.

Zinnia trat aus der Deckung. Als Paxton sie sah, riss er die Augen auf. Sie hielt der Frau mit der Flinte den Revolver an den Kopf. Es war riskant, so nah an jemand heranzugehen, aber diese Typen waren nicht so gut, dass sie ihr die Waffe abnehmen konnten. Wenn sie es versuchten, würden sie sich nur eine Kugel einfangen. Alle drei drehten sich gemeinsam um und starrten sie an, zuerst verwirrt, dann verängstigt.

»Die Flinte«, sagte Zinnia. »Wirf sie ihm zu.«

Die Frau ließ die Schultern hängen. Sie drehte sich zu Paxton um. Der machte grinsend ein paar Schritte auf sie zu, worauf sie die Flinte hob und sie ihm mit beiden Händen zuwarf. Paxton fing sie auf und richtete sie auf einen der Männer.

Zinnia feuerte in die Luft. Die anderen zuckten erschrocken zusammen, auch Paxton.

»Und jetzt fort mit euch«, sagte sie.

Die drei rannten los, an Zinnia vorbei um die Ecke, und dann waren sie auch schon verschwunden. Zinnia ließ die Hand mit dem Revolver baumeln und die Waffe in den Dreck fallen. Paxton warf ebenfalls die Flinte weg, sprang auf Zinnia zu, packte sie bei den Schultern und zog sie eng an sich. Sie ließ es geschehen. So blieben sie eine Weile stehen, damit ihr Herzschlag sich beruhigen konnte.

»Alles okay?«, fragte er.

Sie sprach mit dem Gesicht an seine Schulter gedrückt. »Ja, klar.«

Er trat einen Schritt zurück und sah ihr in die Augen. Immer noch hektisch und schwitzend. »Wie hast du das geschafft?«

»Du weißt doch, dass ich in Detroit Lehrerin war. Meinst du, das ist das erste Mal, dass jemand mir einen Revolver unter die Nase gehalten hat?«

»Hör auf.«

»Sie hat mich unterschätzt, und ich habe Glück gehabt«, sagte Zinnia. »Ich hab schon als Mädchen Krav Maga gelernt.«

»Das hast du mir nie erzählt.«

Zinnia hob die Schultern. »Über das Thema haben wir nie gesprochen.«

Paxton schüttelte den Kopf. Bückte sich und hob die Flinte auf. Richtete die Mündung in den Himmel und drückte ab. Nichts.

»Das ist ja wirklich ein erholsamer Ausflug«, sagte er.

»Tja. Ich glaube, wir sollten zurückfahren.«

»Die haben unser Wasser in den Laden geschafft.«

Zinnia nahm den Revolver wieder an sich. »Ich gehe rein und hole es. Außerdem will ich meine Bücher haben.«

»Ehrlich?«

»Und ob.« Sie deutete mit dem Kinn zum Wagen. »Steig schon mal ein, und lass die Klimaanlage laufen. Wenn ich wiederkomme, will ich mir den Arsch abfrieren.«

»Soll ich nicht mitkommen?«

Zinnia lächelte. »Das schaffe ich schon. Und, ehrlich gesagt, muss ich mal einen Moment allein sein. Das war ... ein bisschen viel.«

Paxton hob die Hände. »Na gut, dann geh.«

»Aufs Klo muss ich übrigens auch«, sagte sie über die Schulter hinweg. »Es kann also ein paar Minuten dauern. Tut mir leid.«

Sobald sie den Buchladen betreten hatte, rannte sie nach hinten, wo jetzt niemand mehr war. Sie zog ihr Handy aus der Tasche, aber bevor sie die Nachricht lesen konnte, die sie erhalten hatte, knarrte hinter ihr eine Bodendiele, und jemand sagte: »Nicht umdrehen.«

Es war eine Männerstimme. Tief und alt. Kratzig. Ein Raucher. Zinnia umklammerte ihre Waffe und hielt sie so, dass sie sichtbar war, hob sie jedoch nicht. Sie fragte sich, wo der Mann wohl vorher gewesen war. Vielleicht hinten im Laden. Vielleicht hatte er alles beobachtet.

»Sie werden Ihren Auftrag wie geplant fortsetzen.«

Zinnia nickte nur, weil sie sich nicht sicher war, ob sie etwas erwidern sollte.

»Allerdings kommt eine weitere Aufgabe hinzu. Wenn Sie damit Erfolg haben, verdoppelt sich Ihr Honorar.«

Zinnia hielt den Atem an.

»Töten Sie Gibson Wells.«

Die Worte dröhnten ihr in den Ohren.

»Zählen Sie jetzt bis dreißig, bevor Sie sich umdrehen.«

Zinnia schaffte es bis hundertzwanzig, bis sie die Energie aufbrachte, sich zu bewegen.

Paxton

Paxton ließ den Kopf ans Lenkrad sinken. Aus den Düsen strömte kühle Luft, die immer kühler wurde. Er spürte jedes Flattern seines Herzens.

Was für ein Haufen Irre! Welchen Plan hatten die eigentlich? Was wollten die überhaupt erreichen? Die Welt, für die sie kämpften, war jedenfalls ein Traum. So lief das heute nicht mehr.

Er dachte daran, wie er bei der Bewerbung in jenem Theatersaal auf einem harten Holzsitz gesessen hatte. Dass er da am liebsten gekotzt hätte, und nicht nur das. Er hätte am liebsten auf den eigenen Schoß gekotzt, um sich zu besudeln, weil er da saß.

Damit diese Typen recht hatten, musste Paxton unrecht haben. Dann hatte er zwei Monate lang alles falsch gemacht und machte es immer falscher, weil er sich Leuten wie Dobbs und Dakota unterwarf und deren Meinung über ihn. Ihre Anerkennung war für ihn zu einer Art Währung geworden.

Allerdings hatte er Zinnia gefunden. In der Mother-Cloud zu sein bedeutete, mit ihr zusammen zu sein, und wenn sie irgendwann ging, brachte er vielleicht genügend Kraft auf, mit ihr mitzugehen.

Nach allem, was gestern und heute geschehen war, kam sie ihm anders vor. Ihre Haut leuchtete stärker. Ihre Augen waren heller. Das Wort *Liebe* lag ihm auf der Zunge, und er kam allmählich an den Punkt, wo er es aussprechen konnte. Aber er wollte das Ganze nicht forcieren, weil Zinnia nicht die Sorte Frau zu sein schien, die auf Förmlichkeiten und Romantik stand. Er konnte sich vorstellen, wie er ihr die Hände auf die Schultern legte, ihr tief in die Augen sah und es ihr sagte. Worauf sie womöglich reagieren würde, indem sie leicht die Augen verdrehte oder kicherte, und das wäre es dann gewesen. Womit er würde leben müssen.

Sei zufrieden mit dem, was du hast, sagte er sich. Du hast einen Job, eine Wohnung und eine wunderschöne Freundin. Alles andere ist das Sahnehäubchen auf dem Kuchen.

Als er sich zurechtsetzte, spürte er etwas in seiner Hosentasche, das sich in seine Haut bohrte. Der USB-Stick. Er wollte gerade das Fenster öffnen und ihn hinauswerfen, als Zinnia die Beifahrertür öffnete. Sie setzte sich neben ihn, legte die Hände in den Schoß und starrte darauf. Ihr Körper sank in sich zusammen, als würde das Gewicht der letzten Tage schließlich Wirkung zeigen. Paxton versuchte, sich etwas Tröstliches einfallen zu lassen, und als ihm das nicht gelang, legte er ihr die Hand aufs Knie. Er spürte ihre glatte Haut, die harten Knochen darunter, und fragte: »Geht's wieder?«

»Wir müssen los.«

Er legte den Rückwärtsgang ein, lenkte den Wagen aus der Durchfahrt und schlug die Richtung ein, aus der sie gekommen waren.

Sie hatten schon den Highway erreicht, da sagte er: »Was für ein Haufen durchgeknallte Hippies.«

»Hippies«, wiederholte sie mit leiser Stimme.

»Ich meine, was haben die eigentlich vor? Das ist doch totaler Blödsinn.«

»Totaler Blödsinn.«

»He«, sagte er und legte ihr die Hand auf den Oberschenkel. »Was ist denn?«

Einen Moment lang dachte er, sie würde sich ihm entziehen, doch das tat sie nicht. Sie legte ihre Hand auf seine. Ihr Oberschenkel war warm, aber ihre Hand war kalt. »Nichts, nichts. Es tut mir leid. War ziemlich aufregend.«

»Tja, das war es.«

»Was sollen wir jetzt tun?«

»Wieso?«

»Sollen wir jemand davon erzählen?«, fragte Zinnia. »Meinst du, du solltest es deinem Chef berichten?«

Paxton wusste nicht recht, ob sich das lohnte. Schließlich waren diese Typen meilenweit von der Anlage entfernt. Und was konnten vier Hippies schon gegen Cloud ausrichten? Dobbs mochte es nicht, wenn es zu kompliziert wurde, und er hatte mit dem Besuch von Gibson Wells schon genug am Hals.

»Würde wahrscheinlich mehr Stress machen, als dass es was bringt«, sagte er.

»Ja«, sagte Zinnia. »Das kommt mir vernünftig vor.«

Schweigend fuhren sie über den Highway. Da keine Meilenangaben zu sehen waren, war Paxton sich nicht sicher, welche Ausfahrt er nehmen sollte, doch dann sah er in der Ferne einen dunklen Fleck am Himmel. Drohnen, die auf die MotherCloud zuflogen.

Ihm kam in den Sinn, was Ember über bestimmte Bücher gesagt hatte. Ob das wohl wirklich stimmte? Die Vorstellung, dass Zensur ausgeübt wurde, war in ihm haften geblieben wie ein zwischen den Zähnen steckendes Samenkorn. Wenn Cloud tatsächlich manche Bücher unterdrückte, hätte es doch einen Aufschrei gegeben. Dagegen würden die Leute angehen. Oder nicht?

Bei den Büchern fielen ihm die leeren Seiten in seinem Notizbuch ein. Solange sie leer blieben, vergeudete er damit nur sein Leben. Wenn er schon bei Cloud war, musste er das Beste daraus machen. Vielleicht konnte er befördert werden. Es schaffen, dass er eine Uniform bekam.

Er bog vom Highway ab und fuhr eine Weile dahin. Betrachtete den Himmel. Sonst war nicht viel zu sehen. Die schwarzen Schwärme verdunkelten die Sonne.

»Erinnerst du dich noch daran, wie diese Dinger nichts als Spielzeuge waren?«, fragte er, um das Vakuum zu füllen, das im Wagen herrschte.

Als er zu Zinnia hinübersah, nickte sie.

»Da fällt mir was ein«, sagte er. »Im Gefängnis hatte ein Typ mal die geniale Idee, sich Sachen einschmuggeln zu lassen, indem ein Kumpel ihm die mit einer Drohne in den Hof schickte. Eine Weile hat das sogar funktioniert. Einmal war es allerdings windig, und der Kumpel war so ungeduldig, dass er keine Flaute abgewartet hat. Ich war mit einem Kollegen gerade auf Patrouille, als uns das Ding plötzlich vor die Füße gekracht ist. Voll mit Comicheften. Kaum zu glauben, was? Offenbar stand der Typ nicht auf die Bücher, die es in der Bibliothek gab, und da es verboten war, den Häftlingen was zu schicken, hat er sich auf die Weise seinen Lesestoff zukommen lassen.«

»Das ist echt lustig«, sagte Zinnia mit tonloser, leerer Stimme.

»Ja, komisch, wie man sich an alles anpasst«, sagte Paxton.

Und während er das sagte, machte es in seinem Kopf irgendwo klick.

8. Vorbereitungen

Gibson

Kennt ihr die Geschichte von Lazarus und dem reichen Mann? Sie steht im Lukasevangelium und geht so: Es war einmal ein reicher Mann, der sich in feines Leinen kleidete und im Luxus lebte. Am Tor seines Palastes hauste ein Bettler namens Lazarus, der sich in einem ziemlich bedauernswerten Zustand befand. Er war mit Geschwüren bedeckt, hungrig und dreckig. Sehnte sich nach den Krumen, die vom Tisch des Reichen fielen.

Als es für Lazarus an der Zeit war zu sterben, trugen die Engel ihn zum Himmelstor hinauf. Auch der Reiche starb, aber zu dem kamen keine Engel. Er fuhr hinab in die Hölle, wo er gemartert und gequält wurde. Als er nach oben blickte, sah er Gott mit Lazarus an seiner Seite, und da flehte er: »Bitte hab Mitleid mit mir, und sende Lazarus, damit er die Fingerspitze ins Wasser taucht und mir die Zunge kühlt.«

Worauf Gott erwiderte: »Denk dran, dass du im Leben Gutes empfangen hast, Lazarus hingegen Schlechtes. Jetzt wird er getröstet, während du Qualen erleidest. Zwischen euch besteht ein tiefer Abgrund, der nicht überwunden werden kann.«

Daraufhin bat der Reiche, dass Gott Lazarus zu seinen Brüdern schicken solle, um sie vor dem ihnen drohenden Schicksal zu warnen, damit sie es vermeiden konnten. Aber Gott sagte: »Nein, die sollten auch so wissen, dass man auf die Propheten hören muss.«

Daher litt der reiche Mann die restliche Ewigkeit,

während Lazarus einen Logenplatz für die Wunder des Universums hatte.

Ich will euch sagen, wieso ich die Geschichte nicht mag. Ganz einfach: Sie stellt Reichtum und Ambition als Sünde dar. Es gibt so vieles, was wir über Lazarus und den Reichen nicht wissen. Wieso war der reiche Mann reich? Ist er durch Verbrechen zu seinem Geld gekommen? Hat er im Laufe seines Lebens anderen Menschen Schaden zugefügt? Oder hat er ein Geschäft aufgebaut? Hat er für seine Familie und das Gemeinwesen gesorgt? Und wieso war Lazarus arm? Wieso war er mit Geschwüren bedeckt? Ist er durch eine Ungerechtigkeit aus der Gesellschaft ausgestoßen worden? Oder hat er in seinem Leben schlechte Entscheidungen getroffen? Hat er etwas getan, womit er seinen Zustand verdient hat?

Das wissen wir alles nicht. Man sagt uns nur, dass Reichtum grundlegend falsch sei, Armut hingegen grundsätzlich eine Tugend – ohne irgendwelche Ahnung davon, wie die betreffenden Personen zu dem wurden, was sie sind.

Die meisten Leute beurteilen mich im Lichte von dem, was ich getan habe: Ich habe ein Unternehmen aufgebaut, für meine Familie gesorgt, ein neues Lebens- und Arbeitsparadigma entworfen, das für den amerikanischen Arbeitnehmer eine bessere Welt erschaffen soll. Dennoch gibt es ein paar Zeitgenossen, die mich für einen habgierigen Drecksack halten. Sie meinen, wenn ich tot und beerdigt bin, was jetzt nicht mehr lange dauern wird, werde ich zu dem reichen Mann in die Hölle kommen, zu Lazarus hinaufblicken und mich fragen, was ich eigentlich falsch gemacht habe.

Dazu möchte ich in erster Linie sagen, dass es keine Sünde ist, wenn man die Welt zu einem besseren Ort machen will. Es ist keine Sünde, für seine Familie zu sorgen, und es ist keine Sünde, im Leben ein bisschen Vergnügen zu haben. Deshalb besitze ich ein Boot. Ich gehe gern angeln. Bin ich dadurch zur Hölle verdammt? Ich habe nie die Hände zu einer Gewalttat erhoben. Soll ich deshalb leiden?

Seht euch doch mal den tristen Zustand der Welt an! Viele kleine Städte sind verödet. An der Küste liegende Dörfer stehen unter Wasser. Die Großstädte sind überfüllt. Platzen aus den Nähten. Manche Drittweltländer sind praktisch nur noch eine Wüste.

Die Welt ist in einem traurigen Zustand, und ich versuche zu helfen. Ist alles, was ich getan habe, perfekt gewesen? Nein, verdammt noch mal! Das ist der Preis des Fortschritts. Cloud zu erschaffen war so, wie wenn man ein Omelett zubereitet, so läuft es im Geschäftsleben. Anders gesagt, dabei mussten ein paar Eier zerbrochen werden. Nicht dass ich mich je gefreut hätte, so etwas zu tun. Ich habe es nie genossen. Worauf es ankommt, ist jedoch das Endergebnis. Ihr wisst ja, was ich seit Jahren, ja immer schon sage: Der Markt bestimmt. In einer Zeit jugendlichen Leichtsinns hätte ich mir das beinahe mal auf die Schulter tätowieren lassen. Durchgezogen habe ich das nicht – ich muss zugeben, dass ich Angst vor Nadeln habe –, aber es steht auf einem Blatt Papier, das ich mir am Gründungstag von Cloud über den Schreibtisch gepinnt habe.

Das Blatt gibt es immer noch. Ein kleiner Streifen, so vergilbt und verknittert, dass die Worte kaum noch zu lesen sind. Dafür habe ich den Spruch überall in unseren Büros aufhängen und auf Kaffeebecher drucken lassen. Ich habe nach diesem Motto gelebt und geatmet. Habe dadurch Erfolge und Misserfolge gehabt.

Der Markt bestimmt.

Wenn der Markt sagt: Dieser Artikel kann für den Kunden billiger sein, er kann effizienter geliefert werden, er kann das Leben der Menschen verbessern, dann sage ich – frisch ans Werk!

Wisst ihr, vor vielen Jahren hatten wir es mit einem bestimmten Essiggurkenproduzenten zu tun. Wie Molly euch bestätigen kann, liebe ich Essiggurken. Die von jener Firma hergestellten Essiggurken habe ich auch geliebt, aber die waren ziemlich teuer, und unsere Kunden hatten eigentlich keine Lust, so viel zu bezahlen, wie die Firma haben wollte. Das waren, soweit ich mich erinnere, ungefähr fünf Dollar pro Glas.

Also haben wir uns an die Firma gewandt und gesagt: »Lasst uns euch helfen!« Wir haben den Leuten eine andere Verpackung empfohlen und ihnen gezeigt, wie man Rohstoffe sparen kann. Schon indem sie Plastik anstatt Glas verwendet haben, konnten sie eine Stange Geld sparen, weil die Lastwagen, mit denen das Produkt transportiert wurde, leichter waren und weniger Kraftstoff brauchten.

Das Endziel bestand darin, sie auf zwei Dollar pro Glas herunterzuhandeln, was der Preis war, den unsere Kunden bezahlen wollten. Aber sie haben auf drei fünfzig bestanden. Seht mal, wie viel Geld ihr jetzt spart, haben wir ihnen vorgehalten – da könntet ihr leicht auf zwei Dollar heruntergehen. Nein, haben sie gesagt, das sei unmöglich. Sie haben mir lang und breit erklärt, was das für ihren Erlös bedeuten würde und dass sie dann ihre Organisationsstruktur verändern müssten. Gut, habe ich gesagt, dann solltet ihr das eben tun; ihr könnt uns ja mitteilen, wenn ihr dabei Hilfe braucht.

Langer Rede kurzer Schluss, sie haben sich nicht

umstimmen lassen. Gut, habe ich gesagt, dann gebe ich meinen Kunden eben trotzdem, was sie wollen, nämlich Essiggurken für zwei Dollar pro Glas. Das war die Geburtsstunde unserer eigenen Essiggurkenmarke, und egal was andere behaupten, die schmeckt mir besser als die Gurken von dem besagten Produzenten.

Ohnehin sind die schließlich pleitegegangen. Ich sehe es zwar nie gerne, wenn jemand arbeitslos wird, aber das war deren eigene Schuld. Sie hätten uns nur ein bisschen entgegenkommen müssen, dann hätten wir gemeinsam Großes leisten können. Ihr würdet nämlich staunen, wenn ihr wüsstet, wie viele Essiggurken wir verkaufen. Die schmecken den Leuten ausgezeichnet und sind lange haltbar, und es läuft bestens für alle Beteiligten.

Der Markt bestimmt.

Nach der Sache mit den Essiggurken waren ein paar Leute ziemlich wütend auf mich, aber wisst ihr was? Wenn ich ein Produkt oder eine Dienstleistung günstiger, aber in derselben Qualität liefern kann, bin ich gerne bereit, das zu tun. Dann können die Kunden das Geld, das sie sparen, für etwas anderes verwenden – für Lebensmittel, Wohnung, Gesundheitsfürsorge oder auch dazu, abends mal nett auszugehen. Der Sinn von Cloud war es von Anfang an, den Menschen das Leben zu erleichtern. Es gibt massenhaft Unternehmen, die mit unserer Unterstützung ihre Kosten reduziert haben und denen es jetzt bestens geht. Sie arbeiten nicht mit uns zusammen, weil sie das müssten, sondern weil sie es wollen.

Tut mir leid, ich bin ein bisschen vom Thema abgekommen. In letzter Zeit schlafe ich nicht mehr besonders gut. Ich habe Schmerzen im Bauch. Wie ein schwelendes Feuer. Wie Holzkohlen in einem Gartengrill. Man meint zwar nicht, dass die heiß sind, aber das sind sie.

Die Hitze breitete sich allmählich bis in meinen Kopf aus. Deshalb ärgere ich mich neuerdings unheimlich über verschiedene Dinge, obwohl ich mich bemühe, mich nicht so zu ärgern, weil ich meinem Schöpfer mit einem Lächeln im Gesicht entgegentreten will, nicht mit einer verächtlichen Grimasse.

Die Sache ist die: Ich werde mich nicht dafür entschuldigen, dass ich reich bin. Und wenn meine Zeit gekommen ist und ich jene Grenze überschreite, werde ich nur aufgrund dessen, was ich geschaffen habe, nicht in der Hölle landen, da bin ich mir sicher. Ein Mensch muss auch nach anderen Maßstäben beurteilt werden.

Vor zwanzig Jahren waren die Vereinigten Staaten für einen Ausstoß von 5,4 Milliarden Tonnen Kohlendioxid verantwortlich. Im vergangenen Jahr war es weniger als eine Milliarde. Das ist es eben! Vieles von dieser Entwicklung ist auf das zurückzuführen, was wir bei Cloud getan haben, und ihr könnt mir glauben, dass ich Claire beauftragt habe, diesen Wert weiter zu verringern. Cloud soll nicht nur kohlenstoffneutral werden, sondern kohlenstoffnegativ. Ich will, dass wir das Kohlendioxid aus der Luft saugen. Ich will, dass der gestiegene Meeresspiegel wieder sinkt. Ich will, dass die Menschen in den Küstenstädten wieder in ihre Häuser zurückkehren können. Ich will ein Miami, das nicht mehr so aussieht wie Venedig früher. Ich will Venedig wiederhaben.

Soll ich dafür zur ewigen Verdammnis verurteilt werden?

Paxton

»Setz die mal auf«, sagte Dakota und reichte Paxton eine Sonnenbrille.

Die Brille reduzierte das grelle Licht erheblich, wodurch er sich besser auf das scheinbare Chaos konzentrieren konnte, das auf dem Dach herrschte. Die Ränder konnte er nicht sehen, weshalb er das Gefühl hatte, inmitten eines hektischen Spielfelds zu stehen. Die Sonne spiegelte sich in den im Boden eingebetteten Kollektoren. Ringsum standen schuppengroße Verladestationen, wo eine Aufzuganlage Pakete anlieferte, die an den wartenden Drohnen befestigt wurden.

Hier waren die Arbeiter in Orange gekleidet. Viele trugen langärmelige, weiße Shirts unter ihren Polohemden und breite Schlapphüte. Am Gürtel hatten sie Wasserflaschen hängen. Die Verladestationen boten Schatten, aber nicht viel, vor allem jetzt in der Tagesmitte nicht.

»In dem Einführungsvideo kommt Orange gar nicht vor«, sagte Paxton.

»Das ist für die Leute mit den beschisseneren Aufgaben«, sagte Dakota. »Solche Farben werden nicht gezeigt.«

Paxton war von der Szenerie schier überwältigt, auch von ihrem Geräusch beziehungsweise dem Mangel daran. Die Drohnen waren nahezu lautlos. Dafür war er von einem elektrischen Summen umgeben, das sich wie ein Insekt anhörte, das am Rande seines Blickfelds herumflog. Auch auf der Haut spürte er es.

»Meinst du wirklich, dass wir hier fündig werden?«, fragte Dakota.

Er hatte ihr die Geschichte über die Drohne auf dem Gefängnishof erzählt. Außerdem hatte er sich bei ihr und Dobbs vergewissert, dass hier oben nur wenige Security-Leute im Dienst waren, weil sie eigentlich nicht gebraucht wurden. Alles, was heraufkam, war in Kartons verpackt und wurde von den CloudBands registriert, weshalb niemand etwas klauen konnte. Die Arbeiter hatten ihren eigenen Ausgang, vor dem sie sich am Ende ihrer Schicht anstellen mussten. Wichtiger als Security war hier ein medizinisches Team, weil Hitzschlag und Flüssigkeitsmangel eine ständige Gefahr darstellten. An allen Verladestationen erinnerten Schilder die Arbeiter daran, immer genügend zu trinken, und überall waren Spender mit zwei Hähnen angebracht, einer für Wasser, der andere für Sonnenschutzlotion.

»Wo sollen wir überhaupt anfangen?« Dakota ließ den Blick über die weite Fläche mit Tausenden Arbeitern schweifen. Am Himmel verdeckten Drohnenschwärme wie vorüberziehende Wolken sporadisch die Sonne und sorgten für Momente der Erleichterung, die nie lange genug zu dauern schienen.

»Am Anfang«, sagte Paxton und machte sich auf den Weg. Nachdem er sich vergewissert hatte, dass Dakota ihm folgte, ging er weiter einen der gestreiften Pfade entlang, auf denen die Arbeiter sich ungefährdet bewegen konnten. Sie waren mit gelbem, gut sichtbarem Klebeband markiert, damit niemand versehentlich auf die dunklen Oberflächen der Solarkollektoren trat, die wie quadratische Becken aus reglosem Wasser aussahen.

An jeder Station sah Paxton das Gleiche – hin und her wuselnde Arbeiter, Drohnen, die herabsanken und wieder in die Luft stiegen, beladen mit merkwürdig geformten Paketen aus wetterfestem Pappschaum. Niemand achtete auf die beiden Security-Leute, was genau das war, worauf Paxton zählte. Er hatte kein Interesse an Leuten, die kein Interesse an ihm hatten.

Eine der Lektionen, die er im Gefängnis gelernt hatte, lief darauf hinaus, dass man nicht auf eine Übergabe von Schmuggelware wartete. Man hielt Ausschau nach einem Seitenblick, einem angstvollen Gesichtsausdruck, nervös verspannten Muskeln. Häftlinge waren Meister der Täuschung. Deshalb ging es nicht darum, irgendwelche verborgenen Dinge zu finden – man musste Experte darin werden, die Leute zu erkennen, die etwas verbargen.

Die beiden schlenderten etwa eine Stunde lang über das Dach. Ab und zu warf man ihnen Blicke zu, die eher Verblüffung über ihr Erscheinen ausdrückten als *ach du Scheiße, da kommen die Polypen.* Den Unterschied kannte Paxton bestens. Deshalb gingen sie weiter, um Gesichter, Hände und Schultern zu beobachten, bis Dakota allmählich nervös wurde. Sie seufzte hörbar, blieb öfter stehen, um Wasser zu trinken oder Sonnenschutzmittel abzuzapfen, das sie auf Gesicht und Hals verrieb, bis eine teigige weiße Schicht auf ihrer Haut lag. Durch die schwarzen Gläser der Sonnenbrille sah sie aus wie ein Skelett, das über das brütend heiße Dach streifte.

Irgendwann kam eine vertraute Gestalt in Sicht. Paxton drehte unauffällig den Kopf, um sich zu vergewissern. Es war tatsächlich Vikram, mit einem breitkrempigen Hut, einer Sonnenbrille und einer Wasserflasche am Gürtel. Sein blaues Poloshirt war so von Schweiß durchnässt, dass es fast schwarz aussah. Er beobachtete mehrere Männer und Frauen in Braun, die eine auf dem

Boden liegende Drohne reparierten. Am liebsten wäre Paxton hinübergegangen, um Vikram unter die Nase zu reiben, wer von ihnen letztlich gewonnen hatte, entschied sich jedoch dagegen. Das wäre kleinkariert gewesen. Er wandte sich Dakota zu, die gerade einen tiefen Schluck aus ihrer Wasserflasche nahm.

Und da sah er ihn – einen hageren weißen Typen, der von den Ellbogen bis zu den Fingerspitzen mit primitiven Tattoos bedeckt war. Mit solchen, wie man sie im Gefängnis bekam oder sich von irgendeinem bekloppten Kumpel mit Nähnadel und Druckertinte machen ließ. Als Paxton und Dakota in sein Blickfeld kamen, erstarrte er zuerst, dann bewegte er sich ein Stück zur Seite, sodass jemand anderes zwischen ihm und den beiden stand – wie ein Kind, das sich hinter einem zu schmalen Baum versteckte. Er schob die Hände in die Hosentaschen, als wollte er sich vergewissern, dass da etwas Bestimmtes drin steckte, was eigentlich nicht hätte vorhanden sein sollen.

»Der da«, sagte Paxton und deutete mit dem Kinn auf das Klappergestell.

Dakota hob ihre Sonnenbrille und betrachtete den Typen genauer, der sichtlich schwitzte, aber womöglich nicht von der Sonne. »Bist du dir da sicher? Wenn wir ihn filzen und er nichts dabeihat, wird Dobbs stinksauer sein, und dann versetzt er dich vielleicht hierher. Wir nennen das die Hautkrebsrunde.«

»Vertrau mir«, sagte Paxton, während der Typ einige Schritte rückwärts machte.

»Na gut.« Dakota winkte dem Typen zu. »He, du! Komm mal her. *¡Ándale!*«

Der Typ sah sich um, als könnte jemand ihm helfen, was aber niemand tat. Stattdessen rückten die Leute in seiner Nähe von ihm ab, wohl wissend, was ihn erwartete. Während er herbeikam, setzte er ein gezwungenes Lächeln auf, um cool zu erscheinen. *Wer, ich?*

»Kehr mal deine Hosentaschen um«, sagte Dakota.

Der Typ blickte zur Seite. Hob die Schultern. »Wieso?«

»Weil mich das glücklich macht, verdammt noch mal«, sagte Dakota.

Der Typ sank in sich zusammen. Griff in seine rechte Hosentasche und streckte Dakota die geschlossene Faust hin. Öffnete sie. In seiner Handfläche lagen mehr als ein Dutzend Schächtelchen mit Oblivion. Als Dakota ihm die flache Hand hinhielt, legte er sie hinein.

Sie sah Paxton an und lächelte. »Nicht schlecht.«

Paxton erwiderte das Lächeln. »Jetzt wird es richtig lustig.«

Sie brauchten eine halbe Stunde bis zum Ausgang, dann ging es hinunter zur Bahn und in die Administration, wo sie das Klappergestell – es hieß Lucas – in einen Vernehmungsraum brachten. Der war so klein, dass der Tisch und die beiden sich gegenüberstehenden Stühle kaum hineinpassten. Sie ließen Lucas eine Weile allein darin sitzen, damit er darüber nachdenken konnte, was er sich eingebrockt hatte.

Dobbs kam durch das Großraumbüro hindurch auf Paxton zu, gefolgt von Dakota, die ihn geholt hatte. Er klatschte langsam und rhythmisch in die Hände. Als er vor Paxton stand, schlug er ihm kräftig auf die Schulter. »Hab ja gewusst, dass ich mich in Ihnen nicht getäuscht habe. Wie haben Sie das geschafft?«

»War nur so eine Ahnung«, sagte Paxton.

»Tja, hat sich gelohnt. Jetzt werden wir ihn dazu bringen, uns zu erklären, wie die Schmuggeloperation abläuft, wer sonst noch beteiligt ist und so weiter und so fort.«

»Haben Sie was dagegen, wenn ich ihn erst mal selbst in die Zange nehme, Chef?«, fragte Paxton.

Dobbs sah ihn scharf an. Dachte sichtlich angestrengt darüber nach. »Kein Problem, mein Junge«, sagte er schließlich. »Das haben Sie sich verdient. Wir werden allerdings zuhören. Hat schließlich keinen Sinn, zweimal dasselbe zu machen.«

»Was kann ich ihm anbieten?«, fragte Paxton.

»Dass er woandershin versetzt wird. Wir würden ihn in eine von den Verarbeitungsanlagen stecken. Vielleicht will er ja selbst kündigen – wäre ganz allein seine Sache –, aber von uns aus müssen wir ihn nicht gleich feuern.«

»Alles klar.« Paxton nickte Dobbs und Dakota zu.

Er betrat den Vernehmungsraum und setzte sich Lucas gegenüber. Während der nervös hin und her rutschte, machte er es sich bequem und starrte ihn einige Sekunden an.

»Reden wir«, sagte er dann.

»Worüber?«

»Über das Oblivion in deiner Hosentasche.«

Lucas hob die Schultern und machte sich daran, alles im Raum zu beäugen – die Deckenverkleidung, die Tischplatte, den Staub in den Ecken, den Spiegel, durch den man offenkundig von draußen hereinblicken konnte. Alles außer Paxton. »Für den persönlichen Gebrauch.«

»Also, ich stelle mir die Sache so vor«, sagte Paxton. »Es ist zwar bestimmt komplizierter, aber wahrscheinlich läuft es so, dass jemand etwas bei Cloud bestellt. Wenn das geliefert wird, bringt man an der Drohne vor dem Rückflug eine Ladung Oblivion an.« Die Augen von Lucas verengten sich, ein Hinweis darauf, dass Paxton richtiglag. »Interessant ist allerdings, woher ihr wisst, welche Drohnen ihr checken müsst. Vielleicht landen die Drohnen immer an derselben Stelle, wo sie gestartet sind, oder es liegt an ihrer Codierung oder ihrem Bewegungsmuster, das ihr geknackt habt. Bestimmt sind eine Menge Leute eingeweiht, darunter auch Manager und Kollegen von mir. Vielleicht fliegen auch massenhaft Drohnen mit einer kleinen Ladung Oblivion durch die Gegend, aber nur bestimmte Leute wissen, wie man das Zeug findet. Das weiß ich alles nicht. Ich weiß bloß, dass du mehr als hundert Portionen dabeihattest. Das ist ein Grund für die sofortige Kündigung. Und du weißt, was das bedeutet.« Lucas senkte den Blick. »Aber ich kann dir helfen.«

»Wie denn?«

»Wir stecken dich in einen anderen Wohnbau«, sagte Paxton. »Arbeiten wirst du in einer von den Aufbereitungsanlagen am Ende vom Campus.«

»Und was wollt ihr dafür?«

»Eine Erklärung, wie die Operation im Einzelnen abläuft. Und so viele Namen, wie du mir nennen kannst. Von den Leuten, die das Sagen haben – vor allem, wenn sie bei der Security sind. Wenn du dazu bereit bist und mich entsprechend beeindruckst, kommen wir dir entgegen.«

Lucas starrte auf seine im Schoß liegenden Hände. Murmelte etwas.

»Was sollte das heißen?«, fragte Paxton.

»Ich will einen Anwalt.«

Paxton hatte keine Ahnung, wie er weitermachen sollte, und da er nichts Falsches sagen wollte, nickte er einfach, stand auf, schob seinen Stuhl unter den Tisch und verließ den Raum. Schlimmstenfalls würde Lucas dadurch das große Flattern bekommen, bestenfalls ebenso.

Als er die Tür schloss, stand Dobbs vor ihm.

»Nicht schlecht für einen ersten Versuch«, sagte Dobbs. »Jetzt rede ich mal mit ihm.«

»Bekommt er wirklich einen Anwalt?«

»Teufel, nein.« Dobbs kicherte. »Aber keine Sorge. Sie haben ihm den guten Cop vorgeführt, jetzt ist es Zeit für den bösen.« Er griff schon nach dem Türknauf, hob dann aber wieder den Blick. »Ich bin verdammt stolz auf Sie, mein Junge.«

Dobbs ging hinein, und Paxton sah durchs Fenster, wie er den Stuhl herauszog und sich Lucas gegenübersetzte. Als er zu sprechen begann, hörte Paxton nichts. Zuhören konnte man offenbar nur an einem anderen Ort. Trotzdem blieb Paxton stehen und genoss das Gefühl, *mein Junge* genannt worden zu sein.

Nach einer Weile sah er sich nach Dakota um. Ein Kollege – ein blonder Surfertyp, dessen Namen er vergessen hatte – erklärte ihm, Dakota müsse anderswo etwas erledigen, aber er solle auf sie warten. Deshalb setzte er sich an einen Schreibtisch und loggte sich auf dem darauf befestigten Tablet ein.

Den ganzen Tag lang war ihm im Kopf herumgegangen, was Ember gesagt hatte. Dass Cloud bestimmte Bücher zensieren würde. In den ersten paar Tagen hatte er bemerkt, dass er mit seinem Log-in Zugang zum Inventursystem bekam. Da er nichts Besseres zu tun hatte, rief er es auf und klickte ein bisschen darin herum. Nach ein paar Sackgassen und langen Umwegen fand er schließlich eine Möglichkeit, wie man feststellen konnte, wie viele Exemplare eines bestimmten Artikels in der hiesigen MotherCloud verfügbar waren.

Er wählte *Fahrenheit 451,* weil er sich erinnerte, dass das ein Buch von Ray Bradbury war, das er in der Schule gelesen und gemocht hatte. Verfügbar waren gerade mal zwei Exemplare, was ihm ziemlich mager vorkam. Er recherchierte den aktuellen Bestseller im Cloud-Store, einen erotischen Roman, der auf einer Serie für junge Erwachsene basierte, und stellte fest, dass davon 22 502 Exemplare vorrätig waren. Das war zwar ein gewaltiger Unterschied, aber man musste sich schließlich nach der Nachfrage richten, das war ihm klar. Natürlich hatte man mehr Exemplare vom aktuellen Topseller vorrätig, während das Buch von Bradbury laut der Datenbank bereits seit 1953 auf dem Markt war. Als Nächstes suchte er den *Report der Magd* von Margaret Atwood und stellte fest, dass der hier überhaupt nicht verfügbar war. Das Buch war zwar auch schon im Jahre 1985 erschienen, aber trotzdem – kein einziges Exemplar?

Nach einigen weiteren Klicks fand er etwas, was sich Bestellkennzahlen nannte. In diesem Bereich konnte man die Such- und Bestellgeschichte für Artikel im Lieferradius der MotherCloud recherchieren. Er blickte sich um, weil er plötzlich Angst hatte, etwas Falsches zu tun. Solche Informationen hätten doch eigentlich besser geschützt sein sollen! Allerdings gehörte er zum Security-Team, und wenn er Zugang zu so etwas hatte, dann gab es wahrscheinlich einen Grund dafür. Er klickte sich durch die Bestellhistorie von *Fahrenheit 451*. Im vergangenen Jahr waren zwei Suchanfragen und eine Bestellung verzeichnet. Beim *Report der Magd* waren es eine Anfrage und keine Bestellung.

Ember irrte sich. Die Bücher wurden nicht vor den Leuten versteckt, die Leute wollten sie schlicht nicht lesen. Und welches Unternehmen konnte sich über Wasser halten, wenn es den Kunden Dinge anbot, die sie gar nicht haben wollten?

Das war beinahe eine Erleichterung.

Dennoch ließ ihn etwas an dem, was Ember gesagt hatte, nicht los. Es rieb sich an Stellen in ihm, die sich noch jetzt, wo er eine Nacht darüber geschlafen hatte, wund und empfindlich anfühlten.

Aber wenn Ember unrecht hatte, was die Bücher anging, hatte sie dann überhaupt mit etwas recht?

»Gute Nachrichten«, sagte Dobbs und schlug Paxton von hinten mit der Hand auf die Schulter. Paxton zuckte zusammen und wirbelte herum.

»Sir?«

»Wir wissen jetzt Bescheid«, sagte Dobbs und lehnte sich an den Schreibtisch. »Offenbar haben ein paar Techniker es geschafft, das System zu hacken und den Flugalgorithmus so zu programmieren, dass bestimmte Drohnen immer an dieselben Stationen zurückkehren. Die werden von den Dealern draußen vorher mit Oblivion gespickt, wenn sie ihre Sendung abliefern.« Er klatschte in die Hände. »Gute Arbeit, mein Junge. Gute Arbeit.«

»Vielen Dank, Chef.«

Kurz nachdem Dobbs gegangen war, tauchte Dakota auf, das Gesicht noch mit Sonnenschutzmittel beschmiert. Sie strahlte.

»Na«, sagte sie. »Willst du zu der Schutztruppe für Gibson Wells gehören?«

»Da kannst du Gift drauf nehmen«, sagte Paxton.

Bis zum Ende seiner Schicht schwebte er wie auf Wolken, und als er fertig war, ging er ganz langsam von der Bahn in die Eingangshalle seines Wohnbaus. Er wollte nicht zu schnell nachschauen, damit er nicht enttäuscht war, weil das System vielleicht mehr Zeit für ein Update brauchte, aber als er zu den Aufzügen kam, hielt er es nicht mehr aus, checkte sein Rating und stellte fest, dass es bei vier Sternen lag.

Zinnia

Zinnia tippte im CloudBurger auf das Tablet und bestellte zwei Hamburger, eine kleine Portion Fritten und einen Vanilleshake. Dann lehnte sie sich zurück und blickte zur Küche hinüber. Viel zu sehen gab es da nicht. Wenn jemand durch die Schwingtür kam, wurde dahinter ein nüchterner, gefliester Raum sichtbar.

Da drüben war sie, die Endstation der speziellen Bahnlinie. Musste so sein. Die Bahn führte zu dieser Seite von Live-Play, und die Lokale darüber und darunter erstreckten sich bis zur Außenwand, während das hier ziemlich schmal war. Hinter der Schwingtür da drüben war mehr als genügend Platz für eine Küche und noch etwas anderes.

Die Frage war, weshalb. Es konnte sich um eine Wartungs- oder Versorgungslinie handeln. Oder um etwas anderes. Jedenfalls war es ein merkwürdiger Aspekt der Anlage.

Es machte Zinnia Spaß zu spekulieren, weil es sie von der Bedeutung ihres neuen Auftrags ablenkte: Gibson Wells töten. Sie hatte Angst, das an diesem Ort überhaupt zu denken, so als ob ihr CloudBand das Muster ihrer Gehirnwellen auffangen und einen Trupp Männer und Frauen in Blau schicken könnte, der sie in einen nackten, kahlen Raum zerrte.

Wenn es doch nur mehr Informationen gegeben hätte. Wenn sie doch nur Kontakt mit ihren Auftraggebern aufnehmen könnte, aber so lief das natürlich nicht. Schließlich wusste sie immer noch nicht, um wen es sich handelte. Sie wusste nur, dass sie den Auftrag hatte, den reichsten und mächtigsten Menschen auf der Erde zu ermorden, und das auch noch in seinem eigenen Revier, wo er von massenhaft Security umgeben sein würde.

Jedenfalls hatte sie jetzt zwei Aufträge, und sie musste beide zugleich ausführen. Es war nicht unwahrscheinlich, dass sie Probleme mit der Security bekam, wenn sie in die Recyclinganlage eindrang, und dann würde alles abgeriegelt werden. Wenn Wells getötet wurde, natürlich auch.

Deshalb musste beides gleichzeitig geschehen.

Der Besuch von Wells fiel mit der Zeremonie zur Erinnerung an die Massaker am Black Friday zusammen, was bedeutete, dass es eine Menge Trubel geben würde. Genauer gesagt, würde es ein chaotischer Tag werden, was ausgesprochen positiv für ihre Aufgabe war.

Eine große Hilfe würde auch Paxton sein, wenn auch nicht absichtlich. Wenn es gut lief, kam er zum Schutztrupp von Wells, aber zumindest gelang es ihr sicher, ihm ein paar Informationen zu entlocken.

Ihr Essen kam, und sie kaute den ersten Hamburger ganz langsam, um das von einer braunen Kruste überzogene Fleisch zu genießen. Dabei dachte sie darüber nach, was es bedeutete, jemand umzubringen. Sie hatte sich wirklich und wahrhaftig bemüht, so etwas nicht mehr tun zu müssen, aber Wells würde ohnehin bald sterben. Kam es da überhaupt darauf an? Im Lauf der Zeit würde er unter immer größeren Schmerzen leiden, da erwies man ihm vielleicht sogar einen Liebesdienst. Wenn sie sich das nur intensiv genug einredete, während sie ihre Fritten futterte, könnte sie es wahrscheinlich irgendwann als vernünftige Begründung akzeptieren.

Egal wie sie es anstellte, sie würde ihm hoffentlich

nicht in die Augen sehen müssen. Das war nämlich etwas, was sie nie wieder tun wollte – jemand in die Augen zu blicken, wenn das Leben aus ihm wich. Es war der einzige Moment, wo ihr Job ihr unerträglich vorkam, und obwohl es in Sekundenschnelle vorüber war, kam es ihr immer wie eine Ewigkeit vor.

Der Wechsel zwischen dem kalten Milchshake und den warmen Fritten verursachte ihr Zahnschmerzen. Sie beobachtete wieder die Tür, durch die die Bedienungen herein- und hinauseilten. Wenn sie auch so ein grünes Poloshirt hätte, dann könnte sie problemlos da hineingelangen. Sich eines zu bestellen war wahrscheinlich keine gute Idee, falls man überhaupt auf offiziellem Wege ein Shirt mit einer Farbe bestellen konnte, die nicht für den eigenen Job gedacht war. Natürlich konnte sie eines klauen. Das war besser, als es einer Bedienung abzukaufen. Bedienungen hatten ein gutes Gedächtnis, bestimmte Moralvorstellungen und einen Mund zum Plappern. Ein Shirt zu klauen war also die einzige Möglichkeit.

Damit blieb nur noch das verfluchte CloudBand. Das Problem, das sie quälte, seit sie hier war. Obwohl sie schon relativ satt war, griff sie nach ihrem zweiten Hamburger, weil sie kein Essen vergeuden wollte. Problematisch war nicht einmal das Tracking. Wenn es ohnehin ihr letzter Tag sein würde, kam es nicht darauf an, ob ihre Tarnung aufflog oder nicht. Aber mit ihrem CloudBand blieben ihr zu viele Türen verschlossen; mehr Zugang hatten nur Leute in Blau oder Braun. Hadley trug ein braunes Shirt. Ob sie wohl deren Band verwenden konnte? Aber das verdammte Ding würde wissen, dass nicht Hadley es trug.

Außerdem brauchte sie einen Fluchtplan.

Aber zuerst war das Shirt an der Reihe. Das war am leichtesten. Die Leute in Blau und Braun – Security und Technik – hatten den besten Zugang, und wahrscheinlich war Braun besser geeignet. Techniker blieben im Hintergrund; sie machten ihre Arbeit, ohne dass jemand ihnen besondere Aufmerksamkeit schenkte. Optisch passte sie auf jeden Fall zu dieser Rolle.

Ihr Handy summte. Eine Nachricht von Paxton.

Kneipe?

Sie machte sich an ihre letzten Fritten, dann antwortete sie: *Bin gleich da.*

Paxton saß im Pub und hatte ein Glas Bier vor sich stehen, von dem bereits ein paar Zentimeter fehlten. Einen Wodka auf Eis für Zinnia hatte er auch schon bestellt. Er strahlte übers ganze Gesicht. Sobald sie sich gesetzt hatte, hob er sein Glas.

»Ich hab's in den Schutztrupp für Gibson Wells geschafft«, verkündete er.

»Echt toll!«, sagte sie und stieß mit ihm an. Sie freute sich wirklich, und zwar nicht nur für sich selbst, sondern auch für ihn. »Und was bedeutet das genau?«

»Das weiß ich noch nicht recht. Ganz allgemein gesprochen ...« Er sah sich um. Obwohl niemand in Hörweite war, beugte er sich zu ihr und senkte die Stimme. »Also, er kommt in der Aufnahme an, wo erst mal die Namen zur Erinnerung an den Black Friday verlesen werden. Dann steigt er in die Bahn und fährt zu Live-Play, wo er ein bisschen herumspazieren wird. Anscheinend ist das hier die erste MotherCloud, wo man für die Mitarbeiter eine separate Entertainment-Anlage gebaut hat, weshalb er sich dort umsehen will. Anschließend steigt er wieder in die Bahn, fährt zur Aufnahme zurück und verlässt uns wieder. Ich habe noch keine Ahnung, womit man mich genau beauftragen wird, aber ich bin dabei.«

»Da bist du bestimmt stolz drauf.«

Er machte den Mund auf und schloss ihn wieder. Griff nach seinem Bier und nahm einen Schluck.

»Jedenfalls machst du den Eindruck«, sagte sie.

»Es ist komisch. Seit ich hier bin, will ich Wells die Meinung sagen, aber jetzt bin ich mir nicht mehr so sicher. Es kommt mir so vor, als ob ich etwas geleistet hätte, wenn man mir so eine Verantwortung anvertraut. Eigentlich müsste es dafür einen Ausdruck geben, also dafür, wenn man zornig auf jemand ist, ihn aber auch irgendwie mag.«

»Ja«, sagte Zinnia. »Dafür müsste es einen Ausdruck geben.«

In ihrem Herzen öffnete sich ein Spalt. Ein ganz winziger, durch den ein kleines bisschen Licht fiel. Sie trank einen Schluck Wodka.

Die wichtigste Information war die Bahn.

Wells würde damit fahren.

Und die Bahnen konnten leicht entgleisen.

Ein Bahnunglück war eine fantastische Idee. Der einzige Nachteil bestand darin, dass sie damit wesentlich mehr Leute umbringen würde als nur Gibson Wells.

Einschließlich Paxton, wenn der sich ebenfalls in der Bahn befand.

Informationen zum Personenschutz für Gibson Wells

Willkommen in dem Team, das dafür zuständig ist, Gibson Wells bei seinem Besuch in unserer MotherCloud zu beschützen. Bitte lies die folgenden Richtlinien genau durch, und präg sie dir ein. Solltest du gegen eine davon verstoßen, wird das ernste Konsequenzen für dich haben. Im besten Fall wirst du dann um einen ganzen Stern heruntergestuft. Das ist kein Scherz.

- Sprich Wells nicht direkt an.
- Ich wiederhole: Sprich Wells nicht direkt an.
  Sollte er dich von sich aus ansprechen, darfst du dich mit ihm unterhalten, aber beschränk dich bitte auf allgemeine Bemerkungen und darauf, die dir gestellten Fragen zu beantworten.
- Verzichte darauf, Beschwerden vorzutragen oder Missstände anzusprechen. Dies ist nicht die passende Gelegenheit dafür.
- Falls er auf etwas aufmerksam gemacht werden muss, sag es entweder mir oder einem Mitglied seines Teams. Tu das auf diskrete Weise.
- Sorg stets dafür, dass ein Sicherheitsabstand zwischen ihm und anderen Personen besteht. Mitarbeiter dürfen sich ihm nicht nähern, wenn er den Kontakt nicht selbst initiiert oder billigt.
- Dein Shirt muss sauber sein und in der Hose stecken. Sneakers sind okay, Jeans hingegen nicht akzeptabel. Trag entweder eine Stoff- oder eine Khakihose.
- Verwende in Gegenwart von Wells keinesfalls dein

privates Handy. Du musst den Eindruck erwecken, dass du dich auf deine Aufgabe konzentrierst und nicht zerstreut bist. Selbst wenn du passiv die Umgebung observierst, darfst du nicht wirken, als würdest du nichts tun.

- Diesmal wird die Lage besonders chaotisch sein, weil der Besuch mit der Erinnerungszeremonie für den Black Friday zusammenfällt. Zu allem Überfluss beginnt damit auch noch unsere arbeitsreichste Saison. Sobald du die restlichen Informationen erhältst (Route, Zeitplan usw.), musst du dir diese bis in die letzte Einzelheit einprägen. Wir werden außerhalb deiner regulären Arbeitszeit eine Reihe Probedurchläufe veranstalten. Die Teilnahme daran ist verpflichtend.

Falls du irgendwelchen Scheiß baust, bin ich dran. Du kannst also Gift drauf nehmen, dass ich dir in dem Fall die Hölle heißmache, und zwar ganz konkret. Das meine ich höllisch ernst.

Dakota

Paxton

An Paxtons erstem Tag in der MotherCloud war der Busbahnhof voller Fahrzeuge gewesen. Heute hatte man alle nach draußen gestellt, um Platz für die Zeremonie zu schaffen. Bis auf den steten Strom an Lastwagen, der durch die Sensoren an der anderen Seite des Aufnahmegebäudes rollte, war der höhlenartige Raum leer.

Paxton sah zu, wie ein Team in grünen und braunen Poloshirts eine erhöhte Plattform errichtete, lieferwagengroße Lautsprecher anschloss und das Gerüst für den gewaltigen 360-Grad-Bildschirm errichtete. Das alles geschah in einem unglaublichen Tempo und mit ebensolcher Präzision. Offenbar wurde für das Verlesen der Namen jedes Jahr dieselbe Konstruktion errichtet.

Seit ein paar Tagen waren an allen Ecken und Enden solche Teams am Werk, selbst in den Fluren und Sanitäranlagen. Obwohl nicht geplant war, dass Gibson Wells andere Teile der Anlage besuchte als die Aufnahme und Live-Play, verhielt sich das Management so, als würde er jeden Quadratzentimeter inspizieren. Was bedeutete, dass jede Unvollkommenheit – jeder lockere Wasserhahn, jedes gesprungene Urinal, jede nicht funktionierende Rolltreppe – repariert wurde.

»Na, bereit, Kamerad?«

Als Paxton sich umdrehte, stand Dakota vor ihm. Unter den Augen hatte sie dicke Tränensäcke; zweifellos hatte sie seit einer ganzen Weile nicht mehr richtig geschlafen. Trotzdem sprühte sie vor Energie. Den großen Thermobecher an ihrem Gürtel füllte sie immer mit ihrem Lieblingskaffee, der so schwarz war, dass er das Licht absorbierte. Paxton hatte ihn einmal probiert und sich anschließend drei Stunden lang Sorgen gemacht, er könnte einen Herzanfall bekommen. Morgen würde er allerdings vielleicht einen Schluck davon brauchen.

»Glaub schon«, sagte er.

Dakota nickte. »Die ganze Zeit über wird ein Fünferteam in seiner direkten Nähe sein. Du, ich, außerdem Jenkins, Cheema und Masamba. Kennst du die alle?«

»Cheema und Masamba schon.«

»Dann stelle ich dir später noch Jenkins vor. Die ist gut, definitiv. Überhaupt ist es ein gutes Team.«

»Ich wollte dir noch mal danken, dass du mir dein Vertrauen schenkst.«

»Na hör mal«, sagte sie, ballte die Faust und knuffte ihn in den Arm. Das tat mehr weh, als er erwartet hätte, aber er zeigte es nicht. »Das hast du dir schließlich verdient. Kann immer noch kaum glauben, dass du dieses verfluchte Rätsel endlich geknackt hast.«

Paxton lachte. »Soll ich dir was verraten? Es war ein spontaner Einfall, den jeder hätte haben können. Ich glaube, es hat mir einfach gutgetan, mal einen Tag rauszukommen. Deshalb kommt es mir nicht so speziell vor.«

»Jetzt reicht es aber«, sagte Dakota scharf. »Stell dein Licht bloß nicht so unter den Scheffel. Wir haben hier keine besonders ausgeprägte Hierarchie, aber ich bin jetzt schon eine ganze Weile die rechte Hand von Dobbs. Sobald der mich in eine Uniform steckt, ist Platz für jemand anderes, der sich auszeichnen kann.«

In Paxtons Kehle bildete sich ein Klumpen. Er wusste nicht, was er von dieser Aussicht halten sollte. Dadurch würde er sich weiter an diesen Ort fesseln. Aber je länger er darüber nachdachte, desto mehr kam es ihm so vor, als wäre dieser Ort das Einzige, was es auf der Welt gab, weil alles andere verdorrt und abgestorben war.

In der kleinen Stadt da draußen mit einer Waffe bedroht zu werden hatte ihm nicht nur Angst gemacht. Es war ein herzzerreißender Moment gewesen. Als wäre er nach einer durchsoffenen Nacht ernüchtert aufgewacht und hätte erkannt, wie die Welt im harten Tageslicht wirklich aussah. Hier hingegen hatte er Sicherheit, kühle Luft, frisches Wasser und ein Bett. Hier hatte er einen Job und ein Leben, das vielleicht nicht das Leben war, das er wollte, aber wenn er ein bisschen daran arbeitete, konnte es eventuell eines werden, das er immer mehr zu schätzen wusste.

»Du musst dich ja nicht jetzt entscheiden«, sagte Dakota, nahm einen Schluck Kaffee und schnitt eine Grimasse. »Aber aufgeschlossen dafür solltest du schon sein. Ein solcher Job hat seine Vorzüge.«

»Ja, klar, ich werde darüber nachdenken«, sagte Paxton. »Sag mal, wie hältst du eigentlich so lange durch?«

»Weiß auch nicht«, sagte Dakota. »Am schlimmsten ist, dass meine Mama gerade in meiner Wohnung vor dem Fernseher sitzt. Sie ist zu unserem jährlichen Thanksgiving-Essen hier. Ich wollte sie zu CloudBurger ausführen, da gibt's zum Feiertag einen speziellen Truthahn-Burger. Aber ich glaube nicht, dass ich Zeit dafür haben werde.«

»Was wird uns denn morgen erwarten?«

Dakota nahm noch einen Schluck aus ihrem Thermobecher und blickte sich um. »Keine Ahnung. Ich hab mit ein paar Leuten in anderen MotherClouds telefoniert, wo er zu Gast war. Offenbar kommt er ganz gut alleine zurecht. Sieht wie ein Zombie aus, was ja kein Wunder ist. Das Problem ist die Menschenmasse. In New Hampshire hat man sich zwar kaum um ihn geschert, dafür aber in Kentucky wie den Messias behandelt. Die Leute haben die Sperren über den Haufen gerannt, nur um ihn berühren zu können.«

»War er denn schon mal hier?«, fragte Paxton.

»Seit ich hier bin, nicht. Laut Dobbs war er einmal da, aber das war nichts Besonderes. Bloß eine Besprechung. Keine Begegnung mit der Masse wie jetzt. Hast du dir alles eingeprägt?«

»Habe ich.«

»Gut«, sagte Dakota. »Dobbs sagt, wenn es morgen glatt läuft, gibt er mir zwei Tage hintereinander frei.« Sie schwieg nachdenklich. »Scheiße, ich werde gar nicht wissen, was ich mit mir anfangen soll.«

»Schlafen«, sagte Paxton. »Das brauchst du nämlich.«

»Schlaf ist für Leute, denen es an Ambition mangelt.« Ein Schluck Kaffee. »Wie lange bist du jetzt noch im Dienst?«

»Eine Stunde.«

»Gut. Geh noch mal die Route ab. Denk dran, sobald er mit seiner Rede fertig und die Zeremonie beendet ist, marschieren wir zur Bahn, die bereits wartet. Abgesehen davon, ist das ganze Transportsystem stillgelegt. Wir fahren zu Live-Play, er macht seinen Spaziergang, dann geht es zurück zur Aufnahme, und er ist fort. Hübsch einfach, das Ganze. Wir müssten uns schon große Mühe geben, dass wir das verbocken.«

»Ach, das schaffen wir schon irgendwie.«

Dakota beugte sich vor und richtete den Zeigefinger auf Paxtons Nase. »Keine Scherze!«

»'tschuldigung.«

»Dann ab mit dir, Kamerad«, sagte sie.

»Zu Befehl, Boss.«

Paxton ging los, kam jedoch nur etwa drei Meter weit, da rief Dakota: »He!«

Als er sich umdrehte, kam sie mit hüpfendem Schritt auf ihn zu.

»Hab was vergessen. Mein Hirn ist momentan wie Pudding. Also, Dobbs hat diesen Lucas, den wir geschnappt haben, noch mal durch die Mangel gedreht, worauf er ein paar Namen ausgespuckt hat. Worauf Dobbs wiederum *die* durch die Mangel gedreht hat. Und dabei hat er herausbekommen, wie man das CloudBand ausgetrickst hat.«

»Tatsächlich? Wie denn?«

»Das errätst du nie.«

»Ich hab's schon bisher nicht erraten. Das war ja das Problem.«

Dakota grinste. Sie genoss es sichtlich, die Sache dramatisch in die Länge zu ziehen. »Du weißt ja, dass die Uhren auf den Besitzer codiert sind«, sagte sie. »Angeblich ist diese Funktion beim vorletzten Software-Update hopsgegangen, was die Nerds in der Technik aber bislang nicht gemerkt haben. Deshalb werden jetzt übrigens allerhand Leute gefeuert. Jedenfalls kann man seither die Uhr abnehmen und einfach wem andres geben. Da sie nur noch die Körperwärme registrieren muss, wird kein Alarm ausgelöst. Der eigentliche Besitzer der Uhr kann also so lange tun und lassen, was er will. Übrigens hattest du noch mit was anderem recht – die Typen haben das immer in einem Menschenknäuel gemacht, weil sie damit gerechnet haben, dass es nicht auffällt, wenn das Signal da für eine Weile verschwindet.«

Paxton schüttelte den Kopf. »Das ist ja total ... lächerlich. Kaum zu glauben, dass es so einfach war.«

»Inzwischen arbeitet man natürlich daran, das abzustellen«, sagte Dakota. »Unter Umständen braucht es dazu nicht nur ein Software-Update, sondern die ganze Hardware muss ausgetauscht werden. Das kann teuer werden. Aber he, immerhin wissen wir jetzt Bescheid.«

»Menschenskind«, sagte Paxton lachend.

»Und deshalb ist Dobbs so zufrieden mit dir«, sagte Dakota. »Weiter so, du Intelligenzbolzen!«

Zinnia

Während Zinnia die Wodkaflasche umdrehte, um den letzten Rest der beißenden Flüssigkeit in die Kehle rinnen zu lassen, überlegte sie, ob sie aufgeben sollte.

Sie hatte keine Ahnung, wie sie durch mehrere Sicherheitsschleusen ins Innere eines abgesperrten Bereichs gelangen und anschließend wieder zurückkehren sollte, um dann jemand zu töten, der von Bodyguards umgeben war. Schließlich konnte sie keine einzige der auf dem Weg liegenden Türen öffnen.

Das konnte einfach nicht klappen. Damit, dass Paxton dabei möglicherweise auch ums Leben kam, hatte es absolut nichts zu tun. Je mehr sie sich das sagte, desto mehr glaubte sie es.

Sie schüttelte die leere Wodkaflasche und stellte sie auf die Ablage. Rief im Fernseher die Cloud-Website auf, um festzustellen, ob sie dort eine bestellen konnte. Nein, Alkohol wurde von Cloud leider nicht geliefert. Was für eine verdammte Scheiße.

Sie wollte weitertrinken, wozu sich aber ihr mangelnder Wunsch gesellte, aufzustehen, eine Hose anzuziehen und anderen Leuten zu begegnen. Deshalb blieb sie erst einmal sitzen und überlegte, dass es am besten war, bald abzuhauen. Wie sie das anstellen sollte, war ihr allerdings nicht klar. Vielleicht kam sie wieder an ein Auto heran, das sie dann irgendwo stehen lassen konnte. Das würde jedoch bedeuten, Paxton noch einmal um Hilfe zu bitten, was aber wiederum Verdacht erregen könnte.

Natürlich konnte sie sich auch zu Fuß auf den Weg

machen. Die nächste größere Stadt war etwa hundert Meilen entfernt. Das bedeutete einen mehrtägigen Marsch, aber vielleicht gelang es ihr ja unterwegs, von jemand mitgenommen zu werden. Auf jeden Fall musste sie zur Sicherheit eine Menge Wasser mitnehmen. Und eventuell eine Waffe, wie die Begegnung mit Ember und ihrer Hippie-Brigade gezeigt hatte.

Was die Möglichkeit anging, dass ihre Auftraggeber jemand schickten, der sie beseitigen sollte – damit würde sie schon fertigwerden. Im Moment war sie zu besoffen, als dass sie sich darum scherte.

Ihr Handy summte. Sie starrte an die Wand.

Es summte wieder. Sie verdrehte die Augen.

Hi, was läuft so?

Dann:

Wie wär's mit einem Drink?

Zinnia starrte eine Weile lang auf die Textblasen. Heute Abend war vielleicht ihre letzte Chance, Paxton zu sehen. Sie hatte so ein merkwürdiges Gefühl im Bauch. Vielleicht handelte es sich dabei nur um zu viel Luft, aber es konnte auch ein Anflug von Bedauern sein. Egal. Sie konnte Paxton dazu bringen, ihr mehr Wodka zu besorgen, und sich dann von ihm befriedigen lassen. Das waren die Gründe und sonst nichts, redete sie sich ein, während sie zurückschrieb: *Komm vorbei. Bring Wodka mit.*

Zwanzig Minuten später klopfte es an der Tür. Paxton strahlte übers ganze Gesicht, zuerst offenbar nur, weil er einen erfolgreichen Tag hinter sich hatte. Als er dann nach unten blickte und sah, dass sie untenrum nichts trug, strahlte er noch mehr. Er beugte sich zu ihr und küsste sie. Dann bewegte sie sich ein paar Schritte rückwärts und ließ sich auf die Matratze fallen, während Paxton zwei Tumbler mit Eis aus dem Minikühlschrank füllte.

»Wow«, sagte Zinnia. »Du trinkst heute einen mit?«

»Hab einen guten Tag hinter mir«, sagte Paxton. »Ich fühle mich wie ein Rockstar.«

Zinnia nickte und lehnte sich zurück. Ihr war ein bisschen schwindlig. Paxton reichte ihr ein Glas, sie stießen an und tranken. Ohne weitere Umstände steckte er den Kopf zwischen ihre Beine, und sie wurde ein bisschen atemlos, aber dann ließ er den Kopf in ihren Schoß sinken, drehte sich auf den Rücken und blickte zu ihr hoch, als wollte er einfach nur wie ein verliebter Teenager kuscheln. Eigentlich wollte sie ihm sagen, er solle sich gefälligst wieder ans Werk machen, aber er strahlte immer noch, und dieses strahlende Lächeln war im Grunde das, was sie an ihm am liebsten mochte.

Es war ein aufrichtiges Lächeln.

»Es fühlt sich gut an«, sagte er.

»Was denn?«

»Bei denen wieder gut angeschrieben zu sein. Bin ich deshalb ein schlechter Mensch?«

Zinnia zuckte die Achseln. »Wir sind darauf programmiert, uns nach Anerkennung zu sehnen. Die wollen wir alle.«

»Ja, aber das sind die Leute, die meine Firma vernichtet haben«, sagte er und schwieg eine Weile. »Okay, Dakota hat das nicht getan. Dobbs auch nicht. Genau genommen nicht mal Gibson Wells. Der ist ja nicht persönlich dahergekommen und hat meinen Krempel …« Er schwenkte sein Glas hin und her. »… kaputt geschlagen. Das hat der Markt getan. Ich habe mein Bestes versucht. Aber der Markt bestimmt nun mal.«

»Ja, dazu neigt er im Allgemeinen«, sagte Zinnia und trank einen Schluck von ihrem Wodka.

Paxton runzelte die Stirn und betrachtete sie genauer. »Alles in Ordnung?«

Nein.

»Klar«, sagte sie. »Bin bloß müde.«

»Hast du eigentlich noch mal was von der Regenbogen-Allianz gehört?«, fragte er.

»Keinen Pieps.«

»Tja, so gut wie ich mich jetzt mit Dobbs stehe, kann ich bei ihm vielleicht ein gutes Wort für dich einlegen, damit du zur Security kommst.« Er legte seine Füße auf die Ablage, weil er sonst keinen Platz in dem engen Raum fand. »So wie du bei unserem Ausflug mit diesen Schießbudenfiguren umgegangen bist, wärst du bestimmt gut geeignet.«

Zinnia schnaubte eher, als dass sie lachte. Klar. Geht das vielleicht bis morgen Nachmittag?

»Schon möglich«, sagte sie. »Das wäre gar nicht schlecht.«

»Übrigens muss ich ständig an diese Typen denken«, sagte Paxton. »Wie traurig das sein muss, so im Elend zu leben. Sich in irgendwelchen verlassenen Städten ein Dach über dem Kopf zu suchen. Das tun die doch bestimmt schon eine ganze Weile, oder? Hat man gemerkt, finde ich. So wie die gerochen haben. Die haben schon lange keine Dusche und keine sauberen Klamotten mehr gesehen. Deshalb weiß ich, was wir hier haben.« Er machte eine Pause, beäugte seinen Wodka und hob leicht den Kopf, um aus dem Glas zu schlürfen. »Was wir hier haben, ist zwar nicht perfekt, aber was ist das schon? Zum Beispiel haben wir einen Job.«

Zinnia war nicht recht klar, wen er damit überzeugen wollte. Sie würde sich für ein Leben da draußen entscheiden. Den Ort hier hatte sie gründlich satt. Die nackten Betonwände, die engen Räume, die Digitalwaagen und Halstücher, die Bücher und das Fliegenpapier, die Taschenlampen und Tacker und Tablets. Den Minimarathon, den sie täglich bei der Arbeit lief, sodass ihr die Knie wehtaten, wenn sie nach Hause kam. Und am schlimmsten von allem: die Aussicht, das jeden einzelnen Tag zu tun.

Sie würde sich für ein Leben da draußen entscheiden.

»Mir ist gerade was eingefallen«, sagte Paxton.

Zinnia dachte, er würde weitersprechen, aber es kam nichts. »Was denn?«, fragte sie schließlich.

»Ich habe mich erkundigt, aber wenn es dir komisch vorkommt, reden wir nicht weiter darüber. Ist bloß so eine Idee. Aber wenn wir uns eine Wohnung für zwei Personen nehmen, dann wäre das zwar teurer, aber wir hätten ein bisschen mehr Platz, und ich dachte ...« Er betrachtete seine Füße, was die einzige Möglichkeit war, seine Augen zu verbergen, ohne das Gesicht zu verhüllen. »Ich dachte, das wäre vielleicht ganz schön. Du weißt schon. Vor allem das größere Bett.«

Zinnia nahm einen großen Schluck Wodka, und während der Alkohol ihr durch die Kehle rann, spürte sie ihr Herz in zwei Teile brechen. Nachdem sie Jahre damit verbracht hatte, es abzuhärten, war es wohl brüchig geworden. Vielleicht war das alles, was es brauchte – einen festen Schlag mit einem Hammer.

Täglich dieser hirnlose Job, und wenn man heimkam, was dann? Bücher lesen? Fernsehen? Herumsitzen und auf den nächsten Marathon warten? Wie konnte so etwas denn »schön« sein?

Sie nahm noch einmal einen Schluck, während sie darüber nachdachte.

Ob es schön war oder nicht.

Sie hatte sehr lange hart gearbeitet. Ausgesprochen hart. Die Erinnerungen an ihre Arbeit waren in ihren Körper eingegraben. Als Narben, auf denen Paxton die Fingerspitzen ruhen ließ, ohne je danach zu fragen. Das mochte sie an ihm, das und sein Lächeln. Außerdem war er manchmal ziemlich lustig.

Dann musste sie an die Einöde da draußen denken. An die heiße Sonne und den Kampf um Wasser. An die Leere außerhalb der Städte, während in der Wohnung hier kühle Luft zirkulierte. Das musste man Cloud lassen, es gab zwar vieles an diesem Ort, was sie nicht mochte, aber wenigstens herrschte Ruhe. Grabesruhe zwar, doch nachdem sie jahrelang anderes gewohnt gewesen war – das Krachen von Schüssen, die heiseren Stimmen von Vernehmern, das tiefe Donnern von Explosionen –, stellte sie fest, dass Ruhe etwas war, was sie mochte.

Wenn sie blieb, würde sie morgens aufwachen und zum Warendepot fahren, um irgendwelchen Scheiß zu holen und auf ein Förderband zu legen, damit der Scheiß an irgendjemand versendet wurde.

Ob sie überhaupt bleiben konnte, ohne ihren Auftrag zu erledigen?

»Es tut mir leid«, sagte Paxton bedrückt. »Ich hätte nicht davon anfangen sollen.«

»Ach, das ist es nicht«, sagte sie. »Ich habe bloß noch nie mit jemand zusammengelebt.« Sie beugte sich nach unten und gab ihm einen Kuss auf die Stirn. »Wäre das nicht ziemlich teuer?«

Paxton zuckte die Achseln. »Ich warte ja noch darauf, dass mir das Patent für das Perfekte Ei erteilt wird. Sobald es so weit ist ... kann ich etwas Geld machen, indem ich es an Cloud verkaufe.«

»Willst du das denn wirklich tun?«

Wieder ein Achselzucken. »Schließlich kann ich es mir nicht leisten, noch mal eine Firma zu gründen.«

»Na gut«, sagte Zinnia. »Lass mich ein bisschen darüber nachdenken.«

Paxton lächelte, stellte sein Glas auf den Boden und platzierte sein Gesicht da, wo Zinnia es vorhin schon hatte haben wollen. Während sie den Rücken wölbte und sich an ihn drängte und ihm die Fingernägel in die Kopfhaut bohrte, dachte sie: Ach, vielleicht ist das Leben hier doch nicht so schlecht. Als würde man in Rente gehen sozusagen.

Paxton

Als Paxton von der Toilette zurückkam, lag Zinnia ausgestreckt auf der Matratze, halb in das obere Laken gewickelt. Er schloss die Tür, schlüpfte aus ihrem Bademantel, der für den Gang durch den Flur gerade so ausgereicht hatte, und legte sich neben sie.

Wieder regte sich dieses Gefühl in seinem Bauch. Als ob er ihr sagen wollte, dass er sie liebe. Sagen konnte man das ganz leicht, aber es war etwas, was man nicht mehr zurücknehmen konnte. Er drehte sich auf den Rücken und betrachtete die Wandbehänge, mit denen die Decke geschmückt war. Sagte sich: Sei glücklich, dass sie wenigstens darüber nachdenkt, mit dir zusammenzuziehen. Lass es dabei bewenden.

Er stellte sich eine Wohnung vor, der sie gemeinsam Fülle gaben, wobei ihm die Leere in seinem Notizbuch einfiel. Bei der Idee, mit Zinnia zusammenzuziehen, ging es nicht nur um seine Gefühle für sie. Damit akzeptierte er auch, dass das Notizbuch wahrscheinlich leer bleiben würde. Dass dies eine Zukunft war, die gut genug sein würde. Schon möglich, dass er irgendwann wieder einen Geistesblitz hatte und die Gelegenheit kam, es noch einmal zu versuchen, aber Cloud war der Ort, an den er gehörte, weil er dort mit ihr zusammen war.

Zinnia regte sich. Er spürte die von ihrem Körper ausstrahlende Hitze, als sie über ihn kletterte und zum Spülbecken tappte. Sie holte ein Glas aus dem Schrank und füllte es mit Wasser, das sie mit großen Schlucken hinunterschüttete. »Willst du auch was?«, fragte sie.

»Nee«, sagte er und betrachtete im schwachen Licht die Rundung ihres Rückens. Hoffte, dass sie seine bewundernden Blicke wahrnahm und Lust auf eine zweite Runde bekam. Stattdessen bückte sie sich, um ihren Bademantel aufzuheben. Sie schlüpfte hinein und zog den Gürtel eng zu. Dann deutete sie mit dem Kinn auf die Ablage neben dem Bett.

»Gibst du mir mal meine Uhr? Ich muss aufs Klo.«

Ohne hinzuschauen, griff Paxton hinter sich und nahm die erste Uhr, die ihm in die Finger kam, von der Ladematte. Es war seine. Er zuckte die Achseln und gab sie ihr.

»Na hör mal«, sagte sie. »Merkst du nicht, dass mein Armband ganz anders aussieht?«

»Ist doch egal«, sagte er. »Nimm einfach meine.«

»Ich dachte, die Uhren sind individuell codiert.«

Paxton lachte. »Komischerweise sind sie das momentan nicht. Die betreffende Funktion ist defekt. Erinnerst du dich an das Problem, wie manche Leute die Ortung austricksen? Wie sich rausgestellt hat, müssen die ihre Uhr nur jemand anderes um den Arm legen und können dann unbeobachtet eine Weile irgendwohin verschwinden. Irre, was? Man arbeitet schon dran, aber das wird offenbar eine Weile dauern.«

»Ha«, sagte Zinnia.

Nach einigen Momenten noch einmal: »Ha.«

Sie lächelte.

»Behalt das aber bitte für dich«, sagte Paxton. »Außerdem ist es vielleicht doch besser, wenn du deine eigene Uhr ...« Er griff danach, doch als er sich wieder umdrehte, war sie schon aus der Tür.

9. Gedenken

Gibson

Über das heutige Thema zu schreiben fällt mir schwer. Das hier ist bestimmt schon die sechste oder siebte Fassung. Ich habe nie viel über die Massaker am Black Friday gesprochen, vor allem weil ich den Eindruck hatte, das sei nicht meine Aufgabe. Da ich mich nun jedoch dem Ende meines Weges nähere, sollte ich mich wohl einmal dazu äußern.

Was für ein furchtbarer Tag das doch war. Es ist mir bewusst, welch eine umstrittene Angelegenheit das alles ist. Amerika hat immer eine heikle Beziehung zu Schusswaffen gehabt. Das verstehe ich gut, schließlich stamme ich aus einer Familie mit einer stolzen Jagdtradition. Schon vor meinem zehnten Geburtstag wusste ich, wie man ein Gewehr zerlegt und reinigt, und man hat mir immer beigebracht, Schusswaffen mit äußerstem Respekt zu behandeln. Dasselbe gilt für alles, was ich je geschossen habe. Ich habe nie zu den Idioten gehört, die in die Serengeti reisen und einen Löwen erlegen, weil sie etwas beweisen wollen.

Nein, wir haben Elche, Hirsche und Eichhörnchen gejagt; wir haben sie gegessen und die Felle gegerbt. Mein Vater hat aus den Knochen sogar Werkzeuge geschnitzt, weil er es wichtig fand, so viel von einem Tier zu verwenden wie irgend möglich. Man will schließlich nichts vergeuden.

Mir ist jedoch völlig klar, dass meine Beziehung zu Waffen ganz anders ist als die von jemand, der in Detroit oder Chicago lebt.

Jeder hat eine Meinung, und jede Meinung ist anders. Das ist das Problem. Meine Meinung ist die: Es war ein verdammt dämlicher Fehler, Schusswaffen als Lockvogelangebot zu verwenden. Ganz ehrlich – und daran erinnere ich mich genau –, ich habe gerade meinen Kaffee getrunken, als ich die Werbung dafür in der Zeitung sah. Mein erster Gedanke war, dass da wohl irgendein armer Kerl erschossen werden wird.

Das war eine düstere Vorstellung, weshalb ich sie von mir weggeschoben habe. Ich denke gern besser von den Menschen, und ich hasse es, dass ich recht hatte. Noch mehr hasse ich es, wie sehr ich recht hatte. Aber wer hätte wissen können, dass so etwas tatsächlich passieren würde, und das auch noch in so vielen Geschäften? Wer hätte wissen können, dass so viele zu Tode kommen würden?

Deshalb habe ich anschließend Stellung bezogen und gesagt, dass wir keine Schusswaffen mehr verkaufen werden. Das Recht dazu hatte ich mir bereits in jahrelangen Verhandlungen erworben. Obwohl sie der einzige Artikel in unserem ganzen Angebot waren, der persönlich geliefert wurde und dessen Empfang persönlich quittiert werden musste.

Aber mir war speiübel, und ich wusste, dass sich etwas ändern musste. Manchmal muss man eben die Führung übernehmen. Und seht mal, wie es gelaufen ist, nachdem die großen Warenhausketten auf dem letzten Loch pfiffen, Cloud alles andere verkaufte und die kleinen Geschäfte nicht konkurrenzfähig waren. Früher wurden in den Vereinigten Staaten jährlich etwa zwanzig Millionen Schusswaffen hergestellt, während diese Zahl heute auf unter hunderttausend gesunken ist. Außerdem sind Waffen jetzt ausgesprochen teuer, wodurch die meisten

Leute sie sich nicht leisten können, und wenn es einen Industriezweig gibt, dem ich gerne Schaden zufüge, dann ist es dieser.

Die Massaker am Black Friday waren die letzten großen Amokläufe in Amerika, und ich bin froh, zu dieser Entwicklung beigetragen zu haben.

Der Markt hat bestimmt. Damit meine ich, dass die Bürgerinnen und Bürger mit ihrer Geldbörse entschieden und uns als ihren Hauptlieferanten akzeptiert haben, weil sie wussten, dass unsere Drohnen ihnen keine Schusswaffen an die Haustür liefern würden.

Ich sage es noch einmal, weil ich weiß, wie leicht es missverstanden werden kann: Ich trauere um die zu Tode gekommenen Menschen mehr, als ihr womöglich meint, aber ich bin froh, dass Amerika dadurch endlich zur Vernunft gekommen ist, was diese schwierige Frage angeht.

Da wären wir also. Ich möchte euch alle bitten, euch ein paar Minuten Zeit zu nehmen und ausgiebig darüber nachzudenken. Bei Cloud werden wir wie üblich eine Zeremonie abhalten. Mitarbeiter, die unentbehrlich sind, werden zumindest eine Schweigeminute einlegen. Wir werden die Namen der Verstorbenen verlesen und ihr Gedenken weiterhin nach besten Kräften ehren, indem wir hart arbeiten und uns mit Mitgefühl begegnen.

Noch etwas will ich sagen. Es ist eine harte Realität, die ich nicht gerne eingestehe, jetzt jedoch nicht länger leugnen kann: Mein heutiger Besuch in einer MotherCloud wird wahrscheinlich der letzte sein. Ich schaffe es einfach nicht mehr. Inzwischen schlafe ich kaum noch und habe Mühe, mein Essen im Magen zu behalten. Ich versuche mein Bestes, aber es gibt Tage, an denen mein

Pfleger – ein kräftiger Bursche namens Raoul – mich ein bisschen durch die Gegend tragen muss. Was ja kein Leben ist.

Deshalb wird der heutige Tag etwas ganz Besonderes für mich sein. Ich werde wieder etwas zum letzten Mal erleben.

Mein letzter Rundgang durch eine MotherCloud. Claire und Ray werden mich begleiten; wir werden einen hübschen kleinen Spaziergang machen, dann steige ich wieder in den Bus und fahre nach Hause. Ich werde mich weiterhin bemühen, etwas zu schreiben, was jedoch nicht alles in diesen Blog kommen wird. Jedenfalls noch nicht. Ich habe Molly gebeten, diesen Text für mich durchzusehen, und auf halbem Wege hat sie sogar das Tippen übernommen. Sag doch mal hallo, Molly!

Ich möchte zu Protokoll geben, dass Molly mich gerade in den Arm geknufft hat. Sie will, dass ich diese Sache ernst nehme.

Sollte es das also gewesen sein, will ich euch für eure Aufmerksamkeit danken. Ich wollte, ich könnte jedem einzelnen Cloud-Mitarbeiter begegnen, bevor ich gehe. Ich bin gerade einfach voller Wünsche nach Dingen, die unerledigt bleiben müssen, aber so ist das Leben eben, oder?

An diesem Punkt sollte ich wohl versuchen, euch einige weise Worte zu hinterlassen. Als ob irgendetwas, was ich von mir gebe, als Weisheit gelten könnte! Aber wisst ihr, ich habe immer nach einem ziemlich hübschen Grundprinzip gelebt: Die Arbeit wird erledigt oder nicht, und ich mag es, wenn sie erledigt wird.

Wenn ihr euch darauf – und auf eure Familie – konzentrieren könnt, wird wahrscheinlich alles in Ordnung sein.

Aus vollem Herzen und aus tiefster Überzeugung sage ich euch danke.

Es war eine Ehre, dieses Leben zu leben.

Zinnia

Alle Bahnverbindungen werden ab sofort für die Erinnerungszeremonie eingestellt.

Zinnia legte ihr CloudBand auf die Ladematte und zog sich schnell an. Sie hatte sich für Sportklamotten entschieden, eine Jogginghose und dazu einen voluminösen Hoodie, damit ihr Handgelenk nicht zu sehen war. Während sie hineinschlüpfte, ging sie im Kopf ihren Plan durch. Er enthielt allerhand Variablen, weil ihr eigentlich zu viele Informationen fehlten, aber das würde ausreichen müssen.

Sie löste an einer Ecke den Wandbehang, kletterte in die Decke und krabbelte zum Waschraum. Leer. Sie ließ sich auf den Boden fallen, trat in den Flur, sah eine Frau am Aufzug stehen und trabte hin, damit sie reinkam, bevor die Tür zuging.

Die Frau hielt ihre Uhr an den Scanner, während Zinnia an die Rückwand trat und wartete. In der Eingangshalle stieg sie aus und schlenderte zum Eingang vom Fitnessraum. Dort blieb sie kurz stehen, bis jemand anderes ankam – ein Macho mit wunderbar modellierten Oberarmen, der ihr die Tür aufhielt, damit er ganz unverblümt ihren Hintern beglotzen konnte.

Drinnen stemmte sie ein paar leichte Hanteln, bis sie sich sicher war, dass niemand sie beobachtete. Dann steckte sie sich eine fünf Kilo schwere Hantelscheibe aus Hartgummi in die Vordertasche des Hoodies. Die eine Hand unter die Scheibe gelegt, damit sie nicht nach unten sackte, ging sie durch den Flur wieder in die Eingangshalle und nahm die Bahnstation in Augenschein.

Dort hatte man alles geräumt. Nur ein einziger Blauer war zu sehen, ein älterer Mann, der gelangweilt dreinblickte. Wahrscheinlich waren alle anderen in der Aufnahme, um die Ankunft von Wells und die Zeremonie vorzubereiten. Sie drückte sich außer Sichtweite an die Wand und wartete.

Der Mann ging in einem weiten Bogen durch die Gegend, ohne die Station aus den Augen zu lassen. Was nicht so toll war.

Sie dachte an die Streichhölzer in ihrer Hosentasche. Theoretisch konnte sie etwas in einem Abfalleimer in Brand stecken, um den Typen abzulenken, was jedoch auch zu viel Aufmerksamkeit wecken konnte. Also nicht die beste Option, wenn auch praktikabel. Noch bevor sie sich entscheiden konnte, blickte der Mann sich um, als hätte er Angst, erwischt zu werden, und verzog sich dann schleunigst auf die Toilette.

Sobald er außer Sicht war, lief Zinnia zur Bahnstation und schob sich unter den Armen der Sperre hindurch. Sie legte sich flach auf den Bahnsteig, um die Gummischeibe zwischen die Seitenwand und eine Schiene zu platzieren, wobei sie darauf achtete, das Gleis selbst nicht zu berühren. Die Scheibe war achteckig und hatte einen flachen Rand, weshalb man sie auf die Kante stellen konnte. Zinnia wartete, ob der Sensor einen Alarm auslöste, aber nichts geschah. Wahrscheinlich waren die Gleise gewichtsempfindlich, damit man darauffallende Trümmer entdecken konnte. Da die Platte aufrecht stand, ohne eine Schiene zu berühren, wurde sie hoffentlich nicht entdeckt, bevor sie die Bahn zum Entgleisen brachte. Was eigentlich klappen müsste.

Müsste müsste müsste. Das Ganze war ein schlampiger Plan, und sie hasste es, wenn etwas schlampig war, aber es war besser als die Alternative.

Sie schlüpfte wieder unter der Sperre durch und machte sich auf den Weg zum Aufzug. Während sie davor wartete, kam der Security-Mann aus dem Flur bei den Toiletten, weshalb sie schnell vorgab, den Plan der Anlage zu studieren. Dabei hüpfte sie von einem Bein auf das andere, als wollte sie gleich losjoggen.

Das Gleis war hier schnurgerade, sodass die Bahn gut beschleunigen konnte. Da sie erst in Live-Play stoppen würde, fuhr sie bestimmt ohnehin schon ziemlich schnell.

Zinnia musste an Paxton denken. Sie stellte sich vor, wie er neben Wells stand, während die Bahn auf das Hindernis auffuhr und entgleiste. Gebrochene Knochen und verdrehte Glieder. Massenhaft Blut. Sie schob das Bild von sich weg und konzentrierte sich auf das Geld, das sie bekommen würde. Auf die Freiheit, die sie dadurch gewann. Auf all die Dinge, die sie dann hinter sich lassen konnte.

Ein Mann näherte sich dem Aufzug, und Zinnia stieg hinter ihm ein. Als er die Uhr an den Scanner hielt, leuchtete die für sie falsche Etage auf. Zinnia rief: »Ach, verdammt, jetzt hab ich was vergessen«, und sprang wieder aus der Kabine. In der nächsten Viertelstunde musste sie das noch zweimal tun, bis endlich jemand einstieg, der auf ihr Stockwerk wollte.

Mehrere Türen vor ihrer blieb sie stehen und klopfte. In ihrer Brust vibrierte es vor Erwartung. Sie hatte Hadley früh am Morgen im Waschraum gesehen und gefragt, ob sie zur Zeremonie gehe, was Hadley aber verneint hatte. Jetzt hörte sie ein Schlurfen, dann ging die Tür auf, und Hadleys große Comicaugen spähten unter verwuschelten Haaren aus der Dunkelheit. Sie beäugte Zinnia wie eine Katze, ohne irgendeine bestimmte Emotion auszudrücken.

»Kann ich reinkommen?«, fragte Zinnia.

Hadley nickte und trat einen Schritt zurück. In der Wohnung herrschte ein muffiger Geruch nach ungewaschener Haut und altem Essen. Die Wände waren mit Weihnachtslichterketten geschmückt, die jedoch nicht brannten, und vor dem Fenster hing eine schwere Jalousie, sodass nur wenig trübes Sonnenlicht hindurchfiel. Auf der Ablage stapelten sich zerknüllte Papiertüten und leere Fast-Food-Behälter. Hadley zog sich weiter nach hinten zurück, setzte sich auf die Matratze und blickte mit fest verschränkten Händen zu Zinnia hoch. Die lehnte sich an die Ablage und wollte gerade etwas sagen, als Hadley sich räusperte.

»Ich habe viel über das nachgedacht, was du neulich im Waschraum gesagt hast«, sagte sie beinahe flüsternd. »Du hattest recht. Es war meine eigene Schuld.«

»Nein, nein, Liebes, das habe ich absolut nicht so gemeint«, sagte Zinnia. Ihr wurde etwas mulmig zumute. »An dem, was er getan hat, bist du überhaupt nicht schuld. Schuld ist nur er, sonst niemand. Aber du musst dich wehren. Mehr wollte ich bestimmt nicht sagen.«

»Ich schlafe in letzter Zeit so schlecht. Manchmal wache ich auf und hab das Gefühl, dass er hier in der Wohnung ist.« Hadley umschlang sich mit den Armen und zitterte trotz der Wärme, die in der Wohnung herrschte. »Ich brauche einfach ... nur Schlaf.« Sie sah Zinnia an. »Ich wäre so gern stark. Wie du.«

Zinnia war vorübergehend sprachlos, denn das, was sie jetzt fühlte, hätte sie nicht von sich erwartet. Sie wollte Hadley in die Arme nehmen, sie zu sich heranziehen, ihr den Kopf streicheln und sagen, dass alles gut werden würde. Daran, wann sie das letzte Mal so für jemand empfunden hatte, erinnerte sie sich nicht mehr, was es noch erschreckender machte. Deshalb versuchte sie, sich Hadley als Spielzeugpuppe vorzustellen, die etwas sagte, wenn man an einer Schnur zog, sonst aber nur ein lebloses Stück Plastik war.

Nach einer Weile strich sie mit der Hand über das Schächtelchen in ihrer Hosentasche. »Ich hab da etwas, was dir helfen könnte.«

Hadley blickte mit erwartungsvoll aufgerissenen Augen zu ihr auf. Zinnia kniete sich neben sie und zeigte ihr den Behälter mit Oblivion in der geöffneten Handfläche.

»Ist das etwa ...«, begann Hadley, unterbrach sich jedoch, als dürfte sie das Wort nicht aussprechen.

»Damit schläfst du wie ein Baby«, sagte Zinnia.

»Aber ich muss arbeiten. Nach der Zeremonie.«

»Nein, du musst schlafen. Melde dich einfach krank.«

»Aber mein Rating ...«

»Scheiß auf dein Rating«, sagte Zinnia. »Das ist bloß eine Zahl. Es geht vielleicht ein bisschen runter, und wenn du hart arbeitest, geht es wieder hoch. Dir wird nichts passieren. Aber jetzt brauchst du ein paar Stunden sorglosen, unbeschwerten Schlaf. Glaub mir. Du siehst aus, als würdest du gleich auseinanderfallen.«

Hadley starrte das Schächtelchen lange an. Zinnia befürchtete schon, ihr das Zeug mit Gewalt in den Mund schieben zu müssen, doch schließlich nickte sie. »Wie nimmt man das denn?«

Zinnia öffnete den Behälter und betrachtete die Streifen aus dünner Folie. Sie sagte sich: Hadley braucht so etwas. Sie muss sich eine Weile von ihrem Stammhirn lösen und frei herumschweben.

Sie redete sich das so überzeugend ein, dass sie es beinahe glaubte.

»Man legt es einfach auf die Zunge«, sagte sie.

»Okay«, sagte Hadley. »Okay.«

Sie streckte die Zunge heraus, zog sie jedoch gleich wieder ein. Bestimmt war es ihr peinlich, dass Zinnia sie mit dem Zeug wie ein Baby fütterte.

Zinnia wusste, dass eine so schmale Frau, die eine solche Droge noch nie genommen hatte, schon von einem Streifen schachmatt gesetzt werden würde. Sie nahm vier Streifen heraus, hielt sie zwischen den Fingern und deutete mit dem Kinn auf Hadleys Mund. Als Hadley den wieder aufmachte, legte sie ihr die grün gefärbten Blättchen auf die Zunge, worauf Hadley die Augen schloss, als wollte sie nachdenken. Zinnia drückte sie sanft auf die Matratze.

Bald atmete Hadley immer seichter. Ihre Muskeln erschlafften, der Kopf fiel zur Seite. Zinnia hielt ihr zwei Finger an die Halsschlagader, um sich zu vergewissern, dass sie noch am Leben war. Der Puls fühlte sich an, als würde sie tiefe, bewusste Atemzüge nehmen.

Sie machte sich ans Werk. Zog ihr Shirt aus und griff nach Hadleys braunem. Es saß eng, passte aber gerade noch. Sie überlegte, ob sie die Bänder der beiden Uhren tauschen sollte, stellte jedoch fest, dass die sich stark ähnelten – das von Zinnia war magentafarben, das von Hadley pink. Als sie in den herumliegenden Klamotten wühlte, entdeckte sie eine alte, ausgeblichene Baseballmütze. Nachdem sie ihre Haare mühsam zu einem Pferdeschwanz gebändigt hatte, setzte sie sie auf. Sie betrachtete sich in dem Spiegel, der an der Tür hing. Sie legte

Hadleys Uhr an, und als die einen Daumenabdruck von ihr verlangte, ergriff sie einfach Hadleys Hand und drückte den Daumen aufs Display. Der Smiley leuchtete auf.

Jetzt war sie startklar.

Paxton

Die Menschenmenge war unglaublich groß. Ein Regenbogen aus Farben füllte beinahe die gesamte Halle. Einige breite Streifen hatte man leer gelassen: den Weg von draußen bis hinter das Podium, den der Bus von Gibson Wells nehmen würde, dann vom Podium herunter und nach hinten zur Bahnstation, wo die Fahrt zu Live-Play beginnen sollte.

Während Paxton über das Podium schritt, beobachtete er scharf die Szene, wie Dakota ihn angewiesen hatte. Zwar schoben sich überall Blaue durch die Menge, aber es war gut, zusätzlich einen Überblick zu haben. Wonach er Ausschau halten sollte, wusste er allerdings nicht recht. Alle strahlten und traten erwartungsvoll von einem Bein aufs andere.

Auf dem gewaltigen Bildschirm hinter ihm liefen auf maximale Lautstärke gestellte Cloud-Videos, darunter das im Bus gezeigte und Kundenkommentare. Eine ethnisch vielfältige Gruppe unterhielt sich darüber, wie viel leichter ihr Leben durch die Leute geworden sei, die das Video gerade anschauten. So nahe an den Lautsprechern knisterte der Ton.

Vielen Dank, Cloud!
Wir lieben dich, Cloud!
Du hast mir das Leben gerettet, Cloud!

Alle paar Minuten warf Paxton einen Blick auf die weit aufklaffende Einfahrt, ein Rechteck aus blendend weißem

Licht, durch das der Bus hereinkommen würde. Lange konnte es nicht mehr dauern. Der Bus sollte hinter dem Podium halten, dann würde Gibson Wells persönlich aussteigen und die Stufen heraufsteigen. Paxton würde zu dem Dutzend Leute gehören, die ihn umgaben. So nah, dass er ihn berühren konnte.

Sein Magen verkrampfte sich, als er zum x-ten Mal überlegte, ob er Wells zur Rede stellen sollte. Dann würde er zwar augenblicklich seinen Job verlieren, aber da war das ständige wunde Gefühl, wie er durch jene verlassene Stadt zu seinem Einstellungstest gegangen war, um sich für eine Arbeit zu bewerben, die weit unter seinem einst erreichten Niveau lag. Selbst wenn er dafür keine Entschuldigung bekam, wollte er eine Art Anerkennung. Dass Wells ihn sah und erfuhr, was geschehen war.

»Na, bereit?« Urplötzlich war Dakota neben ihm aufgetaucht. Sie musste brüllen, um den Lärm der Lautsprecher zu übertönen.

Paxton nickte, obwohl er nicht genau wusste, was er damit ausdrücken wollte.

»Gut«, sagte Dakota und schlug ihm auf den Rücken. »Da kommt er nämlich.«

Der Bus tauchte auf, zuerst als dunkler Fleck in dem weißen Licht, dann war er drinnen und rollte langsam durch die Menge. Hinter den Absperrungen drängten sich die Leute, rufend, jubelnd und winkend.

Der Bus war groß; der kastanienbraune Lack war mit goldenen Linien dekoriert. Schwarz getönte Scheiben, die keinen Blick ins Innere erlaubten. Er sah aus, als wäre er gerade erst poliert worden, und glänzte wie von immerwährend reflektiertem Sonnenlicht. Paxton sah das Gefährt an der vorgesehenen Stelle hinter dem Podium halten, wo es von einem ganzen Trupp Leuten in brauner Uniform und einer doppelt so großen Schar in blauen Poloshirts umgeben war. Sein Kopf fühlte sich an, als wäre er mit Helium gefüllt und würde sich gleich von den Schultern lösen.

Zinnia

Zinnia schlüpfte durch die Schwingtür in die Küche. Dort waren mehrere Leute in Grün an der Arbeit, obwohl draußen keine Gäste saßen, weil sich fast alle bei der Zeremonie befanden. Zur Vorbereitung des später zu erwartenden Ansturms hantierten sie mit Kochwerkzeugen und Fritteusenöl an den makellos glänzenden Edelstahlgeräten. Einige warfen einen kurzen Blick auf Zinnia, reagierten jedoch weiter nicht auf ihr Erscheinen.

Sie fand es immer komisch, dass der Mythos herrschte, bei ihrer Tätigkeit gehe es in erster Linie um technische Spielereien und dergleichen. In Wirklichkeit lautete die Grundregel der Spionage, so zu tun, als würde man dazugehören. Wenn das gelang, wurde man nur ausgesprochen selten infrage gestellt.

Was freilich bedeutete, dass sie nicht herumtrödeln durfte. Sie ließ den Blick durch den ganzen Raum schweifen, ohne zu wissen, wonach sie suchte, aber in der Hoffnung, es zu finden. Die Küche war größer, als sie gedacht hatte, und ging um mehrere Ecken. Als Zinnia um eine davon bog, kam sie zu einer schweren Schiebetür, die irgendwie deplatziert wirkte. Was bedeutete, dass dies genau der Ort war, nach dem sie suchte.

Hier war an der Decke eine Kamera angebracht. Zinnia sah sie erst spät, weil sie den Mützenschirm heruntergezogen hatte. Sie vermied es, den Kopf zu heben, damit ihr Gesicht nicht zu deutlich erkennbar wurde. Neben der Tür war eine Scannerscheibe angebracht, und während sie das CloudBand davorhielt, sprach sie lautlos ein Stoßgebet.

Ein Klingelton. Die Scheibe leuchtete grün auf. Zinnia schob die Tür auf, die so groß und schwer war, dass das einen ziemlichen Kraftaufwand erforderte. Dahinter kam ein Bahnsteig mit einer Bahn, die etwa halb so groß wie ein regulärer Wagen war.

Außerdem stank sie. Nach Bleichmittel, unter dem der süße Geruch von Fäulnis wahrnehmbar war. Als hätte man versucht, Letzteren zu unterdrücken. Im Innern waren Nylonriemen angebracht, die paarweise zusammengeschnallt werden konnten. Transportiert wurden also offenbar keine Personen, sondern Paletten.

Zinnia schob die Tür hinter sich zu und ging zum vorderen Ende der Bahn, wo sie Kontrollinstrumente vorfand. Die musste sie nicht weiter studieren, da es sich lediglich um einige Tasten handelte. Eine war mit *Fahrt* gekennzeichnet. Man sorgte hier wirklich überall dafür, die Dinge einfach zu halten.

Als sie die Taste drückte, setzte der Wagen sich in Bewegung, erst langsam, dann immer schneller. Ratternd wie ein Lastenaufzug sauste er durch dunkle Tunnel. Zinnia musste sich an einem Handgriff festhalten, damit sie nicht von den Beinen gerissen wurde. Die Nylonriemen pfiffen durch die Luft, sodass sie mehrfach ausweichen musste, um nicht von einer Schnalle am Bein erwischt zu werden. Das war keine Magnetbahn, sondern ein älteres System. Metall lief auf Metall, was in dem engen Raum ein ohrenbetäubendes Kreischen erzeugte.

Die Fahrt dauerte etwa fünf Minuten, in denen Zinnia noch einmal ihren Fluchtplan durchging. Selbst in dem Chaos, das nach dem Entgleisen der Bahn mit Wells zu erwarten war, würden Lastwagen in die Anlage einfahren und sie verlassen. Das ging nicht anders, weil man die Lieferungen nicht zu lange unterbrechen konnte. Und da die Lastwagen vollständig automatisiert waren, musste Zinnia sich lediglich in einen hineinschleichen. Die Chance, dabei zufällig entdeckt zu werden, war ziemlich gering.

Trotzdem hatte sie das Gefühl, irgendetwas vergessen zu haben.

Da fiel es ihr ein: Hadley. Sie wollte sich vergewissern, dass der durch die Droge nichts passiert war.

Ob sie wohl eine Nachricht an Paxton schreiben konnte? Um ihn zu bitten, nach Hadley zu schauen?

Aber es war riskant, weiterhin mit ihm zu kommunizieren. Und was sollte sie schreiben, wenn er sich wieder meldete?

Tschüs! Auf Nimmerwiedersehen!

»Komm schon, du dumme Nuss«, sagte sie zu sich selbst. »Werd jetzt bloß nicht weich.«

Als die Bahn hielt, spürte Zinnia ein Frösteln, noch bevor die Tür aufging. Ihr Atem bildete eine Wolke. Sie trat in einen Kühlraum voller Behälter auf Holzpaletten. Die glatten Metallwände waren dick mit Frost überzogen, der sich in den Ecken wie Schnee sammelte. Hätte sie doch bloß etwas Wärmeres angezogen.

Immerhin gab es hier keine Kameras. Als sie auf der Suche nach einem Ausgang zwischen den Paletten hindurchging, sah sie am Ende eine Tür. Auf dem Weg dorthin öffnete sie einen der Behälter. Im Innern lagen Hackfleischkugeln auf Wachspapier. Rohmaterial für CloudBurger.

Was merkwürdig war. Alle Waren, auch die Lebensmittel, kamen durch das Aufnahmegebäude, jedenfalls hatte Paxton etwas in der Richtung gesagt. Wenn sie sich tatsächlich in der Recyclinganlage befand, weshalb wurde hier Hackfleisch gelagert? Soweit sie wusste, befand sich die Rindfleischproduktion im Besitz von Cloud, weshalb das Fleisch auch so preiswert war. Vielleicht gab es in der Nähe vom Campus ja irgendwelche Weideflächen, ein Gebiet, wo Rinder immer noch ungefährdet gehalten werden konnten, und von hier gelangte man dorthin. Etwas Derartiges hatte sie auf den Satellitenaufnahmen zwar nicht gesehen, aber schließlich hatte sie nicht gezielt danach gesucht.

Nicht so wichtig. Zinnia erreichte die Tür, öffnete sie und fand sich in einem leeren Flur wieder. Am anderen Ende sah sie wieder eine große Schiebetür.

Dort angelangt, hielt sie die Uhr an den Scanner, der sofort grün aufleuchtete. Als sie die Tür aufzog, überspülte der Gestank sie wie eine Meereswelle. Er erfüllte ihre Nase, drang tief in ihre Kehle und überwältigte sie, als wäre sie mit dem Kopf voraus in eine verstopfte Toilette geschoben worden.

Paxton

Der Bus hatte angehalten, der Motor lief nicht mehr. Die hinter den Absperrungen stehende Menge, die keinen guten Blick darauf hatte, stimmte einen Sprechchor an. Zuerst waren es einzelne Stimmen, die sich jedoch bald vervielfältigten. Das Getöse wuchs an, bis Paxton es in seiner Brust vibrieren spürte.

»Gib-son!«

»Gib-son!«

»GIB-SON!«

Über den Köpfen wurden Schilder geschwenkt, die von Hand mit dickem, schwarzem Filzstift bemalt waren.

Gibson, wir lieben dich!
Danke für alles!
Verlass uns nicht!

Paxton stand auf seinem Posten auf dem Podium und beobachtete seinen Bereich, um dafür zu sorgen, dass sich dort niemand aufhielt. Die Tür des Busses befand sich auf der anderen Seite, aber aus den Augenwinkeln sah er Bewegung. Leute, die auftauchten und wieder verschwanden. Hin und her gingen.

Er musste nach unten blicken, um sich zu vergewissern, dass seine Füße noch auf dem Boden standen. Dass er nicht ein paar Zentimeter darüber schwebte.

Die Füße standen fest verwurzelt da. Er war noch hier. An Ort und Stelle.

Als er den Kopf hob, sah er das Gesicht des Mannes, auf den er gewartet hatte.

Das von Gibson Wells.

Flankiert wurde er von einer eindrucksvollen Entourage. Mehrere Leute hatten die Hände gehoben, als müssten sie ihn auffangen. Er war kleiner, als Paxton es sich vorgestellt hatte. Ein Mann, der so viel verändert, der die Welt so stark geformt hatte wie er, hätte größer sein sollen.

Auf dem Bildschirm über dem Podium erschien das Bild von Wells aus dem Begrüßungsvideo, aber der Mann da unten ähnelte ihm kaum, so hatte der Krebs ihn ausgehöhlt. Sein zuvor schon schütteres Haar war fast vollständig ausgefallen, sodass sein kahler Kopf unter den Lichtern glänzte. Die Haut am Hals war faltig, in das Gesicht hatten sich scharfe Linien eingegraben. Während er mit schlurfenden Schritten dahinging, winkte er den Leuten lächelnd zu, was ihm gewaltige Mühe zu bereiten schien. So als ob er jeden Moment zu Staub zerfallen könnte und nur noch von reiner Willenskraft zusammengehalten wurde.

Ihm folgte eine kleine Schar. Ein großer, muskulöser Latino hielt sich direkt hinter ihm. Dann kam Claire, die Paxton von ihrer Videobotschaft her kannte, wenngleich ihre Haare nicht denselben flammenden Purpurton hatten, sondern eher ein ausgewaschenes Rot. Und ein Mann, bei dem es sich um Ray Carson handeln musste. Dakota hatte ihm gesagt, der sehe wie ein alter Footballspieler aus, was eine passende Beschreibung war. Über Carsons bulliger Stirn wölbte sich ein kahler Schädel; er hatte breite Schultern und einen Bauchansatz. Momentan sah er nicht besonders glücklich aus, aber er schien zu der Sorte Mensch zu gehören, die ohnehin nie glücklich war.

Gibson Wells, der reichste und mächtigste Mensch der Welt, erreichte die Treppe zum Podium, legte die Hand aufs Geländer und hob den Blick. Er sah Paxton direkt in die Augen.

Zinnia

Zinnia würgte und entleerte den Inhalt ihres Magens auf das Metallgitter unter ihr. Er fiel in Klumpen auf die Rohrleitungen darunter. Sie zwang sich, wieder aufzustehen. Kaum stand sie aufrecht, erbrach sie sich erneut. Dann sah sie mehrere Wandhaken, an denen Gasmasken hingen. Sie griff sich eine, setzte sie auf und atmete tief ein. Das Innere der Maske roch nach Scheiße, Gummi und ihrer eigenen Kotze, aber auch nach Zuckerstangen. Was es nur schlimmer machte. Sie hasste Zuckerstangen.

Die Sichtscheiben der Maske verzerrten leicht den Blick, doch am Ende des Korridors, der hier weiterging, sah Zinnia eine weitere Tür. Als sie sich ihr näherte, trat eine magere Frau in einem rosa Poloshirt hindurch. Zinnia blieb kurz stehen, ging jedoch gleich weiter, um nicht den Eindruck zu erwecken, sie sei bei irgendetwas erwischt worden. Ein Stück weiter trat sie zur Seite, um der Frau Platz zu machen. Die nickte ihr zu, während sie weiterging.

Rosa. Sie hatte noch nie jemand in einem rosa Shirt gesehen.

Es folgten einige weitere Korridore, in denen sie sich fühlte, als würde sie durch den Rumpf eines Schiffes wandern. Halbrunde Decken, keinerlei Fenster, an den Wänden entlanglaufende Rohrleitungen. Falls hinter der nächsten Tür wieder ein Korridor kam, wollte sie zurückgehen und nach einem anderen Eingang suchen, doch diesmal trat sie in ein geräumiges Labor. Computerterminals, summende Maschinen, Lichter. Überall Lichter.

Der Raum hatte eine zweite Ebene, bestehend aus einem großen Glaskasten, zu dem eine Treppe hinaufführte. In dem Kasten standen Tische, an denen Männer und Frauen – alle in Laborkittel und mit aufgesetzter Gasmaske – mit Reagenzgläsern und Flüssigkeitsbehältern hantierten.

Die wenigen Arbeiter, die auf der unteren Ebene tätig waren, trugen keine Maske, weshalb Zinnia ihre ebenfalls abnahm und an einen leeren Wandhaken hängte. Im Mund hatte sie immer noch den Geschmack von Kotze, aber hier roch es angenehm, wenn auch künstlich. Die Luft wurde offenkundig gefiltert und behandelt. Zinnia ging langsam durch den Raum. Einige Leute – manche in Weiß, die meisten jedoch in Rosa – warfen ihr einen kurzen Blick zu. Einige stockten kurz, als würden sie überlegen, ob sie ihr Gesicht kannten, wandten sich jedoch gleich wieder ihrer Tätigkeit zu.

Die Blicke machten Zinnia nervös. Sie sah eine Tür und hoffte, dahinter in einen weiteren Korridor zu gelangen. Das war nicht der Fall. Stattdessen kam sie in einen kleinen Raum, wo ein schmächtiger Mann mit asiatischen Gesichtszügen und pechschwarzen, in der Mitte gescheitelten Haaren sich über ein Mikroskop beugte. Er blickte auf, sah die Farbe ihres Shirts und schüttelte den Kopf. »Ich habe niemand von der Technik gerufen.« Weil sie nicht reagierte, drehte er sich zu ihr um. »Ist Ihnen nicht klar, dass Sie hier nichts zu suchen haben?«

Sein Ton gefiel Zinnia nicht. Der Kerl hörte sich an, als wollte er sie melden. Unvermittelt sprang sie auf ihn zu und drückte ihn auf die Tischplatte. Das Mikroskop fiel um. Sie blickte sich um und stellte fest, dass keine Kameras im Raum waren.

»Verdammt, was soll das?«, sagte der Mann mit zitternder Stimme.

Zinnia wusste nicht, was sie antworten sollte. Von dem Gang durch den Korridor war ihr immer noch übel. Der Mann unter ihren Händen wehrte sich, aber sie war kräftiger und in der besseren Position, weshalb er schon bald aufgab.

»Wo sind wir hier?«, fragte Zinnia. »Was soll das alles?«

Der Mann verdrehte den Hals, um zu ihr hochzublicken. »Das ... das wissen Sie nicht?«

»Was soll ich nicht wissen?«

»Nichts ... Nicht so wichtig. Das ist nur eine ... Das ist die Recyclinganlage. Und Sie sollten wirklich nicht hier sein.«

»Recycling. Und was wird recycelt?«

Der Mann schwieg, weshalb Zinnia etwas Druck auf seinen Hals ausübte. »Abfall«, krächzte er.

Sie dachte an den Kühlraum. Die Hackfleischkugeln. Im Kopf spürte sie eine völlige Leere, dann füllte er sich mit einem lautlosen Schrei. »Was?«

»Hören Sie, man hat es uns geschworen, ja? Man hat uns geschworen, dass es niemand schmecken wird. Außerdem ist es völlig ungefährlich.«

Vor Zinnias geistigem Auge formte sich ein Bild. »Was würde niemand schmecken?«

»Wir extrahieren das Protein«, plapperte der Mann, wie um sich dadurch zu retten. »Durch Bakterien wird Protein erzeugt, und das holen wir einfach heraus und behandeln es mit Ammoniak, um es zu sterilisieren. Anschließend wird es mit Weizen und Soja rekonstituiert und mit Roter Bete gefärbt. Es handelt sich um fettarmes Protein, das kann ich beschwören. Total sauber.«

Sie wusste die Antwort, stellte die Frage jedoch trotzdem. »Was ist aus fettarmem Protein?«

Schweigen. Dann flüsterte er: »Das Fleisch bei Cloud-Burger.«

Zinnia hatte gedacht, sie hätte bereits ihren ganzen Mageninhalt ausgeleert, aber sie fand noch etwas. Sie drehte sich zur Seite und kotzte einen dünnen Strahl Galle auf den Boden. Sie dachte an die zahllosen Hamburger, die sie seit ihrer Ankunft in sich hineingestopft hatte, und wollte weiterkotzen, bis wirklich nichts mehr im Magen war. Bis sie keinen Magen mehr hatte.

»Wollen Sie damit etwa sagen, dass das Hackfleisch bloß aus wiederaufbereiteter menschlicher Scheiße besteht?«, brachte sie heraus.

»Wissenschaftlich betrachtet, ist das nicht weiter schlimm«, sagte der Mann. »Ich ... ich esse die Hamburger selbst. Ganz ehrlich.«

Was das anging, log er eindeutig. Zinnia strengte sich an, durch die Nase zu atmen und nicht mehr an das knusprige braune Fleisch zu denken. Wie oft hatte sie bei CloudBurger gegessen? Zweimal pro Woche? Dreimal? Am liebsten hätte sie dem Mann einen Faustschlag verpasst, tat das jedoch nicht. Es war ja nicht seine Schuld.

Oder doch? Schließlich trug er zu dem Prozess bei.

Sie schob den Gedanken von sich weg. »Die rosa Shirts. Was ist mit denen? Anderswo habe ich nie irgendwelche rosa Shirts gesehen.«

»Wir ... das Abfallrecycling hat seinen eigenen Wohnbau.«

»Und eine vollkommen separate Belegschaft?«

»Wir sind nur ein paar Hundert. Man hält uns von den meisten Einrichtungen hier fern, das stimmt. Wir werden auch besser bezahlt. Haben hübschere ... hübschere Wohnungen. Weil wir Opfer bringen.«

Zinnia ließ ihn los, verstellte ihm jedoch den Weg zur Tür. Er hob die Hände, wich zur hinteren Wand zurück und sah sich vergebens nach einer Stelle um, wo er sich verschanzen konnte. Zinnia wiederum suchte nach etwas, womit sie ihn fesseln konnte. Ihre Gedanken drehten sich beim Versuch, das alles zu begreifen, wie wild im Kreis.

Sie zwang sich, die Dinge positiv zu sehen. Wenn ihre Auftraggeber Cloud zu Fall bringen wollten, war diese Entdeckung einen anständigen Bonus wert. Wahrscheinlich würde das allein schon ausreichen. Egal durch welchen Trick die Anlage mit Energie versorgt wurde, es konnte nicht halb so schlimm sein wie menschliche Shitburger.

So musste sie das betrachten, als Druckmittel, das sie bei Verhandlungen einsetzen konnte. Das half ihr, nicht darüber nachzudenken, wie viele Hamburger sie im CloudBurger gegessen hatte.

Und wie fettig die gewesen waren.

Ihr schauderte.

»Sagen Sie mir jetzt genau, wie man von hier aus zur Energieverteilungsanlage kommt«, befahl sie dem Mann, der die Hände gehoben hatte, um sein Gesicht zu schützen.

Paxton

Gibson Wells hielt inne, als wollte er sich mental auf die Reise vorbereiten, die über acht Stufen zu dem Ort führte, wo Paxton stand. Jetzt befand sich niemand mehr zwischen den beiden. Alle waren zurückgeblieben, um Wells als Ersten hinaufsteigen zu lassen, und Paxton bildete gewissermaßen das Empfangskomitee.

Wie ein Flash tauchte die Erinnerung an den ersten Tag als Chef seiner eigenen Firma in ihm auf. Am Schreibtisch sitzend, hatte er haufenweise Formulare für das Patent und geschäftliche Angelegenheiten ausgefüllt, allein und voll Bangigkeit, aber auch frei. Nun würde er nicht mehr um Viertel nach sechs Uhr morgens aufstehen und eine geschlagene Stunde zum Gefängnis fahren müssen, um dort durch die Zellenblocks zu wandern, während die Insassen schrien und weinten und mit den Zähnen knirschten.

Wells hob den Fuß auf die erste Stufe. Er hielt den Kopf gesenkt, um sich zu konzentrieren. Jemand streckte eine Hand aus, um ihn zu stützen – wer, konnte Paxton in dem Gedränge nicht erkennen –, aber Wells schlug sie weg.

Jenes erste offizielle Exemplar des Perfekten Eis, das erste, das Paxton verkaufen würde, war langsam aus dem 3D-Drucker gekommen. Alle Tests zuvor waren gut verlaufen, aber er hatte noch einmal eine Kalibrierung geändert, weshalb das ganze Ding plötzlich feststeckte. Nur das obere Drittel des eiförmigen Objekts war fertig geworden, der Rest ein Kunststoffblock geblieben. In jenem Moment war er davon überzeugt gewesen, dass er einen Fehler gemacht hatte.

Inzwischen hatte Wells die Hälfte der Treppe erklommen. Der mächtigste Mensch der Welt. Seine Arme zitterten. Aus der Nähe betrachtet, hatte seine Haut eine gelbliche Färbung. Braune Leberflecke bedeckten seinen Hals, die Handrücken und das, was von seinen Armen zu sehen war.

Paxton zuckte es in den Beinen. Er wollte wegrennen. Wollte ein Bein ausstrecken, um den Mann da stolpern zu lassen. Wollte ihn packen und schütteln und ihn fragen: *Wissen Sie eigentlich, wer ich bin? Sehen Sie mich überhaupt?*

Wells erreichte das Podium. Mühsam sog er die Luft ein, dann atmete er mit gesenktem Kopf aus. Paxton trat einen Schritt zurück, um ihm etwas Platz zu lassen, und da hob Wells den Blick. Seine Augen waren die eines jungen Mannes. Unabhängig von allem anderen strahlten sie Lebendigkeit aus. Energie. Wenn man so jemand sah, dessen Räder sich anscheinend unablässig drehten, fragte man sich, ob der sich wohl jemals schlafen legte.

Wells lächelte, nickte und fragte: »Wie heißen Sie denn, junger Mann?«

Er streckte seine knorrige Hand aus.

Paxton ergriff sie. Ein Reflex. Etwas, was man aus Höflichkeit tat. Die Hand von Wells fühlte sich zugleich kalt und verschwitzt an.

»Paxton ... Sir.«

»Bitte sagen Sie doch Gibson zu mir. Nun, Paxton, wie gefällt Ihnen die Arbeit hier?«

»Ich ...« Sein Herz hatte ausgesetzt, da war er sich sicher. Es blieb wirklich und wahrhaftig stehen. Dann jedoch begann es wieder zu schlagen. Er setzte an, das zu sagen, was er sagen wollte, aber die Worte blieben ihm im Mund kleben.

Schließlich sagte er: »Ich bin ganz gerne hier, Sir.«

»Na, wunderbar«, sagte Wells, nickte und ging um Paxton herum zur Mitte des Podiums. Aus der Menge erhob sich ein Getöse, so laut wie an Felsen schlagende Brandung, und da stand Dakota auf einmal neben Paxton und beugte sich so nah zu ihm, dass er ihren heißen Atem im Ohr spürte. »Ich kann kaum glauben, dass er dir die Hand geschüttelt hat!«, brüllte sie kaum hörbar.

Paxton stand einfach da und starrte auf seine Füße. Wie festgefroren in der Zeit. Der Schrei in seinem Kopf war lauter als das Tosen der Menge.

Zinnia

Zinnia verließ die Bahn, die zwischen den drei Verarbeitungsanlagen pendelte, in der für die Energieverteilung. Sie wollte nicht mehr an die Hamburger denken, was aber praktisch unmöglich war. Wahrscheinlich für den Rest ihres Lebens.

Wie bei allen Eingangshallen und Eingängen in der MotherCloud dominierten auch hier polierter Sichtbeton und schroffe Winkel. Auf den Videoschirmen liefen Werbespots und Kundenkommentare; ein Korridor führte ins Innere des Gebäudes.

Nirgendwo eine Menschenseele.

Die meisten Orte, an die Zinnia heute gekommen war, waren wegen der Zeremonie menschenleer, aber hier herrschte eine andere Atmosphäre. Irgendetwas war merkwürdig. Sie kam nicht darauf, woran das liegen könnte; vielleicht hatte es auch nur mit ihrer Nervosität zu tun, weil sie endlich hierhergelangt war. An den entscheidenden Ort.

Schließlich sah sie, dass sie doch nicht ganz allein war. Am Ende des Raums stand ein kleiner Tisch, und dahinter saß eine dralle junge Frau in einem blauen Shirt. Die braunen Haare hatte sie hoch aufgetürmt, auf der Nase trug sie eine Brille mit einem dicken roten Kunststoffrahmen. Sie las ungerührt in einem Taschenbuch.

Zinnia ging durch die Eingangshalle auf den Tisch zu. Das Quietschen ihrer Sohlen hallte von den Wänden wider, und als sie sich der Frau näherte, hob diese endlich den

Blick. Das Buch in ihren Händen war eine zerfledderte Ausgabe von *A wie Alibi* von Sue Grafton.

»Gutes Buch«, sagte Zinnia.

Die Frau kniff die Augen zusammen, sichtlich verwirrt darüber, dass jemand vor ihr stand. Wie wenn Zinnia nicht hierhergehörte. Die Reaktion machte Zinnia nervös. Sie suchte noch nach einer brauchbaren Begründung, da lächelte die Frau sie an. »Von der Reihe habe ich alle schon mindestens fünf Mal gelesen. Ich fange immer am Anfang vom Alphabet an. Gut, dass es so viele gibt. Wenn ich beim letzten Band bin, habe ich nämlich immer schon vergessen, um was es im ersten genau ging.«

»Ein echter Vorteil«, sagte Zinnia. »Da kann man sich immer wieder überraschen lassen.«

»Hm.« Die Frau drückte das Taschenbuch an ihre üppige Brust. »Was kann ich für dich tun?«

»Ich muss bloß kurz da rein, um mit jemand zu sprechen.«

Die Art und Weise, wie die Frau wieder die Augen zusammenkniff, wies darauf hin, dass Zinnia etwas Falsches gesagt hatte. »Mit wem denn?«

»Mit Tim.«

»Tim ...«

Oje. »Den Nachnamen habe ich vergessen. Was Polnisches. Mit wenig Vokalen.«

Die Frau starrte Zinnia einen Moment lang an. Ihre Mundwinkel gingen nach unten. Sie legte das Buch auf den Tisch, hob die Uhr vor den Mund und drückte auf die Krone. »Energieverteilung. Wir haben ein Problem.«

Zinnia sprang auf die Frau zu und packte sie am Arm, was diese mit einem Aufschrei quittierte. Das Taschenbuch polterte hinunter. Zinnia behielt den Griff bei, während sie sich über den Tisch beugte und die Frau auf den Boden zerrte.

»Was soll das?«, stieß die Frau hervor.

»Tut mir leid«, sagte Zinnia und zog das Oblivion-Schächtelchen aus der Hosentasche. Während sie die Frau mit einer Hand nach unten drückte, öffnete sie mit der anderen den Behälter. Sie fummelte einen Streifen heraus und schob ihn der Frau in den Mund, als die gerade um Hilfe schrie. Die Frau biss ihr auf den Finger, den sie mit Gewalt herauszerren musste, doch wenig später sackte ihr Opfer ohnmächtig in sich zusammen.

Zinnia wartete, ob jemand auf die Meldung der Frau reagierte. Nichts geschah. Gut. Wahrscheinlich waren alle mit der Zeremonie beschäftigt.

Aber dann tauchte auf dem Display eine Nachricht auf:

Was für ein Problem?

Zinnia richtete sich auf und rannte los.

Paxton

»Danke, danke!«

Das sagte Gibson Wells bestimmt ein Dutzend Mal, um die Menge zu beruhigen, damit er sprechen konnte. Als er sich mit Paxton unterhalten hatte, war seine Stimme zittrig gewesen, doch wie er da auf dem Podium vor all den Menschen stand, hatte er offenbar verborgene Reserven entdeckt. Seine Stimme hatte einen sonoren Klang. Er sog die Energie seines Publikums förmlich in sich ein.

»Herzlichen Dank für diesen warmen Empfang«, sagte er, als der Jubel endlich verstummt war. »Leider muss ich euch gleich offen sagen, dass ich nicht lange sprechen kann. Aber ich wollte trotzdem hier aufs Podium kommen, um euch zu danken. Von ganzem Herzen. Es war mir zugleich ein Vergnügen und eine große Ehre, diesen Ort zu errichten, und jetzt, da ich so viele strahlende Gesichter vor mir sehe, macht es mich ...« Er unterbrach sich, bevor er mit belegter Stimme weitersprach. »Es macht mich demütig. Wahrhaft demütig. Für das Verlesen der Namen werde ich mich gleich dort drüben hinsetzen.« Er deutete auf mehrere Stühle, die man für ihn und seine Entourage aufgestellt hatte. »Anschließend werde ich mich ein bisschen umschauen, bevor wir wieder abfahren. Es ist ein ganz besonderer, bedeutsamer Moment, wenn wir uns jetzt daran erinnern, welches Glück wir haben, gemeinsam hier zu sein.« Bei diesen Worten warf er einen Blick auf seine Tochter und Ray Carson. »Welches Glück wir haben, am Leben zu sein.«

Er hob die Hand, worauf die Menge wieder in lauten Jubel ausbrach. Dann ging er auf die Stühle zu. Die anderen folgten ihm, aber niemand setzte sich, bevor er das getan hatte. Er ließ sich auf die Sitzfläche plumpsen. Eine Frau in einem weißen Poloshirt trat zum Mikrofon, und die Leute verstummten, als sie begann, die Namen zu verlesen.

Josephine Aguerro
Fred Arneson
Patty Azar

Paxton spürte, wie ihm das Herz schwer wurde. An diesem Tag geschah das immer. Die Massaker am Black Friday kamen ihm zugleich wie etwas Reales und wie ein Fake vor. Man konnte sie leicht vergessen, obwohl es immer hieß, das solle man niemals tun. Es war auch nicht so, dass man sie wirklich vergaß, sie wurden einfach zu einem Hintergrundgeräusch des eigenen Lebens. Paxton erinnerte sich daran, wie er damals alles in den Fernsehnachrichten gesehen hatte. Die ganzen Leichen. Weiße Linoleumflächen mit Blutlachen, die im fluoreszierenden Licht rot schillerten. Dennoch waren die Massaker gewissermaßen zu einem Teil der Landschaft geworden, zu einem historischen Ereignis, auf dem sich wie auf allen solchen Ereignissen nach einer Weile eine Staubschicht ablagerte.

Tage wie heute boten eine Chance, diesen Staub abzuwischen und einen intensiven Blick auf das Geschehen zu richten. Sich daran zu erinnern, weshalb es so aus allem anderen herausstach. Dennoch hätte Paxton die Gedanken daran am liebsten abgestellt, um an etwas anderes zu denken. Da ihm das nicht gelang, stand er mit gefalteten Händen da und senkte den Kopf.

Selbst nach so langer Zeit waren ihm einige der Namen vertraut.

Als alles vorüber war, erhoben sich Wells und seine Begleiter, gingen kurz auf dem Podium umher und stiegen dann die Treppe auf der anderen Seite hinunter. Dort wartete die Bahn, die sie durch den Campus transportieren sollte. Diesmal ließ Wells es zu, dass seine Tochter ihm die Stufen hinunterhalf.

Ray Carson wiederum hielt sich zurück und ließ alle anderen vorgehen. Er sah sich um, ließ den Blick über die Menge schweifen und ballte dabei wiederholt die Faust. Paxton machte sich Sorgen, dass sich die Abfahrt der Bahn verzögern könnte, weshalb er auf Carson zuging.

»Sir?«, sprach er ihn an.

Carson schüttelte den Kopf, als würde er aus einer Trance erwachen. »Nichts, nichts.« Er wedelte mit der Hand, ohne Paxton in die Augen zu sehen, und folgte dann den anderen.

Paxton bildete die Nachhut, während die Gruppe durch die Schneise schritt, die man abgetrennt hatte. Alle paar Schritte ging Wells auf die Sperrböcke zu, um lächelnd jemand die Hand zu schütteln. Dabei beugte er sich vor und legte eine Hand ans Ohr, damit er verstand, was die Leute sagten. Seine Beschützer wirkten so nervös, als würde er mit einem blutigen Steak auf ein Rudel Wildhunde zugehen. Sie warfen sich Blicke zu, schlossen dicht zu ihm auf und machten manchmal sogar den Anschein, dass sie zwischen ihn und das Publikum treten wollten, hielten sich dann aber doch zurück. Offenbar wussten sie nicht recht, wie sie sich verhalten sollten.

Einige Male drehte Wells sich zu seiner Tochter um und winkte sie herbei, aber Claire blieb einfach stehen.

Ihr linker Arm hing schlaff herab, mit der rechten Hand hatte sie den linken Ellbogen gefasst. Die ersten paar Male reagierte Wells mit einem Lächeln, doch mit der Zeit wurde er ärgerlich. Am Gesicht ließ er sich das nicht anmerken, man sah es nur an seiner Hand. Die hatte anfangs freundlich gewedelt, schnitt bald jedoch durch die Luft wie ein Messer.

Als Claire sich endlich zu ihm gesellte, schüttelte sie Hände, stierte die Leute glupschäugig an, lächelte und nickte, aber alles so, wie man es tat, wenn man übertrieben Interesse heuchelte. Sobald sich die Gelegenheit bot, verschränkte sie schützend die Arme, während ihr Vater von der Menge beinahe verschlungen wurde. Er beugte sich immer weiter vor, um möglichst viele der entgegengestreckten Hände zu ergreifen. Die ganze Zeit über strahlte er übers ganze Gesicht.

Während sich die Gruppe langsam dem Bahnsteig näherte, summte Paxtons Handy. Unwillkürlich griff er danach, bevor ihm einfiel, dass er das jetzt ja bleiben lassen sollte. Was immer es war, es konnte nicht wichtig sein.

Es summte noch einmal.

Paxton befand sich ganz hinten, und alle Blicke waren nach vorn gerichtet, selbst die von Dakota und Dobbs. Da niemand ihn beobachtete, drehte er sich zur Seite und zog das Handy gerade so weit aus der Hosentasche, dass er das Display sehen konnte. Es war eine Nachricht von Zinnia.

Steig nicht in die Bahn.

Dann:

Bitte.

Zinnia

Zinnia lief durch Flure, riss die Türen von Büros auf, warf einen Blick in Toiletten und Computerräume, fand jedoch absolut niemand vor. In der gesamten Anlage befand sich keine einzige Menschenseele, außerdem war es so still, als wäre sie auf dem Mond gelandet.

Kein Wunder, dass die Frau am Eingang Verdacht geschöpft hatte. Schließlich hatte Zinnia behauptet, mit jemand sprechen zu wollen, obwohl niemand da war.

Der gesamte Ort war nicht nur leer, offensichtlich war auch nichts eingeschaltet. Einige Male blieb sie an einem Computerterminal oder einer Reihe Konsolen stehen, doch da blinkte kein einziges Licht. Als sie die Hände auf die Geräte legte, um zu spüren, ob sie warm waren oder vibrierten, war alles tot und kalt.

Natürlich waren viele Leute zur Zeremonie gegangen, aber man musste doch irgendjemand zurückgelassen haben. Schließlich war so eine Anlage keine Kaffeemaschine; man konnte sich nicht einfach davonmachen und sie allein vor sich hin werkeln lassen. Dennoch hatte es den Anschein, dass plötzlich alle weggebeamt worden waren. Keine Tür war verriegelt, manche standen sogar leicht offen. Je weiter Zinnia kam, desto schneller rannte sie, wie um der Furcht davonzulaufen, die in ihrem Magen blubberte.

Obwohl das Gebäude völlig verödet zu sein schien, spürte sie nämlich etwas. Eine statische Energie in der Luft, wie über die Haut krabbelnde Ameisen. Sie wurde davon tiefer in die Anlage hineingezogen. Als sie zu einer breiten, nach unten führenden Treppe kam, betrat sie diese, ohne zu zögern. Der Sog, den sie wahrnahm, kam von dort unten.

Während sie die Stufen hinunterging, fiel ihr Paxton ein.

Wenn alles nach Plan lief, würde er mit den anderen bald die Bahn besteigen. Die würde auf die Scheibe auffahren und entgleisen, wobei viele Menschen verletzt oder getötet werden würden. Vielleicht war auch Paxton darunter. Ein Bild tauchte in ihr auf. Die Leichen. Das Blut. In der Mitte Paxton, ganz verdreht, einen Riss quer in dem albernen, gutmütigen Gesicht.

Sie schob die Vorstellung von sich weg. Ignorierte das leise *Iiiiiiiiih,* das in ihren Ohren summte. Wer war Paxton schon? Irgendein Typ. Und weiter? Menschen starben, so war das eben. Menschen waren bloß Fleischklumpen mit irgendwas drin, was sie dazu brachte, sich zu bewegen und zu sprechen. Aber letztlich doch bloß Fleischklumpen.

Abgesehen davon, gab es sowieso zu viele Menschen auf der Welt. Die Überbevölkerung war an dem ganzen Schlamassel schuld, sodass man sich inzwischen nicht mal mehr im Freien aufhalten konnte, also war eine gewisse Entvölkerung eine gute Sache. Ein paar Fleischklumpen weniger, die Kohlendioxid ausatmeten und Ressourcen verbrauchten.

Das Kribbeln auf ihrer Haut verstärkte sich. Sie blieb stehen. Die Härchen auf ihren Armen hatten sich aufgerichtet. Offenbar war es ganz in der Nähe. Sie wusste nicht, was, aber sie konnte es spüren. Ein leises Trommeln.

Vor ihr war eine Stahltür mit einem großen Drehrad

in der Mitte. Sie lief darauf zu und hielt das CloudBand an die Scannerscheibe.

Rot.

Sie versuchte es noch einmal. Rot.

War sie ausgesperrt, weil Braune keinen Zugang hatten oder weil inzwischen ein Security-Trupp hinter ihr her war? Aus welchem Grund kam sie nicht weiter? Sie hatte keine Ahnung, aber egal, woran es lag, die Zeit war knapp, weshalb sie sich zurücklehnte, ein Bein hob und die Ferse an die Scannerscheibe rammte, so heftig, dass es sie durchzuckte. Einmal, zweimal. Beim fünften Versuch sprang die Scheibe aus der Wand und baumelte an mehreren farbigen Kabeln herunter.

So weit, so gut. Sie führte die einzelnen Kabel nacheinander zusammen, um den Öffnungsmechanismus auszutricksen, und nach drei kleinen Elektroschocks leuchtete die Scheibe tatsächlich grün auf. Zinnia ergriff das Drehrad und machte sich daran, die Tür zu öffnen. Nach einer halben Drehung fiel ihr wieder Paxton ein.

Wie er den Arm um sie legte.

Wie er sich nach ihrem Arbeitstag erkundigte und sich wirklich dafür interessierte.

Wie er für sie da war. Wie ein Paar Pantoffeln und eine warme Decke.

»Scheiße«, stieß sie hervor. »Verdammte Scheiße.«

Sie schlug mit der flachen Hand an die Tür.

Zog ihr Handy aus der Tasche. Rief den Dialog mit ihm auf.

Steig nicht in die Bahn. Senden.

Dann: *Bitte.* Senden.

Als ihr Handy ein leises Summen von sich gab, spürte sie, wie eine gewaltige Erleichterung sie überkam, so als hätte sie einen Sandsack auf den Schultern geschleppt und nun endlich abgesetzt. Wahrscheinlich hatte sie gerade einen Fehler gemacht, aber hoffentlich einen, der auf der gleitenden Skala der Fehler positiv war. Sie drehte das Rad bis zum Anschlag und zog die Tür auf.

Paxton

Paxton starrte auf sein Handy, dann blickte er auf und sah Wells samt seinen Begleitern in die Bahn steigen. Als alle drin waren, blieb kaum noch Platz. Alle lachten, als handelte es sich um einen großen Spaß. Wie viele Leute konnte man noch hineinquetschen? Obwohl die Bahn eigentlich voll war, wurden die letzten Nachzügler von denen, die in der Tür standen, zum Einsteigen aufgefordert.

Dakota, die auf dem Bahnsteig stehen geblieben war, blickte stirnrunzelnd herüber. Als sie das Handy in Paxtons Hand sah, hob sie die Augenbrauen und schnitt eine Grimasse. Mit geballten Fäusten drehte sie sich zu ihm.

Was hatte die Nachricht nur zu bedeuten?

Wieso wollte Zinnia nicht, dass er die Bahn bestieg?

Dakota wedelte mit der Hand, aber unten neben ihrer Hüfte, damit niemand die Geste sah. Ihm war nicht klar, ob sie ihn herbeiwinkte oder ihn auffordern wollte, das Handy wegzustecken.

Es war eine törichte Vorstellung, die ihn trotzdem nicht losließ: Die Nachricht hatte einen bestimmten Ton. Verzweiflung? Furcht? Er konnte sich nicht erklären, wie eine Textnachricht einen Ton haben konnte, aber sie hatte einen. Zinnia machte sich Sorgen um ihn. Weshalb sollte sie das tun?

Sie würde ihm nur raten, nicht in die Bahn zu steigen, wenn etwas mit der Bahn nicht stimmte.

Dakota kam auf ihn zu. Sie hob die Hände, als wollte

sie ihm das Handy entreißen. Er überlegte, ob er ihr von der Nachricht erzählen sollte, aber es hatte jetzt den Anschein, dass die Leute in der Bahn sich endlich damit zufriedengegeben hatten, wie viele sie an Bord pfropfen konnten. Die Abfahrt stand kurz bevor.

»Moment«, sagte Paxton.

Dakota sah ihn entgeistert an. »Sag mal, was soll das, verdammt noch mal?«

»Moment!«, rief Paxton, drängte sich an ihr vorbei und winkte hektisch den Leuten, die in der noch offenen Tür der Bahn standen.

Die Passagiere blickten sich verwirrt an.

Alle außer Ray Carson. Der starrte mit einem verkniffenen Gesicht zu Paxton herüber, als würde er eine schwierige Rechenaufgabe lösen. Dann riss er die Augen auf, seine Kinnlade fiel herunter, und er drängte sich mit hochrotem Gesicht aus der Bahn, wobei er die Leute zur Seite schrie, als müsste er sich von einem sinkenden Schiff retten.

Zinnia

Eiskalte Luft schlug Zinnia entgegen, kälter als die in dem Kühlraum zuvor. So kalt, dass die Nebenhöhlen rebellierten. Jenseits der Tür befand sich ein riesiger quadratischer Raum, mindestens vier Stockwerke hoch. Die Betonwände waren von einem Geflecht aus Treppen und Laufgängen überzogen.

Der Raum war vollständig leer – mit Ausnahme eines Kastens von der Größe eines Kühlschranks, der nahezu exakt im Zentrum stand.

Als Zinnia eintrat, erfüllte das Trommeln ihren Kopf. Die Wände schienen zu pulsieren. Der Boden war schartig und uneben. Hier hatten Maschinen gestanden, und zwar große. Der Beton war mit Ölflecken übersät. Furchen, Bolzenlöcher und Kratzer wiesen darauf hin, dass etwas weggezogen worden war.

Was immer hier stattfinden sollte, es hatte große Bedeutung. Der Raum befand sich offensichtlich noch im Umbau. In einer Ecke lagen Kabelrollen und Metallklammern; Gerüstelemente warteten darauf, zusammengesetzt zu werden.

Der Kasten in der Mitte schimmerte in einem dunklen Blaugrau. Während Zinnia langsam darauf zuging, erwartete sie, dass ein Alarm schrillte, dass etwas auf sie herabfiel, dass sie bewusstlos wurde, aber nichts geschah. Nur die Lufttemperatur veränderte sich. Es schien kälter zu werden, merkwürdigerweise aber auch feuchter.

Vor dem Kasten stehend, legte sie die Finger darauf.

Das Metall war so kalt, dass es ihr die Haut verbrannte. An der Seite war ein Fenster, durch das man jedoch nichts sah, da es auf der Innenseite mit Frost überzogen war.

War dies das Ding, das die MotherCloud mit Energie versorgte?

Zinnia schwirrte der Kopf. Das war unmöglich, absolut unmöglich. Der Campus war so groß wie eine ganze Stadt, und der Apparat da hätte locker auf die Ladefläche eines kleinen Pick-ups gepasst.

Mit zitternden Händen zog sie ihr Handy aus der Tasche und machte sich daran, Fotos aufzunehmen. Aus jedem Winkel, von jeder Seite des Kastens. Von den Wänden und dem Boden. Von dem Baumaterial in der Ecke. Von der Decke. Selbst durch das Fenster des Kastens fotografierte sie, obwohl es da gar nichts zu sehen gab. Mehrere Male verrutschte ihr das Handy zwischen den Händen, sodass sich der Zeigefinger über die Linse schob und sie die Aufnahme wiederholen musste. Sie knipste und knipste und knipste, bis sie hoffentlich genügend Bilder hatte.

Als sie fertig war und den Raum verließ, sah sie, wie sich am anderen Ende des langen Flurs eine Tür öffnete. Ein rosa Shirt blitzte auf. Sie vergewisserte sich, dass das Handy sicher in ihrer Hosentasche steckte, bevor sie in einen anderen Korridor rannte, auf der Suche nach einer Tür, die sich als Ausgang entpuppte.

Stattdessen gelangte sie in einen langen, gebogenen Raum. Rechts reihten sich offene Arbeitskabinen aneinander, links sah man Fenster aus mattiertem Glas. Das war offenbar eine Außenwand. Zinnia überlegte, ob sie einen Bürostuhl nehmen und durch eine Scheibe werfen sollte, aber dann hätte sie sich auf einer offenen Fläche befunden, wo sie ein leichtes Ziel gewesen wäre. Und das auch nur, wenn sie sich überhaupt so weit unten befand, dass sie sich gefahrlos auf den Boden fallen lassen könnte.

Nein, sie musste einen Weg zurück zur Bahn finden. Aber jetzt wusste man, dass sie sich hier aufhielt. Man würde die Bahnstationen bewachen oder sich zumindest im Klaren darüber sein, dass sie dorthin unterwegs war. Sie rief den Lageplan aus dem Gedächtnis auf und überlegte, ob es vielleicht einen anderen Weg hinaus gab.

Vielleicht der Ambulanzshuttle? Wenn sich hier in der Anlage niemand befand, war dort womöglich auch niemand postiert. Nur dass sie keine Ahnung hatte, wo das Ding stand.

Daher rannte sie weiter. Flure entlang, durch Türen, an einer leeren Kantine vorbei, durch ein großes Büro und einen Raum, der wie das Kommandodeck eines außerirdischen Raumschiffs aussah. Sie rannte so schnell, als wollte sie die gelbe Linie auf ihrer Uhr grün werden lassen.

Sie erreichte einen Flur mit grauem Teppichboden und weißen Wänden. Dort, wo er sich am Ende verzweigte, standen sechs rau wirkende Männer in schwarzen Poloshirts. Männer mit gebrochener Nase, Blumenkohlohren und wilden Augen. Die Sorte Männer, die gern zuschlug und bereit war, Schläge hinzunehmen.

Zinnia blieb stehen. Ihr Magen krampfte sich zusammen.

Diese Typen gehörten nicht zum normalen Security-Team. Sie waren etwas anderes, etwas wesentlich Schlimmeres als die Armleuchter in Blau, die auf der Promenade patrouillierten.

Sie überlegte, ob sie den Rückzug antreten sollte, aber

die Männer waren so nah, dass sie sie einholen würden. So nah, dass sie die höhnische Freude auf ihren Gesichtern sehen konnte. So als hätten sie etwas vor sich, was gefressen werden konnte.

Jetzt gab es nur noch einen Ausweg.

Zinnia versenkte sich tief in die Gefühle von Zorn, Frustration und Groll, die sich in ihr angesammelt hatten, seit sie in jenem Theatersaal bei ihrem dämlichen Einstellungstest gesessen hatte. Zuerst hatte sie die Leute bedauert, die hier arbeiteten, und gedacht, die wären irgendwie zu schwach, sich zu wehren, aber mit der Zeit war ihr etwas anderes aufgegangen: Dieser Ort war bewusst so geschaffen, dass man keine anderen Möglichkeiten mehr sah. Er war dazu gedacht, seine Bewohner zu unterwerfen.

Mit einem Mal verspürte sie den Wunsch, noch einmal Ember zu begegnen, um sich bei ihr zu entschuldigen und ihr zu sagen, wie recht sie habe.

Auch wenn das nichts gebracht hätte.

Die Männer wirkten ungeduldig. Der ganz vorn, ein hagerer Typ mit einem grauen Bürstenhaarschnitt und einem militärischen Tattoo auf dem Unterarm, löste sich aus dem Rudel und ging selbstsicher auf sie zu.

»Okay, Süße, das Spiel ist aus«, sagte er.

Zinnia seufzte. Es wäre nicht damenhaft, jetzt kampflos aufzugeben.

»Na schön, du Arschloch«, erwiderte sie. »Dann bist du wohl der Erste.«

Die Männer warfen sich Blicke zu, einige grinsten, einer kicherte dreckig. Der mit dem Bürstenhaarschnitt war Zinnia so nahe gekommen, dass er schon die Hände hob, um sie zu packen, weshalb sie sich zurücklehnte, um nicht in Reichweite zu sein, und ihm dann den Fuß in die Eier krachen ließ. Sie spürte, wie etwas unter der Spitze ihres Sneakers nachgab. Als der Typ in der Mitte einknickte, wich sie zurück, versetzte ihm eine harte Gerade und trat aus dem Weg, während er auf den Boden krachte.

Die anderen waren sichtlich überrascht, zeigten sich aber nicht eingeschüchtert. Immerhin stand es noch fünf gegen eine. Als der Nächste zum Angriff überging, tat er das aber allein, was ein Fehler war. Der bullige Glatzkopf sah aus, als würde er zum Zeitvertreib Kneipenschlägereien anzetteln. Zinnia sprang auf ihn zu, ging vor ihm in die Hocke und hämmerte ihm die Fäuste in Magen und Leber. Eins, zwei. Als er zurückweichen wollte, steckte sie ihre ganze Kraft in einen Aufwärtshaken, der so hart landete, dass sie sich dabei ziemlich sicher etwas an der Hand gebrochen hatte. Die Erschütterung lief den ganzen Arm entlang.

Während der Glatzkopf auf den Rücken plumpste, griffen die restlichen vier an. Zinnia rannte auf sie zu und sprang kurz vor ihnen nach links auf die Wand zu, damit keiner ihr in den Rücken fallen konnte. Sie ging hinter ihren Armen in Deckung und verteilte immer wieder Haken, Schwinger und Geraden, um alle auf Distanz zu halten. Während sie den Überblick behielt, stolperten ihre Angreifer über die eigenen Beine und rempelten sich gegenseitig.

Als sie nur noch zwei vor sich hatte, glaubte sie, eine reelle Chance zur Flucht zu haben, doch da kam von der anderen Seite des Flurs her ein weiterer Trupp Männer und Frauen in Schwarz angerannt.

Zinnia starrte so lange dorthin, dass einer ihrer beiden verbliebenen Kontrahenten sie am Kinn erwischte. Sie wirbelte um die eigene Achse, stolperte, sank auf ein

Knie, und dann stürzten sich alle auf sie und begruben sie unter sich. Sie bekam gerade noch genug Luft zum Atmen.

10. Der Boss

Paxton

Zinnia saß kerzengerade da und starrte ins Leere. Erschöpft, mit ungekämmten Haaren, in einem braunen Poloshirt. Sie hatte ein blaues Auge, am Haaransatz klebte ein verschmierter Streifen Blut. Auf dem Tisch vor ihr waren säuberlich einige Gegenstände aufgereiht: ein CloudBand, ihr Handy, ein Pappbecher. Ihr gegenüber saß Dobbs. Sein Rücken war Paxton zugewandt, sodass sein Mienenspiel für ihn nicht erkennbar war. Dobbs hatte die Arme vor sich verschränkt, und seine sichtlich verspannten Schultern hoben und senkten sich, während er sprach.

Zinnia blickte geradeaus. Immer wieder ballte sie die Faust und schnitt dabei eine Grimasse.

»Die steckt ganz schön in der Patsche«, sagte Dakota.

»Was hat sie denn getan?«, fragte Paxton. Er musste sich anstrengen, nicht die Stimme zu heben oder die Faust durch die Fensterscheibe zu rammen.

»Eine Schlägerei angezettelt«, sagte Dakota.

Paxton drehte sich um und ließ den Blick durch den großen Raum schweifen, in dem hektische Aktivität herrschte. Überall Leute in blauen Shirts oder brauner Uniform. Auch Ray Carson, Gibson Wells und dessen Tochter waren da gewesen, aber gleich wieder hinausbegleitet worden.

»Wir haben uns die Ortungsdaten angeschaut«, fuhr Dakota mit leiser Stimme fort. »Du warst gestern Nacht mit ihr zusammen. Wie in vielen anderen Nächten davor.«

Paxton verschränkte nun auch die Arme, während er Zinnia etwas murmeln sah. Dabei blickte sie weiter starr geradeaus.

»Es wird Fragen geben«, sagte Dakota.

»Ich weiß«, sagte Paxton.

»Willst du mir vielleicht jetzt schon was erzählen?«

»Ich habe keine Ahnung, was passiert ist. Und ich schwöre dir …«

Er stockte. Dakota schob sich vor ihn und sah ihm in die Augen.

»Was?«, fragte sie. »Was willst du jetzt sagen? An deiner Stelle würde ich mir gut überlegen, was ich als Nächstes von mir gebe.«

Paxton presste die Lippen zusammen. Dakota starrte ihn an, als wollte sie durch seine Haut hindurchschauen, um den Beweis für eine Lüge zu entdecken.

Es war Paxton völlig egal, ob sie ihm glaubte oder nicht. Er war zwischen zwei Wunschbildern hin- und hergerissen. Einerseits wollte er, dass Dobbs herauskam, ihm auf die Schulter klopfte und sagte, er solle für heute Schluss machen und in seine Wohnung gehen. Und andererseits wollte er in den Raum stürmen, Zinnia auf die Arme nehmen und davonrennen, um sie in Sicherheit zu bringen.

Nach einer Weile kam Dobbs dann tatsächlich heraus und winkte ihm zu. Er setzte sich in Bewegung, gefolgt von Dakota, die von Dobbs jedoch mit einer Handbewegung abgewiesen wurde. »Sie nicht«, sagte er.

Dakota gehorchte, während Paxton mit gesenktem Kopf über den grauen Teppichboden ging. Er wollte nicht aufblicken, weil er den Eindruck hatte, dass alle ihn beobachteten. Dobbs führte ihn zu seinem Büro, ließ ihn vorgehen und schloss dann die Tür.

Ohne dazu aufgefordert zu werden, setzte Paxton sich. Auch Dobbs ließ sich nieder, dann betrachtete er ihn lange Zeit mit im Schoß gefalteten Händen. Wie Dakota zuvor schien er in ihn hineinblicken zu wollen, als könnte er dort alle Antworten finden.

Paxton wartete einfach.

»Die Frau da drüben behauptet, Sie hätten mit der Sache nichts zu tun«, sagte Dobbs schließlich und neigte dabei leicht den Kopf, als zöge er das gnädig in Betracht. »Sie sagt, sie hätte Sie dazu benutzt, unsere Sicherheitsvorkehrungen auszutricksen, und das wäre alles. Womit Sie lediglich anständig hereingelegt worden wären.«

Paxton machte den Mund auf, um etwas zu sagen, aber es blieb ihm im Hals stecken.

»Sie betreibt berufsmäßig Industriespionage.« Die Worte waren wie Faustschläge in die Rippen. »Wird angeheuert, um sich in Firmen einzuschleichen und deren Geheimnisse zu stehlen. Wir haben es inzwischen geschafft, einige Informationen über sie zu sammeln, und ich kann Ihnen sagen, dass Sie Glück haben, noch am Leben zu sein. Die Frau ist eine kaltblütige Killerin.«

»Aber das ist doch nicht ...«, fing Paxton an.

»Mir persönlich ist nicht recht klar, was Sie gewusst haben und was nicht«, unterbrach ihn Dobbs. »Vielleicht sind Sie ein Komplize, vielleicht nicht. Ich weiß lediglich, dass jemand in Maple ein Hindernis zwischen die Schienen gelegt hat, das von den Sensoren nicht wahrgenommen wurde. Wenn wir mit der Bahn losgefahren wären, hätte sie dort entgleisen können. Dann wären wahrscheinlich viele Leute verletzt worden oder gar gestorben. Deshalb müssen Sie jetzt absolut ehrlich zu mir sein. Wieso haben Sie verhindert, dass die Bahn losgefahren ist?«

»Ich …« Paxton verstummte.

»Wenn Sie nämlich eingeweiht waren …«

Paxton zog sein Handy aus der Tasche, öffnete mit zittrigen Fingern die Nachrichtenapp und reichte Dobbs das Gerät. Der hielt es ein Stück von sich weg, um es zu studieren.

»Sie hat mir die Nachricht geschickt«, sagte Paxton. »Ich dachte mir, wenn sie nicht will, dass ich in der Bahn bin, stimmt damit etwas nicht. Das war so ein Bauchgefühl.«

Dobbs nickte, legte das Handy auf den Schreibtisch und verschränkte die Arme. Paxton fragte sich, ob er das Ding wohl je wiederbekam.

»Was wissen Sie über die Frau?«, fragte Dobbs.

»Das, was sie mir erzählt hat«, sagte Paxton. »Sie heißt Zinnia und war früher Lehrerin. Sie wollte in ein anderes Land ziehen, um dort Englisch zu unterrichten und …«

Paxton unterbrach sich, weil ihm klar wurde, wie wenig er über Zinnia wusste. Er wusste, dass sie Eiscreme mochte und im Schlaf ein bisschen schnarchte, aber er konnte nicht sagen, ob sie wirklich Lehrerin gewesen war und ob sie tatsächlich Zinnia hieß. Er wusste wirklich nur, was sie ihm erzählt hatte.

»Wie geht es jetzt weiter?«, fragte er.

»Wir werden der Sache auf den Grund kommen«, sagte Dobbs. »Und irgendwie ist es das zweite Mal, dass Sie unter fragwürdigen Umständen etwas Gutes bewirkt haben. Egal wie sich alles entwickelt, Sie haben allerhand Leuten das Leben gerettet. Das werde ich berücksichtigen.«

Er gab dieses Statement mit einer Grabesstimme von sich, die Paxton gar nicht gefiel.

»Ich habe sie geliebt«, sagte er.

Paxton spürte, wie ihm das Blut ins Gesicht stieg. Es war ihm peinlich, dass er das sagte. Noch peinlicher war ihm der Blick, mit dem Dobbs ihn jetzt bedachte, so als wäre er ein Kind, das sich besudelt hätte.

Dobbs legte die Hand ans Kinn. »Tja, mein Junge, wir werden jetzt gemeinsam rekapitulieren müssen, was Sie in den letzten paar Tagen getan haben, okay?«

Paxton überlegte, wie schlimm es werden würde, wenn er sich weigerte. Auf jeden Fall würde man ihn feuern, aber das war das Schlimmste, was man ihm antun konnte. Sollte man das doch machen. Es gab auch anderswo auf der Welt Arbeit. Die meisten Jobs hatten zwar irgendwie mit Cloud zu tun, aber das war egal. Er würde schon irgendeine Möglichkeit zum Überleben finden.

Aber war Zinnia es wert, geschützt zu werden?

Sie hatte ihn benutzt.

Er hatte sie gefragt, ob sie mit ihm zusammenziehen wolle. Hatte ihr beinahe gesagt, dass er sie liebe. Ob sie ihn wohl insgeheim ausgelacht hatte? Tat ihr überhaupt irgendetwas leid?

Klar, sie hatte ihm möglicherweise das Leben gerettet, aber vor einem Anschlag, den sie selbst inszeniert hatte. Also hatte sie zuvor in Betracht gezogen, dass er ums Leben kam, und das für akzeptabel befunden.

»Es ist wirklich wichtig, dass Sie sich kooperativ verhalten, Paxton«, sagte Dobbs.

Paxton schüttelte langsam den Kopf.

»Wissen Sie überhaupt, wen Sie da beschützen?«

Paxton hob die Schultern.

»Sehen Sie mir in die Augen, mein Junge.«

Das wollte Paxton nicht, aber er fühlte sich gezwungen, Dobbs anzublicken, dessen Miene ebenso ausdruckslos wie undurchdringlich war.

»Wie wäre es dann damit«, sagte Dobbs. »Wie wäre es, wenn Sie jetzt in den Vernehmungsraum gehen und mit ihr reden?«

»Halten Sie das wirklich für klug?«

Dobbs erhob sich, wölbte den Rücken, als würde ihm das Mühe machen, und kam um den Tisch herum. Dann lehnte er sich so dagegen, dass sein Knie das von Paxton berührte. Paxton zuckte zurück.

Dobbs blickte auf ihn herab. »Helfen Sie uns, Ihnen zu helfen, mein Junge«, sagte er.

Zinnia

Der Mittelfinger war eindeutig gebrochen. Jedes Mal wenn sie die Faust ballte, durchfuhr sie ein kleiner Stich. Ihr Inneres wiederum fühlte sich an wie ein Sack Kartoffeln, den man mit Bleirohren bearbeitet hatte.

Als die Tür aufging, sah Zinnia die Person, die sie am wenigsten erwartet hätte, aber vielleicht sollte sie das auch nicht überraschen. Auf der Schwelle stand Paxton und starrte sie an, als wäre sie ein wildes Tier in einem klapprigen Käfig, das sich durch die Gitterstäbe stürzen könnte, um ihn zu verschlingen.

Diese gemeinen Hunde.

Paxton kam an den Tisch und zog den Stuhl ihr gegenüber über den Boden scharrend heraus. Dann setzte er sich ganz vorsichtig, so als wollte er sie nicht in Rage bringen.

»Es tut mir leid«, sagte Zinnia.

»Sie wollen, dass ich dich frage, wie du es getan hast. Was damit gemeint ist, hat man mir nicht richtig erklärt. Aber sie sagen, dass sie alles wissen wollen, was du seit deiner Ankunft getan hast, damit sie herausbekommen können, wie du es angestellt hast.«

Er sprach mechanisch wie ein Computer, der einen Text diktierte. Zinnia fragte sich, wen er dadurch wohl beschützen wollte. Sie hob leicht die Schultern.

»Sie haben mir gesagt, dass du mich benutzt hast, um an Informationen zu kommen.« Er sah sie an. »Stimmt das?«

Zinnia atmete tief ein, während sie darüber nachdachte,

was sie antworten sollte. Leider fiel ihr nichts ein, was sich auch nur annähernd passend anhören würde.

Paxton senkte die Stimme. »Sie denken, dass ich dir geholfen habe.«

Zinnia seufzte. »Es tut mir leid. Ganz ehrlich.«

Was tatsächlich nicht gelogen war.

»Was ist dein richtiger Name?«, fragte Paxton.

»Den habe ich vergessen.«

»Lass die Scherze.«

Wieder seufzte sie. »Ist doch nicht wichtig.«

»Für mich schon.«

Zinnia wandte den Blick ab.

»Na gut«, sagte Paxton. »Was hattest du hier zu schaffen?«

»Man hat mich angeheuert.«

»Wofür?«

»Für einen Auftrag.«

»Hör endlich auf, bitte«, sagte Paxton. In seinen Augen standen Tränen. »Sie sagen, du bist eine Killerin.«

»Die werden alles sagen, was sie sagen müssen, um dich gegen mich einzunehmen.«

»Also stimmt es nicht.«

Sie wollte das schon bestätigen, zögerte jedoch. Als Paxton das sah, wich alle Farbe aus seinem Gesicht, und da wusste sie, dass sie sich weitere Erklärungen sparen konnte. Ihr Zögern war Antwort genug gewesen.

»Ich konnte nicht zulassen, dass du in die Bahn steigst«, sagte sie.

»Fast hättest du es doch zugelassen.«

»Aber am Ende nicht.«

»Weshalb?«

»Weil ...« Sie schwieg. Blickte sich im Raum um. Betrachtete lange das Fenster, durch das man nichts sah.

»Weil ich dich mag.« Sie wandte sich ihm zu und sah ihn an. »Das ist die Wahrheit. Nicht alles, was ich dir erzählt habe, ist wahr, aber das schon.«

»Du magst mich«, sagte Paxton. Er bildete die Worte im Mund, als wäre darin etwas Scharfkantiges verborgen. »Du magst mich.«

»Ehrlich.«

»Sie wollen wissen, wie du es getan hast«, wiederholte er. »Was immer es ist. Dobbs sagt, du wärst nicht bereit, es ihnen zu erzählen. Er meint, ich kann dich dazu bringen.« Paxton hob die Schultern und ließ sie wieder sinken. »Dabei weiß ich nicht mal, was zum Teufel du überhaupt getan hast.«

Mit gehobener Augenbraue blickte Zinnia wieder zum Fenster hin. »Es ist besser, wenn du es nicht weißt.«

»Wieso?«

»Weil ich zu wissen glaube, was hier läuft.« Sie seufzte tief. »Und wenn das, was ich denke, wahr ist, dann besteht keinerlei Chance, dass ich diesen Ort lebend verlasse.«

Paxton erstarrte. Ihm schien bewusst zu sein, dass sich der Einsatz des Spiels nun erhöht hatte, und sah einen Moment lang nicht mehr wütend aus. »Nein«, sagte er. »Nein. Das würde ich nicht …«

»Du hattest nichts damit zu tun, was ich so oft und so laut bestätigen werde, wie es nötig ist«, sagte sie.

Paxton schien etwas erwidern zu wollen, ohne zu wissen, was. Sein Gesicht zog sich zusammen und erschlaffte wieder. Zorn, Furcht, Traurigkeit und vielleicht noch etwas anderes stiegen in ihm auf und ließen ihn erröten. Er sah aus wie ein leidendes Kind, und seine Qualen schnitten Zinnia ins Herz. In ihrem Leben war sie gefoltert, mit Messerstichen verwundet und angeschossen worden. Sie war aus großen Höhen abgestürzt und hatte sich zahllose Knochen gebrochen. Durch das alles hatte sie gelernt, den Schmerz als Freund zu betrachten, ihn zu verinnerlichen, sich in ihn zu versenken und ihn zu akzeptieren.

Das hier jedoch fühlte sich an, wie wenn sie zum ersten Mal richtig verwundet wurde.

Anstatt etwas zu sagen, stand Paxton auf. Er zögerte kurz und wandte sich dann zur Tür.

Zinnia hätte es ihm gern erzählt. Alles. Weshalb sie sich hier befand, worin ihr Auftrag bestanden hatte, sogar ihren richtigen Namen hätte sie ihm gern verraten. Aber seine Unwissenheit schützte ihn. Sie durfte ihn nicht mit in den Abgrund ziehen. Das hatte er nicht verdient.

Aber sie konnte auch nicht zulassen, dass das letzte Gespräch zwischen ihnen so endete. Deshalb sagte sie: »Warte.«

»Wieso?«

»Bitte.« Sie deutete mit dem Kinn auf den Stuhl. »Ich möchte dir noch etwas sagen. Danach kannst du tun, was du tun musst.«

Er ließ sich wieder auf den Stuhl nieder. Hob die Hand, wie um sie zum Weitersprechen aufzufordern.

»Weißt du, woran ich ständig denken muss?«, sagte sie. »An etwas, was Ember in dem Buchladen gesagt hat.«

»Und das wäre?« Seine Stimme war nur noch ein Hauchen.

»Sie hat eine Geschichte erwähnt, die ich selbst mal in meiner Jugend gelesen habe«, sagte sie und setzte sich zurecht. »Eine Utopie. Sie handelt von einem Ort, wo es weder Krieg noch Hunger gibt. Alles ist vollkommen. Aber um diesen Zustand aufrechtzuerhalten, muss ein

Kind in ein dunkles Zimmer eingesperrt werden, wo es ständig vernachlässigt wird. Wieso, weiß ich nicht. So funktioniert es halt. Kein Licht, keine Wärme, keine Freundlichkeit. Selbst die Leute, die dem Kind das Essen bringen, werden angewiesen, es nicht zu beachten. Das akzeptieren alle, weil es eben so funktioniert. Es ist wie ein magisches Gesetz, durch das die Dinge so bleiben, wie sie sind. Allen, die dort leben, geht es so gut, weil dieses eine Kind leidet, aber was ist ein einzelnes Leben gegenüber dem von vielen Milliarden?«

Paxton schüttelte den Kopf. »Wozu erzählst du mir das?«

»Die Geschichte hat mich immer wütend gemacht. Ich dachte, dass Menschen niemals so leben könnten. Wieso würde niemand dem Kind helfen wollen? Deshalb habe ich mir immer vorgestellt, ein neues Ende zu schreiben, wo irgendeine tapfere Gestalt in das Zimmer stürmt, das Kind in die Arme nimmt und ihm die Liebe schenkt, die man ihm verweigert hat.« Die letzten paar Worte brachte sie nur mühsam heraus, so als hätte sich die Erde geöffnet und etwas zum Vorschein gebracht, was darin vergraben war. »Die Leute in der Geschichte, die von dem Kind erfahren und nicht damit leben können, gehen einfach weg.« Sie lachte auf. »So heißt die Geschichte übrigens: ›Die Omelas den Rücken kehren‹. Von Ursula Le Guin. Lies sie doch mal.«

»Solche Geschichten interessieren mich nicht«, sagte Paxton. »Du hast mich angelogen.«

»Das ist ja das Problem. Siehst du das nicht? Niemand kümmert sich um irgendwas.«

»Hör auf damit.«

»Hast du nie jemand angelogen?«

»Nicht auf die Weise.«

»Hast du nie Mist gebaut?«

»Nicht auf die Weise!« Er betonte jedes einzelne Wort.

Sie seufzte. Nickte. »Ich wünsche dir ein gutes Leben.«

»Das werde ich haben«, sagte er. »Auf jeden Fall ein angenehmes. Hier, wo wir jetzt sind.«

Zinnia spürte, wie ihr Mund trocken wurde. »Du stellst dich also auf deren Seite?«

»Perfekt sind die natürlich nicht, aber immerhin habe ich hier einen Job und ein Dach über dem Kopf. Außerdem ist es vielleicht das Beste, es so zu arrangieren. Vielleicht hat ja der Markt bestimmt, hm?«

Zinnia lächelte. »Aber du könntest auch einfach weggehen.«

»Und wohin?«

Sie öffnete den Mund, als wollte sie sagen: *Siehst du es nicht? Begreifst du es nicht?* Sie hätte ihm so gern erzählt, was sie gesehen und gefunden hatte, was sie empfand, was dieser Ort ihm und ihr und allen anderen antat. Und der ganzen verdammten Welt.

Aber außerdem wollte sie, dass er am Leben blieb. »Denk dran, die Freiheit gehört dir, bis du sie aufgibst«, sagte sie deshalb und hoffte, dass das ausreichte.

Paxton schob den Stuhl zurück, stand auf und ging zur Tür.

»Tust du mir auch einen Gefallen?«, fragte Zinnia.

»Soll das ein Scherz sein?«

»Eigentlich sind es sogar zwei. Auf meinem Stockwerk wohnt jemand namens Hadley. In Wohnung Q. Schau mal nach ihr. Und pass auf dich auf.« Sie zuckte die Achseln und lächelte. »Das wär's. Mehr habe ich nicht für dich.«

Paxton

Als Paxton aus dem Raum stolperte, so unter Druck, als müssten ihm gleich Lunge, Herz und Haut platzen, stieß er auf ein kleines Rudel, das sich vor dem Fenster versammelt hatte, um die Szene zu beobachten. Er drängte sich hindurch und verzog sich in den nächsten Vernehmungsraum, der leer war. Setzte sich auf einen Stuhl und stützte den Kopf in die Hände.

Die Tür ging auf. Er hörte schlurfende Schritte, wollte aber nicht aufblicken. Er wollte den, der da hereinkam, anschreien, er solle ihn allein lassen. Wahrscheinlich war es Dobbs. Oder Dakota.

Der Stuhl ihm gegenüber ächzte.

Er hob den Blick vom Tisch und sah Gibson Wells vor sich.

Das Lächeln, das Wells auf dem Podium aufgesetzt hatte, als würde es zu seinem Gesicht gehören, war verschwunden. Er ließ die Schultern hängen, wodurch er an einen Raubvogel erinnerte. Während er so dasaß, atmete er tief ein und aus. Trotz allem – trotz seiner Krankheit und der Hektik heute – strahlte er Kraft aus. Der Krebs musste wirklich stark sein, wenn er einen solchen Mann in die Knie zwang.

Wells faltete die Hände auf dem Schoß, dann musterte er Paxton von oben bis unten. »Dobbs sagt mir, dass Sie einen guten Charakter haben. Dass man sich auf Sie verlassen kann.«

Paxton sah sein Gegenüber einfach an. Er hatte keine Ahnung, was er sagen sollte. Ihm fehlten sämtliche Worte.

Er hatte Angst vor dem, was er sagen würde, wenn er auch nur wagte, den Mund aufzumachen. Mit Gibson Wells zu sprechen war wie eine Audienz beim lieben Gott. Was würde man zu Gott wohl sagen?

Was geht, Alter?

»Ich kenne Dobbs ein bisschen«, sagte Wells. »Alle ein, zwei Jahre lade ich die Sheriffs aus den MotherClouds auf meine Ranch ein. Um sie kennenzulernen, da sie im Grunde der Kitt sind, der alles zusammenhält. Ich mag Dobbs sehr. Er ist vom alten Schlag, genau wie ich. Nimmt seine Arbeit ernst. Macht keinen Blödsinn. Sorgt dafür, dass die Zahl der Vorfälle hier extrem gering bleibt. Das hier ist wahrscheinlich die sicherste MotherCloud, die wir haben. Wenn er mir also sagt, dass man sich auf Sie verlassen kann, reicht mir das mehr oder weniger aus. Trotzdem möchte ich mich eine Weile selbst mit Ihnen zusammensetzen. Um ein Gefühl zu bekommen, wer Sie sind. Also sagen Sie mir, mein Junge – kann man sich auf Sie verlassen?«

Paxton nickte.

»Nun machen Sie mal den Mund auf«, sagte Wells.

»Man kann sich auf mich verlassen, Sir.«

Nun lächelte Wells wieder. Es war ein bissiges Lächeln. »Gut. Dann werde ich Ihnen jetzt erzählen, was geschehen ist. Ich verlasse mich darauf, dass das unter Freunden bleibt.«

Bei dem Ton, in dem er das Wort *Freunde* aussprach, wurde Paxton zugleich warm und kalt.

Wells fuhr fort. »Sie wissen es vielleicht nicht, aber die ganzen großen Warenhausketten, die überhaupt noch im Geschäft sind, befinden sich im Besitz desselben Konzerns. Red Brick Holdings. Als nach den Massakern am Black Friday immer weniger Leute persönlich einkaufen gegangen sind, standen viele Geschäfte vor der Insolvenz. Daraufhin ist Red Brick auf den Plan getreten, hat alle gerettet und unter einem großen Schirm versammelt. Können Sie mir so weit folgen?«

»Ja«, sagte Paxton laut und deutlich.

»Gut. Nun ist es so, dass die Besitzer dieses Konzerns mich nicht besonders mögen. Da Sie einen ziemlich cleveren Eindruck machen, verstehen Sie bestimmt, warum das so ist. Deshalb haben besagte Leute diese Frau damit beauftragt, in unsere Energieverteilungsanlage einzubrechen, um herauszubekommen, wie wir unseren Strom erzeugen. Wissen Sie eigentlich, wie wir das tun?«

»Nein, leider nicht«, sagte Paxton.

»Na, sagen wir einfach, es ist innovativ und sehr speziell, und es wird die Welt wieder in Ordnung bringen. Sie haben noch keine Kinder, oder?«

»Nein.«

Wells nickte ernst. »Irgendwann werden Sie sicher welche bekommen – Sie sind ja jung und haben viel Zeit –, und wenn deren Kinder, also Ihre Enkel, geboren werden, werden sie wieder draußen spielen können. Sogar mitten im Sommer. Darauf läuft es hinaus. Ganz nett, oder?«

Paxton konnte es fast nicht glauben. Es klang zu absurd, um wahr zu sein. Seit Jahren entwickelte man eine Idee nach der anderen, wie die Umwelt regeneriert werden könnte, aber nichts davon hatte geklappt. »Ja, Sir, das ist es.«

»Natürlich ist es das. Deshalb hat man diese Frau angeheuert, uns Betriebsgeheimnisse darüber abzuluchsen. Und zu meinem großen Bedauern hat man sie auch noch dafür bezahlt, mich umzubringen. Als ob ich nicht in ein paar Wochen ohnehin unter der Erde liegen würde.

Also hat sie versucht, mich zu töten, und sie arbeitet für den Feind.« Wells beugte sich vor. »Das ist schwierig für Sie, ich weiß, aber ich will, dass Sie verstehen, wie diese Puzzleteile alle ineinandergreifen. Es ist wichtig, dass Sie das ganze Bild sehen.«

»Okay«, sagte Paxton.

»Das ist alles? Einfach nur okay?« Wells sagte das in dem ungläubigen Ton eines Vaters, der nicht fassen konnte, dass sein Sohn Widerworte von sich gab.

»Nein, nein, natürlich nicht okay. Ich weiß, dass es nicht einfach nur okay ist, es ist bloß ...«

Wells hob die Hand. »Es ist ein bisschen viel, ja. Hören Sie, ich will Ihnen etwas klarmachen. Sie haben mir das Leben gerettet. Das betrachte ich nicht als Kleinigkeit, und Sie werden dafür belohnt werden. Garantierte Beschäftigung. Ihr Ranking? Hat keine Bedeutung mehr. Sie haben bei Cloud jetzt einen lebenslangen Status, und nach dem, was Dobbs über Sie sagt, habe ich den Eindruck, dass er große Dinge mit Ihnen vorhat. Auf jeden Fall wird Ihr Leben von nun an deutlich leichter sein.« Er legte eine Hand auf den Tisch. »Aber im Gegenzug brauche ich etwas von Ihnen.«

Paxton hielt den Atem an.

»Sie müssen das Ganze ein für alle Mal abhaken«, sagte Wells. »Vergessen Sie, was geschehen ist. Gehen Sie aus der Tür da in ein angenehmes Leben raus. Sprechen Sie nie wieder darüber. Nicht mal mit Dobbs.« Er senkte die Stimme zu einem leisen Knurren. »Sie müssen begreifen, wie wichtig es für mich ist, dass nichts von alldem bekannt wird.«

Als er das sagte, stand in seinem Gesicht ein Lächeln. Sein Ton hatte nichts davon.

»Was wird mit der Frau geschehen?«, fragte Paxton.

Wells schnitt eine Grimasse. »Interessiert Sie das wirklich? Nach allem, was sie Ihnen angetan hat? Das ist die falsche Frage, die Sie mir jetzt stellen, mein Junge.«

Paxton dachte an die vergangene Nacht. Daran, wie er Zinnia beinahe gesagt hatte, dass er sie liebe. Dass ihre Haut sich warm und weich angefühlt hatte. An ihre Hände und ihre Lippen. Und daran, dass sie dabei die ganze Zeit vorgehabt hatte, ihn zu hintergehen.

Man würde sie bestimmt nicht umbringen. Das konnte man einfach nicht tun. Schon die Vorstellung war aberwitzig.

»Das wär's also«, sagte Wells. »Ich werde jetzt aus der Tür da gehen und mich um alles kümmern, und ich rechne damit, dass Sie meinen Vorschlag annehmen. Gibt es noch etwas, was Sie mir sagen oder mich fragen wollen, bevor ich gehe?« Er blickte sich in dem leeren Raum um und lächelte. »Die Gelegenheit dazu bekommen nicht gerade viele Leute.«

Ich bin der frühere Besitzer vom Perfekten Ei. Es war mein Lebenstraum, eine eigene Firma zu besitzen, und den habe ich mir erfüllt, aber dann hat Cloud mich aus dem Geschäft gedrängt. Ich musste meinen Traum aufgeben und hierherkommen, um für Sie zu arbeiten. Ich war Unternehmer, und jetzt bin ich ein besserer Wachmann. Die Frau, die ich liebe, hat mich hintergangen, und alles, was ich in meiner Zukunft sehe, ist ein einsames Leben, in dem ich über die Promenade der MotherCloud hier wandere. Das ist meine Belohnung.

»Nein, Sir«, sagte Paxton und verschränkte so fest die Hände, dass er das Blut aus den Adern presste.

Gibson Wells nickte. »Sehr gut, mein Junge.«

Zinnia

Als Gibson Wells durch die Tür trat, hatte Zinnia den Eindruck, dass ihm der Schatten des Todes folgte. Er stank danach mit seiner papierdünnen Haut und dem trüben Schimmer in den Augen. Offenbar klammerte er sich mit letzter Kraft ans Leben. Es war erstaunlich, dass er noch auf den Beinen stand.

»Wo ist Paxton?«, fragte sie.

Mit einem animalischen Glitzern in den Augen musterte Wells sie von oben bis unten. Ob er wohl überlegte, was er sich ihr gegenüber leisten konnte?

Er setzte sich so vorsichtig auf die andere Seite des Tischs, als hätte er Angst zu zerbrechen, faltete die Hände im Schoß und sagte: »Dem geht es gut.«

Zinnia hatte eine Menge Fragen, aber die erste und wichtigste lautete: »Hört uns gerade jemand zu?«

Er schüttelte den Kopf. »Man kann uns sehen, aber nicht hören.«

Ihr wurde flau im Magen. Sie fühlte sich wie inmitten eines riesigen, dunklen Ozeans. Keine Küste in Sicht, und etwas schnappte nach ihren Fersen. Deshalb paddelte sie wie wild nach einem Rettungsring.

»Sie haben mich selbst angeheuert, oder?«, sagte sie.

Die Lippen von Wells zuckten. Er rutschte auf dem Stuhl herum, als wollte er eine bequemere Position finden.

»Wie haben Sie das herausbekommen?«

»Ich hätte es gleich erraten sollen, weil Sie mir so viel Geld angeboten haben.« Sie lachte. »Wer könnte sich das sonst leisten?«

Er nickte. »Haben Sie schon mal von Jeremy Bentham gehört?«

»Klingt bekannt.«

Wells lehnte sich zurück und schlug mit großer Mühe ein Bein über das andere. »Bentham war ein englischer Philosoph. Gestorben 1832. Kluger Bursche. Berühmt wurde er durch sein Konzept des Panopticons. Wissen Sie, was das ist?«

Auch das hörte sich nach etwas an, was tief in Zinnias Erinnerung verborgen war, aber sie schüttelte den Kopf.

Wells hob die Hände, wie um etwas zu umschreiben. »Stellen Sie sich ein Gefängnis vor. In diesem Gefängnis kann ein einziger Wärter sämtliche Gefangenen beobachten, aber die wissen nicht, ob sie in einem bestimmten Moment beobachtet werden. Bildlich am besten vorstellen kann man sich das als einen großen runden Raum, an den wie bei einer Bienenwabe sämtliche Zellen angrenzen. Im Zentrum steht ein Wachturm, von wo aus man in jede einzelne Zelle blicken kann, weil man eine Perspektive von dreihundertsechzig Grad hat. Wenn aber die Gefangenen zu dem Turm hinaufblicken, sehen sie nur diesen, nicht den Wächter. Sie wissen nur, dass der sie möglicherweise gerade beobachtet. Können Sie mir so weit folgen?«

»Ich glaube schon«, sagte Zinnia. »Hört sich allerdings eher nach einem Gedankenexperiment als nach einem echten Bauplan an.«

»Zur Zeit von Bentham war es genau das. Eine Idee, wie man Menschen dazu bringen könnte, sich anständig zu verhalten. Wenn jemand ständig unter Beobachtung ist, denkt er: Ich könnte zwar etwas Schlimmes tun, aber da ich dabei vielleicht erwischt werde, tue ich es lieber nicht. Das war eine ziemlich gute Idee, die in jener Zeit jedoch nicht richtig verwirklicht werden konnte.« Wells lächelte und ließ den Zeigefinger wie ein Zirkusmagier in der Luft kreisen. »Heute ist die Lage anders. Es gibt Videoüberwachung und GPS. Wenn man sich die Bevölkerung einer MotherCloud anschaut, ist sie größer als die Einwohnerschaft manch einer Stadt. Es würde ein Vermögen kosten, einen solchen Ort mit entsprechend vielen Polizisten auszustatten.«

Wells lehnte sich zurück und atmete tief durch, wie um neue Energie zu schöpfen.

»Nun ist es jedoch so, dass ich das gar nicht tun muss«, fuhr er fort. »Wenn man sich die Zahlen ansieht – das Vorkommen von Mord, Vergewaltigung, Körperverletzung, Raub –, so sind die erheblich niedriger als die einer Stadt in vergleichbarer Größe. Ist Ihnen klar, was für eine Leistung das ist? Dafür sollte ich den Friedensnobelpreis bekommen, verdammt noch mal!«

»Sie sind ein Wohltäter der Menschheit.«

Wells hob eine Augenbraue, ignorierte die Spitze sonst aber. »Jedenfalls habe ich hier etwas geschaffen.« Er wies mit großer Geste auf den kleinen, dürftigen Raum. »Ein besseres Modell, als wir es früher hatten. Ich habe Städte von Grund auf neu gebaut.« Sein Gesicht verzog sich zu einem grässlichen Lächeln. »Allerdings muss man von Zeit zu Zeit den Reifendruck und den Ölstand prüfen. Überwachungsaufnahmen mag ich nicht, das stimmt. Es ist wirklich unangenehm, wenn man bei jedem Blick nach oben eine Kamera sieht. Teuer ist es außerdem. Deshalb dachte ich mir, wenn die Leute überall eine Tracking-Uhr tragen, wissen sie im Unterbewusstsein, dass sie kaum etwas ungestraft anstellen können. Das ist wie ein eingebautes Sicherheitssystem. Wieso sollte man doppelt Geld ausgeben?« Er zuckte die

Achseln. »Genau das ist meine Aufgabe. Etwas in die Hand nehmen, es rationalisieren und dafür sorgen, dass es besser funktioniert. Was allerdings bedeutet, dass ich das System ab und zu überprüfen muss. Was Sie heute entdeckt haben, ist etwas ganz Neues, und ich muss dafür sorgen, dass es geheim bleibt, bis ich bereit bin, es zu enthüllen.«

»Leicht haben Sie es mir nicht gemacht, das muss ich zugeben. Bis auf die Tatsache, dass im Empfangsbereich der Energieanlage nur eine einzige Frau saß. Das war ein echter Patzer.«

»Wir haben zu viele Leute zur Zeremonie gehen lassen, was ein Fehler war. Aber wir sind bewusst ein Risiko eingegangen. Ich hätte ohnehin nie gedacht, dass Sie es so weit schaffen. Wie haben Sie eigentlich die Bahnlinie entdeckt, die vom CloudBurger zur Recyclinganlage führt?«

»Das kann ich Ihnen schon sagen, aber es ist ein bisschen kompliziert.« Sie beugte sich vor, was er daraufhin ebenfalls tat. Doch anstatt seine Neugier zu befriedigen, sagte sie: »Sie können mich mal am Arsch lecken. Sie und Ihre Shitburger.«

»Also bitte«, sagte er und schnaubte, was wohl ein Lachen imitieren sollte. »Solche Ausdrücke ziemen sich nicht für eine so hübsche junge Dame. Sie haben ausgezeichnete Arbeit geleistet. Ganz ausgezeichnete.« Er wedelte mit der Hand. Das tat er offenbar gern. Als würde ein Wedeln mit der Hand ausreichen, alles zu verscheuchen, was ihn störte. Als ob alles auf der Welt für ihn nur ein Rauchkringel wäre. »Was die Hamburger angeht ... Nun ja, das würden die Leute leider nicht verstehen. Durch das Abfallrecycling ergibt sich eine gewaltige Ersparnis für die Umwelt. Die Reduktion der Rinderpopulation bedeutet einen erheblich geringeren Methanausstoß. Außerdem hat sich bisher kein Einziger beschwert. Bei CloudBurger essen mehr Menschen als in jedem anderen Restaurant einer MotherCloud.«

Im Magen von Zinnia gluckerte es. Mit großer Sicherheit hatte sie vorhin schon alles ausgekotzt, hätte aber gern noch ein bisschen auf den Tisch gespuckt, nur um zu sehen, wie der alte Kerl da zurückzuckte.

»Jetzt kommt die wirklich wichtige Frage«, sagte Wells. »Wieso haben Sie versucht, mich umzubringen? Das hat nämlich bestimmt nicht zu dem Auftrag gehört, den man Ihnen übermittelt hat.«

»Das verrate ich Ihnen, wenn Sie mir auch was verraten«, sagte Zinnia. »Der Kasten in der Energieverteilungsanlage. Was ist das?«

Wells legte den Kopf schief und stellte das übergeschlagene Bein wieder auf den Boden. Strich die Hose glatt. Zinnia dachte schon, er würde sich sperren, doch dann sah er sie an und sagte: »Es kommt wohl nicht mehr darauf an.«

Zinnia stockte der Atem.

»Kalte Fusion«, sagte er. »Wissen Sie, was das ist?«

»Nur in einem sehr allgemeinen Sinne.«

»Fusion ist eine Kernreaktion«, sagte Wells, beugte sich wieder vor und legte die Ellbogen auf den Tisch. »Normalerweise findet sie in Sternen statt, unter gewaltigem Druck und bei Millionen Grad Hitze. Dabei entsteht eine fantastische Menge Energie. Deshalb versucht die Wissenschaft seit langer Zeit, das Geheimnis der kalten Fusion zu entschlüsseln. Das ist derselbe Prozess, aber bei Zimmertemperatur. Diese Anlage hier ...« Er machte wieder eine weit ausholende Geste. »Diese gesamte Anlage wird mit einem jährlichen Energieaufwand betrieben, der einigen Hundert Litern Benzin entspricht. Wir stehen kurz vor der Massenproduktion.«

»Das … würde die Welt verändern«, sagte sie. In ihrem Bauch spürte sie einen Funken Hoffnung, der aber gleich wieder erlosch, weil ihr klar wurde, dass sie das – falls es wirklich je dazu kam – nicht mehr erleben würde.

»Ja, das wird es«, sagte Wells. »So viel wir auch für grüne Energie getan haben, an manchen Stellen wird noch Gas und Kohle gefördert. Nun aber haben wir eine Zauberformel dafür, diese Branchen endgültig zu erledigen. Es wird ausnahmsweise ein Vergnügen für mich sein, Leute arbeitslos zu machen.«

»Wieso halten Sie es dann bislang geheim?«

Er richtete sich auf und sah sie an, als ob sie ihn veräppeln wollte. »Weil es sich um nahezu grenzenlose Energie handelt. Da stellt sich die Frage, wie man das zu Geld machen kann. In Wahrheit habe ich mir allerdings ein höheres Ziel gesetzt. Ich glaube, es ist an der Zeit, die Regierung, diesen schwerfälligen Dinosaurier, von ihrem Elend zu erlösen. Und damit wird mir das gelingen.«

»Das hört sich jetzt aber sehr nach irgendwelchem Superschurkenblödsinn an«, sagte Zinnia. »Wollen Sie etwa die Weltherrschaft an sich reißen?«

»Nein, meine Liebe, ich werde diese Technologie völlig kostenlos jedem Land anbieten, das sie haben will, und zwar im Austausch dafür, dass es den überwiegenden Teil der öffentlichen Dienstleistungen privatisiert und von uns organisieren lässt. Bei der Luftfahrtbehörde habe ich bereits bewiesen, dass wir so etwas besser können. Wollen Sie eine Technologie, die die Welt verändert, denn wirklich diesen Witzfiguren im Parlament überlassen? Was würden die wohl damit tun? Sie würden alles verzögern. Es zu Tode regulieren. Falls sie nicht sogar versuchen würden, es ganz zu verhindern, weil es gegen die Interessen der Gas- und Erdöllobby verstößt. Nein. Ich bin derjenige, der das in die Hand nehmen wird.«

»Mit welchem Recht?«

Er setzte ein derart breites Grinsen auf, dass Zinnia schon befürchtete, sein Gesicht werde gleich bersten. »Weil ich außergewöhnlich bin.«

Er sagte das mit großem Stolz, aber sein Blick zuckte dabei im Raum umher, als handelte es sich um eine Eigenschaft, die er allzu lange vor der Welt verborgen gehalten hatte, und jetzt hätte er endlich jemand gefunden, dem er sich genau so mitteilen konnte, wie er es wollte. Durch diese vier Wörter erfuhr Zinnia alles über ihn, was sie wissen musste.

»Sehen Sie sich doch an, was ich geschaffen habe«, fuhr er fort. »Ich versuche, die Welt wieder in Ordnung zu bringen, und ich habe es satt, die Hände in den Schoß zu legen, während andere Leute meine Bemühungen zu Fall bringen wollen. Dieser ganze Unsinn, diese widersprüchlichen Regeln und Regulierungen, die dem wahren Fortschritt im Weg stehen und die Rettung verhindern ...« Seine Stimme hatte sich gehoben, sein Gesicht gerötet. »Nur eines bedaure ich – dass ich diese Entwicklung nicht mehr erleben werde. Aber dafür habe ich Claire. Sie wird die größte Expansion von Cloud in die Wege leiten, die es je gegeben hat. Wir haben ein Modell gefunden, das funktioniert, und es ist an der Zeit für alle anderen, es zu übernehmen. Selbst das kleinste Ding auf dieser Welt, das nicht läuft, wie es soll, werden wir in Ordnung bringen.«

Er schloss die Augen und atmete tief durch. Legte dabei eine Hand auf die Brust.

»Tut mir leid, das ist ein Thema, bei dem ich ein bisschen leidenschaftlich werde«, sagte er. »Was aber kein Wunder ist. Wissen Sie, dass wir inzwischen mehr medizinische Leistungen erbringen als die nicht zu uns gehörenden Krankenhäuser? Dass an Cloud-Schulen mehr Kinder angemeldet sind als an allen anderen? Auf unseren Servern speichert selbst die CIA ihre Daten. Deshalb ist das der logische nächste Schritt.«

»Soll das ein Witz sein?«, stieß Zinnia so laut hervor, dass Wells auf seinem Stuhl ein Stück weit zurückrutschte. »Waren Sie in letzter Zeit einmal im Freien? Auf der ganzen Welt sterben die Menschen. In diesem Moment stirbt ein Kind, und Sie haben die Möglichkeit, etwas dagegen zu tun, wollen es aber zurückhalten, bis Sie dafür eine Gegenleistung bekommen?«

Wells hob mit zufriedener, koboldhafter Miene die Schultern. »Wir werden bekommen, was wir brauchen, und die Welt wird ein besserer Ort sein. Aber jetzt schulden *Sie* mir eine Antwort, glaube ich. Wer wollte mich umbringen lassen?«

Zinnia nickte. Sie freute sich darüber, es ihm heimzuzahlen. »Das waren Sie selbst«, sagte sie.

Sein Gesicht verdüsterte sich.

»Vor etwa einer Woche habe ich zusätzlich die Instruktion erhalten, Sie zu töten. Das habe ich natürlich nicht angezweifelt, weil ich da noch nicht wusste, dass Sie hinter allem stecken. Ich dachte tatsächlich, es wäre ein konkurrierendes Unternehmen. Wenn Sie also wissen wollen, wer Ihnen den Tod wünscht, müssen Sie nur die Person fragen, die mir die Anweisung überbracht hat.« Sie machte eine dramatische Pause. »Offenbar liebt man Sie nicht so sehr, wie Sie denken.«

Wells sank in sich zusammen. Er betrachtete die im Schoß liegenden Hände, zwei knochige Gebilde, die in papierdünne, von Venen durchzogene Haut gehüllt waren. »Dieser Dreckskerl ...«, murmelte er, schüttelte jedoch gleich wieder alles von sich ab und sah Zinnia mit jenem Glitzern in den Augen an. »Ich danke Ihnen«, sagte er. »Adieu!«

»Moment«, sagte Zinnia. »Wie geht es jetzt weiter?«

Wells, der bereits aufgestanden war, lachte nur kurz auf und setzte sich in Bewegung.

»Was geschieht mit mir?«

Er blieb stehen. Drehte sich zu ihr um. Musterte sie abermals von Kopf bis Fuß. »Wenn ein Elefantentrainer einen kleinen wilden Elefanten fängt, bindet er ihn an einen Baum. Der kleine Elefant wehrt sich und versucht mit aller Kraft, sich loszureißen, aber er ist einfach nicht stark genug. Nach einigen Tagen gibt er auf. Auch wenn er größer wird, glaubt er daher, er könne seine Fesseln nicht zerreißen. Deshalb ist es möglich, einen ausgewachsenen Elefanten mit einem Seil, das er mit einem simplen Ruck zerfetzen könnte, an einen Baum zu binden. Man nennt das erlernte Hilflosigkeit. Alles hier ist auf Leuten aufgebaut, die meinen, das Seil könnte nicht reißen. Das Allergefährlichste für mein Geschäftsmodell ist daher jemand, der erkennt, wie brüchig das Seil in Wirklichkeit ist.«

Er zwinkerte ihr zu, dann schloss sich hinter ihm die Tür. Etwas jedoch war geblieben, und nach wenigen Augenblicken wurde Zinnia bewusst, dass es sich um den Schatten des Todes handelte. Der war ihm hereingefolgt, jedoch nicht mit ihm verschwunden.

Paxton

»Wo ist er?!«

Die Worte dröhnten so tief aus Gibson Wells heraus, als würden sie seinen geschwächten Körper gleich zerbrechen lassen. Paxton, der auf Anordnung von Dobbs in einer der Bürokabinen wartete, sprang auf und lief in die Richtung, aus der das Gebrüll kam. Das taten auch fast alle anderen, die in der Nähe waren, weshalb er sich bald mit den Ellbogen durch das Gemenge kämpfen musste.

Wells stand vor Ray Carson, der auf einem Stuhl saß und schützend die Hände über den Kopf gehoben hatte. Es war ein regelrecht komischer Anblick, wie der bullige Mann sich vor jemand duckte, den schon ein Windhauch umblasen konnte.

Dennoch begriff Paxton es. Nachdem er Wells gegenübergesessen und mit ihm gesprochen hatte, begriff er es nur zu gut. Und in diesem Moment machte es auch klick. Er sah wieder vor sich, wie Carson in der Bahn in Panik geraten und herausgestürmt war. Wie wenn er wusste, dass etwas passieren würde.

»Das warst du, oder?«, brüllte Wells.

»Ich hab keine Ahnung, wovon du da redest«, sagte Carson.

»Du lügst! Was sollte das werden, hm? Rache oder was?«

Carson erhob sich langsam und vorsichtig. Dabei sah er sich Hilfe suchend um, aber niemand reagierte. »Was du vorhast, ist völlig irrsinnig«, sagte er. »Ist dir das nicht klar? Du bist nicht so gottgleich, wie du meinst, Gib.«

Wells machte einen Schritt vor, sodass er Carson fast berührte. »Und Claire? Was wolltest du mit der anfangen? Sie etwa auch umbringen?«

»Die ist wie ein Kind. Ich hätte sie einfach an die Zügel genommen.«

»He!« Eine Frauenstimme.

Claire trat aus dem Pulk und versetzte Carson einen Hieb quer übers Gesicht.

Er nahm das hin, wich ein paar Schritte zurück und richtete den Blick auf Wells. »Kein Wort mehr. Jedenfalls nicht hier.«

»Gut.« Wells wandte sich an Dobbs. »Schaffen Sie ihn bloß weg. Stecken Sie ihn einfach zu dieser Frau.«

Dobbs winkte zwei Blauen, die Carson an den Armen packten und wegzerren wollten. Als er sich wehrte, trat Dobbs auf ihn zu und schlug ihm die Faust in den Magen.

Carson krümmte sich stöhnend, dann hob er den Blick. »Sie wissen, dass ich richtigliege, Dobbs. Das wissen Sie!«

Dobbs nahm die schwere Taschenlampe von seinem Gürtel und hämmerte Carson den Stiel ins Gesicht. Man hörte ein feuchtes, dumpfes Krachen, bei dem die Beobachter zusammenzuckten. Nur Gibson Wells nicht. Der lächelte. Carsons Kopf baumelte hin und her wie losgelöst; aus seiner zertrümmerten Nase lief Blut.

Während die beiden Blauen Carson davonschleppten, wandte Dobbs sich an das Publikum. »Besprechungsraum B. Jetzt sofort.« Alle sahen sich an, als hätten sie den Befehl nicht verstanden, weshalb Dobbs nun brüllte: »Sofort!«

Der Pulk löste sich auf, und die Leute gingen auf den Flur zu, der zum Besprechungsraum führte.

Nur Paxton blieb zurück und fasste Dobbs am Arm. »Bevor wir da reingehen, müssen wir miteinander reden«, sagte er.

Dobbs schüttelte die Hand zuerst ab und schien sich zu verweigern, ließ sich von Paxton dann aber doch in einen leeren Vernehmungsraum ziehen, den nächsten Ort, wo sie sich ungestört unterhalten konnten.

»Machen Sie's kurz«, sagte Dobbs.

»Sie meint, dass man sie umbringen wird.«

»Wer meint was?«

»Zinnia. Sie meint, dass man sie töten wird, damit sie nichts ausplaudern kann.«

Dobbs kniff die Augen zusammen und betrachtete Paxton, als könnte er kaum glauben, was er da hörte. Dann lachte er. »Wir sind hier nicht in einem Kinofilm. Von uns wird niemand umgebracht.«

Paxton hatte ja gewusst, dass Zinnia sich täuschte, dass sie irrationale Ängste hatte, aber es tat trotzdem gut, die Bestätigung zu hören. Er überlegte, ob es noch etwas anderes gab, was er jetzt sagen oder tun sollte.

»Es ist schwer, ich weiß«, sagte Dobbs. »Wir müssen ein bisschen Schadensbegrenzung betreiben, aber alles wird wieder in Ordnung kommen, ganz bestimmt. Wie ich sehe, sind Sie total geschafft. Also wie wär's, wenn Sie jetzt einfach in Ihre Wohnung gehen? Ruhen Sie sich erst mal aus.«

Paxton holte tief Luft, um den Mut aufzubringen, die Frage zu stellen, die er nicht stellen durfte. »Darf ich sie noch einmal sehen? Ein letztes Mal?«

Dobbs schüttelte den Kopf. »Unmöglich, mein Junge.«

Paxton stand wie angewurzelt da. Er wollte kämpfen, nahm sich das jedoch zugleich übel. Außerdem war er wütend auf sich, weil er überhaupt gefragt hatte. Er war aus so vielen Gründen wütend auf sich, also sagte er einfach nur: »Ich verstehe«, drehte sich um und ging.

Auf dem Weg zu den Aufzügen, in der Bahn und beim Gang durch die Eingangshalle von Oak kam ihm sein Kopf wie ein großer, leerer Raum vor. Wie ein Raum, der voller Dinge hätte sein sollen, es aber nicht war. Als er am Aufzug sein CloudBand an den Scanner hielt, fiel ihm ein, was Zinnia ihm aufgetragen hatte. Er machte sich auf zu Maple und fuhr dort in ihre Etage hinauf, aber als er vor Wohnung Q stand, fragte er sich, was er ihr eigentlich schuldete.

Dieser Frau, von der er angelogen und manipuliert worden war. Die sich seine Stellung zunutze gemacht hatte.

Gut, er hatte auch schon Scheiße gebaut.

Aber nicht so.

Jeder machte mal einen Fehler, und Paxton hatte viele gemacht.

Aber nicht so wesentliche.

Das sagte er sich vor wie ein Mantra.

Er hob die Hand und klopfte. Hörte auf der anderen Seite der Tür absolut nichts. Überlegte, ob er sich wieder davonmachen sollte. Etwas in Zinnias Stimme hatte ihm jedoch Sorgen gemacht, weshalb er nun noch einmal klopfte. Dann spähte er nach allen Seiten, und weil er niemand im Flur sah, hielt er einfach seine Uhr an die Scannerscheibe. Sie leuchtete grün auf, und er trat ein.

Die Wohnung stank nach schalem Essen. Auf der Matratze lag jemand zusammengerollt unter der Decke. Eigentlich hätte er wieder gehen sollen, aber die Gestalt rührte sich nicht, obwohl das vom Flur her eindringende Licht auf sie fiel. Er betrachtete sie in der Hoffnung, dass sie sich doch noch bewegte, aber das tat sie nicht. Daraufhin trat er zum Bett und schlug die Decke zurück.

Sah eine hübsche junge Frau mit langen Haaren daliegen. Er musste sie nicht berühren, musste ihr nicht den Puls fühlen, um zu wissen, dass sie tot war.

Er hob seine Uhr und wollte Meldung erstatten, drückte die Krone und hätte dann etwas sagen sollen, schwieg jedoch. Er war fertig. Hatte keine Kraft übrig. Heute jedenfalls nicht mehr.

Die Blase, in der er sich befand, platzte, und alles in ihr strömte wirr ins Leere. Er drehte sich um, ging zurück zu Oak, fuhr in seine Wohnung hoch, ließ sich auf die Matratze fallen und starrte an die Decke.

Da fiel ihm etwas anderes ein, was Zinnia gesagt hatte.

Etwas über die Freiheit, die man habe.

11. Lebensdauer

Eine spezielle Botschaft von Claire Wells

Mit unsäglicher Trauer und Betroffenheit möchte ich mitteilen, dass mein Vater heute Morgen um 9.14 Uhr in seinem Heim in Arkansas verstorben ist, umgeben von Freunden, Angehörigen und seinen geliebten Hunden. Ich freue mich, berichten zu können, dass er mit einem Lächeln dahingegangen ist, in einem Raum voller Liebe. Das ist immerhin ein gewisser Trost.

Mein Vater gilt als einer der großen Geister seiner Generation, als unvergleichlicher Denker und Erneuerer. Sein Einfluss reicht in jeden Winkel der Erde.

Aber außerdem war er mein Vater.

Momentan muss ich mich mit vielem auseinandersetzen, nicht zuletzt mit der unglaublichen Verantwortung, Cloud zu übernehmen. Ich habe den Eindruck, dass ich mich mein Leben lang darauf vorbereitet habe, doch zugleich habe ich nicht das Gefühl, bereit dafür zu sein. Für so etwas kann man jedoch einfach nicht »bereit« sein. Man stürzt sich hinein und tut sein Bestes.

Ich freue mich, als erste größere Ernennung meiner Amtszeit bekannt zu geben, dass Leah Morgan als meine Stellvertreterin fungieren wird. Sie hat ihren Master of Business Administration in Harvard gemacht, wird im Kreis ihrer Mitarbeiter geschätzt und ist vor allem eine langjährige Freundin. Ich bin mir sicher, dass mein Vater diese Entscheidung voll und ganz unterstützt hätte, da er immer ausgesprochen viel von Leah gehalten hat.

Zudem möchte ich eine weitere Ankündigung machen. Sie ist von großer Bedeutung.

Gern hätte ich dies etwas früher mitteilen wollen, doch das Projekt befand sich noch in seiner letzten Vorbereitungsphase. Es ist das letzte Projekt, an dem mein Vater gearbeitet hat, und es ist jenes, auf das er am meisten stolz war: CloudPower. Über Jahre hinweg hat Cloud Hunderte Millionen Dollar in die Forschung nach neuen Formen von sauberer Energie gesteckt, und wir stellen mit Freude fest, dass wir einen emissionsfreien Prozess zur Erzeugung gewaltiger Energiemengen entwickelt haben. Bis zum Ende des Jahres werden wir sämtliche MotherCloud-Anlagen mit dem neuen System ausstatten. Zugleich werden wir eine Partnerschaft mit der Regierung der Vereinigten Staaten eingehen, um diese Technologie in jeden Winkel dieses Landes zu bringen. Wir hoffen, dass möglichst viele Länder der Welt folgen werden.

Wir versprechen unseren Kunden günstige Kosten sowie Unterstützung beim Bau der erforderlichen Anlagen. Innerhalb der nächsten Jahrzehnte könnte die gesamte Erde durch CloudPower versorgt werden, was ein entscheidender Schritt zur Heilung unserer verwüsteten Umwelt wäre.

Das ist das Vermächtnis meines Vaters, auf das ich ungemein stolz bin.

Zum Abschluss sollte ich eigentlich noch etwas Inspirierendes sagen, aber das war in meiner Familie immer die Rolle meines Vaters, während ich lieber zugehört habe. Meiner Meinung nach ist das immer die beste Möglichkeit, etwas zu lernen. Deshalb werde ich das auch weiterhin so halten. Ich werde zuhören und lernen, immer im Einklang mit den Werten, die unser Unternehmen erfolgreich gemacht haben.

Es sind die Werte, die mein Vater mir vermittelt hat.

Paxton

Paxton spürte das Eis an seine Zähne stoßen, während er den letzten Rest Wodka hinunterschüttete. Es war sein dritter. Oder sein vierter; er machte sich nicht die Mühe zu zählen. Er zog sein Handy aus der Tasche und öffnete die Nachrichtenapp, als könnte ihn tatsächlich etwas erwarten. Da er nichts vorfand, winkte er den Barkeeper herbei, um ein weiteres Glas zu bestellen.

Aus den Augenwinkeln sah er am Eingang der Kneipe die Silhouette von Dakota auftauchen. Sie blickte sich suchend um. Wahrscheinlich nach ihm. Er hätte die Hand heben können, um sie auf sich aufmerksam zu machen, verzichtete jedoch darauf, weil nicht genügend Leute im Raum waren, als dass es nötig gewesen wäre. Außerdem hoffte er irgendwie, nicht bemerkt zu werden. Schließlich entdeckte sie ihn doch, kam zu ihm und ließ sich auf dem Hocker neben ihm nieder. Weil der wackelte, musste sie sich am Tresen festhalten.

Sie bestellte sich einen Gin Tonic und nahm langsam drei Schlucke. »Na, wie hältst du dich so?«, fragte sie ihn dann.

Paxton zuckte die Achseln.

Beide füllten das Schweigen mit Alkohol und starrten dabei in den Spiegel hinter der Reihe Schnapsflaschen.

»Dobbs wollte, dass ich mit dir spreche«, sagte sie schließlich. »Um sich zu vergewissern, dass alles in Ordnung ist.«

Wieder zuckte Paxton die Achseln. Er beschloss, von nun an nur noch so zu kommunizieren.

»Er hat die Frau freigelassen«, sagte sie, wandte sich ab und blickte zur Seite. Offenbar wollte sie nicht riskieren, ihm im Spiegel in die Augen zu sehen. »Du hattest was mit ihr, ich weiß, und ganz ehrlich, die war ganz schön scharf. Ich bin stolz auf dich. Aber jetzt hat man sie rausgeschmissen. Willst du ihr wirklich folgen?«

Paxton wandte sich Dakota halb zu. »Soll das eine Drohung sein?«

»Das kommt nicht von Dobbs, sondern von mir«, sagte sie. »Ich sage das in aller Freundschaft. Diese ganze Sache …« Sie hob ihr Glas und nahm einen tiefen Schluck. Obwohl noch etwas drin war, winkte sie dem Barkeeper. Während er den Drink bereitete, beugte sie sich nahe zu Paxton. »Diese ganze Sache ist ausgesprochen heikel. Deshalb will man vor allem, dass nichts davon ans Licht der Öffentlichkeit kommt. Und in aller Freundschaft rate ich dir, dich bedeckt zu halten. Dann hast du weiterhin ein gutes Leben, verstanden?«

»Nennst du das gut?«, fragte Paxton.

»Warst du in letzter Zeit mal im Freien? Hier ist es jedenfalls wesentlich besser als da draußen.«

Paxton nickte. Er hätte gern widersprochen, war dazu jedoch nicht in der Lage. Deshalb leerte er seinen Wodka und bestellte sich noch einen. Als könnte er Zinnia durch den Konsum von zu viel Wodka herbeibeschwören. Das war zwar eine total dämliche Vorstellung, aber besser als das, worüber er nicht nachdenken wollte.

»Ich hab da was für dich«, sagte Dakota.

Sie legte die Hand auf den Tresen und schob sie zu Paxton hinüber. Blickte sich um, ob sie beobachtet wurden, und hob dann die Hand. Darunter lag ein winziges Plastikschächtelchen mit Oblivion. Sie legte die Hand wieder darüber und wartete. Weil Paxton nicht danach griff, schob sie ihm den Behälter schließlich selbst in die Hosentasche.

Paxton ließ es zu, sagte aber: »Mal ehrlich, willst du mich verarschen? Nach allem, was passiert ist?«

»Das ist was Nagelneues«, sagte sie. »Oblivion zwei Punkt null sozusagen.«

»Was zum Teufel heißt das denn?«

»Gekonnt so verändert, dass man keine Überdosis mehr nehmen kann.« Sie strahlte Paxton an. »Ganz egal, wie viel man einnimmt. Wenn ein bestimmter Sättigungsgrad im Körper erreicht ist, pinkelt man den Rest aus. So was wie zu viel gibt es deshalb nicht mehr.«

»Ist das vielleicht ein Trick?« Paxton wollte den Behälter aus der Tasche ziehen, um ihn ihr zurückzugeben, befürchtete jedoch, dass das jemand mitbekommen könnte. »Willst du dafür sorgen, dass ich rausgeschmissen werde? Indem du mir Drogen unterschiebst?«

»Das ist doch das Schöne an der Sache«, sagte Dakota. »Es ist unsere eigene Operation. Wir haben sie selbst in der Hand.«

Paxton ließ den Kopf in die Hände sinken. Mit einem Mal fügten sich alle Puzzleteile zusammen.

Die Taskforce, die keine war. Dass man Warren im Auge behielt, ihn aber nicht zu sehr in die Zange nahm. Dass man den Transportweg ausfindig machen wollte, die Dealer jedoch in Ruhe ließ.

»Ihr wolltet den Handel gar nicht beenden«, sagte er. »Ihr habt nur das Produkt ersetzt.«

»Tu nicht so überheblich, Paxton, verdammt noch mal. Die Leute nehmen den Stoff sowieso, egal von wem er stammt. Wir lassen das Netzwerk intakt, befriedigen die Nachfrage und sorgen gleichzeitig für Sicherheit in unserer MotherCloud. Wir retten Leben und machen dabei ein bisschen Profit. Jeder gewinnt.«

»Weiß Dobbs Bescheid?«

Sie verzog den Mund. »Was meinst du denn?«

Paxton griff nach seinem Wodka und schüttete ihn hinunter. Der Alkohol brannte in der Kehle, aber nicht so stark, wie er es gebraucht hätte.

»Warum erzählst du mir das eigentlich?«, fragte er.

Dakota nahm ihren neuen Drink entgegen, leerte das erste Glas und schob es dem Barkeeper hin. Sobald der außer Hörweite war, beugte sie sich wieder zu Paxton und senkte die Stimme. »Weil wir jetzt wissen, dass wir dir vertrauen können. Du hast die richtige Wahl getroffen. Hast dich für uns entschieden. Ich habe dir ja gesagt, dass unser Job gewisse Vorzüge hat. Lass mich jetzt bloß nicht an dir zweifeln, okay, Paxy?«

Paxton wollte den Behälter aus der Tasche ziehen. Wollte ihn ihr an den Kopf werfen. Wollte schreien. Er wollte losrennen und sich vom Balkon von Live-Play drei Stockwerke in die Tiefe stürzen, wobei er sich zweifellos den Hals gebrochen hätte. Er wollte alles tun außer das, was er tat – er stand auf und verließ die Kneipe.

Als er am Eingang angelangt war, rief Dakota ihm hinterher: »Mach einfach weiterhin das Richtige, dann bleibst du ein echter Mustermitarbeiter!«

Paxton

Paxton wachte auf, zog sein blaues Poloshirt an und warf einen Blick auf sein Handy. Da er keine Nachricht von Zinnia vorfand, fuhr er zur Administration, wo er sich anmeldete, um anschließend auf Streife zu gehen. Er trottete die Promenade auf und ab, bis er müde war, dann setzte er sich eine Weile hin, und dann trottete er bis zum Ende seiner Schicht wieder hin und her. Setzte sich in den Pub und trank Bier, ging in seine Wohnung und versuchte einzuschlafen, ohne dabei an das Schächtelchen mit Oblivion in der Schublade neben dem Spülbecken zu denken. Tippte Nachrichten an Zinnia, die er dann löschte, ohne sie abgesendet zu haben.

Paxton

Paxton wachte auf, zog sein blaues Poloshirt an, warf einen Blick auf sein Handy, und da er keine Nachricht von Zinnia vorfand, fuhr er zur Administration, wo er sich anmeldete, um anschließend auf Streife zu gehen. Er trottete die Promenade auf und ab, bis er müde war, aß bei CloudBurger und machte dann weiter bis zum Ende seiner Schicht. Er ging in seine Wohnung, sah fern und versuchte, genügend Energie aufzubringen, um aufzustehen, zur Schublade neben der Spüle zu treten, das Schächtelchen mit Oblivion herauszunehmen und das Zeug in den Ausguss zu spülen, schlief jedoch stattdessen ein.

Paxton

Paxton wachte auf, zog sein blaues Poloshirt an, warf einen Blick auf sein Handy, und da er keine Nachricht von Zinnia vorfand, fuhr er zur Administration, wo er sich anmeldete, um anschließend auf Streife zu gehen. Er trottete die Promenade auf und ab, bis er müde war, setzte sich ein bisschen hin und machte dann weiter bis zum Ende seiner Schicht. Anschließend ging er ins Kino und stellte sich vor, dass Zinnia auf dem leeren Sitz neben ihm saß. Da er die ganze Zeit geradeaus starrte, konnte er das beinahe glauben. Er ging in seine Wohnung und wählte ihre Nummer, aber die war nicht mehr verfügbar.

Mitteilung vom Patentamt der Vereinigten Staaten

In Übereinstimmung mit Paragraf 16-A der Vorschriften für das Patentierungsverfahren der Vereinigten Staaten von Amerika senden wir Ihnen anbei eine Ausfertigung der Mitteilung über die vorläufige Ablehnung Ihres Antrags zu Ihrer Erfindung mit der Bezeichnung »Das Perfekte Ei«. Grund ist der Antrag eines anderen Unternehmens, das ein ähnliches Produkt mit der Bezeichnung »CloudEi« eingeführt hat und vertreibt. Sollten Sie Widerspruch gegen diesen Bescheid einlegen wollen, müssen Sie dazu einen Patentanwalt beauftragen, der auf dem vorgesehenen juristischen Wege tätig werden kann.

Das CloudEi!

Ein Werbespot in Schwarz-Weiß. Eine junge Frau steht in ihrer Küche. Fliesen im U-Bahn-Stil, Arbeitsflächen aus Marmor, Kupferpfannen an Haken.

Vor sich hat sie eine Schüssel stehen. Sie ist damit beschäftigt, hart gekochte Eier zu schälen, tut das jedoch ziemlich ungeschickt. Sie drückt die Finger hinein und reißt die Eier auseinander, sodass Eiweiß und Schalenstückchen durch die Gegend fliegen.

Frustriert blickt sie in die Kamera.

FRAU: Das muss doch irgendwie besser gehen!

Der Bildschirm wechselt von Schwarz-Weiß auf brillante Farben. Kurzfristig erstarrt das Bild.

KOMMENTAR: Und ob!

Auf einem Sockel dreht sich ein ovales Gerät, etwas größer als ein Ei. Von oben nach unten läuft daran ein Spalt entlang.

KOMMENTAR: Das neue CloudEi!

Die Frau nimmt das Gerät, klappt es auf, legt ein Ei hinein und stellt es in die Mikrowelle.

KOMMENTAR: Das CloudEi sorgt für allzeit perfekt hart gekochte Eier.

Schnitt auf einen Topf mit kochendem Wasser. Ein Buzzer ertönt, und ein rotes X legt sich über das Bild.

KOMMENTAR: Kein Theater mit unpräzisen Kochmethoden mehr. Und wenn das Ei fertig ist …

Schnitt auf die Frau, die das Gerät aus der Mikrowelle nimmt und aufklappt. Die Eierschale löst sich perfekt, das nackte Eiweiß glänzt wie ein Edelstein.

KOMMENTAR: Problemlos zu reinigen!

Schnitt auf eine lange Reihe von ovalen Geräten, nach den Primärfarben angeordnet.

KOMMENTAR: Ab sofort im Cloud-Store erhältlich!

Paxton

Paxton wachte auf, zog sein blaues Poloshirt an und fuhr zur Administration, wo er sich anmeldete, um anschließend auf Streife zu gehen. Er trottete auf der Promenade auf und ab, bis er müde war, dann ging er in seine Wohnung, zog die Schublade neben der Spüle auf und nahm den Behälter mit Oblivion heraus. Er legte ein einzelnes briefmarkengroßes Streifchen auf die Zunge, dann ein zweites, ein drittes und noch eines, bis sein Mund nach künstlichen Kirschen schmeckte. Dann taumelte er aufs Bett, wo er in einer warmen Umarmung versank, in einer bodenlosen Tiefe.

Paxton

Mit einem Kopf wie vollgestopft mit feuchter Watte wachte Paxton auf. Er taumelte zum Spülbecken, wo er das Schächtelchen vorfand, das jetzt aber leer war; ihm war nicht klar gewesen, dass er so viel davon genommen hatte. Einen Moment lang schätzte er sich glücklich, noch am Leben zu sein; dann fiel ihm ein, dass es bei dieser Version keine Überdosis gab, und er fragte sich, ob ihm das bewusst gewesen war, als er sich abends ein Streifchen nach dem anderen auf die Zunge gelegt hatte.

Er spülte sich den Kirschgeschmack aus dem Mund und war erleichtert, dass das Oblivion nicht mehr wirkte, überlegte jedoch außerdem, ob er sich wieder etwas besorgen sollte. Daran zu denken machte es leichter, sich nicht ständig an den Brief vom Patentamt zu erinnern.

Bevor er eine Entscheidung treffen konnte, summte seine Uhr, um ihm mitzuteilen, dass er bald zu spät zur Arbeit kommen würde. Mit schmerzenden Muskeln zog er sein blaues Poloshirt an und machte sich auf den Weg zur Administration.

»He!«, hörte er Dakota im Büro rufen.

Als er sich umdrehte, kam sie in ihrer neuen braunen Uniform auf ihn zugeschritten. Damit wirkte sie mehrere Zentimeter größer. Paxton fragte sich, ob das Lächeln wohl zur Uniform gehörte. So hatte er sie noch nie lächeln sehen. Er blieb stehen, bis sie ihn erreicht hatte.

»Kannst du mir einen Gefallen tun?«, fragte sie.

Er hob die Schultern. »Klar.«

Sie streckte ihm einen kleinen weißen Umschlag hin.

»Bring das zur Recyclinganlage. Warst du schon mal in der Gegend?«

»Nein.«

»Ich hab deine Uhr so programmiert, dass du hinfindest.« Dakota knuffte ihn an den Arm. »Danke, Partner. Hör mal, was meinst du, wenn wir irgendwann was trinken gehen, hm?« Strahlend zupfte sie an ihrer Uniform. »Wenn du so weitermachst, bis du als Nächster dran.«

»Klar, machen wir«, sagte Paxton ohne die Absicht, sich wirklich mit ihr zu treffen.

Er drehte sich um und ging zum Aufzug, froh darüber, von ihr und vom Büro wegzukommen. Vor allem freute er sich darauf, stumpfsinnig durch die Gegend zu wandern. Wenn er das tat, war er wenigstens allein. Umgeben von Hunderten Menschen konnte er allein sein.

Er fuhr mit der Bahn zur Aufnahme, wo er in die zu den Verarbeitungsanlagen umstieg. Sie war leer. In der Recyclinganlage stieg er aus und gelangte in einen Empfangsbereich aus Sichtbeton, wo ein asiatisch aussehender junger Mann in einem blauen Shirt ihm hinter seinem Tisch zunickte. Paxton wedelte mit dem Umschlag. »Soll ich abliefern.«

»Du bist im System angemeldet«, sagte der Mann mit Blick auf seine Uhr. »Direkt geradeaus.«

Paxton blickte auf die eigene Uhr. *Zweite Etage, Raum 2B.* Er fuhr mit dem Aufzug nach oben und folgte verwinkelten Fluren, bis er zu dem angegebenen Raum kam. Hier saß ein älterer Mann an einem Schreibtisch und grunzte, als Paxton ihm den Umschlag unter die Nase legte.

Auf dem Rückweg zum Aufzug sah er am Ende des Flurs einen Mann in einem grünen Poloshirt, der langsam einen Mopp über den glänzenden Boden schob.

Irgendetwas an dem Mann kam ihm bekannt vor.

Die Aufzugtür ging auf, und Paxton wollte schon eintreten, ließ die Tür jedoch wieder zugehen und drehte sich um. Der Mann blickte auf. Es dauerte eine Sekunde, weil er die Haare länger trug und sich einen unregelmäßigen Bart hatte wachsen lassen, doch dann erkannte Paxton ihn.

Es war Rick, der Typ, der Zinnia im Krankenhaus angegriffen hatte.

Rick hatte Paxton offenbar ebenfalls erkannt, jedenfalls ließ er den Mopp fallen und rannte den Flur entlang. Paxton folgte ihm, und als er an der nächsten Ecke angekommen war, sah er Rick angstvoll herüberstarren und dann durch eine Tür schlüpfen, wahrscheinlich in ein Treppenhaus. Als Paxton die Tür erreichte und seine Uhr an die Scannerscheibe hielt, leuchtete die rot auf.

Er versuchte es noch einmal. Weiterhin rot. Er zerrte an der Klinke, bevor er mit der flachen Hand ans Türblatt schlug. Einmal, zweimal, dreimal, bis seine Hand sich taub anfühlte. Als ihm klar wurde, dass er hier nicht weiterkam, sammelte er seinen ganzen Zorn in der Brust und hielt ihn fest, während er zur Administration fuhr. Dort marschierte er, ohne anzuklopfen, einfach ins Büro von Dobbs.

Der sprach gerade mit einem jungen Blauen und war sichtlich sauer, dabei unterbrochen zu werden, aber als er den Ausdruck auf Paxtons Gesicht sah, wurde seine Miene weicher. Offenbar wusste er, was er zu erwarten hatte. Er schickte den Neuling mit einer Handbewegung aus dem Raum.

Paxton wartete, bis der andere gegangen war, dann schloss er die Tür.

»Sie haben mir gesagt, dass Sie ihn gefeuert haben«, sagte er.

Dobbs atmete durch, dann legte er die Fingerspitzen aneinander. »Sie waren damit einverstanden, dass Ihre Freundin es nicht an die große Glocke hängt. Wir haben das ebenfalls nicht getan. Ist praktischer so.«

»Praktischer«, sagte Paxton. »Sie haben mir Ihr Wort gegeben.«

Dobbs erhob sich, worauf Paxton einen Schritt zurückwich. »Überlegen Sie doch mal«, sagte der Sheriff. »Er hat jetzt einen absolut beschissenen Job und ist von den meisten Leuten hier weitgehend abgeschottet. Die Sache ist gegessen.«

»Weshalb?«

»Paxton …«

»Das schulden Sie mir.«

»Ich schulde Ihnen gar …«

»Ich gehe hier nicht weg, bis Sie mir geantwortet haben.«

Dobbs seufzte. Blickte sich im Raum um, als hoffte er, einen Ausweg zu entdecken. »Wenn ich ihn rausschmeiße, muss ich eine Begründung angeben«, sagte er schließlich. »Und wenn ich den Fall als tätlichen Angriff bezeichne, muss ich einen Bericht einreichen, und dann muss ich mich dafür rechtfertigen, dass in meinem Bereich ein weiterer Vorfall stattgefunden hat. Wir haben ein paar aufregende Monate hinter uns, und die Statistik spricht momentan gegen mich. Da können wir es uns nicht leisten, noch mehr Scheiß auf den Haufen zu schaufeln, den wir schon haben.«

»Das heißt, wir vertuschen es? Wir lassen es einfach gut sein?«

»Jetzt reicht es aber.« Dobbs kam hinter dem Tisch

hervor und baute sich so dicht vor Paxton auf, dass er wieder das ihm vertraute Aftershave riechen konnte. »Mir ist klar, dass Sie hier jetzt eine Art Sonderstatus haben, aber aus meiner Sicht hat das nicht viel zu sagen. Ich kann Sie zwar nicht rausschmeißen, aber für alle Ewigkeit zum Schleusendienst verdammen. Kann Sie sogar auf die Hautkrebsrunde schicken. Bisher haben Sie sich immer als Teamplayer erwiesen, mein Junge. Lassen Sie mich jetzt bloß nicht im Stich, okay?«

Paxton wollte weiter wütend sein. Er wollte Dobbs Vorhaltungen machen, wollte irgendetwas sagen, was dem Alten wehtat.

Das war es, was er wollte, aber so fühlte er sich nicht. Von seinen Gefühlen her wünschte er sich verzweifelt, dass Dobbs weicher wurde und wieder so »mein Junge« zu ihm sagte, wie er es früher getan hatte, denn so, wie er die Worte jetzt aussprach, hatten sie eine Spitze.

Paxton ballte die Hände so fest zu Fäusten, dass sich die Nägel in die Haut bohrten. Er ging hinaus und sah sich nach Dakota um, auf der Suche nach neuer Glückseligkeit mit Kirschgeschmack.

Paxton

Während Paxton über die Promenade wanderte, grübelte er über alles nach, was ihn quälte, vor allem jedoch dachte er an den Kirschgeschmack, der auf seiner Zunge verblieben war. Weder verschwand der Geschmack, noch ließ er die Dinge verschwinden, die Paxton lieber vergessen wollte.

Er überlegte, was für ein Tag es war, und kam auf Sonntag, doch als er auf seine Uhr sah, stellte er fest, dass es sich um Mittwoch handelte. Er ging weiter, vergaß aber bald, wo er gerade gewesen war. Ein Neuankömmling erkundigte sich nach dem Weg zu Live-Play, und erst nachdem er ihn auf den Weg geschickt hatte, wurde ihm klar, dass es die falsche Richtung gewesen war. Kurz vor dem Ende seiner Schicht ging er zu Cloud-Burger und dachte beim Essen, dass dies der Höhepunkt dieses Tages sein würde. Welcher Wochentag das war, hatte er bereits wieder vergessen.

Ach ja, Mittwoch.

Als er das Lokal verließ, querte eine kleine weibliche Gestalt seinen Weg. Mit ihrem kahl geschorenen Kopf, ihrer bleichen Haut und ihrer schmächtigen Statur sah sie aus wie ein Alien. Sie trug ein rotes Poloshirt und wirkte nervös. Ihr Blick zuckte umher, die Muskeln waren angespannt. Paxton meinte schon, die Droge hätte ihm ein Loch ins Hirn gefressen, aber während er die Frau davongehen sah, wurde ihm klar, dass man jemand, von dem man mit einer Waffe bedroht worden war, nicht so schnell vergaß.

Ember hatte ihn nicht wahrgenommen, was ihn störte. Hatte sie jetzt nicht mal mehr einen Blick für ihn übrig? War er denn so unwichtig? Das war zwar eindeutig nicht die richtige Reaktion, aber so fühlte er sich eben, weshalb er ihr folgte. Dabei tastete er nach dem Ding in seiner Hosentasche, um sich zu vergewissern, dass es noch da war.

Sie stieg in die Bahn, und er stellte sich ein Stück weiter weg hin, aber direkt in die Mitte der Leute, wie um zu sagen: *Siehst du mich denn nicht?* Aber Ember hielt den Kopf gesenkt und verbarg ihr Gesicht.

In der Administration stieg sie aus und stellte sich an einem Terminal an. Vor ihr warteten etwa ein Dutzend andere. Paxton stellte sich neben sie. Als sie ihn von der Seite her anschaute, erstarrte sie und richtete den Blick nach vorn. Schloss die Augen, als könnte sie ihn dadurch wegzaubern.

»Hallo«, sagte Paxton.

Das war zwar lächerlich, aber etwas anderes fiel ihm nicht ein.

Sie seufzte lange und tief. Ließ die Schultern hängen.

»Natürlich«, sagte sie. »Natürlich, verdammt noch mal.«

»Da hast du den Einstellungstest also endlich überstanden«, sagte Paxton.

»Ausgerechnet du. Die ganzen Ressourcen, die wir in die Sache reingesteckt haben, und dann ...«

Paxton legte ihr die Hand auf den Arm und packte zu, sodass er sie fest im Griff hatte, ohne Aufsehen zu erregen. »Gehen wir«, sagte er.

Er hätte erwartet, dass sie sich wehrte, aber das tat sie nicht. Der Ausdruck in ihrem Gesicht war ihm vertraut; es war der gleiche, den er jeden Morgen im Spiegel auf dem eigenen sah: vollständige, den ganzen Körper erfassende Niedergeschlagenheit. Sie ließ sich von ihm wie eine Marionette zum Aufzug führen, wo er seine Uhr an den Scanner hielt, um zur Security-Etage hinaufzufahren.

Als Paxton ausstieg, hielt er Ember immer noch am Arm fest. Am Ende des langen Flurs war der offene Eingang des Großraumbüros, hinter dem er Leute in Blau hin und her gehen sah.

Zwischen dem Aufzug und dem Großraumbüro befanden sich sechs kleinere Räume. Einer davon war höchstwahrscheinlich gerade leer, da er nur verwendet wurde, um Besprechungen zwischen dem Security-Team und anderen Abteilungen abzuhalten.

Dritte Tür links.

Neben ihm trat Ember von einem Bein aufs andere. »Na?«

Paxton überlegte, ob er sie ins Büro schaffen sollte. Stellte sich die Blicke von Dakota und Dobbs vor, wenn die hörten, was ihm da gelungen war. Dass er eine Ratte erwischt hatte. Wenn Dobbs ihn dann wieder mit »mein Junge« anredete, war das vielleicht wirklich nett gemeint.

Auf halbem Wege blieb Paxton vor dem Besprechungsraum stehen, der tatsächlich leer war, und legte seine Uhr an den Scanner. Dann hielt er Ember die Tür auf, und sie trat ein. Das Mobiliar bestand lediglich aus einem Tisch mit einem daran befestigten Tablet und Stühlen auf jeder Seite.

An der Wand hing ein Schild, auf dem in schöner Schrift stand: DU KANNST ALLES MÖGLICH MACHEN!

Ember beäugte die Umgebung, und als Paxton die Tür schloss und das Licht einschaltete, trat sie in eine Ecke und hob schützend die Hände. Sie hatte sichtlich

Angst, mit einem Mann, den sie eigentlich nicht kannte, in einem fensterlosen Raum zu stecken. Mit einem Mann, den sie einmal mit einer Waffe bedroht hatte.

»Setzen!«, sagte Paxton.

Sie tappte zum Tisch, ohne ihn aus den Augen zu lassen, und setzte sich, als würde der Stuhl eine Bombe mit Druckzünder enthalten. Paxton ließ sich ihr gegenüber nieder und sah, dass ihre Angst sich in Verwirrung verwandelte. Sie betrachtete ihn wie ein abstraktes Gemälde, das erst entschlüsselt werden musste.

»Du siehst anders aus«, sagte sie. »Aber nicht auf positive Weise.«

Paxton reagierte mit einem Achselzucken.

Ember sah ihn fragend an. »Die Frau, mit der du zusammen warst. Wo ist die?«

»Du hattest unrecht«, sagte Paxton.

»Wie meinst du?«

»Was die Bücher angeht. Wir haben Exemplare von *Fahrenheit 451*. Den *Report der Magd* haben wir ebenfalls. Cloud unterdrückt solche Bücher nicht; es bestellt sie bloß niemand. Man hat schließlich keine Sachen auf Lager, die keiner haben will. Das ist einfach nur ... Das ist eine gute Geschäftsstrategie, oder? Liegt daran, dass der Markt bestimmt.«

Ember machte den Mund auf, sagte dann aber doch nichts. Ihre Miene drückte aus, dass es nicht darauf ankam.

»Wahrscheinlich spielt es gar keine Rolle, ob du recht oder unrecht hast«, fuhr Paxton fort. »Die Sache ist, dass die Leute nicht zugehört haben. Nicht weil man ihnen etwas vorenthalten hätte, sondern weil sie es nicht wissen wollten.«

Ember rutschte auf ihrem Stuhl herum.

»Wieso habt ihr es ausgerechnet auf diese Anlage abgesehen?«, fragte er. »Ihr habt schon einmal versucht, hier einzudringen, und es hat nicht geklappt. Wieso versucht ihr es nicht bei einer anderen MotherCloud?«

»Was soll das hier werden?«, fragte Ember. »Eine Therapiesitzung? Ein Verhör? Willst du meine Lebensgeschichte hören?«

»Beantworte die Frage.«

Ember seufzte. »Meine Eltern haben nicht weit von hier ein Café geführt, in einer hübschen kleinen Stadt. Ich bin dort aufgewachsen. Als die Stadt eingegangen ist, sind auch alle Orte drum herum gestorben. Samt dem Café und meinen Eltern.« Sie blickte auf ihre im Schoß liegenden Hände. »Man könnte es also als persönliches Interesse bezeichnen. Vielleicht zu persönlich.« Sie sah Paxton an. »Was tun wir hier eigentlich?«

»Was hattest du hier vor?«

»Das ist jetzt nicht mehr wichtig.«

»Sag schon«, stieß er scharf hervor. »Wo ist dein Streichholz?«

»Das habe ich nicht mitgebracht.«

Paxton lachte. »Willst du mich auf den Arm nehmen? Du hast es endlich geschafft, hier einzudringen, und hast das Programm nicht mitgebracht?«

»Bist du irre? Was, wenn man mich bei der Ankunft damit erwischt hätte? Weißt du, was dann mit mir passiert wäre? Ich habe versucht, eine Möglichkeit zu finden, wie man es reinschmuggeln kann. Außerdem habe ich mich nach einer Gelegenheit umgesehen, anderweitig Schaden zu verursachen.« Sie wandte seufzend den Blick ab. »Aber keine Chance. Alles ist verdammt gut abgeschirmt.«

Paxton griff in seine Hosentasche. Ja, der USB-Stick

war noch da. Er zog ihn heraus und spielte damit, ließ die Finger über das glatte Plastik gleiten. Ember riss die Augen auf. Sie hielt den Atem an.

Er wusste nicht, weshalb er das Ding überhaupt behalten hatte. Eigentlich hatte er es damals im Wagen aus dem Fenster werfen wollen. Als er in die Anlage zurückgekehrt war, hatte man es nicht entdeckt – da er ein Blauer war, hatten seine Kollegen an den Scannern nur flüchtig auf den Bildschirm geschaut. Einer von den Vorzügen. Erst in seiner Wohnung hatte er gemerkt, dass etwas in seiner Tasche steckte, und weil es ein Speicherstick war, der einen gewissen Wert besaß, hatte er ihn zunächst in die Schublade neben der Spüle gelegt, anstatt ihn wegzuwerfen.

Es war nur ein kleines Stück Plastik. Dennoch war es irgendwie nett gewesen, dass es in der Schublade lag, und seit der Begegnung mit Rick trug er es wie einen Schmeichelstein in der Hosentasche mit sich herum und rieb den Daumen daran, wenn er sich beruhigen und sammeln wollte.

Er hatte den Stick einfach bei sich haben wollen. Etwas herumzutragen, dem so viel Kraft innewohnte, vermittelte ihm ein bestimmtes Gefühl. *Gut* war nicht das richtige Wort. Keine Ahnung, wie er es nennen sollte. Er wusste nur, dass der Stick mehr Gewicht besaß, als es den Anschein hatte.

Jetzt legte er ihn auf den Tisch, mehr auf seiner Seite als auf der von Ember. »Was bewirkt der?«

Ember beugte sich vor, als wollte sie den Stick an sich nehmen. Paxton legte die Hand darauf.

»Es ist ein Virus«, sagte sie. »Er setzt die Triebwerke an den Cloud-Satelliten in Gang, um die aus ihrer Umlaufbahn zu schieben, aber nur ein winziges bisschen.

Deshalb würde das niemand merken, bis sie ein paar Wochen später plötzlich ihre Bahn verlassen und abstürzen. Cloud käme vollständig zum Stillstand, weil nichts mehr funktionieren würde, weder die Versandsysteme noch die Drohnennavigation, die Mitarbeiterverwaltung, das Banking. Ein Todesstoß wäre es nicht, aber es würde Cloud sehr, sehr lange lahmlegen. Vielleicht so lange, dass etwas anderes Wurzeln schlagen kann.«

»Aber dann würden viele Leute leiden«, sagte Paxton. »Viele würden ihre Arbeit verlieren. Und ihre Wohnung.«

Ember setzte ihr Pokerface auf. Zusammengekniffene Augen, Mund wie ein Strich. Sie richtete die Wirbelsäule auf. »Das System ist im Eimer. Es gibt nur eine Möglichkeit, es wieder einzurenken – indem man es niederbrennt und ganz von neuem anfängt. Angenehm kann so was natürlich nicht sein.«

»Und was ist, wenn es nicht klappt?«

Ember lächelte leicht. »Dann haben wir es wenigstens versucht. Ist das nicht besser, als gar nichts zu tun?«

Paxton taten die Füße weh. Der Rücken ebenfalls. Sein Magen fühlte sich von den Hamburgern im CloudBurger fettig und aufgebläht an. Außerdem verschwand der Kirschgeschmack einfach nie. Dabei mochte er Kirschen gar nicht.

Er schob ihr den USB-Stick zu. Sie griff danach und steckte ihn sofort in das Tablet. Tippte auf den Bildschirm. Er war gesperrt. Paxton beugte sich über den Tisch und hielt seine Uhr daran, um das Gerät einzuschalten.

»Mach schon«, flüsterte er.

Ember tippte auf das Display, während Paxton dasaß und sich wünschte, dass die Tür aufging, Dobbs hereinkam und alles sah. Irgendwie war er mit sich uneins, ob er wollte, dass jemand ihr Tun unterband, oder ob er dabei erwischt werden wollte.

Er beobachtete Ember, während die Minuten verstrichen.

Schließlich lehnte sie sich zurück und atmete ächzend aus.

»War es das?«, fragte Paxton.

Sie lächelte ihn an. Es war ein echtes Lächeln, das eine tiefe, substanzielle Emotion ausdrückte. Dieses Lächeln hätte er gern aufbewahrt, um es in der Tasche mit sich herumzutragen.

»Du bist ein Held, dass du so etwas tust«, sagte sie.

»Nein«, sagte er ruhig und fügte dann lauter hinzu: »Nein, bin ich nicht.«

»Darüber können wir später diskutieren«, sagte sie. »Jetzt müssen wir hier raus.« Sie stand auf und ging zur Tür.

Paxton folgte ihr. Er wusste nicht, warum, aber er tat es. Es kam ihm in diesem Moment richtig vor, ihr zu folgen. Sie nahm es wahr, hielt ihn jedoch nicht davon ab und ließ ihn hinter sich hergehen, bis sie zu den Aufzügen kamen. Nachdem er seine Uhr an den Scanner gehalten hatte, standen sie da und warteten. Ember trat von einem Bein auf das andere, als wollte sie davonrennen. Paxton behielt den Eingang des Großraumbüros im Blick und hoffte, dass niemand herauskam und ihn sah.

Die Aufzugtür ging auf. Dakota und Dobbs traten heraus.

Mit ihren braunen Uniformen kamen sie Paxton wie zwei Sandsteinblöcke vor. Sie nickten ihm beinahe gleichzeitig zu, dann musterten sie Ember von oben bis unten, wohl um abzuschätzen, ob sie sie kannten.

Paxton war wie versteinert. Er wusste nicht, was er sagen sollte. Er hatte das Gefühl, sich selbst zu sehen, wie er da mit Ember, Dakota und Dobbs stand. Die beiden wussten, was geschehen war, das mussten sie einfach wissen.

Es war vorbei. Zeit zu gehen. Dorthin, wo Zinnia jetzt war.

Dakota wollte etwas sagen, aber Paxton hüstelte schnell, um seine Stimme wieder in Gang zu bringen. »Die ist neu hier und hat sich verirrt«, sagte er. »Ich bringe sie wieder runter in die Eingangshalle.«

Dobbs nickte. »Kommen Sie danach in mein Büro. Ich muss was mit Ihnen besprechen.«

Paxton nickte, hielt den Atem an und stieß die Luft erst aus, als er mit Ember in den Aufzug getreten war und sich die Tür geschlossen hatte.

An der Bahnstation angelangt, stand Paxton in der regenbogenfarbenen Menge und hatte das Gefühl, von einem Scheinwerfer erfasst zu werden. Er erwartete, dass sich jeden Moment alle Blicke auf ihn richteten, aber nichts geschah. Er war nur ein Shirt, das sich von einem Ort zum anderen bewegte. Ember starrte so fest geradeaus, dass sie fast vibrierte. Als wollte sie irgendwie erzwingen, nicht geschnappt zu werden.

Sie stiegen in die Bahn und fuhren zur Aufnahme, und da Paxton Blau trug, achtete niemand auf sie, als sie auf das Rechteck aus weißem Licht zugingen. Draußen sah er über der öden Landschaft wellenförmig die Hitze aufsteigen, und dann hatten sie die Schwelle zwischen Dunkelheit und Sonnenlicht erreicht. Es war August, was man leicht vergessen konnte, wenn man sich nie draußen aufhielt. Als die Sonne auf Paxtons nackten Unterarm auftraf, verbrannte sie ihm fast die Haut.

Hinter sich fühlte er vom Inneren des Gebäudes her

kühle Luft heranwehen. Dort gab es alles, was man brauchte, man musste nur auf eine Taste drücken.

Ein Bett, ein Dach über dem Kopf und einen Job fürs ganze Leben.

Die Welt, die sich vor ihm ausbreitete, war eine flache Einöde voll toter Städte, in der es nichts zu hoffen oder zu erwarten gab – außer auf dem langen Weg zu etwas, was sich vielleicht als nichts erwies, an Durst zu sterben.

Aber vielleicht konnte man wirklich einfach davongehen. Vielleicht war das der erste Schritt. Das Streichholz war angezündet, und mit genügend Zeit und Sauerstoff konnte man das alles niederbrennen.

Aber ob etwas derart Großes so leicht zu zerstören war?

Mitten im Licht stehend, drehte Ember sich um und sah ihm fest in die Augen. Es war ein Blick, bei dem man sich zugleich größer und kleiner fühlte. Man erkannte den Fehler, den man gemacht hatte, war jedoch von der Hoffnung beseelt, man habe genügend Zeit, ihn wiedergutzumachen.

»Kommst du?«, fragte Ember, doch das hörte Paxton kaum, weil die Stimme von Zinnia ihm etwas ins Ohr flüsterte.

Danksagung

Schnallt euch an, ich muss einer Menge Leuten danken. Zuallererst meinem Agenten Josh Getzler. Dieses Projekt hat uns zusammengeführt. Er hat Vertrauen in mich gesetzt, als ich nicht mehr zu bieten hatte als den ersten Teil und ein vorläufiges Exposé. Seine Hilfe war unschätzbar. Dank gilt auch seinem phänomenalen Assistenten Jonathan Cobb (von dem ich meinen Lieblingsspruch zum Buch habe) wie auch allen anderen bei der HSG Agency. Besonders zu erwähnen sind Soumeya Roberts für ihre unermüdlichen Anstrengungen, das Buch international zu verkaufen, und Ellen Goff, die Hüterin der Auslandsrechte.

Dank gilt meinem Lektor Julian Pavia, einem Meister der Erzähltechnik, der mir geholfen hat, das volle Potenzial der Geschichte zu entwickeln. Seine Assistentin Angeline Rodriguez hat mir nicht nur wertvolle Kommentare gegeben, sondern auch sorgfältig die Aufgabe aller Assistenten erfüllt – dafür zu sorgen, dass alles erledigt wird. Ich hatte großes Glück, mit einem so engagierten Team wie dem bei Crown zusammenzuarbeiten – ein großer Dank gilt Annsley Rosner, Rachel Rokicki, Julie Cepler, Kathleen Quinlan und Sarah C. Breivogel. Dank schulde ich allen Agenten und Lektoren im Ausland, die Gefallen an dem Buch gefunden haben, vor allem Bill Scott-Kerr und dem Team von Transworld.

Meine Filmagentin Lucy Stille hat mich durch einen ebenso spannenden wie verwirrenden Prozess geleitet. In diesem Kontext danke ich auch Ron Howard, Brian

Grazer und dem gesamten Team von Imagine Entertainment, besonders Katie Donahoe für ihre Tipps.

Dank an meine Eltern und Schwiegereltern für ihre Liebe und Unterstützung. Dass sie mich Freunden und Verwandten ans Herz gelegt und auf meine Tochter aufgepasst haben, hat es mir ermöglicht, meine Laufbahn als Schriftsteller zu verfolgen.

Wohl den größten Dank verdient meine Frau Amanda. Ich kann gar nicht ausdrücken, wie viel sie für mich getan hat. Vom ersten Tag an war sie mit ihrem Scharfsinn und ihrer unermüdlichen Unterstützung für mich da. Dabei hat sie echte Opfer gebracht. Seit ich sie kenne, bewundere ich ihre Intelligenz, ihren Humor und ihre Anmut.

Ich danke meiner Tochter, die mich jeden einzelnen Tag daran erinnert, ein besserer Mensch zu werden, ihr eine bessere Welt zu hinterlassen und Bücher zu schreiben, die hoffentlich in die richtige Richtung weisen.

Schließlich noch ein paar Worte zur Widmung. Maria Fernandes hat sich in New Jersey mit Teilzeitjobs in drei verschiedenen Filialen von Dunkin' Donuts über Wasser gehalten. Als sie 2014 zwischen zwei Schichten in ihrem Auto schlief, strömte durch einen Defekt Gas aus, und sie erstickte. Sie hatte Mühe, die monatlichen 550 Dollar für ihre Kellerwohnung aufzubringen. Im selben Jahr hat Nigel Travis, der CEO von Dunkin' Brands, laut dem *Boston Globe* 10,2 Millionen Dollar verdient. Mehr als alles andere lebt die Geschichte von Maria im Zentrum dieses Buches.

Der Autor

Rob Hart hat als politischer Journalist, als Kommunikationsmanager für Politiker und im öffentlichen Dienst der Stadt New York gearbeitet. Er ist Autor einer Krimiserie und hat zahlreiche Kurzgeschichten veröffentlicht. *Der Store* ist sein erster großer Unterhaltungsroman. Derzeit ist er Verleger von MysteriousPress unter dem Dach von The Mysterious Bookshop in Manhattan. Rob Hart lebt mit Frau und Tochter auf Staten Island.